KB141323

현대어본 명주보월빙

현대어본

명주보월빙

10

역주

최
길
용

이 저서는 2010년도 정부재원(교육부 인문사회연구역량강화사업비)
으로 한국연구재단의 지원을 받아 연구되었음(NRF-2010-327-A00283)
This work was supported by the National Research Foundation of
Korea Grant funded by the Korean Government(NRF-2010-327-A00283)

서문 ● ●

텔레비전이나 라디오가 없던 시절, 소설은 우리 선인들에게 무료한 일상을 달래며 인간사의 다양한 문제들에 대한 여러 생각들을 공유하게 해주던 매우 유용한 미디어였다. 아낙네들의 길쌈하던 일자리나 밤 마실 자리에도, 고관대가 귀부인들의 침실이나 근엄한 사대부들의 책상위에서도, 길가는 사람들로 붐비던 남대문이나 종로거리에서도, 소설은 오늘의 TV나 라디오처럼 사람들의 눈과 귀를 사로잡았다. 그리하여 아낙네들은 소설 없는 밤을 견디지 못하여 금반지나 쌀자루를 들고 세책가를 뻔질나게 들락거렸고, 먹고살 길이 막막했던 어느 곱상한 총각은 여자 강독사로 변장을 하고 판서대감댁 마님 방을 드나들며 소설을 읽어주다 불륜사실이 들통 나 죽음을 당하기도 했다. 그런가하면 공청에서 소설 삼매경에 빠져있던 어느 대감님은 갑작스러운 방문객에 화들짝 놀라 공문서로 소설책을 덮어놓고 시치미를 떼기가 다반사였는가 하면, 종로의 한 담뱃가게 점원 녀석은 전기수가 들려주던 삼국지에 팔려 있다가, 악한 조조가 착한 유비를 몰아붙이는 대목에서 화가나, 담배 썰던 칼을 들고 나와 애꿎은 전기수를 찔러 죽이는 살인사건이 일어나기도 했다.

이렇듯 18-19세기 조선사회는 온통 소설열독에 빠져 있었다. 글을 아는 사람이든 모르는 사람이든, 양반이든 평민이든, 남자든 여자든, 노인이든 젊은이든 할 것 없이 삼천리 방방곡곡이 소설열풍에 휩싸여 있었다. 그렇게 될 수 있었던 것은 무엇보다도 소설이란 장르의 문학적 특성 곧 이야기 문학이 갖는 접근의 무제한성에 있다. 우리 모두가 알고 있는 바와 같이, 이야기는 사건의 흐름을 통해서 이해되는 것이지, 꼭 글자를 통해서만 이해되는 것이 아니다. 비록 글자로 쓰인 이야기라 하더라도, 그것을 누군가가 대신 읽어주거나, 먼저 읽은 사람이 읽은 내용을 말해주는 것을 듣고도, 얼마든지 그 이야기의 내용을 이해할 수가 있고 공감을 가질 수가 있다. 이러한 특성 때문에, 당시에는 글자를 모르는 사람이나 책읽기를 고역스럽게 여기는 사람을 위해, 책을 대신 읽어주는 강독사나, 책을 먼저 읽고 그 내용을 구수한 입담으로 풀어 이야기해주는 전기수와 같은 새로운 직업인이 나타나기도 하였다.

그러나 이 시대를 한국문학사에서 소설의 시대로 꽃피우게 한 것은 뭐니 뭐니 해도 한글필사본소설들의 범람이다. 한글필사본소설들은 한글의 쓰기 쉽고 빨리 쓸 수 있다는 장점과, 필사본의 간편하면서도 저렴한 제책 방식이 갖는 장점을 최대한 활용한 것으로서, 가정이나 궁중 세책가 등에서 다투어 소설들을 베껴 돌려가며 읽었다. 특히 세책가에서는 여러 종의 한글필사본들을 다량으로 확보해 놓고 본격적으로 소설 대여업에 나섬으로써, 이 시대 소설열풍에 더 큰 불을 지폈다.

이 작품 〈명주보월빙〉연작 235권(〈명주보월빙〉100권, 〈윤하정삼문취록〉105권, 〈엄씨효문청행록〉30권)은 위에서 말한 바의 18세기 말 한국고소설의 전성시대에 나왔다. 그 작품분량은 원문 글자 수가 도합 332만3천여 자(〈보월빙〉1,475,000, 〈삼문취록〉1,455,000, 〈청행록〉393,000)에 이를 만큼 방대하여, 당대 조선조 소설문단의 창작적 역량을 한눈에 보여주는 대작이다. 이 연작은 한국고소설사상 최장편소설로 꼽히는 작품일 뿐 아니라, 동시대 세계문학사에서도 그 유례를 찾아볼 수 없는 대장편서사체이다. 그 분량이 하루에 3-4시간을 들여 하루 한권씩을 꼬박꼬박 읽어낼 수 있는 아주 성실한 독자라고 할 때, 무려 235일간을 읽어야 다 읽어낼 수 있는 분량이니, 이 작품이 당시 궁중에서도(낙선재본), 일반대중들 사이에서도(박순호본: 이것은 세책본이다) 널리 읽혀졌던 사실을 염두에 둔다면, 당대 우리사회의 소설열독 풍조와 세책가의 활황이 어느 정도였을 지를 가히 짐작하고도 남게 한다.

양식 면에서, 《명주보월빙 연작》은 중국 송나라를 무대로 하여 윤·하·정 3가문의 인물들이 대를 이어 펼쳐가는 삶을 다룬 〈보월빙〉·〈삼문취록〉과, 윤문과 연혼가인 엄문의 인물들이 펼쳐가는 삶을 다룬 〈청행록〉으로 이루어져, 그 외적양식 면에서는 〈보월빙〉-〈삼문취록〉-〈청행록〉으로 이어지는 3부 연작소설이며, 내적양식 면에서는 윤·하·정·엄문이라는 네 가문의 가문사가 축이 되어 전개되는 가문소설이다.

내용면에서 보면, 이 연작에는 모두 787명(〈보월빙〉275, 〈삼문취록〉399, 〈청행록〉113)에 이르는 수많은 인물군상이 등장하여, 군신·부자·부부·처첩·형제·친구 등 다양한 인간관계에서 벌어지는 숱한 사건들을 펼쳐가면서, 충·효·열·화목·우애·신의 등의 주제를 내세워, 인륜의 수호와 이상적인 인간 공동체의 유지, 발전을 위한 선적가치(善的價値)들을 권장하고 있다. 아울러 주동인물군의 삶을 통해 고귀한 혈통·입신양명·전지전능한 인간·일부다처·오복향수·이상향의 건설 등과 같은 사대부귀족계급의 현세적 이상을 시현해놓고 있다.

필자는 이 책 『현대어본 명주보월빙』의 편찬에 앞서 『교감본 명주보월빙』(全5권, 학고방, 2014.2)을 편찬 간행한 바 있다. 이 교감본 명주보월빙』은 〈명주보월빙〉의 두 이본, 곧 100권100책으로 필사된

'낙선재본'과 36권36책으로 필사된 '박순호본'을 원문내교(原文內校)와 이본대교(異本對校)의 2단계 원문교정 과정을 거쳐 각 텍스트의 필사과 정에서 생긴 원문의 오자·탈자·오기·연문·결락들을 교정하고, 여 기에 띄어쓰기와 한자병기 및 광범한 주석을 가해 편찬한 것으로써, 컴 퓨터 문서통계 프로그램이 계산해준 이 책의 파라텍스트(para-text)를 제외한 본문 총글자수는 539만자(낙본 2,778,000자, 박본2,612,000 자)에 이른다.

이 책은 위 두 이본 중 선본인 낙선재본 교감본(2,778,000자)을 대본 으로 하여 이를 현대어로 옮긴 것으로, 그 총분량은 282만자에 달한다. 앞의 교감본이 연구자를 위한 전문학술도서 국배판 전5권으로 편찬된데 비해, 이 현대어본은 중·고·대학생과 일반대중을 위한 교양도서(소 설)로 성격을 전환하고, 그 규격을 경량화 하여 신국판 전10권으로 편 찬함으로써, 책의 부피가 주는 중압감과 지나치게 작고 빽빽한 글자가 주는 눈의 피로를 해소하기 위해 노력했다.

이 현대어본의 편찬 목적은 고어표기법과 한자어·한자성어·한문문 장체 표현 위주의 문어체 문장으로 되어 있는 원문을, 현대철자법과 현 대어법에 맞게 번역하거나, 한자병기, 주석, 띄어쓰기를 가해 가독성(可 讀性)이 높은 텍스트로 재생산하여, 일반 독자들에게 '읽기 쉬운 책'을 제공하는데 있다. 그리고 이렇게 함으로써 독자들이 누구나 쉽게 우리 의 고전문학에 접근할 수 있게 하고, 일찍이 세계 최고수준의 소설문학 을 창작하고 향유했던 민족문학에 대한 이해와 자긍심을 높이 갖도록 하는 데 있다.

아무쪼록 이 책의 출판을 계기로 이 작품이 더 많은 독자들과 연구자,

문화계 인사들의 사랑과 관심을 받게 되고, 영화나 TV드라마 등으로 제작되어 민족의 삶과 문화가 더 널리 전파되어 갈 수 있기를 기대한다. 이 작품들 속에 등장하는 앵혈·개용단·도봉잠·회면단·도술·부적·신몽·천경 등의 다양한 상상력을 장착한 소설적 도구들은 민족을 넘어 세계인들의 사랑과 흥미를 이끌어내기에 충분할 것으로 믿어 의심치 않는다.

끝으로 어려운 출판 여건 속에서도 『교간본 명주보월빙』(全5권)에 이어, 전10권이나 되는 이 책의 출판을 흔쾌히 맡아주신 도서출판 학고방의 하운근 대표님과, 편집과 출판을 맡아 애써주신 직원 여러분께 깊은 감사를 드린다.

2014년 4월 20일
최길용
(전북대학교겸임교수)

● ● 일러두기

　　이 책 『현대어본 명주보월빙』은 필자가 〈명주보월빙〉의 두 이본, 곧 100권100책으로 필사된 '낙선재본'과 36권36책으로 필사된 '박순호본'을, 원문내교(原文內校)와 이본대교(異本對校)의 2단계 원문교정 과정을 거쳐, 각 텍스트의 필사과정에서 생긴 원문의 오자·탈자·오기·연문·결락들을 교정하고, 여기에 띄어쓰기와 한자병기 및 광범한 주석을 가해 편찬한 『교감본 명주보월빙』(全5권, 학고방, 2014.2.)의, '낙선재본 교감본'을 대본(臺本)으로 하여, 이를 현대어로 옮긴 것이다.

　　그 방법은 원문 가운데 들어 있는 ①난해한 한자어나, ②한문문장투의 표현들, ③사어(死語)가 되어버려 현대어에 쓰이지 않는 고유어들을, 1.현대어로 번역하거나, 2.한자병기(漢字倂記)를 하거나, 3.주석을 붙여, 독자가 그 뜻을 쉽게 이해할 수 있도록 하되, 그 이외의 모든 고어(古語)들은 4.표기(表記)만 현대 현대철자법에 맞게 고쳐 표기하는 방식으로 이 책 『현대어본 명주보월빙』을 편찬하였다.

　　여기서는 위 1.~4.의 방법에 대해 한 두 개씩의 예를 들어 두는 것으로, 본 연구의 현대어본 편찬방식을 간단하게 밝혀두기로 한다.

1. 번역

　　한문문장투의 표현이나 사어(死語)가 된 고어는 필요한 경우 현대어로 번역하였다.

㉠ '조디쟝ᄉ(鳥之將死)이 기셩(其聲)이 쳐(悽)ᄒ고, 인지쟝ᄉ(人之將死)의 기언(其言)이 션(善)ᄒ다.'ᄒ니, 슉뫼 반ᄃ시 별셰(別世)ᄒ시려 이리 니르시미니

⇒ '새가 죽을 때면 그 소리가 슬프고, 사람이 죽을 때면 그 말이 착하다' 하니, 숙모 반드시 별세(別世)하시려 이리 이르심이니,

㉡ 그대 집 변고는 불가사문어타인(不可使聞於他人)이라. 우리 분명이 질녜 무사히 돌아감을 보아시니, 그 사이 변괴 있음이야 어찌 몽리(夢裏)의나 생각하리오마는

⇒ 그대 집 변고는 남이 들을까 두려운지라. 우리 분명히 질녀가 무사히 돌아감을 보았으니, 그 사이 변괴 있음이야 어찌 꿈속에서나 생각하였으리오마는

㉢ 안비(眼鼻)를 막개(莫開)'라

⇒ 눈코 뜰 사이가 없더라.

㉣ 성각이 망지소위중(罔知所爲中) 차언(此言)을 듣고

⇒ 성각이 당황하여 어찌해야 할지를 알지 못하는 가운데 이 말을 듣고

㉤ 기불미새(豈不美之事)리오?

⇒ 어찌 아름다운 일이 아니겠는가?

xii

ⓑ 사어(死語)가 된 고어는 필요에 따라 번역하였다.

　예)써지우다/처지게 하다 떨어지게 하다　　다리다/당기다

　　-도곤/-보다　　아/아우　　아이/아우 동생　　남다/넘다

　　아쳐ᄒ다/흠을 잡다 싫어하다 미워하다　　쌘다/뽑다

　　무으다/쌓다 만들다　　흉희(胸海)/가슴　　나/나이

2. 한자병기(漢字倂記)

　어려운 한자어 가운데 한자만 병기하여도 그 뜻을 쉽게 이해할 수 있는 말은 구태여 주석을 붙이지 않고 한자만 병기하였다.

　㉠ 신부의 화용월틱(花容月態) 챤연쇄락(燦然灑落)ᄒ여　챵졸의 형용ᄒ여 니르지 못ᄒᆯ디라.

　　⇒ 신부의 화용월태(花容月態) 찬연쇄락(燦然灑落)하여 창졸에 형용하여 이르지 못할지라.

3. 주석(註釋)

　한자병기만으로 뜻을 이해할 수 없는 한자어나, 사어(死語)가 된 고어는, 주석을 붙여 그 뜻을 밝혀 두어, 독자가 쉽게 이해할 수 있게 하였다.

　㉠ 윤태위 빅의소딕(白衣素帶)로 죄인의 복식을 ᄒ여시나, 화풍경운(和風慶雲)이 늠연쇄락(凜然灑落)ᄒ여　농미봉안(龍眉鳳眼)이며 연함호뒤(燕頷虎頭)오 월면단슌(月面丹脣)이니

　　⇒ 윤태우 백의소대(白衣素帶)1)로 죄인의 복색을 하였으나, 화풍경운(和風慶雲)이 늠연쇄락(凜然灑落)ᄒ여, 용미봉안(龍眉鳳眼)2)이며 연함호두(燕頷虎頭)3)요 월면단순(月面丹脣)4)

이니

주) 1) 백의소대(白衣素帶) : 흰 옷과 흰 띠를 함께 이르는 말로
벼슬이 없는 사람의 옷차림을 말함.

2) 용미봉안(龍眉鳳眼) : '용의 눈썹'과 '봉황의 눈'이란 뜻으
로, 아름다운 눈 모양을 표현한 말.

3) 연함호두(燕頷虎頭) : 제비 비슷한 턱과 범 비슷한 머리
라는 뜻으로, 먼 나라에서 봉후(封侯)가 될 상(相)을 이
르는 말.

4) 월면단순(月面丹脣) : 달처럼 환하게 잘생긴 얼굴에 붉
고 고운 입술을 가짐.

ⓛ 촌촌(寸寸) 젼진ᄒᆞ여 걸식 샹경ᄒᆞ니, 대국 인물의 셩흠과 번화ᄒᆞ
미 번국과 ᄂᆡ도ᄒᆞᆫ디라.

⇒ 촌촌(寸寸) 전진하여 걸식 상경하니, 대국 인물의 성함과 번
화함이 번국과 내도한지라1).

주) 1)내도하다 : 매우 다르다. 판이(判異)하다.

ⓒ ᄌᆞ녀를 셩취(成娶)ᄒᆞ여 영효(榮孝)를 보미 극히 두굿거오나 내
스스로 ᄆᆞ음이 위황 (危慌)ᄒᆞ니

⇒ 자녀를 성취(成娶)하여 영효(榮孝)를 봄이 극히 두굿거우나1)
내 스스로 마음이 위황(危慌)하니

주) 1) 두굿겁다 : 자랑스럽다. 대견스럽다.

4. 현행 한글맞춤법 준용

고어는 그것을 단순히 현대철자법으로 고쳐 표기하는 것만으로도 그

90% 이상이 현대어로 전환된다. 따라서 현대어본 편찬 작업의 중심은 고어를 현대철자법으로 바꿔 표기하는 작업에 있다 할 것이다. 이 책에서의 현대어 전환표기 작업은, 번역을 해야 할 말을 제외한 모든 고어 원문을, 현행 한글맞춤법을 준용하여, 현대 철자법으로 고쳐 표기하는 방식으로 진행하였다. 그리고 그 작업에는 다음의 몇 가지 원칙이 적용되었다.

① 원문의 아래아 (·)는 'ㅏ'로 적음을 원칙으로 한다.
(ᄌᆞ녀⇒자녀, 잉ᄐᆡ⇒잉태, 영ᄋᆞ⇒영아, 이 ᄀᆞᆺ흔⇒이 같은, 예외; 업거ᄂᆞᆯ⇒ 없거늘)

② 원문의 연철표기는 현대어법을 따라 분철표기를 원칙으로 한다.
(므어시⇒무엇이, 본바들⇒본받을, 슬프믈⇒슬픔을, 고으믈⇒고움을, 아라⇒알아)

③ 원문의 복자음은 현행 맞춤법 규정을 따라 표기한다.
(ᄡᅣᆼ뇽⇒쌍룡, ᄠᅳᆺ⇒뜻, ᄡᅩ아⇒쏘아, ᄭᆡᄃᆞᆺ디⇒깨닫지, ᄲᆞᆯ니⇒빨리, ᄯᆞᆯ오더니⇒따르더니)

④ 원문의 표기가 두음법칙·구개음화·원순모음화·단모음화 등의 음운변화로 인해 달라진 말들은 현행 맞춤법 규정을 따라 표기 한다.
(뉴시⇒유씨, 녕아⇒영아, 텬죠⇒천조, 뎐상뎐하⇒전상전하, 믈⇒물, 쥬쥬⇒주주)

5. 종결·연결·존대어미 등의 원문 준용

문어체 위주의 원문 문장은 구어체 위주의 현대문장과 현격한 문체적 차이를 갖고 있다. 특히 문장의 종결어미나 연결어미, 존대어미는 글의 문체적 특성을 드러내는 매우 중요한 요소들이기 때문에 역자가 이를 현대문의 문체로 고쳐 표현하는 것은 한계가 있을 수밖에 없다. 그것은 문어체 문장이 갖고 있는 장중(莊重)하고도 전아(典雅)하면서 미려(美麗)하고 운률적(韻律的)인 여러 미감(美感)들을 깨트려놓음으로써, 원전의 작품성을 크게 훼손할 수가 있기 때문이다. 따라서 이 책에서는 원문의 종결·연결·존대어미들을 원문의 형태를 준용하여 옮기되, 앞의 원칙(4. 현행 한글맞춤법 준용)에 따라 철자법만 현대 철자법으로 고쳐 옮겼다. 다만 연결어미의 반복적 사용으로 문장이 매끄럽지 못하거나 지나치게 길어진 경우에는 이를 적절히 교정하였다.

목차 ● ●

명주보월빙 권지구십일

어시에 금평후 가로되,

"차후란 경심계지 하여 어른을 속이려 말라."

경사도 웃음을 띠어 왈,

"소질이 옥 같은 누이를 창백에게 허하여 혼사를 이루매, 창백은 무상하여 치사할 줄 모르거니와, 연숙은 소생을 대하여 각별하신 치사(致辭)가 있을까 하였더니, 여러 춘추가 바뀌도록 한 말씀 칭사하심은 없고, 오늘날 변수(便水) 맛봄을 신명(神明)의 벌함이라 하시니, 연질(緣姪)이 원통하고 애달음을 이기지 못하나이다. 연질이 창백을 도와 합하를 잠깐 기망(欺罔)함은 그르오나, 소매 같은 숙녀 철부로써 합하의 자부지열(子婦之列)을 채우게 하온 공은 적지 아니 하나이다."

금후 소왈,

"자부의 아름다움은 천생작인(天生作人)의 비상함이니 천유의 공이 아니요, 연분이 있으면 천애(天涯)[1]라도 면치 못하나니, 천유가 구태여 영매(令妹)를 허하여 천흥의 아내를 삼았으리요. 막비연분(莫非緣分)이니 현질에게 치사할 일이 없도다."

---

1) 천애(天涯) : ①하늘의 끝. ②이승에 살아 있는 핏줄이나 부모가 없음을 이르는 말.

사도 대소왈,

"연숙의 말씀이 이 같으시니 다시 고할 말씀이 없나이다. 원간 창백이 사람의 은덕을 알지 못함이 연숙께로써 내린 품(品)이랏다 소이다."

금후 대소하고, 중객이 서로 즐겨 종일토록 날리는 잔이 분분하고 희소(喜笑)가 끊이지 않더니, 황혼에 파연곡(罷宴曲)을 주하니, 내외빈객이 취한 것을 붙들려 각귀기가(各歸其家)하고, 여흥(餘興)을 이어 공이 제아(諸兒)를 춤 추여 태부인을 보시게 할 새, 현기 등의 무수(舞袖) 신기롭고 편편(翩翩)하여 부숙(父叔)을 효칙(效則)하니, 태부인과 금후 부부 두굿기며 애중함이 만금보옥(萬金寶玉)으로 견즐 바 아니라.

예부의 장자 은기 칠세로되, 용호(龍虎)의 기습(氣習)과 천일지표(天日之表)가 백부 제왕을 일편 되게 품습(稟襲)하여 다름이 없으니, 존당이 귀중하고 일가가 칭찬하여 큰 그릇으로 미룸이, 십 세 전 소아 같지 않더라.

삼일을 연(連)하여 빈객을 대회하고, 이원어악(梨園御樂)[2]으로 낙극단란(樂極團欒)하매, 술은 해수(海水)의 넉넉함이 있고 음식은 태산 같아서, 천만인을 대접하나 진(盡)치 않을 뿐 아니라, 취운산을 지나는 행인이라도 취치 않고 포복치 않을 이 없으니, 노복 등이 구실 삼아 대로변에 남자 여인을 청하여 주찬을 대접하니, 연석의 장함을 일컫지 않는 이 없는지라. 삼일대연(三日大宴) 후 악공 창기 등을 상사(賞賜)하여 보내고, 금후 부자가 상표(上表)하여 성은을 사례하니, 상이 인견하시어 사주(賜酒)하시고 호호(浩浩)한 복록을 일컬으시더라.

---

2) 이원어악(梨園御樂) : 장악원의 궁중 아악. *이원(梨園); ①중국 당나라 때, 현종이 몸소 배우(俳優)의 기술을 가르치던 곳. ②장악원(掌樂院); 조선 시대에 음악에 관한 일을 맡아보던 관아로, 연산군 때 전악서를 고친 것이다.

이후로 정부의 반점 시름이 없고 공주 문득 태신(胎身)의 경사 있으니, 존당 구고 관인 후덕함으로 공주의 슬하 적막함을 아연이 여기다가, 태기 있음을 가장 깃거 생남하기를 희망하니, 자부(子婦) 여아(女兒) 간에 처음으로 유신함 같아서, 손아를 보지 못한 사람이라도 이에서 더하지 못할지라. 문양공주 궐정왕래(闕庭往來)를 빈빈(彬彬)이 하여 제후(帝侯)께 자주 조알(朝謁)하매, 매양 전과를 뉘우치고 윤의열 등의 성덕을 일컬어, 의열을 믿고 바람이 범연치 아니하니, 제후가 이로 좇아 윤비의 성심숙덕을 더욱 자세히 알아 기특히 여기시고, 공주의 회심자책(回心自責)은, 으뜸은 윤비의 감화한 덕이요, 버거는 한상궁의 어질게 인도함이라 하시어, 아름다이 여기사 상궁을 각별 상사하시고 충의를 재삼 일컬으시니, 상궁이 황공 감은함을 이기지 못하여 하고, 공주 또 일삭에 수일씩 모비(母妃) 궁에 나아가 현알하고, 그 적막비고(寂寞悲苦)한 정사를 위로하더니, 김귀비 그 부형의 대역으로 흉화(凶禍)에 참예하고 삼족(三族)[3]이 남지 않은 슬픔과 망극함은 이르지도 말고, 일녀의 신세 아주 볼 것 없이 되었음을 더욱 참절하여, 주주야야에 죽기를 자분하되, 일명을 능히 끊지 못하여 하더니, 의외(意外) 공주 제왕의 돌아봄을 얻어 부부윤의를 차리며, 구고 자부지열(子婦之列)에 용납하고 황상이 부녀천륜지정(婦女天倫之情)을 비로소 펴심을 당하여, 공주 수미(愁眉)을 잠깐 열고 태신(胎身)의 경사 있음을 보매, 오히려 한 일이나 위로할 곳이 있어 공주를 본 적마다, 전일 자기 등의 악사를 뉘우치고, 윤의열의 성덕혜화(聖德惠化)를 감격하여 모녀 다만 의열의 만복을 축하니, 의열의 덕이 호호하여 문양 같은 대간대악(大奸大惡)도 감화하매, 김귀비까지 의열을 여중성자(女中聖者)로 알아 각골감은 함이 되니,

---

3) 삼족(三族) : 부계(父系), 모계(母系), 처계(妻系)를 통틀어 이르는 말.

이로 좇아 윤비의 덕화를 알리러라.

차시 남창후 윤사마(尹司馬)의 형제, 존당과 호람후 부부며 조부인을 모셔 흐르는 일월에 한 조각 근심이 없이, 열친을 위주하며 형제 우공함이 날로 더한지라, 형제 일시 떠남을 먼 이별같이 여기며, 창후의 과격 준급(過激峻急)하기에도 평생 동평후를 대하여는 마음에 분노함이 있다가도, 그 아우의 경운화풍(慶雲和風)을 대하면 풀어져 불평한 사색이 없는지라. 태부 그 형으로 동년동일(同年同日)에 난 바로되, 창후의 만사 흰칠하고 기특하나, 오히려 동평후의 성명관자(聖明寬慈)함을 잠깐 미치지 못하나, 오히려 동평후 스스로 형에서 나은 체를 아니 하여, 매양 가중 대소사에 야야와 형장께 취품하여 명령을 기다려, 자기 마음에 대단히 불합함이 있으면 나직이 자기 소견을 고할지언정, 아무 일에 다다라도 자전(自專)하는 바 없고, 창후를 공경하며 두려함이 엄부 버금으로 하여, 빈빈한 예절이 갈수록 새로우니, 일가문중이 탄복 칭선함은 이르도 말고, 제우붕당(諸友朋黨)의 기대추앙(期待推仰)함이 칠십자(七十子)[4]의 공부자(孔夫子)[5]를 앙망함 같은지라.

윤 태부 한갓 집에 들어 존당과 양 모친이며 부친을 봉효하는 정성이 동동촉촉(洞洞屬屬)하여 출천대효는 제순(帝舜)[6] 증삼(曾參)[7]을 따를

---

4) 칠십자(七十子) : 공자의 제자. 흔히 공자의 제자로 10철(哲) 72현(賢) 3000문도(門徒)를 일컫는다. 여기서 칠십자(七十子)는 72현인(賢人)을 말한다.

5) 공부재(孔夫子) : 공자(孔子). 중국 춘추 시대의 사상가·학자(B.C.551~B.C. 479). 이름은 구(丘). 자는 중니(仲尼). 노나라 사람으로 여러 나라를 두루 돌아다니면서 인(仁)을 정치와 윤리의 이상으로 하는 도덕주의를 설파하여 덕치 정치를 강조하였다. 만년에는 교육에 전념하여 3,000여 명의 제자를 길러 내고, ≪시경≫과 ≪서경≫ 등의 중국 고전을 정리하였다. 제자들이 엮은 ≪논어≫에 그의 언행과 사상이 잘 나타나 있다.

뿐 아니라, 거관지사(居官之事)8)에 숙정청검(淑德淸儉)하며 인명절직(仁明切直)함과 화홍관대(和弘寬大)함은 당세 일인이라. 이부천관(吏部天官)에 거하여 용인치정(用人治政)이 공정명달(公正明達)하여 마음으로 정(正)한 저울을 삼고, 눈으로써 맑은 거울을 삼아 지공무사(至公無事)하며, 황태부 중임을 당하여 춘궁(春宮)을 돕사오매, 예의인덕(禮儀仁德)으로 다할 뿐 아니라, 그 문장이 금화장리(錦畵帳裏)9)에 근원을 가져, 공자(孔子)의 춘추(春秋)를 지으시던 문리(門吏)와 맹자(孟子)의 성서(聖書)를 이르시던 언변을 겸하여 춘궁을 섬기오매 군신의 삼엄(森嚴)한 예를 잡는 가운데도, 춘궁의 하시는 바 희롱된 말에 다다라는, 가치 않은 말씀을 발하시매, 정색하고 준절이 간하여 추호(秋毫)를 물시(勿施)치 아니하니, 춘궁이 기대하심이 조신으로 으뜸이요, 태부를 대하신 즉 혹자 환관의 무리와 희소함이 계시다가도 개용예경(改容禮敬)하시고, 범사를 삼가함이 지극하신지라.

일일은 태부 춘궁께 뵈오러 들어가니, 태자가 바야흐로 여러 환관 등을 데리시고 빛 고운 새를 길들여 한가히 노시다가, 태부의 들어옴을 보시고 급히 새를 날려 멀리 쫓고자 하시나, 그 새 벌써 길들이신 바라, 멀리 날아가는 일이 없고, 춘궁의 어깨 위에 날아 앉았으니, 태부 들어와

---

6) 제순(帝舜) : 순임금. 중국 고대 성군(聖君)의 한사람으로 효자(孝子)로 추앙받는 인물.
7) 증삼(曾參) : 중국 노나라의 유학자. 자는 자여(子輿). 공자의 덕행과 사상을 조술(祖述)하여 공자의 손자인 자사(子思)에게 전하였다. 후세 사람이 높여 증자(曾子)라고 일컬었으며, 저서에 ≪증자≫, ≪효경≫ 이 있다.
8) 거관지사(居官之事) : 관청에서 공무를 수행함.
9) 금화장리(錦畵帳裏) : '그림을 수놓은 비단 장막 안'이란 말로, 관리들이 국정을 논의하는 관청을 이르는 말. 여기서는 관각(館閣)을 말함. *관각(館閣); 조선 시대에, 홍문관·예문관·규장각을 통틀어 이르던 말.

새를 보고 안색을 정히 하여, 태자께 고 왈,

"귀인은 저런 노름과 잡된 희롱을 아니 하옵나니, 전하 비록 소년이시나 어찌 새를 길들이시며, 환시 등으로 희롱하시어 체위를 잃으시나이까? 미신이 황명을 받자와 황태부 중임을 당하매, 신의 미열용우(微劣庸愚)하옵이 한 일도 춘궁을 돕삽지 못하오니, 황상이 믿어 맡기신 바를 저버리올까 숙야우구(夙夜憂懼)하와 능히 일시를 방심치 못하옵더니, 전하 신의 말씀을 듣지 않으시고, 매양 환소희학(歡笑戲謔) 하시니, 신의 어지리 돕삽지 못 한 죄로소이다."

주파(奏罷)에 사기 정숙하여 위의 구추상설(九秋霜雪) 같으니, 태재 윤태부의 주사를 들으시고 즉시 환시를 명하여 새를 잡아 없이 하라 하시고, 칭사하여 가라사대,

"과인(寡人)이 부재박덕(不才薄德)으로 상부(相府)의 지극히 교훈함을 받되, 능히 허물을 면치 못하여, 상부로 하여금 매양 범사를 정도로 교훈하여 권유하는 수고로움이 있게 하니, 참안(慙顔)함이 극한지라. 부질없이 비조(飛鳥)를 희롱하여 일시 웃음으로 울적함을 소회코자 함이러니, 상부의 말씀이 이 같으시니, 과인의 허물을 깨닫는지라. 새를 없애고 만사를 상부의 가르침을 받들리이다."

태부 춘궁의 지인총명(至仁聰明)하심이 타일 대위(大位)에 나아가신즉, 성주(聖主) 되실 줄 알되, 오히려 연소 과급(過急)하신 일이 많은지라. 매양 관인하심을 권간(勸諫)하고, 요순우탕(堯舜禹湯)[10]의 덕으로 주하고, 황상께라도 옳은 일을 아뢰며, 그른 일을 생각하신즉 크게 가치 않음을 간하니, 이 한갓 면절정쟁面折廷爭)[11]이 보과습유(補過拾遺)의

---

10) 요순우탕(堯舜禹湯) : 고대 중국의 성군(聖君)으로 일컬어지는 요임금과 순임금, 하(夏)의 우(禹)임금, 은(殷)의 탕(湯)임금을 함께 이르는 말.

명신(名臣)일 뿐 아니라, 관일정충(貫一貞忠)과 현성지덕(賢聖之德)이 주공(周公)12)의 후를 이으니, 상총의 융융하심은 날로 더하며 시(時)로 새롭고, 만조문무(滿朝文武) 탄복공경 하여, 국가의 이음양(理陰陽) 순사시(順四時)할 재상은 윤효문 밖에 나지 않는다 하더라.

이러므로 황상이 윤효문을 조회에 칼을 차고 전에 오르게 하시니 가히 그 위인을 알 바로되, 윤이부 조심이 익익하며 공근겸퇴(恭謹謙退)함이 점점 더하여, 교긍(驕矜)한 빛을 행여도 나타내지 않고, 주공(周公)의 '일반(一飯)에 삼토포(三吐哺)와 일목(一沐)에 삼악발(三握髮)'13) 하시던 덕을 효칙(效則)하여, 천하 현사를 대접하는 현심(賢心)이 흡연하여 '물이 동(東)으로 흐름'14) 같은지라.

효문공이 평생 '충효우애'를 크게 여기는 마음으로, 그 양매(兩妹) 경아의 신세 고초(苦楚)하며 명도(命途) 박하여, 석가 후정(後庭)의 한낱 죄수 되어 머리를 내밀어 천일을 보지 못함을 슬퍼하여, 날마다 석부의 왕래하며 매저의 의식거처(衣食居處)를 다 보살펴 범사를 염려함이 자기 몸에서 더한지라. 경아가 처음은 악악한 심정을 고치지 못하여 동평

---

11) 면절정쟁(面折廷爭) : 임금의 면전에서 허물을 기탄없이 직간하고 쟁론함.
12) 주공(周公) : 중국 주나라의 정치가. 문왕의 아들로 성은 희(姬). 이름은 단(旦). 형인 무왕을 도와 은나라를 멸하였고, 주나라의 기초를 튼튼히 하였다. 예악 제도(禮樂制度)를 정비하였으며, ≪주례(周禮)≫를 지었다고 알려져 있다.
13) 일반삼토포(一飯三吐哺)일목삼악발(一沐三握髮) : 중국 주나라 주공이 민심을 수렴하고 정무를 보살피기에 잠시도 편안함이 없음을 이르는 말로, 한번 식사할 때에 세 차례나 먹던 것을 뱉고 손님을 영접하였고 또, 한번 목욕할 때에 세 차례나 감고 있던 머리를 거머쥐고 나와 손님을 맞았던 고사를 말함.
14) 물이 동(東)으로 흐름 : 중국의 하천은 대부분 서쪽에서 발원하여 동쪽으로 흐른다. 즉 서쪽은 높고 동쪽은 낮아 '물이 동(東)으로 흐르는 것'은 지극히 자연스러운 일이다. 여기서 '물이 동으로 흐름'은 민심이 자연스럽게 한 사람에게 쏠리고 있음'을 나타낸 말이다.

후를 미워하는 의사 없지 않고, 그 잘 되어 감을 더욱 시기하며 통완하더니, 점점 여러 세월이 되매 동평후 지성으로 감화하매, 시호(豺虎)의 모질기와 사독(蛇毒)의 마음으로도 평후의 지인지덕(至仁至德)과 기특한 우자(友慈)를 감동하여, 전과를 뉘우쳐 어진 마음을 발하여, 평일 사오납던 바, 다른 이를 해치 않아 제 몸을 극진히 해하였음을 알아 후회하니, 이부 매저의 깨달음을 보고 행희(幸喜)함을 이기지 못하여, 영능공을 보고 종용한 때를 타 매저의 개과함을 이르고, 그 박정참잔(薄情慘殘)한 신세를 고념(顧念)함을 청하니, 말씀이 간절하여 석목(石木)을 요동하며 생철(生鐵)을 녹일 듯하여 어진 거동이 사람으로 하여금 탄복감열 할 바라. 영능공이 크게 감동하여 탄식하고 이르되,

"초에 내 사빈의 매부(妹夫) 되어 존부 동상을 참예하니, 악장의 관인(寬仁)하심과 사빈 등의 기특함이 실로 사람의 칭복할 바라. 영매로써 일분이나 악장의 어짊을 닮았는가 하더니, 및 그 행실을 보니 은악양선(隱惡佯善)이 극진한지라. 정이 섯기고15) 의사 내도하여, 그 후 오씨를 재취하매 영매를 다시 볼 생각이 없더니, 요괴로운 약이 장부(臟腑)에 들어 심간을 어리워16), 홀연 영매를 데려 오고자 뜻이 있음으로, 부질없이 내 집에 들였다가 자식을 다 죽일 번하니, 그 요악함을 절절이 생각할진대 어찌 일시나 후정 심처를 빌려 머물게 하리오마는, 악장의 나를 사랑하시던 은혜를 생각하매 감격하여, 오씨의 모자 죽지 않았는 고로 영매를 대살(代殺)치 않고, 내 얼굴을 대하여 요란히 질욕한 일도 없더니, 이제 영매 개과천선하고 사빈의 말이 이러하니, 내 심정이 굳지 못하니 실로 전과를 자책한즉, 이 또 만행(萬幸)이라. 낸들 어찌 허루

15) 섯기다 : 성기다. 성글다. ①관계가 깊지 않고 서먹하다. ②물건의 사이가 뜨다.
16) 어리우다 : 홀리다. 미혹되게 하다. 혹하게 하다.

(虛漏)히[17] 대접하리오. 사빈은 불민한 누의를 위하여 하 심려를 허비치 말라."

태부 척연 사사 왈,

"현형이 매저의 슬픈 신세를 돌아보아 관인대도(寬仁大度)를 힘쓸진대, 소제의 감은함이 '지하(地下)에 구슬을 머금고 풀 맺기를 기약하리니'[18] 개과천선은 성인의 허하신 바라. '사람이 허물이 없는 이 적다' 하고, '과실이 있으나 고침이 귀(貴)타' 하니, 소제의 바람을 끊지 마소서."

영능공이 대답하여 순순이 허락하고, 윤 태부의 이르는 소유(所由)를 부모께 고하고, 후원에 가 윤씨를 청하여 오부인과 맞은 당에 머무르고 대접하는 도리 관후하니, 윤씨의 즐거움이 생래에 처음인 듯하더라.

석 추밀 부부 아자의 기량(器量)을 아름답게 여기며, 윤씨 개과함을 기뻐하여 예사 자부같이 하고, 오씨는 어진 여자라, 구한(舊恨)을 제기치 않고 화우(和友)하는 덕을 힘쓰니, 윤씨 이름이 영능공의 원비나, 당당한 세권은 능히 오씨를 미칠 길이 없는지라. 오씨 비록 후에 들어옴이 있으나, 먼저 여러 자녀를 생산하고 어짊이 숙완(淑婉)이라. 어찌 사람

---

17) 허루(虛漏)하다 : 허소(虛疎)하다. 얼마쯤 비어서 허술하거나 허전하다.

18) '지하(地下)에 구슬을 머금고 풀 맺기를 기약하리니' : '함환결초(銜環結草)'를 풀어쓴 말. 즉 죽은 뒤에도 은혜를 잊지 않고 갚겠다는 말. *함환결초(銜環結草); '함환이보(銜環以報)'와 '결초보은(結草報恩)'이라는 두 개의 보은담(報恩譚)을 아울러 이르는 말로, '함환이보'는 중국 후한 때 양보(楊寶)라는 소년이 다친 꾀꼬리 한 마리를 잘 치료하여 살려 보낸 일이 있었는데, 후에 이 꾀꼬리가 양보에게 백옥환(白玉環)을 물어다 주어 보은했다는 것으로, 남북조 시기 양(梁)나라 사람 오균(吳均)이 지은 『續齊諧記』의 고사에서 유래하였다. 또 '결초보은'은 중국 춘추 시대에, 진나라의 위과(魏顆)가 아버지가 세상을 떠난 후에 서모를 개가시켜 순사(殉死)하지 않게 하였더니, 그 뒤 싸움터에서 그 서모 아버지의 혼이 적군의 앞길에 풀을 묶어 적을 넘어뜨려 위과가 공을 세울 수 있도록 하였다는 『춘추좌전』〈선공(宣公)〉15년 조(條))의 고사에서 유래한 말이다.

의 요악 간사함 같으리오. 하물며 영능공이 중궤(中饋)[19]는 오씨에게 돌아 보내어 윤씨는 한낱 부실(副室) 같으니, 자연 태산 같은 형세는 오 씨 윤씨에게 백배승(百倍勝)이로되, 윤씨 다시 해할 의사를 두지 않아 범사에 삼가고 조심하니, 영능공이 윤태부의 어진 덕이 자연한 가운데 그 매저의 극악함을 감화하여, 어진 사람 되게 함을 진실로 기특히 여기 고, 윤씨의 개과천선함을 감동하여, 또한 부부윤의를 폐치 않으니, 태신 의 경사 있는지라. 석추밀 부부 깃거 하고 영능공이 자녀 사랑이 극한 고로, 윤씨 유태(有胎)하매 남녀간 골육이 그 모친의 얼굴만 닮고 심기 는 담지 말기를 기다리더라.

본부에서 위태부인이 유부인으로 영능공이 경아로 회합(會合)하여 태 후(胎候) 있음을 만심환희하여, 데려다가 조손 모녀 숙질 형제가 반길 새, 경아 본부에 왕래치 않은 지 누년 만에 비로소 모이매, 반기는 정이 황홀하고 슬픈 심사 꺾어지는 듯하여, 절절이 전과를 뉘우치고 애달아 하는지라. 호람후 비로소 부녀의 자애를 다하여 경아를 천만 경계하여 여행과 부도를 삼가라 하고, 경아 정·진·하·장 등을 보고 참괴함이 극하되, 숙렬로부터 진·하·장 등이 일호(一毫)도 석한(昔恨)을 품지 않아, 면면이 반기는 빛을 띠어 종용이 정회를 펴니, 골육동기를 떠났다 가 만남 같아, 경아 더욱 감사하고 참안(慙顔)하여 능히 전일 교기(驕氣) 를 부리지 못하더라.

차시 우소저 꽃다운 나이 십사에 미치매 숙자아질(淑姿雅質)과 천향 국색(天香國色)이 갖추 초출하여, 설부옥골(雪膚玉骨)이요 유미성안(柳 眉聖顔)이며, 월액화시(月額花顋)요 단순호치(丹脣皓齒)라. 용안(容顔)

---

19) 중궤(中饋) : =주궤(主饋). 안살림 가운데 음식에 관한 일을 책임 맡은 여자.

의 수려함이 이미 신명한 좋은 품격을 가져, 일만 염광(艶光)을 모았으니, 찬란함이 조(趙) 혜왕(惠王)20)의 조성지주(趙城之珠)21)의 현요(眩耀)함 같고, 성정이 온순하며 그 부행(婦行)이 정정(貞靜)하여 여공지사(女工之事)와 방적지재(紡績之才)에 수선(繡線)이 기이치 않은 곳이 없으며, 자질이 비상하여 학문과 필법이 노사숙유(老士宿儒)를 압두하고, 덕도(德度) 빈빈(彬彬)하여 임사(姙似)22) 마등(馬鄧)23)의 어짊을 따르며, 총명이 여신(如神)하여 한 번 귀에 들은 바는 능히 잊기를 공부하여도 잊지 못하고, 서사(書史) 고적(古蹟)이 눈의 지나치면 다 가슴에 남는바 되나, 스스로 재주 있는 체를 않아, 고요 나직하여 단묵침정(端默沈靜)함이 유유도자(唯有道者)24)의 틀이 있으니, 조부인이 사랑함을 장중보옥(掌中寶玉)같이 하고, 창후 형제 우애함이 골육남매(骨肉男妹) 아님을 깨닫지 못하는지라.

우처사 섭과 우상서 염이 일매 애중하는 정이 박함이 아니로되, 남창후의 은혜를 감격하고 조부인의 소매 사랑하는 정을 베지 못하여, 우처

---

20) 조혜왕(趙惠王) : 중국 춘추시대 조(趙)나라의 왕. 조나라 왕으로서 당시 중국에 전래되던 유명한 보석 화씨벽(華氏璧)을 빼앗아 손에 넣은 일로 인하여 화씨지벽(和氏之璧), 연성지벽(連城之璧), 조성지주(造成之珠) 등의 고사와 함께 널리 이름이 전해지고 있다.

21) 조승지주(趙城之珠) : 조(趙)나라에 있는 구슬이라는 뜻으로 화씨지벽(和氏之璧)을 이르는 말. 연성지벽(連城之璧)과 같은 구슬을 말하고 있으나 그것을 갖고자 하고 아끼는 주체가 진(秦)나라 소양왕(昭襄王)과 조나라 혜문왕(惠文王)이라는 사실이 다르다.

22) 님사(姙似) : 중국 주(周)나라 현모양처(賢母良妻)인 문왕의 어머니 태임(太姙)과 무왕(武王)의 어머니 태사(太姒)를 함께 일컫는 말.

23) 마등(馬鄧) : 중국 동한(東漢) 명제(明帝)의 후비 마후(馬后)와 동한(東漢) 화제(和帝)의 후비(后妃) 등후(鄧后)를 함께 이르는 말. 둘 다 후궁 가운데 덕이 높았다.

24) 유유도자(唯有道者) : ①오직 정도(正道)만을 행하는 사람. 또는 그러한 덕을 갖춘 사람. ②'선비'를 달리 이르는 말.

사와 우상서 다 옥화산 조부 근처에 가사를 정하여, 각각 처자녀를 거느려 다시 동주로 내려 갈 의사를 않되, 소매를 옥화산으로 데려 가지 못하여 윤부에 두었는지라. 우염이 환쇄하여 운남으로서 올라 온 후, 작직이 점점 청고하여 육경에 있고, 물망과 재덕을 겸하여 사서(士庶)의 일컫는 바 되었으니, 일매(一妹)를 위하여 옥인군자를 가리는 눈이 태악 같은 고로, 연아와 상적한 신랑을 만나지 못하여 울울불락한데, 동평후 한희린의 비상출범 함을 기허(己許)하는 고로, 우처사 형제를 청하여 한공자를 뵈고 혼인을 의논하니, 처사 형제 웃고 한공자를 보매, 실로 하자할 곳이 없을 뿐 아니라, 가세(家勢) 벌열명족(閥閱名族)이니, 일시 빈궁하여 매제가 윤효문에게 의지하였던 바를 구태여 거리낄 바 아니라 하여, 결(決)하여 혼인을 허한대, 동평후 정죽암으로 하여금 이 소유를 곽부인께 고하여, '천하의 절색숙녀를 널리 구하되, 우씨만 한 이 없는 줄'을 갖추 베푼 데, 곽부인은 한낱 중무소주(中無所主)한 위인으로 평생 부귀를 거룩히 여기는지라. 우씨 비록 생흌한 부모 없으나, 윤가 같은 권문세가의 양녀 되고, 우염이 작위 또 경상의 있음을 아는 고로, 혼인을 쾌허하여 그 부귀를 가장 중히 여기니, 윤사마 형제 곽씨의 허락을 듣고 즉시 길일을 택하매 동 십월 초순이라.

조부인이 혼구를 준비하여 범사에 친녀와 달리 하는 바 없고, 길기 오히려 삼사 삭이나 가렸음을 궁금히 여기더니, 차년 추(秋)에 천자가 성묘(聖廟)25)에 배알하시고 과갑(科甲)을 열어 인재를 빠실 새, 한희린이 한 번 과장의 나아가매, 누년 공부와 평생 재주를 이 날 다하매, 문

---

25) 성묘(聖廟) : =문묘(文廟). 공자를 모신 사당. 원래 선사묘(先師廟)라고 하였다가 중국 명나라 성조 때 문묘(文廟) 또는 성묘(聖廟)라고 하였으며, 청나라 이후 공자묘(孔子廟)라 하였다. 중국 산동 성(山東省) 곡부(曲阜)에 있는 것이 가장 크고 유명하다.

장이 첩첩하여 은하(銀河)를 근원하며, 필법이 찬란하여 만리에 창룡(蒼龍)이 서렸으니, 어찌 장원을 남에게 빼앗기리오.

이미 한희린의 이름이 제일에 뽑히니, 전두관이 연하여 부르는 소리를 좇아 옥계에 추진 응명하니, 십사 세 소년이 언건(偃蹇)이 장부의 체위와 영준의 기습(氣習)을 겸하여, 팔척 신장에 긴 팔이 무릎 아래 내리고, 두렷한 면모 일륜백월(一輪白月) 같거늘, 용봉지질(龍鳳之質)과 호치주순(皓齒朱脣)이며 복중에 만권 서를 장하여, 문질이 빈빈하고 동용주선(動容周旋)이 늠연정숙(凜然靜肅)하여 사군자의 예모(禮貌)가 반생을 황각(黃閣)26)에서 익힌 자라도 이렇지 못할 것이요, 제이(第二)에 상서 남순의 일자 남창진이 또한 전폐(殿陛)에 조알하매, 풍광이 승난(乘鸞)27) 이백(李白)이요, 관옥승상(冠玉丞相)28)이거늘, 문장재화가 벌써 사류가 미루어 재사(才士)로 유명하던 바라.

상이 신래(新來)의 특이함을 총우(寵遇)하시고 차차 방하(榜下)를 다 불러 장원으로부터 내리 청삼(靑衫)29)과 화리(花里)30)를 주시며, 장원

---

26) 황각(黃閣) : 의정부(議政府).

27) 승난(乘鸞) : 난(鸞)새를 타고 구름 속을 날아감. 『고문진보(古文眞寶)』 오언고풍단편(五言古風短篇) 강문통(江文通)의 〈잡시(雜詩)〉 승란향연무(乘鸞向煙霧; 난새를 타고 구름안개 속을 나네)에서 따온 말.

28) 관옥승상(冠玉丞相) : 관옥(冠玉)처럼 아름다운 풍채를 지닌 승상(丞相). *관옥(冠玉); : 관을 꾸미는 옥. *승상(丞相); 우리나라의 정승에 해당하는 중국의 벼슬

29) 청삼(靑衫) : ①조선시대 임금이 과거급제자가 내리던 관복인 남색 도포. ②조복(朝服) 안에 받쳐 입는 옷. 남빛 바탕에 검은 빛깔로 가장자리를 꾸미고 큰 소매가 달렸음.

30) 화리(花里) : 조선시대 과거급제자에게 임금이 내리는 어사화(御賜花)와 오사모(烏紗帽)를 함께 이르는 말. 또는 어사화를 꽂은 오사모를 이르는 말. 즉 화(花)는 '御賜花'의 '花'를, '리(里)'는 '족두리(簇頭里)'의 '리(里)'를 말하는 것으로, '화리(花里)'는 한국의 전통복식 용어에 나타나는 말이 아닌, 이 작품 〈명주보월빙〉에서 작자가 이 둘(어사화와 족두리)을 합쳐 만들어 쓴 말이다. 본래 족두리

의 무부(無父)함을 추연하시고, 즉시 작직(爵職)을 내리사, 춘방학사(春坊學士)[31]를 삼으시고, 성내에 장원각을 주라 하시니, 성외 취운산에 두심을 청하여 성내를 사양하고, 나이 어리고 사군찰임(事君察任)할 재덕이 없음을 주(奏)하여 사오 년 말미를 청하니, 상이 불윤하시고 삼일유가(三日遊街)[32] 후 찰직하라 하시며, 장원각은 소원대로 취운산에 지어 주게 하시다.

장원이 천은을 숙사(肅謝)하고 퇴하여 옥누항에 돌아와 모전(母前)에 배알하고, 부친 사당에 배현하매, 촉처에 옛 일을 통상하여 금의청삼(錦衣靑衫)에 눈물이 비같이 떨어지니, 비회를 금치 못하고, 곽씨 황홀하여 기쁜 중 새로이 심사 비할 곳 없으니, 동월후 부인이 이에 왔더니, 제남의 과경(科慶)을 만분화열(萬分和悅)하며, 부친이 보지 못하심을 각골통원하며, 모친과 함께 아우를 위로하더라.

밖에 하객이 가득하여 신래(新來)를 부르니, 장원이 즉시 나와 빈객을 접대할 새, 허다 명공재열이 칭하(稱賀)할 곳이 없어, 오직 호람후 부자 숙질에게 하례하니, 호람후 가소(可笑)로우나 좌수우답(左酬右答)

는 고려때 원나라로부터 들어온 왕실여성들이 쓰는 관모(冠帽)인 고고리(古古里)에서 유래한 말로, 고려 이후 여성들이 예복(禮服)을 입을 때 이것을 관모(冠帽)로 머리에 썼다. 겉을 검은 비단으로 싼 여섯 모가 난 모자로 위가 넓고 아래로 내려갈수록 좁으며 구슬로 화려하게 장식했다. 속에는 솜이 들어 있고 그 가운데를 비게 하여 머리 위에 올려 쓴다. 그런데 당시 남성들이 예복이나 관복(官服)을 입을 때, 또는 과거급제자가 임금이 내린 관복을 갖추어 입을 때에 머리에 쓰던 관모(冠帽)가 '오사모'이기 때문에, 위 본문에서 이것을 '족두리'에 비겨 '리(里)'로 표현한 것이다.

31) 춘방학사(春坊學士) : 세자시강원(世子侍講院)의 학사. *세자시강원(世子侍講院) : 조선 전기에, 왕세자의 교육을 맡아보던 관아.

32) 삼일유가(三日遊街) : 과거에 급제한 사람이 사흘 동안 풍악을 잡히고 거리를 돌며 시험관과 선배 급제자와 친척을 방문하던 일.

에 가로되,

"양질녀(養姪女)와 장원과 혼인을 정하였더니, 길기(吉期) 멀지 않았거늘 그 사이 신랑이 등과하니, 문난(門欄)의 광채 배승할 바를 기뻐하노라."

우처사 형제 환열함을 이기지 못하더라. 장원이 삼일유가(三日遊街)를 마치고 직사(職事)에 나아가매, 만사 정엄숙진(正嚴熟盡)하고 언론이 격앙(激昂)하여 기절이 당당하며, 강개한 풍력(風力)33)이며 준엄굉위(峻嚴宏偉)한 기상이 한갓 옥당한원(玉堂翰苑)34)의 청현(淸賢)을 자임할 명환이 아니라, 출장입상(出將入相)하여 안방정국(安邦定國) 할 큰 그릇이라. 상총이 진신명사뉴(縉紳名士類)의 으뜸이요, 만조가 기대하여 그 나이 어림을 생각지 않고, 공경함을 범연히 못하는지라. 석년(昔年)에 한학사 그 부친을 여의고 은전 한 냥과 한 필 깁도 판득(辦得)할 길이 없어, '천(天)·지(地)' 두 자도 통치 못하는 소동(小童)으로, 남에게 문필을 빌어 자기 몸을 팔려 문권(文券)을 만들어 가지고, 양주 일촌을 두루 다닐 즈음에, 어찌 오늘날이 있을 줄을 몽리(夢裏)에나 생각하였으며, 비록 작인이 기특하나, 만일 윤태부 지성으로 교회(敎誨)함 곧 아니면, 어찌 백행처신과 문장재화가 그대도록 하며, 무슨 일로 인하여 능히 경사에 올라와, 모자(母子) 도생(圖生)하고, 매저(妹姐)를 찾아 후백의 부인을 삼았으리요. 절절이 윤태부의 하늘같은 은덕이니, 한생이 감골명심(感骨銘心)하나 능히 다 갚지 못할 바를 주야우구(晝夜憂懼)하여, 자기 몸이 영귀함으로 감히 은덕을 일컫지 못하여, 오직 심곡에 새길 따름이더라.

---

33) 풍녁(風力) : 사람의 위력.
34) 옥당한원(玉堂翰苑) : 조선시대 홍문관(弘文館)과 예문관(藝文館)을 함께 이르는 말.

이미 수월이 넘지 못하여 취운산에 장원각(壯元閣)을 일으키매, 한학사 모친을 모셔 운산으로 옮을 새, 태부께 고 왈,

"소제의 정성이 실로 사형장(師兄丈)을 일시도 떠나지 말고자 뜻이로되, 누이를 정문에 속현하매, 자모 오래 상리(相離)하던 정을 펴지 못하고, 누이 이따금 귀녕하나 매양 총총히 다녀가매, 자모 크게 결울(結鬱)하시니, 형세 마지못하여 장원각을 취운산에 지어 이제 그리로 옮거니와, 소제 일삭에 반을 이에 와 사형장을 뫼시리이다."

태부 역시 떠남을 결연하되 형세 마지못하여 옮게 되었고, 자기 형제 아직 성내에 있으나 매양 운산으로 옮을 뜻이 있는 고로, 다만 이르되,

"봉경35)이 운산으로 옮는 것이 아등과 길이 한가지로 지낼 도리라. 사세를 보아 우리도 취운산으로 가고자 하니, 일택지상(一宅之上)에 있다가 그 사이 떠남이 결연하나 현마36) 어찌 하리오. 일삭에 반은 이에 와 지내겠노라 하니 말과 다르게 말기를 바라노라."

한학사 사사 하직하고 모친을 모셔 운산에 이르매, 가사(家舍) 광활하고 채색이 화려하여, 곽부인의 평생 칭앙(稱仰)하던 부귀 이에 다하였으니, 즐거움이 청천에 비등함 같아 하는지라, 학사 부친 목주와 조선 신위를 사당에 봉안하고, 급급히 양주에 내려 가 선세 능침과 부친 묘전에 소분하고, 비로소 착실한 수호(守護)군37)을 정하고 돌아오매, 벌써 초동(初冬)이 되고 길일이 다다르니, 양가 위의를 차려 우소저를 맞아오니, 그 화월(花月)의 수태(秀態)와 숙덕혜질(淑德惠質)이 진정 요조숙완(窈窕淑婉)이요, 절대가인(絶代佳人)이라. 만좌가 갈채함을 이기지 못하

---

35) 봉경 : 한희린의 자(字).
36) 현마 : 설마, 차마.
37) 수호(守護)군 : 수호꾼. 남의 산이나 묘 따위를 맡아서 돌보는 사람. *군; =꾼. 어떤 일을 전문적으로 하는 사람.

더라.

낙극단란(樂極團欒)에 일모서산(日暮西山)하매, 제객이 다 흩어지거늘, 학사 모친을 모셔 담화하다가, 야심 후 모명(母命)을 인하여 손에 기린촉(麒麟燭)38)을 들고 빨리 신방에 들어가 부부 명촉하(明燭下)에 대하니, 소저의 옥태화안(玉態花顔)은 볼수록 새로워 벽천소월(碧天素月)39)이 광채를 흘리는 듯, 추수(秋水)의 향년(香蓮)이 녹파(綠波)에 솟았으니, 좋은 기질과 높은 골격이 진세에 물들지 아니하니, 한생이 평생에 절색숙완을 사모하는 뜻으로, 소원에 맞는 절세명염(絶世名艶)을 배필하매 기쁨을 이기지 못하여, 이에 흔연히 말씀을 펴 가로되,

"생은 명도 궁험하고 또한 기박하여 일찍 엄군(嚴君)을 여의옵고, 혈혈일신(孑孑一身)이 편친(偏親)을 모셔 오늘날까지 보전함이, 전혀 윤효문의 산은해덕(山恩海德)이라. 소제 또한 고비(考妣)40)를 조상(早喪)하신 바로, 윤청문의 의기현심을 힘입어 윤부의 모녀남매지정(母女男妹之情)을 맺아 천연이 기특한 고로 생에게 돌아오시니, 소저의 용화기질(容華氣質)이 생의 바람 밖이라. 그윽이 행열(幸悅)하나 생이 학박불인(學薄不仁)하니, 숙녀의 평생을 저버릴까 염려하나이다."

우소저 수용정금(羞容整襟)하여 묵연부답이라. 학사 정결청정(淨潔淸淨)함을 더욱 과애(過愛)하여, 촉을 멸하고 소저를 붙들어 금리(衾裏)에 나아가매, 그 견권(繾綣)한 은정이 무궁하더라. 소저 구가에 머물러 존고(尊姑)를 효봉(孝奉)하매 숙흥야매(夙興夜寐)하여 봉영집옥(奉盈執玉)함 같고, 경부(敬夫)하매 유순열숙(柔順烈肅)하여 예모(禮貌) 빈빈(彬

---

38) 기린촉(麒麟燭) : 기린의 목처럼 굽은 막대기에 매단 등촉(燈燭).
39) 벽천소월(碧天素月) : 푸른 하늘에 떠있는 하얀 달.
40) 고비(考妣) : 돌아가신 아버지와 어머니.

彬)하니, 한생의 풍용호발(豊隆毫髮)한 희롱을 가랍(嘉納)지 않고, 봉제
사(奉祭祀) 접빈객(接賓客)에 만사 특이하여 숙요한 성행과 인자한 덕도
(德度)가 현녀철부(賢女哲婦)의 풍이 가즉하니, 곽부인의 애중과애(愛重
過愛)함이 도리어 아들에 지나고, 학사의 은정이 여천지무궁(如天地無
窮)함이 있는지라.

부부 양인이 남창후와 동평후의 대은을 심곡(心曲)에 새기며, 조부인
을 받듦이 여서(女壻)의 도를 다하는지라. 윤부에서 조부인이 한학사를
중히 여김이 친서(親壻)로 다름이 없고, 태부인과 호람후 부부 한생을
사랑함이 자질(子姪) 같으니, 생이 동평후의 은혜를 감격하여 윤부를 예
사로이 알지 않아 보은함을 생각하고, 우씨로 화락하여 금슬은정(琴瑟
恩情)이 자못 과도하니, 윤청문 형제 생으로써 애처객(愛妻客)이라 하
되, 학사 괴로이 여기지 않아 우씨로 수유불니(須臾不離)할 정이 있는지
라.

하늘이 길인을 도와 복록이 자연한 가운데 무궁하니, 한학사와 우소
저 초년 명도 즐겁지 못하나, 지난 곤궁은 춘몽 같고, 학사의 벼슬이 점
점 높아 출장(出將)하고 위덕(威德)이 높음으로 천승지위(千乘之位)를
누려, 중산왕 새수(璽綬)41)를 차고 우씨 후적(后籍)의 존귀를 받으며,
칠자일녀를 생하였으며, 재실(再室) 강씨와 삼취(三娶) 여씨를 얻으매
다 순효한 위인이요, 다섯 소희(小姬)를 두어 다 간사은악(奸邪隱惡)한
무리 없어, 가내 화열함이 춘풍 같고, 강씨는 일자이녀요, 여씨는 이자
이녀니, 십자오녀에 천산(賤産) 칠팔인을 두고, 천승지국(千乘之國)에
모림(冒臨)하여 융융한 부귀와 자궁복경(子宮福慶)을 칭앙하고, 만인이
부러워하니, 학사의 정벌(征伐)하던 설화와 봉왕(封王)하던 일이며, 십

---

41) 새수(璽綬) : 도장. 국새(國璽).

자오녀의 기특한 사적과, 우씨 상두(上頭)에 거하여 강·여 이인과 제희를 은혜로 거느리며, 효봉존고(孝奉尊姑)하던 설화는 '한문행녹'에 있음으로, 차전(此傳) 설홰(說話) 번다(煩多)하고, 윤·하·정 삼문 사적에 더할 고로 그치다.

이때에 제왕이 한 번 소주서 구몽숙을 보고 돌아 온 후는, 더욱 못 잊는 마음이 극하되, 그 죄악이 천지에 관영함이 있으니, 능히 정배(定配)42)를 면케 할 조각이 없어 울울불락(鬱鬱不樂)함을 마지않더니, 맞추어 담양 땅에 여역(癘疫)43)이 성(盛)하고, 수삼 년 기황(饑荒)하여 백성이 이산(離散)하고, 담양을 떠나지 않은 유(類)는 염질(染疾)에 죽는 이 많은 고로, 담양 태수 가는 이마다 연하여 죽으니, 시인이 아무리 빈궁하여 외임(外任)을 구하는 유(類)라도 담양 태수를 가고자 할 이 없는지라. 제왕이 탑전(榻前)의 주하여 구몽숙의 정배를 풀어 담양 태수를 삼아, 요행 담양을 복구하고 여역이 간정(簡淨)44)하거든, 인하여 몽숙의 죄를 사하고 그렇지 않아 그 곳에서 죽음이 되어도 제 죄를 속(贖)함이 될 바를 아뢰니, 상이 가라사대,

"몽숙이 당연한 사죄를 지었으되, 형·유 양처를 진정한 고로 감사정배(減死定配)하였더니, 이제 담양 태수를 삼으면 그 죄는 아주 사하는 것이 되니, 후일 간악한 요인을 징계치 못할지라. 다른 곳의 재덕이 갖은 자를 가려 담양 태수를 삼으리니, 구몽숙은 소주서 마치게 하리라."

제왕이 우주(又奏) 왈,

---

42) 정배(定配) : 죄인을 지방이나 섬으로 보내 정해진 기간 동안 그 지역 내에서 감시를 받으며 생활하게 하던 일. 또는 그런 형벌. 늑찬배(竄配).
43) 녀역(癘疫) : 전염성 열병을 통틀어 이르는 말.
44) 간정(簡淨) : 간결하고 깨끗함.

"몽숙이 초년 죄상이 크오나, 이미 형·유 이처를 진정하여 공으로써 죄를 속함이 있고, 허물을 고침이 귀타 함은 성교에도 용납하신 말씀이라. 몽숙이 전자의 그름이 있사오나 금차지시(今此之時)하와는 양선(良善)한 사람이 되었으니, 성주의 지인지덕(至仁之德)과 관홍대도(寬弘大度)하심으로써, 어찌 구몽숙의 죄를 사치 않으리까? 신은 몽숙으로 사사 혐원(嫌怨)이 있으되 그 개과함을 아름다이 여기옵나니, 하물며 몽숙이 죄를 국가에 지음이 없삽고, 불과 젊은 마음에 남을 시기하여 형상 없는 꾀를 내어 신 등을 해코자 하옴이나, 신 등이 한갓 무사하고, 구몽숙이 남을 해함이 제 몸을 해하여 전정을 그릇 만드니, 성주의 일월지덕(日月之德)으로써 측은이 여기시미 옳은가 하옵나니, 바라건대 몽숙을 담양 태수를 삼으소서."

이부상서 홍문관 태학사 금자광록태우 황태부 윤효문이 출반(出班) 주왈,

"신은 몽숙으로 더불어 이종지의(姨從之義)45) 있으되, 사혐(私嫌)인즉 중하오니 어찌 저를 구코자 하리까마는, 당당한 공의(公義)를 잡을진대 사혐을 생각지 아니하올지라. 몽숙의 작죄함이 그 간교한 바는 여러 가지로 죽음직 하오나, 입공속죄(立功贖罪)하여 형·유 양처를 진정하였고, 소주 정배한 지 여러 세월에 개과천선 하는 아름다움이 있으니, 성주의 덕화로써 몽숙의 죄를 물시하시고 담양 태수를 시키시어, 염질(染疾)을 간정(簡淨)하고 백성을 애휼케 하심이 마땅할까 하옵나니 윤허하소서."

상이 소왈,

"몽숙이 대역은 행한 바 없으나, 용포(龍袍)와 옥새(玉璽)를 도적함이

---

45) 이종지의(姨從之義) : 이종 사촌형제 간의 의리.

역적과 다름이 없으니, 지금 일명을 이었음도 정경과 진광의 구한 덕이
거니와, 다시 정배를 풀어 태수로 징소(徵召) 함을 이렇듯 청하니, 경등
의 안면을 보아 마지 못 하여 윤허하노라."

하시고, 몽숙으로 담양 태수를 제수하시어 적소로서 바로 가게 하시
고, 경사란 오지 말게 하시니, 이는 몽숙을 통해(痛駭)46)하심이라. 제
왕과 윤태부 성덕을 열복하여 몽숙에게 은사 더하심을 칭사하니, 상이
그 의기현심을 기특히 여기시더라.

제왕이 물러와 몽숙에게 급급히 노자(奴者)를 보낼 새, 글월을 부쳐
애민선정(愛民善政)할 도리를 지휘하여, 부작을 써 보내어 염질을 간정
(乾淨)47)케 하니, 몽숙이 소주 적거 충군을 생세에 면치 못할까 슬퍼하
더니, 천만 의외에 사명(赦命)이 이르고 정죽청의 서간이 이르러, 담양
에 도임하여 애민선정 할 바를 지휘하고, 염질(染疾) 쫓는 부작을 보내
었으니, 몽숙이 대열하여 즉시 북향사배(北向四拜)하여 천은을 숙사(肅
謝)하고 즉시 발행하여 담양에 이르러 도임하여 백성을 안무하고, 죽청
의 보낸바 부작(符作)48)을 차차 전하니, 여역(癘疫)이 다 평정하거늘,
태수 즉시 창고를 열어 백성을 진휼(賑恤)하며 부세(賦稅)를 덜어주니,
남녀노소 없이 그 은덕을 감축하여 현명(顯名)이 훤자(喧藉)49)하고 그
음덕이 인읍에 미치는지라. 농부가 업을 힘쓰고 죄를 범치 아니하니, 도
임한 지 수삭 만에 관정(官政)이 고요하여 어지러운 일이 없고, 이민(吏
民)이 태수의 덕화를 칭송하니, 몽숙이 어진 사람이 됨과 살 땅을 디딤

---

46) 통해(痛駭) : 몹시 놀라 경계함.
47) 간정(乾淨) : 일처리를 잘하여 뒤끝이 깨끗함.
48) 부작(符作) : 부적(符籍)의 변한 말. *부적(符籍); 잡귀를 쫓고 재앙을 물리치기
　　위하여 붉은색으로 글씨를 쓰거나 그림을 그려 몸에 지니거나 집에 붙이는 종이.
49) 훤자(喧藉) : 여러 사람의 입으로 퍼져서 와자하게 됨. 늑훤전(喧傳).

이 전혀 제왕의 공이더라.

차년 세말(歲末)에 문양공주 일개 옥동을 생하니, 구각(軀殼)이 석대하고 체형(體形)이 기이하여 광채 찬란하니, 그 부형을 일편되게 품수(稟受)하고 행여도 모비(母妃)를 닮은 곳이 없는지라. 제왕이 즉시 들어와 보고 만심환희(滿心歡喜)하여 각별히 즐김은 무타(無他)라. 공주의 수태(受胎)함으로부터 깊은 염려 무궁함은, 혹자 공주의 간악한 심지를 닮을까 근심하다가, 아자의 체형을 보매 거울 같은 안광(眼光)으로써 기특함을 어찌 모르리오. 이러므로 윤・양・이・경 사비의 생산도곤 더하고, 순태부인과 금평후 부부 삼칠(三七)이 지난 후, 신아를 보고 그 비상함을 애중(愛重)하여, 공주의 소생이 아름다움을 오히려 기약치 않았더니, 제왕을 전주(專主)하여 품습(稟襲)하고 모풍은 없음을 크게 기뻐하더라.

상이 공주를 편애하시는 바에 생산함을 들으시고, 성심이 대열하시어 어의와 태의원 약을 보내시어 산후 치료함을 등한이 말라 하시고, 정・오 이왕이 한가지로 문양궁에 이르러 구호함이 극진할 뿐 아니라, 공주 여아를 찾지 못함을 참통하여 하다가, 봉추(鳳雛)50) 같은 아들을 얻고, 존당 구고와 제왕의 기뻐함이 망외로 알고, 황상이 천륜의 자애를 다하시니, 공주 마음이 즐거워 한이 풀어지고 기뻐함이 비할 곳이 없는지라. 자연이 산후 쾌활함을 인하여 갱반(羹飯)을 나오고, 기운이 여상(如常)하여 삼칠 후 즉시 일어나니, 상부와 제궁이며 문양궁 소속이 아니 깃거할 이 없더라. 윤・양 등의 깃거 함은 더욱 측량없으며, 아자의 귀중함이 합문의 보배 되었더라. 공주의 생세지락(生世之樂)이 이 밖에 없고,

---

50) 봉추(鳳雛) : 봉황의 새끼.

김귀비의 두굿기며 영행함이 비할 곳이 없더라.

　이러구러 해 바뀌고 신세(新歲)를 만나니, 정부의 세하(歲賀)하는 빈객이 운집하여, 저마다 신세만복(新歲萬福)을 이르며, 공주의 생남함을 하례하니, 금평후 부부와 순태부인이 공주의 생애 수려하매, 깃거 함을 이기지 못하더라.

　선시에 동월백 경공의 부인 양씨 윤부 근처에 가사(家舍)를 얻어, 동평후의 은혜를 받으며 조부인의 성심을 무릅써 모녀 겨우 요생(聊生)하여 동백(東伯)의 삼년상을 마치고, 지통이 각골하나 여아의 아름다움이 명주보벽(明珠寶璧) 같으니, 양부인이 이로써 잠깐 위로하여 슬픈 정사를 조부인께 고하여, 여아 이미 이팔춘광(二八春光)을 당하였으니, 아무 곳에나 상적(相敵)한 배우를 남창후 형제에게 듣보아 천거하심을 청하니, 조부인이 답간(答簡)에 쾌히 허락하고, 창후 형제를 대하여 양부인의 자닝한 정사를 일러 마땅한 가랑(佳郎)을 듣보아 경씨와 혼례를 이루게 하라 하니, 창후 웃고 이르되,

　"경소저의 용화기질이 범상치 않다하니 용용속자는 그 배필이 불가한지라. 소자 그윽이 생각하니 하자의 기상과 품질(稟質)이 여러 처첩을 거느림직 한지라. 화가여생으로 소년 변고를 경력하매, 만사 무흥(無興)하여 여러 처실을 모을 의사 없어 하거니와, 연부인은 한낱 병인 같아서 저저 동렬에 불가할 듯싶으니, 소자 정국공을 보고 경씨를 천거하여 혼례를 이루게 하사이다."

　조부인이 잠소 왈,

　"질녀의 어짊이 여러 여자를 모아도 쾌히 거느릴 위인이거니와, 여자에게 적인(敵人)이 마침내 번사(繁事)한 근심이 되고 기쁜 일이 아니라.

너희 구태여 경씨를 하복야와 의혼코자 함은 어찌오?"

동평후 대왈,

"자교 마땅하시니 소자 등이 널리 듣보아 만일 아름다운 낭재(郎材)51)를 만나면 구태여 하형과 의혼하리까?"

이때 초공 부인이 귀녕하고, 석부인 경아는 임산(臨産)하였으므로 본부에서 분산하려 하는 고로 다 모였더니, 경아 탄 왈,

"내 전자(前者)에 적인을 원수같이 여기더니, 도금하여 그 때 하던 일이 뉘우치고, 오씨 어짊이 친동기나 다르지 아니하니, 비로소 적인이 무해함을 깨닫노라."

태부 왈,

"저제 밝히 깨달으시니 이는 덕을 이름직 한지라. 실로 복록을 받으시며 부귀를 누리실 징조(徵兆)라. 어찌 기쁘지 않으리까?"

석부인이 탄식함을 마지않고, 하부인이 날호여 가로되,

"구가의 삼공자 점점 자라가니 오래지 않아 입장(入丈)하려니와, 내 실로 일신이 한 때도 한가치 못하여, 봉친(奉親) 봉사(奉祀)와 접객수응(接客酬應)에 몸이 가쁨을 이기지 못하나니, 적인이 만일 예사 사람일진대 수고를 나누련마는, 연씨는 나에게 무해무익(無害無益)하여 이른 바 유약무(有若無)52)라. 능히 수고를 나눌 길이 없으니, 내 뜻에 매양 가군이 신취하여 한낱 요조명염(窈窕名艶)의 숙녀 얻기를 원하는 바로되, 하군이 여관(女關)에 뜻이 없어 번화를 원수같이 여기니, 내 서어한 말로 신취를 권함이 투기 없음을 자랑함 같으니, 사람이 우습게 여길 듯하니 발설치 못하였더니, 경씨 진실로 현숙한 여자일진대, 소고(小姑)의 입을

---

51) 낭재(郎材) : 신랑감.
52) 유약무(有若無) : 있지만 없는 것과 다름없음. 있으나 마나 함

빌어 이 혼인을 성전(成典)케 하리라."

동평후 소왈,

"경시의 요조유한(窈窕幽閑)함은 소제 익히 본 바니, 다시 물을 일이
없거니와, 저저가 번극(煩劇)한 가사를 당하여 수고를 나눌 사람이 없
고, 근로하심이 극하실진대 하형으로 하여금 경씨를 취함이 마땅하니,
소제 비록 언둔(言鈍)하나 중매 될진대 어찌 하씨만 못하여, 하씨로 하
여금 월로(月老)53)를 소임케 하리까?"

초공 부인이 소왈,

"군자 현제의 말을 듣지 않아도 소고의 말은 아니 듣지 못하리니, 중
매 될진대 소고 으뜸일까 하노라."

동평후 소왈,

"저저의 뜻이 하형으로 하여금 경씨를 취코자 하실진대, 소제는 하형
의 대인을 보고 혼인을 청하여 일어(一語)에 허락을 받고 말리니 어찌
하씨의 입을 빌리까?"

창후 소왈,

"현제 범사에 겸퇴(謙退)하기를 으뜸 하더니 어찌 차혼 중매에 다다
라는 남에서 먼저 내닫고자 하느뇨? 자의 형이 수씨 말인즉 아니 듣는
일이 없다 하니, 차혼을 하수로 하여금 종용이 자의 형과 의논하여 허락
을 받는 것이 옳을까 하노라."

동평후 잠소 대왈,

"소제 구태여 차혼의 중매 되고자 하는 것이 아니라, 저저가 소제로써
하씨만 못하게 여기며, 하씨로 하여금 혼인을 청하려 하시기로, 하 가소

---

53) 월로(月老) : 월하노인(月下老人). ①부부의 인연을 맺어 준다는 전설상의 늙은
이. ②중매(中媒).

로워 부디 월로를 자임하고 하주(賀酒)를 찐덥게54) 받아먹으려 하나이
다.”

초공 부인과 창후 다 웃고 어서 하공의 허락을 받아 오라 재촉하더라.

동평후 일일은 하부에 이르러 국공 부부께 뵈옵고, 이에 웃고 가로되,

“소생이 자의 형에게 한낱 숙녀를 천거하여 악장의 치사(致謝)하시는
하주를 받고자 함으로, 실인(室人)이 월로를 자임코자 하는 것을, 소생
이 실인의 오는 것을 막고 스스로 이르렀나이다.”

하공이 놀라 이르되,

“원광이 영매로 더불어 결발대륜(結髮大倫)을 이뤄 옥 같은 기린(麒
麟)을 층층이 두고, 연씨 비록 인류의 말째나 그 성행이 남을 웃게 할
따름이요, 간음요사(奸淫妖邪)한 일은 없으니, 원광이 또한 부부의 윤의
를 폐치 않아 이미 자녀를 낳았으니, 오가(吾家) 본디 즐겁지 않은지라,
우리 부자는 실로 번사(繁事)를 구치 아니하노라.”

태부 소왈,

“소생이 사리를 모르오나, 자의 형의 신취지사(新娶之事)가 대단이 불
가할진대, 어찌 자의 형과 악장의 기뻐 않는 바를 권하리까마는, 소생이
동적(東賊)을 토멸하고 돌아 올 때에, 동월백 경공의 부인 양씨가 그 여
아로 더불어 소생을 따라 경사에 이르러, 의지할 곳이 없으므로 옥누항
근처에 가사(家舍)를 얻어 머물었는지라. 경소저의 아름다움은 소생이
본 바요, 그 행실이 기특함은 차평세 요적(妖賊)에게 잡혀 가대, 능히
주표(朱標)를 완전하고 자모를 붙들어 목숨을 끊지 않아, 당시의 경색
(景色)이 위태함을 생각하매, 여자 가운데 통달한 위인이라. 소생이 그

---

54) 찐덥다 : 남을 대하기가 마음에 흐뭇하고 만족스럽다.

익이 생각건대 경씨 같은 인물로써 용용속자(庸庸俗者)의 배우 되면, 그
일생이 헛되이 마침이요, 상부(相府) 후문(侯門)의 옥인군자(玉人君子)
를 기리고자 한즉, 인심 세도가 권세를 붙좇음이 되었으니, 경백이 살아
있은즉 부귀를 칭앙(稱仰)하여 구혼할 이 나열작벌(羅列作伐)55)할 것이
로되, 당시 하여는 빈한한 과모(寡母)의 일 여아(女兒)로 호화키를 바라
지 못할지라. 차고(此故)로 벌열명족(閥閱名族)의 부귀가 공자는 경씨를
취코자 않을 것이요, 미문천가(微門賤家)에 결혼키는 실로 옥을 진토(塵
土)에 던지며, 명주(明珠)를 사석(沙石)에 버림 같은 고로, 특별이 자의
형의 부빈(副嬪)을 천거하여, '주진(朱陳)56)의 좋은 인연을 맺고자' 함
이러니, 악장이 이렇듯 매매(浼浼)히57) 거절하시니 소생이 말 내는 것
이 부질없거니와, 천여불취(天與不取)면 반수기앙(反受其殃)58)이라. 문
왕(文王)이 성인이시되 태사(太姒) 같은 숙녀를 두시고, 삼천후비(三千
后妃)를 유정(有情)하시니, 자의 형의 기상으로써 규내(閨內)에 세 부인
을 거느리지 못할까 근심하며, 매저의 현숙함으로 두어 적인을 화우(和
友)치 못할까 염려하리까?"

하공이 청파에 호호히 웃으며 왈,

"내 매양 사빈의 너무 예중함과 남달리 단묵(端默)하여, 한 조각 번화
한 뜻이 없음을 답답이 여기고, 사람 권장함이 행여도 호방한 데 이르지

---

55) 나열작벌(羅列作伐) : 줄을 서서 중매(仲媒)를 세움. 작벌(作伐)하다 : 중매 서다.
56) 주진(朱陳) : 주진(朱陳)은 중국 당(唐)나라 때에 주씨와 진씨 두 성씨가 함께 살
    아오던 마을 이름인데, 한 마을에 오직 주씨와 진씨만 대대로 살아오면서 서로
    혼인을 하였다고 하여, 두 성씨간의 혼인을 일컬어 '주진(朱陳)의 호연(好緣)'이
    라고 한다.
57) 매매히 : 창피를 줄 정도로 거절하는 태도가 쌀쌀맞게.
58) 천여불취(天與不取)면 반수기앙(反受其殃)이라 : 하늘이 주는 것을 받지 않으면
    도리어 앙화(殃禍)를 입게 된다.

않더니, 오늘날 경씨의 현부를 이르며, 원아의 혼인을 권함이 이 같으니 실로 희귀한 일이로다. 내 어찌 매매히 거절하리오. 현서의 말을 좇아 혼인을 쾌허하나니, 쉬이 길례를 이루게 하라."

동평후 소이사사(笑而謝辭) 왈,

"악장이 차혼을 허하시니, 소생이 중매됨을 자원하여 왔던바 헛되지 않아, 무안함을 면하고 하주(賀酒)를 취토록 먹으리로소이다."

금평후 소왈,

"사빈이 평일 술을 즐기지 않더니, 어찌 경소저 길례에 하주 먹기를 그대도록 즐기느뇨? 아무려나 중매하는 공으로 금일 취하고 가라."

태부 잠소 대왈,

"소생이 취키를 그음하고 먹어도 수삼 배에 더하지 못하리로소이다."

하공이 소왈,

"수삼 배 받으려 수고로이 중매하는 뜻을 실로 알지 못하리로다."

태부 소이대왈(笑而對曰),

"악장이 어찌 소생의 마음을 알지 못하시나니까? 하주를 받고자 하는 줄이 아니라 경씨의 일생이 영화롭기를 위함이니, 비록 제삼 부빈이나 자의 형의 배필 됨이 속자의 원비 되는 이보다 쾌함으로써, 부디 중매의 소임을 자당(自當)함이로소이다."

하공이 비록 번사를 구치 않으나, 만사에 윤태부 말인즉 아니 들음이 없는 고로, 초공이 경씨 일인을 더 취하는 것이 무해함을 알아 즉시 쾌허하고, 금평후 부자가 초공을 향하여 치하하되, 초공이 부친의 허혼하심을 들을 따름이요, 간예(干與)하는 일이 없더니, 금평후 부자의 치하하는 말에 다다라, 미소 대왈,

"연질(緣姪)이 본디 번사를 구할 뜻이 없으니, 신취하는 것이 무엇이 기쁘리까? 하물며 연질이 신랑 소임하기도 가장 노창(老蒼)59) 하여 아무

라도 사위 삼고자 할 이 없을 것이로되, 사빈이 경씨의 일생을 위하여 편할 도리를 생각하매, 의사 궁극하여 연질이 용우함이 여자에게 한 일도 가찰(苟察)함이 없으매, 경씨를 부디 소질과 성친코자 함이니이다."

금평후 소왈,

"자의의 어짊이 아무데도 가찰은 없거니와, 규내가 더욱 순편하여 '솜60)에 바늘'과 '물은 떡' 같으므로, 사빈이 경씨를 자의의 제삼 부빈으로 돌아 보내고자 함이라. 윤부인으로부터 연부인을 어찌 대접하기에, 노창한 신랑이라도 구함이 이 같으뇨?"

초공이 함소(含笑) 대왈,

"연숙이 이렇듯 물으시니 소질이 어찌 심사를 은휘하리까. 소질이 용우하오나 윤·연 등으로 비기매 어찌 천지 같지 않으리까마는, 소질이 평생 염고하는 빛을 나토는 바 없으니, 이러므로 사빈이 제 누의 같은 인물도 소질로 부부윤의를 폐치 않음을 알아, 어대 가 용렬코 못생긴 여자를 두고 소질의 배우를 삼고자 함이니이다."

태부 미미히 웃으며 가로되,

"여자 됨이 실로 어려움을 한함 즉하도다. 금일이야 깨닫나니 우리 저저의 현숙하심으로도 이 같도다."

하더라. 윤 태부 이에 하직하고 돌아와, 하공께 경씨 혼인을 청하여 허락하던 바를 전하니, 조부인이 소찰(小札)로 양부인께 통하여 하복야의 기특함과, 그 가풍의 순화함을 갖추 베풀고, 비록 제삼 부실(副室)이나 질녀 현숙하여 적인을 동기같이 화우 하는 바를 이르니, 양부인이 윤부의 명인즉 사지라도 사양할 뜻이 없는 고로, 답간에 후의를 사례하고 초

---

59) 노창(老蒼) : ①노인(老人). ②나이가 들어 머리가 흼.
60) 솜 : 목화씨에 달라붙은 털 모양의 흰 섬유질.

공의 생년월일을 물어 즉시 택일하니, 길기 신속하여 겨우 일삭이 가렸더라.

하부인 현아가 경가 길일이 가까움을 인하여 취운산으로 돌아가고, 윤부에서 경소저 혼례에 범백만사(凡百萬事)[61]에 무심치 않아 각별이 기렴하니[62], 양부인이 감은함을 이기지 못하더라.

석부인 경아 잉태한 지 십일 삭 만에 옥으로 메우고 꽃으로 새겨 양개 여아를 쌍생하니, 비록 남아 아님을 서운하나, 성혼 십사 년에 처음으로 유치(幼稚)를 얻으매 사랑이 황홀하고, 유부인의 기쁘며 즐거움은 더욱 비할 곳이 없는지라. 영능공이 삼칠일(三七日)[63] 후 즉시 와 보고 자식 사랑함이 병 된 고로, 신생 쌍녀(雙女)의 요염쇄락(妖艶灑落)함을 크게 사랑하며 귀중함이 아들에 내리지 아니 한지라. 이로 좇아 합문이 흔열하여 반점 근심이 없더라.

일월이 여류(如流)하여 경씨 길일이 다다르니, 초국공이 육례(六禮)[64]를 갖추어 경 소저를 맞아 오매, 이 문득 선원아질(仙苑雅質)이요, 당대국색(當代國色)이라. 옥모성안(玉貌星眼)과 유미월액(柳眉月額)이며, 앵순화협(櫻脣花頰)이요, 초요봉익(楚腰鳳翼)[65]이라. 신장체도(身長體度) 극진히 맞갖으니 고우며 빼어남은 이르도 말고, 인자한 성심과

---

61) 범백만사(凡百萬事) : 갖가지의 모든 것.
62) 기렴하다 : 보살피다. 유의하다.
63) 삼칠일(三七日) : 세이레. 아이가 태어난 후 스무하루 동안. 또는 스무하루가 되는 날. 대개는 이날 금줄을 거둔다.
64) 육례(六禮) : 우리나라에서 전통적으로 내려오는 혼인의 여섯 가지 예법. 납채(納采), 문명(問名), 납길(納吉), 납폐(納幣), 청기(請期), 친영(親迎)을 이른다.
65) 초요봉익(楚腰鳳翼) : 중국 초나라 미인의 가는 허리와 봉황의 날개처럼 아름다운 몸매.

요요(窈窈)한 숙덕(淑德)이 외모에 현출하며, 총민영혜(聰敏穎慧)함이
동지(動止)에 나타나니, 진정 색덕이 가즉하며, 남교(藍橋)66)의 옥 같은
숙녀라.

정국공과 조부인이 신부의 폐백(幣帛)을 받고 그 아름다움이 이 같음
을 보고, 만분대열(大悅)하여 아자의 처궁(妻宮)이 유복함을 스스로 일
컫고, 만좌빈객의 치하를 사양치 아니하여, 신부의 혈혈(孑孑)한 정사를
각별히 자닝하여 무애함을 친녀와 달리 않는지라. 이에 윤·연 양부인
을 가르쳐 서로 보는 예를 이루게 하더라.

---

66) 남교(藍橋) : 중국 섬서성(陝西省) 남전현(藍田縣)에 동남쪽 남계(藍溪)에 있는
    다리 이름. 거기에는 선굴(仙窟)이 있는데, 당나라 때 배항(裵航)이 이곳을 지나
    다가 선녀인 운영(雲英)을 만나서 선인들이 마시는 음료인 경장(瓊漿)을 얻어
    마셨다고 한다.

명주보월빙 권지구십이

어시에 정국공과 조부인이 윤·연 양부인을 가르쳐 서로 보는 예를 이룰 새, 연씨 이 날 신부의 옥태월광(玉態月光)을 보매 가장 분분통해(忿憤痛駭)하여, 횃불 같은 양목(兩目)을 뒤룩이며, 분연한 춤이 가득하여 이를 옹숭그리고67), 양구숙시(良久熟視) 하여 그 거동이 괴이하니, 조부인이 볼 적마다 그 상모를 놀라나, 화평키를 위하여 좋은 낯빛차로 연씨를 향하여,

"경시는 본디 벌열(閥閱)의 요조현미(窈窕賢美)한 여자라. 명도 괴이하여 부형을 참별(慘別)하매, 무궁한 궁천극통(窮天極痛)이요, 슬픔이 가득하니, 인심 가진 자는 신부를 위하여 자닝히 여기지 않을 이 없는지라. 그대는 팔자 유복하여 생어부귀(生於富貴)하고 장어호치(長於豪侈)하여, 세상 괴로운 근심을 알지 못하니, 사람의 슬픈 정사를 채 알지 못하려니와, 윤현부의 현심숙덕이 하천(下賤) 삼척동(三尺童)에 미쳐도 교오자존(驕傲自尊)한 일이 없으니, 그대는 범사를 윤현부와 한가지로 하여, 신부를 화우하고 돈아(豚兒)의 내조를 빛내어, 규문 안에 일향(一向) 고요 안정함을 바라노라."

---

67) 옹숭그리다 : 궁상맞게 몹시 웅그리다.

연씨 문득 미우를 찡기고 소리를 매히[68] 하여 왈,

"엄구와 존고 첩의 얼굴이 박색이라 하여 업신여김을 천비같이 하시거니와, 첩이 당당한 승상의 손녀요, 금(今) 황제의 생질이라. 그 존귀함이 이 집 노소 가운데 뉘 나만한 이 있으니까? 명도 괴이하여 초공의 재실이 되어 그 박대함이 비첩 같고, 윤부인이 상두(上頭)에 거하여 구고로부터 초공의 앎이, 임사(姙似[69]) 번월(樊越)[70] 같은 숙녀로 미루니, 첩이 뜻을 낮추고 마음을 순히 하여, 내 몸이 존귀함을 생각지 않고 하풍(下風)의 시(視)[71]를 감심하거늘, 이제 하군으로 하여금 부질없는 번사(繁事)를 취케 하여 오늘날에 경씨를 맞으니, 얼굴은 완사(浣紗)하던[72] 서시(西施)[73]와 당나라 양태진(楊太眞)[74]의 일류나, 그 심사와 행지(行止)야 어떤동 알리이까? 윤부인은 사덕(四德)이 갖은 사람이거니와, 자고로 여자 얼굴 고운 것이 나라를 망치고 집을 엎치나니, 일시 눈에 고운 빛을 구고와 가군이 다 기특히 여기거니와, 매희(妹喜)[75] 하

---

68) 매히 : 매매히. 사납게. 쌀쌀맞게.
69) 임사(姙似) : 중국 주(周)나라 현모양처(賢母良妻)인 문왕의 어머니 태임(太姙)과 무왕(武王)의 어머니 태사(太姒)를 함께 이르는 말.
70) 번월(樊越) : 중국 초나라 장왕(莊王)의 비(妃)인 번희(樊姬)와 소왕(昭王)의 비 월희(越姬). 둘 다 어진 마음으로 남편의 정사를 간(諫)해 덕행으로 유망하다.
71) 하풍(下風)의 시(視) : 사람이나 사물의 수준 또는 질을 일정 수준보다 낮게 여김.
72) 완사(浣紗)하다 : 마전이나 빨래를 함. *마전; 생피륙을 삶거나 빨아 볕에 바래는 일.
73) 서시(西施) : 중국 춘추 시대 월나라의 미인. 오나라에 패한 월나라 왕 구천이 서시를 부차에게 보내어 부차가 그 용모에 빠져 있는 사이에 오나라를 멸망시켰다.
74) 양태진(楊太眞) : 양귀비(楊貴妃). 중국 당나라 현종(玄宗)의 비(妃)(719~756). 이름은 옥환(玉環). 도교에서는 태진(太眞)이라 부른다. 춤과 음악에 뛰어나고 총명하여 현종의 총애를 받았으나 안녹산의 난 때 죽었다.
75) 매희(妹喜) : 중국 하(夏)나라 마지막 황제 걸(桀)의 비(妃). 절세미녀로 걸을 농락하여 주지육림(酒池肉林)을 만들어 쾌락에 빠지게 하고 이를 간하는 현신(賢臣)을 참형에 처하게 하는 등 난행(亂行)을 일삼아 하나라를 멸망에 이르게 했다.

(夏)를 망하며, 달기(妲己)[76] 은(殷)을 망하며, 양귀비(楊貴妃) 당을 난하니, 이러므로 계집의 얼굴 고운 것이 무엇이 좋으리까? 첩이 맹광(孟光)[77]의 상 받들기와 황씨(黃氏)[78]의 대량(大量)을 효칙하여 천고박색(千古薄色)을 따를지언정, 요악한 미인을 능히 대치 못할소이다."

언파에 사색(辭色)의 흉악함이 제인을 놀래는지라. 조부인이 어이없어 말을 않고, 하공이 미미히 웃고 가로되,

"연씨 말도 괴이치 아니하거니와 천연이 있으면 이역(異域) 천애(天涯)라도 면치 못한다 하니, 신부 동월백의 귀한 여자로 돈아의 제삼 부실이 되는 것이, 벌써 등한치 않은 연분이니, 우리 비록 번사를 구치 않은들 천연이 중한 것을 어찌 막으리오. 이제 그대 스스로 존귀함을 자랑하니, 이르지 않은들 어찌 모르리오마는, 여자는 온순화열(溫順和悅)하며 비약겸손(卑弱謙遜)하는 것이 으뜸이라. 초공주(楚公主) 백정(白丁)에게 하가(下嫁)함이 있으나, 연소부 내 집에 들어옴이 실로 구가라 함이 욕되려니와, 내 집이 연군주로써 아들의 재실을 청함이 없고, 성은이 빛을 더하시어 사혼하시는 전지(傳旨) 내림으로, 비록 외람하고 불안하나 벌써 연궁 청촉(請囑)이 구중(九重)[79]에 사무쳐 성상이 사혼하시니, 우리 부자가 사양하여 면치 못할 것이므로, 원광이 연소부재로 육례(六禮)로 맞은 지 여러 세월에, 아들과 딸을 두고 하마 신인 두 자를 면할

---

76) 달기(妲己) : 중국 은나라 주왕의 비(妃). 왕의 총애를 믿어 음탕하고 포악하게 행동하였는데, 뒤에 주나라 무왕에게 살해되었다. 하걸(夏桀)의 비 매희(妹喜)와 함께 망국의 악녀로 불린다.
77) 맹광(孟光) : 후한 때 사람 양홍(梁鴻)의 처. 추녀였으나 남편의 뜻을 잘 섬겨 현처로 이름이 알려졌고, 고사 거안제미(擧案齊眉)로 유명하다.
78) 황씨(黃氏) : 중국 삼국시대 촉의 정치가 제갈량의 처. 용모는 몹시 추(醜)녀였으나 재주가 뛰어났다고 한다.
79) 구중(九重) : 구중궁궐(九重宮闕)의 줄임말.

듯하니, 어찌 오늘 신인을 보고 이런 불쾌지설(不快之說)이 있을 줄 뜻하였으리오. 한낱 여자를 이르지 말고 남자라도 뜻을 낮추고 공순겸손(恭順謙遜)하는 것이 복을 기르는 마디라. 소부 고서를 박람하여 고사를 아노라 하니, '임금이 사람을 교만하게 대하면 나라를 잃게 되고, 대부(大夫)가 사람을 교만하게 대하면 그 가문을 잃게 된다'80)함을 듣지 못하였느냐? 모름지기 부귀를 자랑치 말고 마음을 안정이 잡아, 내 집을 사람으로 인해 마치게 하는 폐(弊)를 없게 할지어다."

언파(言罷)에 소안(笑顔)이 준절하고 위의 열숙(烈肅)하여 사람으로 하여금 불감앙시(不敢仰視)할 바니, 연씨 비록 염치상진(廉恥喪盡)한 인사불성(人事不省)이나, 일분 수괴(羞愧)하고 황공(惶恐)한 빛이 있어, 낯을 붉히고 능히 말을 못하니, 동평후 부인이 가로되,

"저저의 친부 부귀를 이를진대 윤저(姐)와 경저(姐)께 비기지 못할 것이로되, 인연이 기특하여 다 한가지로 거거(哥哥)의 배우 되시니, 저저가 뜻을 낮추시고 덕을 기르시어 거거의 내사(內事)를 빛내고 화기(和氣)를 잃지 않으시면, 일가친척과 연혼가(連婚家)며 인리(隣里)의 들으며 보는 이 저마다 칭찬하여, 금지옥엽(金枝玉葉)이 상녜(常例) 여름81)과 다르고, 비록 용색이 절세치 못하나 맹덕요(孟德曜)82)의 상 받드는 어질기와 황씨(黃氏)의 대량(大量)을 족히 비길 것이니, 어찌 행실을 삼가지 아니하시고, 존전에 불평지색(不平之色)과 괴이한 말씀을 많이 하

---

80) 임금이 사람을 교만하게 대하면 나라를 잃게 되고, 대부(大夫)가 사람을 교만하게 대하면 그 가문을 잃게 된다. : 원문의 '國君而驕人則失其國(국군이교인즉실기국)하고, 大夫而驕人則失其家(대부교인즉실기가)'를 번역한 말. 사마천(司馬遷), 『사기(史記)』 위세가(魏世家)조(條)에 나오는 글.

81) 여름 : 열매. 농사. 수확. 여기서는 '자녀'를 뜻함.

82) 맹덕요(孟德曜) : 중국 후한 때 사람 양홍(梁鴻)의 아내. 이름은 맹광(孟光), 자(字)는 덕요(德曜).

시느뇨? 우리 거거(哥哥) 본디 취색경덕(取色輕德)하는 무리를 통한하시나니, 저저를 박멸(薄蔑)하시며 일시 눈에 보기 좋은 빛을 구하시리까? 저저의 유복하심이 출가하던 날부터 후백의 부인으로 호호(浩浩)한 부귀를 누리시며, 중궤(中饋)의 다사(多事)함과 범사(凡事) 책망(責望)의 어려움은 다 윤저저께 돌아가고, 저저는 무사안한(無事安閑)하여 긴 세월에 한 근심도 없이, 옥동화녀(玉童花女)를 슬하에 유희하시니, 아시로부터 호화하심과 이때에 이르기까지 세상 괴로운 염려를 모르시니, 저저 같은 이 어디 있으리까? 양가 친당이 구존(俱存)하시고, 동기 번성하며, 가부 위고금다(位高金多)하여 국공(國公)에 거하니, 그 존귀함이 천승(千乘)의 일류(一類)라. 윤저저는 아황(娥皇)[83]의 덕을 닦으시고 저저는 여영(女英)[84]의 정결함을 효칙하시리니, 나이 젊으시나 당당한 재상의 부인으로 범사를 가벼이 못할지라. 희로(喜怒)와 언어를 각별이 삼가시어 거거의 수신(修身)하시는 덕을 도우심이 자못 마땅할까 하나이다."

연씨 본디 인사를 모르고 염치 없을지언정, 심지는 간교극악(奸巧極惡)지 않은 고로, 소고(小姑)가 자기를 유복(有福)하다 하는 말을 가장 좋이 여겨, 청순(靑脣)[85]에 흑치(黑齒)[86]를 드러내고 얼굴을 찡긋거려 눈짓하며, 고개를 끄덕여 가로되,

"부인의 말씀이 실로 옳으셔이다. 첩이 언행을 삼가며 윤부인의 화우하는 덕을 좇아 정의(情誼)를 상해오지 않더니, 오늘 신부의 요색(妖色)

---

83) 아황(娥皇) : 요임금의 딸로 동생 여영(女英)과 함께 순임금에게 시집가 서로 투기하지 않고 화목하게 잘 살았으며, 순임금이 창오(蒼梧)에서 죽자 함께 소상강(瀟湘江)에 빠져 죽었다.
84) 여영(女英) : 순임금의 비(妃). 아황(娥皇)의 동생으로 자매가 함께 순임금을 섬겼다.
85) 청순(靑脣) : 푸르스름하여 아름답지 못한 입술.
86) 흑치(黑齒) : 검게 변색된 아름답지 못한 이.

을 만좌(滿座)가 다 칭찬하는 고로 우연이 심곡소회(心曲所懷)를 폄이거니와, 구태여 신인을 미워하는 뜻이 아니라. 제 만일 윤부인같이 나를 공경하며 지성으로 대접하면, 내 어찌 저를 해코자 하리까마는, 제 혹(或) 요악하여 첩을 업신여기는 일이 있으면, 첩이 한 주먹으로 짓부숴 아주 분골쇄신(粉骨碎身)을 못하리까?"

윤태부 부인이 미처 말을 못하여서, 윤부인이 연씨의 나상(羅裳)을 다래여 가만히 이르대,

"존전에 이렇듯 다설(多說)할 일이 아니요, 소견을 이르려 하여도 사실의 물러 가 종용한 때의 회포를 펴리니, 부인이 어찌 이런 일을 알지 못하느뇨?"

연씨 위인이 기괴하나 윤부인 성덕을 감골명심하여, 처음같이 질욕할 의사를 내지 않고, 그 말씀인즉 아니 옳이 여기는 일이 없는 고로, 비로소 어지러운 말과 분분한 사색을 그치고, 소고의 유복(有福)다 하는 말을 불승희열(不勝喜悅)하여, 종일 가장 규구(規矩) 있는 체하고, 게트림[87]하며 입짓[88] 눈짓[89]하고, 스스로 몸이 존중한 체하고, 그 행동거지의 망측기괴함이 다 사람의 웃음을 참지 못할 곳이라.

연씨 전혀 눈치를 알지 못하고, 주찬(酒饌) 가져옴을 인하여 광복(廣腹)을 채우려 하여, 자기 상과 윤태부 부인의 만반진수(滿盤珍羞)를 아울러 서릇고, 몽성 등이 가진 과실을 다 거두고, 진육(珍肉)[90] 갖은[91] 것을 다 앗아, 미친 사람같이 휘끌어[92] 먹다가, 문득 배 끓는 소리 산

---

87) 게트림 : 거만스럽게 거드름을 피우며 하는 트림.
88) 입짓 : 어떤 뜻을 전하거나 무엇을 넌지시 알려 주기 위하여 입을 움직이는 짓.
89) 눈짓 : 눈을 움직여서 상대편에게 어떤 뜻을 전달하거나 암시하는 동작.
90) 진육(珍肉) : 맛좋은 고기.
91) 갖은 : 골고루 다 갖춘. 여러 가지의. *갖다; 갖추다. 구비(具備)되어 있다.

의 물이 급히 내림 같아서, 큰 방귀 연하여 벼락이 울리는 듯, 능히 그
치지 않아 형형색색(形形色色)93) 괴이한 냄새 다 나다가, 한 번 '벌컥'
하는 소리 길게 나며 한없는 똥을 싸니, 똥물이 자리에 괴이며 배를 급
히 앓으니, '애고' 소리 산천이 울리게 지르니, 하공 부부와 제좌(諸座)
가 막불해참(莫不駭慘)하여, '사람의 삼가지 못함이 저토록 한고!' 탄하
고, 윤부인과 하부인이 연씨의 시녀 유랑배를 불러 급히 부인을 모셔 가
라 하니, 유모와 시녀 일시에 연씨를 끌어가며 일변으로 똥을 쳐내니,
악취 중인의 코를 거스르니, 하공이 즉시 밖으로 나가고, 제객이 날이
저물기로 인하여 흩어질 새, 신부 숙소를 취운각에 정하여 보내고, 조부
인이 촉을 이어 여아와 윤씨로 더불어 종용이 말씀하더니, 이윽고 하공
이 들어오니 윤부인이 하시로 잠깐 모셨다가 각각 침소로 돌아오다.

　연씨 침소에 돌아와 상토하설(上吐下泄)을 무수히 하고, 한 잠을 자매
복통이 적이 낫거늘, 밤든 후 깨어 옷을 수렴하고 유모더러 묻되,

　"상공이 안에 들어와 신방에 가려 하시더냐?"

　유모 대왈,

　"아직 혼정도 못 되었으니 어찌 신방에 가시리까? 이런 말씀은 부인
이 물으실 바 아니거니와, 석상(席上)94)에서 정당 부인 말씀을 소저 불
순히 대답하시고, 또 배부름을 생각지 않으시고 주찬을 과히 자신 고로,
만좌 중 대변을 싸시니, 노첩(老妾)이 그런 때에는 낯을 깎고 보지 말고
싶더이다."

---

92) 휘끌다 : '휘+끌다'의 형태. 마구 끌어당기다. *휘; 일부 동사 앞에 붙어, '마구'
　　또는 '매우 심하게'의 뜻을 더하는 접두사. *끌다; 끌다(바닥에 댄 채로 잡아당
　　기다). 끌어당기다(끌어서 가까이 오게 하다).
93) 형형색색(形形色色) : 형상과 빛깔 따위가 서로 다른 여러 가지.
94) 석상(席上) : 누구와 마주한 자리. 또는 여러 사람이 모인 자리.

연씨 탄 왈,

"어미는 이리 이르지 말라, 인생이 삶이 손[95] 같고 죽음이 돌아감 같
으니, 인생 팔십을 다 살아도 오히려 느껍거늘[96], 내 세상이 얼만 줄 알
아, 먹고 싶은 음식을 만나 배조차 주리고, 하고 싶은 말을 매양 어찌
참으리요. 신인(新人)이 윤부인같이 어질면 모르거니와, 그렇지 아니면
찢어 죽이리라."

유모 연씨의 인물을 아는지라, 능히 말로 가르쳐 효험이 없는 고로,
역시 탄식하고 장 밖에 와 쓰러지니라.

연씨 평생 초공을 귀중하는 정을 수유불리(須臾不離)코자 하는 마음
이 돌같이 뭉쳐, 능히 풀릴 길이 없어 고직(固直)할[97] 뿐 아니라, 초공
이 대단한 사고 아니면 반일씩 들어와 모친을 모셔 매양 기담(奇談)으
로 조부인의 웃으심을 요구하더니, 이날은 내당에 빈객이 가득하니, 경
씨로 합환지례(合歡之禮)[98]를 마친 후 즉시 외당으로 나가, 다시 들어
오지 않았는 고로, 날마다 존고 침전에 가 초공의 들어오기를 기다려 그
풍채신광을 바라보며, 그 주순호치(朱脣皓齒) 사이에 상쾌한 언소를 들
어, 정혼을 위로하다가, 이 날은 경씨와 교배(交拜)[99]할 때에 얼핏 보고
다시 보지 못하니, 그리운 정을 이기지 못하여 유랑 시녀배도 알지 못하

---

95) 손 : 손님. 지나가다가 잠시 들른 사람.
96) 느껍다 : 서럽다.
97) 고직(固直)하다 : 성격이나 행동이 주변이 없이 외곬으로 굳고 곧다.
98) 합환지례(合歡之禮) : =합근지례(合巹之禮). 전통 혼례식에서 신랑 신부가 혼인
    을 맹세하는 뜻으로 서로 술잔을 주고받아 마시는 의식. *합환주(合歡酒); 전통
    혼례식에서 신랑 신부가 서로 잔을 주고받아 마시는 술. *합근(合巹); 전통 혼
    례에서, 신랑 신부가 잔을 주고받음. 또는 그런 절차.
99) 교배(交拜) : 교배례(交拜禮). 전통혼례에서 신랑신부가 서로에게 절을 하고 받
    는 의식.

게 가만히 후창으로 내달아, 여러 층 곡난(曲欄)을 지나 서너 중문(中門)을 겨우 찾아 외당으로 나올 새, 연씨 헤아림에는 삼공자와 초공만 있는 줄로 알아 잠깐 그 얼굴이나 보고 들어오려 하여 나가매, 이날 윤태부 연석에 참예하여 수배(數盃) 하주(賀酒)를 마시고, 하공 부자와 금평후 부자의 청유(請留)함을 인하여 옥누항에 돌아가지 못하고 이에서 밤을 지낼 새, 제왕의 오곤계와 진평장 등 군종 형제(群從兄弟) 다 하부에 모여 밤들도록 초공을 보채여 조로고, 경가의 신랑이 되였으니 동상녜(東床禮)100)를 차리되 범연히 못하리라 하며, 서로 담화하여 즐기는 흥이 높았는지라. 때 바야흐로 하사월(夏四月) 망간(望間)101)이라. 일기 훈화하니 제진과 제정이 초공으로 더불어 청사에 열좌(列坐)하고, 윤태부는 적상(積傷)한 중이 복발하여 정신이 아득하고 일신이 분쇄하는 듯하여, 난간을 비겨 말을 않고, 고요히 눈을 감고 누었더니, 연씨 바로 외당을 꿰뚫고 나온 즉 청사에 깊이 앉아 있는 이는 미처 보지도 못하고, 난간에 누어있는 자가 면광(面光)이 찬란미려(燦爛美麗)함과 신장의 늠름함이 얼핏 초공 같은 고로, 의심 없이 달려 가 들이달아 태부의 소매를 붙들고, 눈물을 내려 왈,

"금일 어인 연석의 대수롭지 않은 빈객에 상공이 종일토록 들어오지 않으시니, 첩이 월풍선용(月風仙容)을 삼상(參商)102)하매 아마도 마음이 미칠 듯한 고로 염치를 잊고 이에 왔나니, 상공은 신방에도 가려니와

---

100) 동상녜(東床禮) : 혼례 후 신랑 신부의 친구들이나 친척들이 신랑을 짓궂게 다루는 풍속. 발바닥을 때리는 등의 장난을 치고 음식을 대접한다.
101) 망간(望間) : 음력 보름께.
102) 삼상(參商) : ①삼성(參星)과 상성(商星)을 아울러 이르는 말. ②삼성(參星)과 상성(商星)이 동서(東西)로 멀리 떨어져 있는 데서, 멀리 떨어져서 그리워함을 이르는 말. 여기서는 '그리워함'을 나타낸 말.

고인의 다정함을 생각하라."

이리 이르며 태부의 손을 잡으려 하는지라. 태부 경해함을 이기지 못하여 빨리 몸을 일어 왈,

"나는 윤희천이오 하학성이 아니로소이다."

연씨 태부의 옷을 틀어잡고 이르대,

"상공이 평생 희롱을 않으시더니 금야는 어찌 윤이부의 성명을 비러 첩을 속여 보려 하느뇨? 내 비록 남같이 기특하지 못하나 양목(兩目)은 병들지 않았으니, 어찌 명월지하(明月之下)에 상공을 몰라 볼 것이라 이런 우스운 말을 하시느뇨?"

윤이부 가장 난안하고 절박하되, 초공이 마침 여측(如厠)하러 간 때요, 제진과 제정은 이 경상을 보고 해연망측(駭然罔測)함은 이르지도 말고, 그 상모 흉참하여 월하에 바로 보기 무서운 고로, 번신하여 방중에 들지도 못하고 연씨를 꾸짖어 물리치도 못하매, 사세 괴롭고 절박하되, 이에 연씨 옷을 옭아 쥔 고로 급히 떼치고 몸을 빼어 뛰어 내려 설 즈음에, 초공이 완완히 걸어 섬 아래 다다르니, 연씨 윤이부의 옷 떨어진 조각을 쥐고 저의 급히 피함을 이상이 여길 뿐 아니라, 처음은 청상 구석지게 앉은 유는 보지 못하였다가, 여러 남자가 무리 지어 방중으로 들어감을 보고 가장 놀라, 그 염치에도 남이 제 거동을 다 본 일이 잠깐 참괴하여 어린 듯이 말을 못하다가, 문득 신 끄는 소리 나거늘 돌아다보니 한 사람이 섬 아래 다다르매 곳 초공이라. 연씨 황홀 여취(如醉)하여 둔골(鈍骨)이 바삐 내리달아 초공의 소매를 붙들려 하다가, 미끄러온 섬돌에 거꾸러져 봉관(封冠)이 부서지며 옥패(玉佩) 깨어짐은 이르지도 말고, 비둔(肥鈍)코 용렬한 몸이 두루 상하여, 부끄럽고 무류함을 겸하여 크게 소리 질러 엉엉 마구 울기를 시작하니, 그 소리 기괴망측함을 어디 비할 곳이 있으리오.

초공이 금옥군자(金玉君子)며 중산(重山)의 무거움을 가졌으되, 차경
(此景)을 당하여는 해연(駭然)코 가소로움을 이기지 못하여, 일장을 웃
고 서동으로 하여금 연부인의 시녀와 유랑을 부르라 하매, 수유에 시녀
칠팔인과 유랑이 외당의 나와 연씨의 거동을 보고, 하류(下流)의 상(常)
없는 마음에도, 참괴하여 저마다 낯을 깎고 싶은지라. 초공이 유랑과 시
녀 등을 엄정이 꾸짖어 왈,

"저런 실성의 주인을 데리고 있으매 일시도 방심치 못하여, 외당에
나오는 해거(駭擧)나 없게 함이 옳거늘, 어찌 혼자 내어 놓아 외헌에 나
오는 버릇이 있게 하느뇨? 금번은 처음이니 사(赦)하거니와, 후일에 저
실성지인을 무심히 버려 두어, 다시 왕래를 임의로 하는 거조가 있으면
큰 죄를 주리라."

유랑 시녀 사죄(死罪)를 청하고 연씨를 붙들어 내당으로 가심을 청하
나, 벌써 우람(愚濫)103)을 내었거든 어찌 들어가리오. 못쓸 성식(性
息)104)을 발하여 너른 뜰에 뒹굴며, 시녀 등을 옭아 쥐어뜯고 발노 차
며 입으로 물어, 중중거리며 이르대,

"어찌 한 사람의 몸이 화하여 두 사람이 될 리 있으리오마는, 아까 내
분명히 초공의 옷을 잡으매 피하여 갔더니, 이 초공은 어디로서 난고?
실로 측량치 못하리로다. 이 밤이 새기를 그음하여 초공을 데리고 들어
가지 그저는 못 가리로다."

하니, 초공이 분한코 통해함을 어이 참을 바리오마는, 저 인사불성(人
事不省)은 염치없으니 쟁힐(爭詰)함도 괴롭고, 중인 첨시에 무류하여 이
에 낯을 화평이 하고, 이르대,

---

103) 우람(愚濫) : 어리석어 분수를 모르고 외람됨
104) 성식(性息) : 성정(性情). 성질과 심정. 또는 타고난 본성.

"그대 한가지로 온갖 말 아니하여도 내 아직 혼정을 않았으니, 이제 정당의 가려 하거니와, 평제왕과 진평장의 군종 형제 다 각각 부중 혼정에 미처 가려 하거늘, 그대 뜰 가운데 누어 이같이 어지러이 해거를 하며 구르매, 방 밖을 나가지 못하여 정히 민울하니, 그대 일분 사람의 심통105)일진대 어찌 이렇듯 해괴히 긇이 참괴치 않으리오. 실로 내 낯이 더움을 깨닫지 못하나니, 모름지기 그만하여 들어가라."

연씨 초공의 소리를 들으매 아까 옷을 떼쳐 버리고 가던 자와 같을 뿐 아니라, 진정 초공은 자기더러 말하기를 어려워 아니하대, 아까 피한 자는 저를 만나 과연 입을 열어 말하기를 절박히 여기던지라. 비로소 초공이 아니던 줄 깨달아 잠깐 울음을 그치고, 초공을 향하여,

"내 아까 분명이 상공으로 알고 낭군의 옷을 잡고 왔더니, 그 남자가 옷을 미어뜨리고106) 피하니, 실로 상공이신가 여겨 분노하였더니, 과연 상공이 아닐랏다. 내 이곳에서 바로 정당에 들어 가 기다릴 것이니, 상공은 청컨대 혼정에 불참치 마소서."

초공이 소왈,

"혼정은 아무리 그대 참예치 말라 하여도 공연이 불참하리오. 염려 말고 들어가라."

연씨 시녀 등에게 붙들려 안으로 들어가니, 초공이 해참(駭慚)하여 당에 오르며, 스스로 웃으며 이르대,

"사람의 갖추 못 삼기고 염치 상진함이 저런 것은 고금에 둘이 없으리라."

제진과 제정이 비로소 청사에 나와 각각 부중으로 돌아가랴 할 새, 윤 태부 또한 놀난 것을 진정하여 뒤 첨하로 들어오니 미여진 옷이 괴이함

---

105) 심통 : 마음. 마땅치 않게 여기는 나쁜 마음.
106) 미어뜨리다 : 팽팽한 천이나 종이 따위를 세게 건드리어 찢거나 구멍을 내다.

으로, 초공의 여벌 의복을 갈아입으니, 제진과 동월후 참지 못하여 웃고, 가로되,

"형이 부질없이 난간을 비겨 누었다가 우스운 경상을 당하니, 상(常)해107) 용력이 없을 듯하더니, 성한 옷을 찢어 두 조각에 내기는 세찰 뿐 아니라, 그 지예(遲曳)108)하던 걸음이 아까는 발이 땅에 붙지 아니하니 가소롭도다."

태부 미미히 웃고 가로되,

"범사에 완급이 있으니, 아까 그 거조에는 성한 옷이라도 떼치고 나갈 밖 다른 계교 없으니, 마지못하여 그리 하였거니와 웃을 일이 없도다."

초공이 소왈,

"내 잠깐 웃음을 참을 것이로되, 우두나찰(牛頭羅刹)109)과 흑살천신(黑煞天神)110)을 대하여 그 실성지언(失性之言)을 들으면 실로 웃음이 절로 나니, 제 진형과 여백이 어찌 웃지 않으리오."

제진과 동월후 소왈,

"우리 도리에 연부인을 들놓음이 불가하거니와, 자의의 위인이 연부인과 상적함으로 그렇듯 중대경복(重待敬服)하여 본 적마다 아름답게 여김인가 하노라."

초공이 소왈,

"너희도 각각 그런 아내 하나씩 얻어 두면 나의 관인함을 알리라."

이리 이르며, 제진과 제정은 각각 부중으로 돌아가고, 윤태부는 하부인 침소로 들어가고, 초공은 부모께 혼정하매 연씨 외헌 섬 아래로 굴러

---

107) 상(常)해 : 늘. 항상.
108) 지예(遲曳) : 발을 땅에 끌며 느릿느릿 걸음.
109) 우두나찰(牛頭羅刹) : 쇠머리 모양을 한 악한 귀신.
110) 흑살천신(黑煞天神) : 검은 살기를 띤 흉한 모습의 귀신.

상한 데는 능히 아픈 줄 모르고, 정당에 와 초공을 기다리다가 들어옴을 보고 반김을 이기지 못하니, 초공이 저의 이다지도 함을 실로 변(變)저이111) 여기며 괴로이 여겨, 부모께 취침하심을 청하고 물러 신방으로 향하되, 먼저 연씨를 데려 해월각의 두고 경계하여 왈,

"사람이 염치없으면 금수와 다름이 없고, 여자 가부를 위한 정이 범연할 바 아니로되, 타인 소시(所視)나 지존지지(至尊之地)에 눈을 쏘아 정을 감추지 못하여, 염치를 잊고 음일한 거동을 나타내어, 날로 하여금 수신하는 마음을 축(縮)하게112) 하고, 보는 자가 나와 그대를 더럽게 여기나니, 차후란 경심계지(警心戒之)하고 필경필찰(畢竟必察)113)하여 괴이한 거조(擧措)나 말라."

인하여, 자녀를 어루만져 가로되,

"세상 명박(命薄)한 여자들이 한낱 유치(幼稚)를 두지 못하고 청춘상부(靑春喪夫)하여, 시시 체읍하고 적막공방(寂寞空房)에 명도를 서러워하는 이 하나 둘이 아니로되, 능히 따라 죽지 못하고, 눈물로 벗을 삼고 한숨으로 세월을 보내나, 또한 미치는 일은 없으니, 그대는 일택지상에 편히 있는 가부가 무엇이 보고싶어, 그대도록 미친 거조를 하여 남의 웃음을 취하느뇨? 내 만일 그대를 박색이라 하여 일년에 한 번도 찾는 일이 없으면, 그대 이런 기특한 자녀를 어찌 낳았으리요. 모름지기 자녀를 무애(撫愛)하고, 가부에게 실성한 음탕지인(淫蕩之人)이란 이름을 얻지 말라."

연씨 초공으로 좌를 가까이 하여 이런 말을 들을 때는 더욱 골절이 녹

---

111) 변(變)저이 ; 변(變)스럽게. 이상하게. *'변+접다'의 형태. *-접다; 일부 명사의 뒤에 붙어 '그런 것을 느끼게 하는 데가 있음'을 뜻하는 접미사.
112) 축(縮)하다 : 오그라들다. 생기가 없다.
113) 필경필찰(畢竟必察) : 끝까지 반드시 살핌.

는 듯하며, 만세 동락할 뜻이 있으나, 윤·경 양인이 있으니 자가에게 은
정이 온전하리오. 천선(天仙) 같은 가부를 타인에게 보낼 뜻이 없으나,
초공이 이리 이르고 취운각으로 가니, 연씨 훌연(欻然)코 결울(結鬱)함이
무슨 원별이나 만난 것 같아서, 새도록 체읍함을 마지않으니 이 또한 병
이더라.

초공이 신방에 들어가 경씨를 대하매, 그 수려한 용색이 자태 찬란하
고 광채 조요하여, 추천명월과 금분모란(金盆牡丹) 같은 중, 청아교결
(淸雅皎潔)함과 숙요완혜(淑窈婉慧)함이 가득하니, 연씨를 보다가 단산
(丹山)의 채봉(彩鳳)을 만남 같고, 안광이 상쾌하여 일심이 아니꼬운 것
을 먹음다가 옥액경장(玉液瓊漿)[114]을 맛봄 같으니, 자연 은애취중(恩
愛醉重)하여 흔연히 말씀을 펴매, 경씨 머리를 숙여 들을 뿐이요, 한 말
대답이 없고, 부형의 참망(慘亡)함을 인하여 궁천극통(窮天極痛)이 오내
(五內)[115]에 일만 칼을 꽂음 같으니, 초공이 그윽이 자닝하고 측은함이
그음 없어, 옥수(玉手)를 이끌어 금리에 나아가매, 은정이 여산약해(如
山若海)하여 윤부인 버금이더라.

명일에 초공이 밖으로 나와 삼제로 더불어 관소(盥梳)하고 의대를 정
돈하고, 부모께 신성하매 윤부인 하부인과 연·경 등이 다 문안에 들어
오매, 하공과 조부인이 신부의 초월함을 볼수록 사랑하고 간절히 자닝
하여, 이 날 초공이 부인과 의논하고 취운산 하부(河府) 지척에 살던 명
어사 마침 집을 팔고 성내로 옮는 고로, 공이 명어사 집을 사고 하부로

---

114) 옥액경장(玉液瓊漿) : 옥에서 나는 즙. 맑고 고운 빛깔과 좋은 향을 갖추어 신
　　선들이 마신다고 하는 술로, 마시면 오래 산다고 하여 도가에서는 선약으로
　　친다. =옥액.
115) 오내(五內) : 오장(五臟). 간장, 심장, 비장, 폐장, 신장의 다섯 가지 내장을 통
　　틀어 이르는 말.

협문을 통한 후, 양부인과 경백의 사묘를 옮겨 운산으로 옮게 하니, 양부인이 서랑의 백일지광(白日之光)과 태산제월지풍(泰山霽月之風)[116]을 잠깐 보고, 여아의 신세 고단함을 염려하며 삼십 리를 격하여 자주 보기 어려움을 슬퍼하다가, 천만의외에 취운산으로 옮음이 되어, 고루화각(高樓畵閣)에 경백의 사묘를 봉안하고, 하부로 협문을 두어 여아로 축일상봉(逐日相逢)[117]하매, 데리고 있음 같아서 행열(幸悅) 감사(感謝)하여 평안이 지냄을 천신께 사례하더라.

경씨 인하여 구가에 머물매 효성이 동촉(洞屬)하고, 군자를 섬기매 승순하는 예모 빈빈할 뿐 아니라, 천성이 온유 나즉하여 윤·연 두 부인을 공경함이 존고 버금일 뿐 아니라, 천연온순(天然溫順)한 성정이 모진 소리와 사나운 말이 없어, 사기 안정하여 단묵함이 도 닦는 군자 같으니, 구고의 사랑이 윤부인 버금이요, 초공의 애중하는 정이 여천지무궁(如天地無窮) 함이 있거늘, 윤부인의 지성으로 사랑함이 어린 아우 같은지라.

경씨 윤부인 바라는 정이 또한 모친 버금이라. 윤부인이 연씨 같은 적인(敵人)이 간험극악 한 일은 없으나, 한 일도 마음에 합당한 바 없어, 눈에 뵈는 일인즉 발광한 사람 같고, 그 더러운 용모기질이 청정한 마음에 때때 눅눅할 적도 있으되, 마침내 사색치 않고 지성으로 화우하여 동기같이 하던 바라. 무슨 지기로 대접함이 있으리오. 그 작인이 갖추 흉괴하여 해괴(駭怪)함을 탄하다가 경씨를 만나매, 마음에 차고 뜻에 족하여 지기상합(志氣相合)[118]함이 되는지라. 번극한 가사와 대객지절이며

---

116) 태산제월지풍(泰山霽月之風) : 비가 갠 날 태산 위로 구름을 걷고 떠오른 달의 풍광.
117) 축일상봉(逐日相逢) : 하루도 거르지 않고 날마다 서로 만남.
118) 지기상합(志氣相合) : 두 사람 사이의 의지와 기개가 서로 잘 맞음. 늑지기투합.

봉사봉친과 슬하 아소(兒小)의 무양(無恙)과 수고를 나눠 서로 마음을
비춤이, 그림자 얼굴 좇음 같으니, 윤부인의 각별한 사랑이 날로 좇아
더하고, 그 자닝한 정사를 추연하여 양부인 받들기를 일가같이 하여, 경
씨로 더불어 몸소 양부인 침전에 나아가 배견(拜見)하여, 그 고초적막
(苦楚寂寞)한 신세를 위하여 슬피 여기니, 천성의 지극한 정성과 남다른
덕행이 자닝한 것을 보면 측은지심(惻隱之心)이 있고, 양부인이 윤부인
감은함이 골절에 사무치고, 경씨의 바라는 정과 감사한 뜻이 어찌 견줄
곳이 있으리오.

연씨 처음은 경씨를 어리게 호령하며 기괴히 꾸짖더니, 윤부인이 사
리로 개유하고, 경씨 갈수록 공순하매, 점점 연씨도 경씨의 온공(溫恭)
인자(仁慈)함을 사랑하며, 경씨 이름이 초공의 제삼 부실이나 부귀안한
(富貴安閒)하여 적인으로 서로 동기 같으니, 안항(雁行)이 적막치 않아
긴 세월에 한낱 근심이 없더라.

양부인이 주야 윤효문의 복록을 축원하여 은혜를 수심명골(樹心銘
骨)[119]하나, 능히 갚을 도리 없음을 탄하여, 모녀 대한즉 윤효문의 대
은을 일컫더라.

군자의 덕화가 이 같은지라, 윤효문이 한갓 한희린 모자와 양씨 모녀
를 구한 덕뿐 아니라, 전에 환쇄(還刷)하여 경사로 올라올 제 양주서 수
학하던 아동 중 혈혈(孑孑)한 류(類) 십여 인을 데려 왔더니, 다 교학하
여 문한이 유여케 하며, 각각 처실을 얻어 살게 하고, 일가친척의 빈궁
한 이는 이르지도 말고 평생 남이라도 참잔(慘殘)한 형세에 다다르는 구
활하기를 못 미칠 듯이 하니, 이러므로 그 덕화를 감열하니, 이로써 대
성인(大聖人)으로 이르더라.

---

119) 수심명골(樹心銘骨) : 은혜 따위를 마음에 심어 간직하고 뼈에 새겨 잊지 않음.

차시 하부에서 원상 등이 점점 장성하여 삼인이 일체(一體)로 수려하니, 원상과 원창은 동년쌍태(同年雙胎)로 십사 춘광을 당하였고, 원필은 십이 세라.

원상의 자는 자순이니 학사 원경의 원사(寃死)한 영백(令伯)이 양제(兩弟)의 영백으로 더불어 환도세계(還道世界)[120]하여 다시 하공의 아들이 되매, 하늘이 복록을 각별이 타여[121] 낸 바라. 표치풍광이 완연이 학사 돌아옴을 알 바로되, 미우의 복덕화기와 면모의 장원한 기틀이 학사 등의 전시(前時)와 내도한지라. 수려한 얼굴이 남전백옥(藍田白玉)[122]이 티끌을 씻으며, 쇄락한 광채는 구추상천(九秋霜天)에 계수(桂樹) 씩씩하니, 높은 천정(天庭)[123]은 문명(文明)이 영영(盈盈)하고 봉안 영채(鳳眼靈彩)는 추수(秋水)에 효성(曉星)이 비추듯, 연화(蓮花) 같은 양협(兩頰)에 단사(丹砂) 같은 주순(朱脣)이며, 빙설(氷雪) 같은 호치(皓齒) 씩씩하고 찬연미려(燦然美麗)하여, 연분(鉛粉)[124] 쓴 미인의 염태(艶態)를 더럽게 여기거늘, 신장이 언건(偃蹇)하여 칠척오촌(七尺五寸)이요, 기되(氣度) 수앙(秀昂)하여 장부 체위를 이뤘는지라.

품질이 화열온중하고 성행이 침정(沈靜)하여 재주와 덕을 나타내지 않고, 희로(喜怒)를 남과 않으며 언소를 경히 하지 않아, 천연이 도학군

---

120) 환도세계(還道世界) : 인간세상으로 환생함.
121) 타이다 : '타다'의 사동사. 복이나 재주, 운명 따위를 선천적으로 지니고 태어나게 하다.
122) 남전백옥(藍田白玉) : 남전산(藍田山)에서 난 백옥(白玉)이란 뜻으로 명문가에서 난 뛰어난 인물을 이르는 말. 남전은 중국(中國) 섬서성(陝西省)에 있는 산 이름으로 옥의 명산지.
123) 천정(天庭) : 관상에서, 두 눈썹의 사이 또는 이마의 복판을 이르는 말.
124) 연분(鉛粉) : =분(粉). 얼굴빛을 곱게 하기 위하여 얼굴에 바르는 화장품의 하나. 주로 밝은 살색이나 흰색의 가루로 되어 있으나 고체나 액체 형태로 된 것도 있다.

자의 풍이 있으니, 아시로부터 학문을 시작하여 일취월장(日就月將)하는 재주 일세에 희한하여, 붓을 들매 천언(千言)을 입취(立就)[125]하고, 시를 지으매 귀신을 울리며, 총명이 기이하여 추파를 흘리매 사람의 폐부(肺腑)를 사무치며, 현우선악을 낱낱이 깨달아, 지감(知鑑)의 신명함이 초공에 내리지 않되, 일찍 현불초(賢不肖)를 시비하는 바 없고, 성효출천하여 제순(帝舜) 증삼(曾參)의 효(孝)를 이으며, 우애 두터워 형우제공(兄友弟恭)하는 정이 자기 몸에 더한지라. 정국공이 성이 엄하고 위의 열숙(烈肅)하여 그 추호를 관사(寬赦)하는 일이 없고, 범사에 책망이 준절하되, 원상에게 다다르는 본 적마다 기뻐하고 사랑하며, 두긋기는 정이 무궁하여 자애 천륜 밖에 특별하니, 하물며 초공의 삼제(三弟) 사랑하는 정이야 모양하여 어디에 견주리오.

삼형이 참망하고 지원극통이 흉장을 끊던 바에, 삼형이 환도인세(還道人世)함을 깨달아, 근근체체(懃懃棣棣)[126]한 정이 자못 과도할 뿐 아니라, 장성함으로 백행을 경계하고 황홀이 귀중함이 강보(襁褓)로부터 지금(至今) 일양(一樣)이라. 차고로 정국공이 원상 등 삼아를 학문과 백행을 염려함이 없어, 다 초공을 믿어 맡김이 되었더라.

원창의 자는 자균이니, 작인을 각별 비상이 하여, 쇄락한 얼굴은 의의히 천궁백월(天宮白月)같고, 씩씩한 기상은 호호히 추천 같으니, 용미봉안과 호치주순이 금당(金塘)에 성히 핀 연화가 남풍에 웃는 듯, 준매(俊邁)함이 용이 다투는 듯, 봉이 나는 듯, 기이(奇異)함이 춘추난세(春秋亂世)[127]에 부자(夫子)[128]를 위한 기린(麒麟)이 우마중(牛馬中)에 내린

---

125) 입취(立就) : 즉시에 이뤄냄.
126) 근근체체(懃懃棣棣) : 정성스럽고 은근함.
127) 춘추난세(春秋亂世) : 중국 고대의 주나라가 동쪽으로 도읍을 옮긴 기원전 770년부터 기원전 403년까지 약 360년간의 전란 시대로, 난세로 일컬어진다.

듯, 고운야학(孤雲野鶴)129) 같으니, 겸하여 만폭(萬幅)130) 능운(能雲)131)하는 문장이 강하(江河)를 거우르며132) 장강(長江)을 터 버림 같더라.

원상은 이미 정혼한 데 있어, 임공의 사위로 칭하여, 매양 임공이 하부에 온즉 딸의 환생(還生)함이 분명함을 일컬어, 양애 점점 자라 쉬이 성례함을 청하니, 공이 또한 원상 원창은 먼저 입장하여 부부 쌍유하는 자미를 보고자 하여, 임공의 바빠하는 마음이 간절하니 그 뜻을 좇아 택일함을 재촉하니, 임공이 즉시 길일을 택하매, 춘(春) 이월(二月) 회간(晦間)133)이라. 겨우 일삭이 가렸으니 하공과 조부인의 두굿김이 비길 곳이 없더라.

원창의 호구(好逑)를 택할 새, 황친국척과 상문 후백(侯伯)의 옥녀 둔 자가, 하 공자 등의 기특함을 칭앙(稱仰)하여 다투어 구혼하되, 공이 택부함이 심상치 않아, 정혼한 곳이 있음을 일러 좌우로 물리치고, 삼자를 깊이 두어 학문을 힘쓰게 하고 널리 뵈지 않되, 자연 하원창의 기특함이 이름나, 들은 자는 한 번 구경함을 갈구하여 취운산에 가득이 모여 하공자 등과 교계(交契)를 맺어 후하기를 천금의 비겨 원하되, 공이 매양 참화여생(慘禍餘生)으로 겨우 부견천일(復見天日)134)하고 지원극통을 신설(伸雪)하나, 세월이 오랠수록 흉격(胸膈)에 맺힌 한이 풀리지 않

---

128) 부자(夫子) : 공부자(孔夫子). 공자를 높여 이르는 말.
129) 고운야학(孤雲野鶴) : 외로이 떠 있는 구름과 무리에서 벗어나 들에 있는 학이라는 뜻으로, 벼슬을 하지 않고 한가롭게 숨어 지내는 선비를 이르는 말.
130) 만폭(萬幅) : 만 장이나 되는 많은 글.
131) 능운(能雲) : 운을 맞춰 시편(詩篇)을 이뤄냄.
132) 거우르다 : 속에 든 것이 쏟아지도록 기울이다.
133) 회간(晦間) : 그믐께.
134) 부견천일(復見天日) : 다시 햇빛을 봄.

았는 고로, 원상 등 제자(諸子)의 너무 출류(出類)함을 도리어 깃거 않아, 옥인재자(玉人才子)의 묻는 말은 대답하여 보내고, 엄금하여 문 밖을 나지 못하게 하니, 원상·원필은 부명을 순수하되, 원창은 고요히 있기를 울울하여 정·진 양부로 간간 왕래하여, 인리(隣里) 공후가(公侯家)의 자기 연치와 상적한 공자 등과 사귀어, 이따금 취운산 상상봉(上上峰)에 올라 즐기기를 쾌히 하는지라. 정국공은 원창의 넘남을 자세히 알지 못하되, 초공은 제어키 어려울 바를 염려하여 방일(放逸)한 의사를 내지 못하게 하되, 평생 출발(出拔)한 기운을 장축(藏縮)기 어렵더라.

이 때 참지정사 임광은 전임 이부시랑이니, 그 사이 작직이 높아 참지정사에 오르고, 오자삼녀(五子三女) 있으니 오자와 이녀는 성혼하여 현부쾌서(賢婦快壻)를 얻고, 필녀 몽옥의 연이 십삼 세니, 임참정과 부인 강씨 석년에 하학사 부부를 참혹히 상(喪)하고 주야에 칼을 삼킨 듯, 지향치 못하더니, 임공이 소주에 가 여서(女壻)를 합장하고 돌아 온 삼사삭에, 부부 베개를 연(連)하여 일몽을 얻으니 하학사 부인 성옥이 앞에 와 절하고, 체읍 왈,

"소녀 하군의 참사함을 듣고 능히 궁천지통을 참지 못하여 자문이사(自刎而死)하매, 양가 부모의 첩첩한 불효를 슬퍼하더니, 영백이 바로 명사계(冥司界)[135]에서 옥경(玉京)[136]에 조회하니, 상제 하군의 삼형제와 소녀를 다시 환도인세(還道人世)하여 부모의 자식이 되게 하시어, 하군으로 느꺼이 마친 한을 없게 하시니, 일로 좇아 소녀는 다시 모친 복중(腹中)의 의지하여 나고, 하군은 문창성(文昌星) 정기(精氣)라, 또

---

135) 명사계(冥司界) : 명부(冥府) 곧 염라대왕이 관장하는 지옥을 이름.
136) 옥경(玉京) : =백옥경(白玉京). 옥황상제가 산다고 하는 가상적인 하늘 위의 서울.

하가의 아들 되어 복록과 수한을 장원히 타 나오니, 부모는 소녀의 참사
함을 슬퍼 마소서."

공과 부인이 여아를 붙들고 실성통읍(失性慟泣)하여 능히 말을 이루
지 못하여서, 성옥이 변하여 한낱 옥린(玉麐)[137]이 되어 부인 품으로
드니, 공의 부부 새로운 비회 더하고 놀라 깨달으니 침상일몽이요, 여아
의 옥용화태(玉容花態)와 낭음봉성(朗吟鳳聲)이 이변(耳邊)에 쟁쟁하
니, 참통함을 이기지 못하더니, 과연 이 달부터 강 부인이 수태하여 십
삭만에 일개 옥녀(玉女)를 생하니, 의형미목(儀形眉目)이 완연이 성옥
소저라. 부부 애중함이 자녀 중 으뜸이라. 사랑이 여산(如山)하고 보호
하여 자라매 금달공주(禁闥公主)[138]를 부러워 않을 것이로되, 몽옥 소
저의 사람됨이 단중하여 일찍 희롱이 있지 않고, 품질이 활연침정(豁然
沈靜)하여 일양(一樣) 예의를 심사(心思)하니, 청아교결(淸雅交結)한 의
사 여중군자라. 용안의 수려함과 재정(才情)[139]의 출인(出人)함이 고인
의 위라. 꽃다운 나이 이륙(二六)이 지나매, 만사 숙성자혜(夙成慈慧)하
여 갖추 특이하니, 공의 부부 황홀한 사랑이 천륜 밖에 솟아난지라.

하공이 환쇄함을 인하여 임참정이 하부에 자주 왕래하여 원상 등의
기특함을 보고, 여아로 정혼하여 하·님 양공이 택일하여 빙례(聘禮)를
행하매, 공의 부부 두굿김을 측량치 못하더니, 호사다마(好事多魔)[140]
라. 임참정의 계모 목씨 위인이 시포험악(猜暴險惡)함이 무궁하되, 참정

---

137) 옥린(玉麐) : 옥처럼 아름다운 암키린.
138) 금달공주(禁闥公主) : 대궐안의 공주. 금달(禁闥); 궐내에서 임금이 평소에 거
   처하는 궁전의 앞문.
139) 재정(才情) : 재사(才思). 재치 있는 생각.
140) 호사다마(好事多魔) : 좋은 일에는 흔히 방해되는 일이 많음. 또는 그런 일이
   많이 생김.

부부 남달리 현효하여, 봉양하는 정성과 공순한 뜻이 만사에 목씨 뜻을 받드는 고로, 목씨는 대단한 변고는 짓지 않았더니, 목부인 소생 일녀가 주학사의 처(妻) 되었더니, 불행하여 학사 부처가 두 낱 자녀를 끼치고 조요(早夭)하니, 목씨 외손 남매를 길러 손자는 벌써 취처입신(娶妻立身)하여 계림 태수 되었고, 여아는 바야흐로 십삼 세니 명은 애란이라.

작인이 각별이 상이(常異)하여, 신장체지(身長體肢) 남달리 흉악하고, 큰 키와 퍼진 허리며, 검은 살빛에 두역(痘疫)[141]을 험히 얽고 찍고[142] 맺기[143]는 이르지도 말고, 일목(一目)이 폐맹(廢盲)하고, 입이 기울어 귀 밑을 향하거늘, 수족(手足) 미목(眉目)이 예사롭지 않아, 풍병(風病)으로 좌비(左臂)와 좌각(左脚)을 다 못 쓰니, 뒤틀리고 응등그러져[144] 능히 펴지 못하거늘, 두발이 세어 은사(銀絲)[145]를 드리웠으니, 머리를 볼 것 같으면 백발노인이라도 이에서 더하지 못할지라. 성악(性惡)이 기험시포(崎險猜暴)하여 목태부인의 사나움을 닮으며, 염치(廉恥) 상진(喪盡)하기는 만고에 없는지라.

매양 몽옥의 수출특이(秀出特異)함을 시기하여, 보면 물어 먹고자 미워하더니, 친사(親事)를 하가에 뇌정(牢定)하다 하고 빙례(聘禮)[146]를 받고 길기를 택함을 보매, 흉한 욕심이 불 일듯 하여, 조모를 옭고 쥐어뜯고 보채며 식음을 물리쳐, 제 혼인을 어서 하가 원창에게 지내라 보채니, 이는 애랑이 참혹한 병인이나 귀는 아니 먹은 고로, 공이 원상 등

---

141) 두역(痘疫) : 천연두'를 한방에서 이르는 말.
142) 찍다 : 바닥에 대고 눌러서 자국을 내다.
143) 맺다 : 열매나 꽃망울 따위가 생겨나거나 그것을 이루다.
144) 응등그러지다 : 마르거나 졸아지거나 굳어지면서 뒤틀리다. 오그라들다.
145) 은사(銀絲) : 하얀 실. 여기서는 백발(白髮).
146) 빙례(聘禮) : 납폐례(納幣禮). 전통혼례에서 정혼이 이루어진 증거로 신랑 집에서 신부 집으로 예물을 보내는 의례.

칭찬할 제 원창은 형제 중 더욱 출중함을 이르는 고로, 외람이 하원창의 배우 되기를 원하는지라.

목씨 애랑의 흉참함을 모르는 것이 아니로되, 자기 소생 골육임을 크게 사랑하여 귀중함이 만금에 지나고, 가중이 애랑의 불미지사(不美之事)를 아예 이르지 못하게 하니, 비자 등이 호령함을 두려워하며, 몽옥 소저와 애랑이 동년 종형제간(從兄弟間)이로되 감히 애랑과 좌를 못하게 하매, 달로는 애랑이 몽옥에게 아우라, 몽옥으로 애랑 받들기를 노주간(奴主間)같이 하라 하니, 소제 심리에 기괴히 여기나 조모의 명을 순수하여 등한이 여기지 않고, 임학사 해수 오형제와 해수 부인 설씨 금장(襟丈)147) 등이 역시 애랑 받들기를 태부인 버금으로 하니, 애랑의 어린 기운이 충천하여 내 위에 뉘 오로리오 하고, 날마다 패악(悖惡)만 기르니, 공이 애랑을 위하여 큰 근심으로 미우를 펴지 못하더니, 태부인이 참정을 불러 정색하고, 엄책 왈,

"네 본디 한낱 망매(亡妹)를 누이로 알 리는 없거니와 네 부친의 골육이라. 내 이미 데려다가 길러내어, 남아는 백행이 과인하고 재주 특이하여, 네 망매를 일분 고렴하여 가르친 일이 없이 인인의 칭선하는 바라. 취처입신(娶妻立身)하였거니와, 애랑은 아직 미혼 전 아해라. 네 망매를 향한 정이 있으면 애랑의 친사를 마땅히 일생이 편토록 하여줌이 옳거늘, 망매를 생각지 않고 나를 홍모같이 여겨, 네 딸의 혼인은 하가에 정하고 나의 만금 농주는 아무데도 혼사를 이루려 아니하니, 그 무슨 용심(用心)이뇨? 내 뜻을 결하여 애랑의 혼사를 먼저 지내고, 버거 몽아의 혼사를 이루게 하리라."

공이 우민(憂悶)함을 이기지 못하여, 미우를 찡기여 왈,

---

147) 장(襟丈) : 동서(同壻). 주로 남편 형제들의 아내들을 이르는 말로 쓰인다.

"소자 어찌 자정께 심사를 은닉하리까? 애랑의 문벌가세를 이를진대 몽아만 못하리까마는, 질아가 병이 등한치 않고 처음으로 보는 이는 놀라기를 마지 아니하올지라. 이러므로 애랑의 혼처 근심하기는 친녀에서 십배 더함이 있사오니, 저의 유병함을 조금도 허물치 않을 집을 얻지 못하여, 염려 일시도 한가치 못 하온지라. 자정이 몽아의 친사를 늦추어 애랑의 혼처를 듣본 후, 두 아해 대사를 함께 지내사이다."

공의 육제(六弟)와 제매 다 가치 않음을 일컬어, 옥아의 친사는 예사 혼사 아니라, 하자와 몽옥이 환도인세(還道人世)하여 전세의 느꺼이 마친 바를 지원 통절하여, 다시 하·님 이부의 자녀 되어 나는 것이 심상치 않은 바이거늘, 좋은 인연을 늦추어 애랑의 혼처 얻지 못함으로, 세월을 천연함이 만만불가하심을 연하여 고하니, 목씨 대로하여 서안을 박차 왈,

"여등이 일체로 무상하여 애랑의 만리전정을 기렴치148) 않으니 어찌 통한치 않으리오. 노모 애랑을 금보(金寶)같이 사랑하는지라. 여등 보는 데 자문하여 여등의 마음을 쾌히 하리라."

언파의 칼을 들어 가슴을 지르려 하니 공의 형제 망극함을 이기지 못하여, 황망이 모친의 칼을 앗고 참정이 비읍(悲泣) 왈,

"소자 무상하와 자의(慈意)를 영합(迎合)치 못하옵고, 애랑을 친녀같이 혼처를 듣보지 못하옴은 자정께 죄를 받자옴직 하옵거니와, 어찌 자위 성덕으로 이런 망극한 거조를 하시어, 존중하신 체도(體度)를 상해오시며, 아해 죄를 쌓을 곳이 없게 하시나니까? 바라건대 태태는 놀라운 거조를 마심을 바라나이다."

목씨 대로하여 임공의 형제 남매를 다 쫓아 내치고, 애랑을 품고 누워

---

148) 기렴하다 : 보살피다. 유의하다. 걱정하다.

한 술 물도 먹지 않는 체하고, 공의 마음을 맞추어 죽으려 하노라 하니, 공의 형제 황황하여 하되, 목씨 성정이 시험포려(猜險暴戾)하여, 의자(義子)의 여아 성혼은 몽리(夢裏)에도 생각지 않고, 흉한 심술을 발하여 혼사를 희지을 뿐 아니라, 하원상의 기특함이 전(前) 하학사 같다는 말을 듣고, 외람한 의사를 내어 소저를 물리치고 애랑으로 하원상과 성친코자 하는지라.

조손이 서로 의논하여 부디 공의 뜻을 앗아, 소저를 공규폐인(空閨廢人)을 삼고, 하원상으로 애랑과 부부를 삼으려 할 새, 애랑 왈,

"소손이 들으니 원창의 기특함이 원상에서 낫다 하니, 소손의 뜻에는 원창과 정혼코자 하나이다."

목씨 요두 왈,

"가치 않다. 원상은 하학사 죽은 넋이 돌아 왔다 하니, 원경의 비범함을 노모 본 바라. 옥골선풍이 인류(人類)에 독보하던 것이니, 원경에 오를 사람이 없는지라. 거짓 원창을 낫다 한들 어찌 알리오. 노모 죽기로써 벼르고 식음을 그쳐 너로 더불어 고요히 누웠으면, 참지 못하여 나의 하자는 일을 거스르지 못하리니, 몽옥을 제치고[149] 널로써 원상에게 돌아 보내리니, 너는 나의 하는 양을 보라."

애랑이 대열하여 조모를 붙들고 누었으니, 목씨 안으로 문을 걸고 삼일을 거짓 굶는 체하며, 조손이 함께 죽어 참정의 마음을 쾌케 하련노라 하니, 제자제손(諸子諸孫)이 망극황민(罔極惶憫)하여 가내에 불을 때지 않고, 주야 태부인 방 밖에 고두(叩頭) 애걸하여 문이나 열어 보기를 청하되, 목씨 듣는 체도 않더니, 여러 날만에 참정이 문외에서 실성 체읍 왈,

"소자의 무상한 죄 천사무석(千死無惜)이거니와, 자정이 여차 괴이한

---

149) 제치다 : 거치적거리지 않게 처리하다. 일정한 대상이나 범위에서 빼다.

거조를 하시어, 여러 날 폐식잠와(廢食潛臥)하시고 성체 상하심을 돌아
보지 않으시니, 몽아의 일생을 심규에 폐하라 하셔도 자의를 순수하리
이다."

목씨 문득 이르되,

"네 만일 내 말을 들으려 하면 무슨 일로 죽으리오."

공이 모친의 대답이 있음을 만분희열 하여, 대왈,

"자정이 소자 등의 정경(情景)을 살피시어 식사를 예사로이 하시면,
소자 사지(死地)라도 존명을 받들리이다."

목씨 희열하여 왈,

"내 비록 목강(穆姜)150)의 인자함이 없으나, 어찌 너를 두고 죽고자
뜻이 있으리오마는, 너의 무상함이 나로 더불어 명위모자(名爲母子)나
실위구적(實爲仇敵)하여, 나를 죽게 하고자 골똘하기로, 내 죽고자 한
것이 도리어 너를 해함이 된가 하니, 어찌 한심치 않으리오. 다만 몽옥
은 너의 애녀(愛女)라. 하물며 저의 용안기질(容顔氣質)이 인류에 초출
하니, 아무 사람이 보아도 칭찬하려니와, 애랑은 만사 남 같지 못하여,
그 전정(前程)을 범연히 도모하여서는 아주 볼 것이 없으니, 사람이 계
교를 묘히 하여도 되지 못하는 일이 많은지라. 몽아는 타처에 성혼하여
보내라. 그리 하되 성씨를 바꾸어 주학사 여아로 하고, 애랑은 네 딸이
라 하여 먼저 하가에 예를 이뤄 보낸즉, 하가가 애랑의 얼굴 곱지 못함
을 탄하나, 천정연분(天定緣分)으로 알아 박대치 못할 뿐 아니라, 네 낯
을 아니 보지 못하리니, 너는 말을 내되 딸이 처음은 성옥151) 같더니,

---

150) 목강(穆姜) : 중국 진(晉)나라 정문구(程文矩)의 아내. 성은 이(李)씨, 자(字)는
   목강(穆姜). 전처 소생의 네 아들을 자신이 낳은 두 아들보다 더 사랑하여 훌
   륭하게 키웠다.
151) 성옥 : 임목옥의 전생 이름.

두역을 험히 하고 풍병(風病)이 중하여 참혹히 되었다 하면, 원상이라도 제 팔자로 알아 염고할 의사를 않을 것이요, 성례 후 일은 너의 할 일이니 차사를 다 좇으면 무슨 일로 죽으리오.”

공이 일청(一聽)에 차악한심(嗟愕寒心)함은 이르지도 말고 어이없으니, 도리어 웃음이 나는지라. 제제를 돌아보아 웃고 이르되,

“우형이 성옥을 죽이고 슬퍼 하다가 몽아를 얻으니, 천금지보(千金之寶)로 귀중함이 비길 데 없더니, 이런 난안(赧顔)한 경계를 당하니, 차라리 몽아를 아니 낳음만 같지 못 한지라. 하면목으로 하가에 이 말을 이르며, 그러나 자의(慈意)를 거역한즉 대변이 나리니, 우형이 친옹을 저버리며 원상의 배필을 어지럽히고, 몽아를 심규에 폐인을 삼아 불초무상지인(不肖無狀之人)됨이 미칠 곳이 없어도, 태태로 하여금 지레 마치시는 변을 당치 않으리라.”

육제와 삼매 면면이 눈썹을 펴지 못할 뿐 아니라, 목씨 공의 대답을 재촉하니, 공이 마지못하여 대왈,

“일이 이의 미치니, 소자 친옹을 저버리며 자식의 인륜을 희(戲)지어 불의지인이 될지언정, 자교를 거스르지 아니 하오리니, 원(願) 태태는 물우(勿憂)하시고 식음을 나오셔 거지를 평상이 하소서.”

목씨 대열하여 비로소 문을 열고 공 등을 불러 들여 왈,

“몽옥을 물리치고, 애랑을 정한 날에 육례(六禮)를 구행(俱行)하여 하가로 보내라.”

공이 한심함을 이기지 못하나, 할일없어 순순수명(順順受命)하고 식상(食床)을 나와 진식(進食)함을 청하여, 지성(至誠)이 아니 미친 곳이 없으니, 목씨 거짓 애랑으로 더불어 식음을 폐한 체하고, 진육(珍肉)과 향기로운 과실과 진미(珍味)를 연속하여 먹어 포복(飽腹)하고, 이르되,

“애랑의 친사를 이뤄 하가로 보낸 후야 식음의 맛을 알가 싶으다.”

공의 곤계 재삼 위로하여 식반을 나오심을 청하고, 날호여 퇴하여 서헌에 나오매, 참정이 길이 탄 왈,

"우형이 몽아를 아니 낳아도 오자 이녀를 두었으니 부족함이 없거늘, 하늘이 날로 하여금 하퇴지 부자를 저버려 불의지인을 만들려 하여 몽아를 내시매, 저의 신세 더욱 이를 것 없는지라, 일생을 하가의 빈 채례(采禮)152)를 지켜 공규폐인(空閨廢人)이 될 것이요, 애질(-姪)은 하가에 보내어 하생의 비위를 상해오고, 일껏153) 하가의 가나 제인의 치소(嗤笑)나 밧다가, 나중은 가없는 해거(駭擧)와 인륜을 난상(亂常)하는 죄를 저지르고 출화를 만날 것이니, 저의 신세인들 무엇이 되며, 모친의 실덕인들 오죽 하시리오. 우형이 이 마디를 생각한 즉 간위(肝胃) 이울기를 면치 못하리로다."

시랑 등이 형장의 말씀을 들으매 사세(事勢) 난처함이 한두 가지가 아니라. 이에 대하여 가로되,

"세상만사 다 오로지 명(命)의 매인 바니, 사세(事勢) 우리 등 임의로는 어찌 할 길이 없사오니, 모명을 순수하여 정한 날에 애랑을 보내고, 일이 되어 감을 보사이다."

참정 왈,

"우형인들 그런 줄 모르지 않으나, 나중이 어찌 될꼬 염려를 방하(放下)치 못하는 중, 마침내 천륜자애로 인정이 그음 없는 바에, 몽아를 위하여 자닝154) 참절한 받자는 마침내 빈 채례(采禮)도 임의로 지키지 못

---

152) 채례(采禮) : =납폐(納幣). 혼인할 때에, 사주단자의 교환이 끝난 후 정혼이 이루어진 증거로 신랑 집에서 신부 집으로 보낸 예물. 보통 밤에 푸른 비단과 붉은 비단을 혼서와 함께 함에 넣어 신부 집으로 보낸다.
153) 일껏 : 모처럼 애써서.
154) 자닝하다 : 애처롭고 불쌍하여 차마 보기 어렵다.

할까 하노라."

하더라,

차시 조정에서 왜국(倭國)이 진공(進貢)을 여러 해 폐하매, 지모(智謀) 갖은155) 재상으로 교유사를 정하여 보내려 하시니, 조정이 임 참정이 지혜와 재모 족함을 일컬어 천거하니, 참정이 가사(家舍)의 난안지사(赧顔之事)로 정히 울민(鬱悶)하더니, 퍽 다행하여 급급히 행장을 다스려 왜국으로 향할 새, 몽옥을 나오게 하여 이르되,

"내 너를 만내(晚來)에 얻어 일생을 영화롭고자 하였더니, 만사 뜻 같지 못하나, 너는 만사를 소제(掃除)하고 하가에 빈 채례를 지켜 있으려니와, 혹자 너의 절개를 보전치 못할 조각이 있거든, 아무 곳에나 가 몸을 피하여 상절(常節)을 두렷이 하라."

소저 일언을 불개(不改)하고 수명(受命) 배별하더라.

임공이 위의를 거느려 문을 나매, 하공이 초공으로 더불어 주찬과 별장(別章)을 가져 원별하는 회포를 위로할 새, 하공이 가로되,

"형이 비록 황명을 거역치 못하나 어찌 영녀(令女)의 길례(吉禮)를 보지 않고, 자원하여 급히 행함은 어찌오?"

공이 홀연 미우(眉宇) 수집(愁集)하여 가로되,

"소제 어찌 여아의 혼례를 보고자 않으리오마는, 행도에 일기 점점 훈열한데 극열에 왜국를 디디고자 함으로, 스스로 원하여 급히 행함이라. 길례를 보지 못함이 결연하나, 집에 육제(六弟) 있으니 소제 있음과 다름이 없는지라. 오직 영랑의 기특함은 본 바이거니와, 혹자 예를 이룬 후 여아의 불미누질(不美陋質)이 형의 고안과 존문에 불합함이 있을지

---

155) 갖은 : 골고루 다 갖춘. 여러 가지의.

라도, 하늘이 영랑을 내시매 마땅한 배우 없지 않을 바를 생각하고, 부운 같은 연분을 거리껴 과도히 염려치 말라."

정국공 부자가 임공의 말이 수상함을 괴이히 여기나, 여러 빈객이 있음으로 말을 못하고, 날이 늦으매 임공이 옥부절월(玉斧節鉞)156)을 잡아 왜국으로 향하니, 하공 부자가 부중에 돌아와 임공의 즐겨 않는 거동이 그윽이 의심이 없지 않되, 이미 정하여 순일(旬日)이 가려있는 고로 물리치지 못하여, 길일에 연석을 개장하고 일가친척을 다 청하여, 신랑을 보내며 신부를 맞을 새, 공이 길일을 당하여 두굿기는 중 참연히 옛일을 느껴, 비회교집(悲懷交集)하는지라. 일색이 반오에 원상 공자 길복을 갖추고, 전안지례(奠雁之禮)157)를 습의(習儀)하매, 공자의 옥모영풍(玉貌英風)이 이날 더욱 기이하여, 하안(何晏)158) 반악(潘岳)159)이 다시 살고, 두목지(杜牧之)160) 환생(還生)하나, 원상의 수려한 용화와 동탕한

---

156) 옥부절월(玉斧節鉞) : 절(節)과 옥으로 만든 부월(斧鉞). 절부월(節斧鉞). 절월(節鉞). 조선 시대에, 관찰사·유수(留守)·병사(兵使)·수사(水使)·대장(大將)·통제사 들이 지방에 부임할 때에 임금이 내어 주던 물건. 절은 수기(手旗)와 같이 만들고 부월은 도끼와 같이 만든 것으로, 군령을 어긴 자에 대한 생살권(生殺權)을 상징하였다.

157) 전안지례(奠雁之禮) : 혼인례에서, 신랑이 기러기를 가지고 신부 집에 가서 상위에 놓고 절하는 의례(儀禮). 기러기는 한번 짝을 지으면 죽을 때까지 짝을 바꾸지 않는다 하여 신랑이 백년해로 하겠다는 서약의 징표로서 신부의 어머니에게 기러기를 드린다. 산 기러기를 쓰기도 하나, 대개는 나무로 만든 것을 쓴다.

158) 하안(何晏) : 중국 삼국 시대 위(魏)나라의 학자. 자는 평숙(平叔). 벼슬은 시중 상서에 이르렀으며, 청담을 즐겨 그것이 유행하는 계기를 만들고 경학을 노장풍(老莊風)으로 해석하였다. 저서에 ≪논어집해≫가 있다. 얼굴에 분을 발라 멋을 부려, 미남자로도 이름이 높았다.

159) 반악(潘岳) : 247~300. 중국 서진(西晉)의 문인(文人). 자는 안인(安仁). 승상을 지냈고 미남자의 대명사로 쓰인다.

160) 두목지(杜牧之) : 803~852. 이름은 두목(杜牧). 당나라 만당(晩唐)때 시인. 미

풍신을 당키 어렵거늘, 진퇴예절(進退禮節)이 빈빈숙숙(彬彬肅肅)하니, 부모 탐탐과애(耽耽過愛)하여 희열하고 두긋김을 이기지 못하더라.

초공이 또한 기쁘며 즐거움을 띠여, 날이 늦으매 공자를 앞세우고 요객(繞客)을 거느려 임부로 향할 새, 초공이 신랑을 말에 올리고 자기 거륜에 앉아, 희기 낯 위에 영자(盈滋)¹⁶¹⁾하여 생세지낙(生世之樂)이 처음인 듯하더라.

행하여, 임부에 이르러 옥상(玉床)에 기러기를 전하고, 천지(天地)께 예배(禮拜)를 마치매, 임학사 등이 팔 밀어 좌에 나아가니, 임공의 차제 임상서 제제를 거느려 수좌(首座)의 거하여 신랑을 맞으며 제객을 접대하여, 외면에 화기를 바꾸지 않으나, 신랑의 옥골선풍을 보매, 애랑의 흉참누질을 헤아려 낯을 깎고 싶기는 이르지도 말고, 몽옥 소저의 혼사가 그릇 됨을 분한하여 자연한 가운데 탄성이 자주 일어나니, 초공의 신기로운 총명으로 임공의 쾌치 않아 함을 괴이히 여기더라.

차일 목씨 애랑의 단장을 치례하여 중청(中廳)에 세우고 대례(大禮)를 습의(習儀)코자 하나, 뒤틀린 비각(臂脚)에 무슨 진퇴예절(進退禮節)이 있으리오.

남자로, 두보(杜甫)에 상대하여 '소두(小杜)'라 칭하며, 두보와 함께 '이두(二杜)'로 일컬어지기도 한다.

161) 영자(盈滋) : 가득함. 가득 피어남.

࿇

명주보월빙 권지구십삼

화설 초공의 신명함으로 임공의 불쾌함을 괴이히 여기더라.

차일 목씨 애랑의 단장을 치레하여 중청에 세우고 대례(大禮)를 습의(習儀)코자 하나, 뒤틀린 비각에 무슨 진퇴예절이 있으리오.

칠보(七寶)162) 단장(丹粧)에 금수보옥(錦繡寶玉)이 아니 갖춘 것이 없으되, 그럴수록 보기 더욱 무서우니, 목씨 흉휼극악(凶譎極惡)함으로 내객(內客)은 하나도 청(請)치 않아, 다만 강 부인과 사·경 등 부인을 호령하여 단장을 빛내나, 임학사 부인은 연소지심이라. 애랑의 단장하고 나섬을 당하여 그윽이 외면(外面)하여 웃음을 머금고, 강 부인과 상서 부인 등은 여아의 친사(親事)가 헛일이 되고, 저 흑살천신(黑煞天神)163)을 천선(天仙) 같은 하생의 배우를 삼음이 참괴 차악하여 말이 막히고 애달기 극하되, 목씨 안전(眼前)에 화기를 잃지 못하여, 좋은 낯으로 애랑을 붙들어 덩에 올리매, 목씨 시녀 양낭 수십인을 정하여 애랑을 섬기게 하고, 범사를 사치하게 하여 혼수나 극진키를 위주 하되, 처음

---

162) 칠보(七寶) : 『불교』에서 말하는 일곱 가지 주요 보배. 무량수경에서는 금·은·유리·파리·마노·거거·산호를 이르며, 법화경에서는 금·은·마노·유리·거거·진주·매괴를 이른다.
163) 흑살천신(黑煞天神) : 검은 살기를 띤 흉한 모습의 귀신.

보면 놀라움을 이기지 못할 바라.

이미 애랑을 덩에 올리매 하생이 봉교(封轎)하여 부중의 돌아 올새, 생소고악(笙簫鼓樂)164)은 하늘을 들레고, 허다 위의는 대로를 덮었는데, 신랑의 관옥지모(冠玉之貌)165)와 추월지광(秋月之光)이 태양의 빛을 앗으니, 노상(路上) 관광자(觀光者)가 책책칭선(嘖嘖稱善)하더라.

행하여 취운산에 돌아와 중청(中廳)에 금련채석(錦蓮彩席)166)이 휘황하고, 기린촉(麒麟燭)이 찬란한 가운데, 채녀(彩女)가 쌍쌍이 신부를 전차후옹(前遮後擁)하여 예석(禮席)에 다다르매, 먼저 그 신장이 예사롭지 못하여, 좌우로 붙들고 있는 시녀 위에 크게 내다르니 중객이 괴이히 여기더니, 이윽고 면사를 벗기고 금주선(錦珠扇)을 반개(半開)하여, 독좌(獨坐)의 예(禮)167)를 다할 새 그 상모의 험괴망측 함은 이르도 말고, 백발이 은사(銀絲)를 드리우고, 퍼진 허리 세 아름이나 하고, 흉(凶)한 키는 팔척(八尺)이나 하고, 만고를 기우려도 둘 없는 흉상(凶狀)이니, 중객(衆客)이 임씨의 현숙기이(賢淑奇異)함을 들었다가, 이 거동을 보고 경악함을 이기지 못하여 낯빛을 변하고, 신랑은 밖으로 나가고, 신부 여러 시녀 양낭에게 껴들려 구고께 폐백을 헌(獻)하고, 팔배대례(八拜大禮)를 이룰 새, 그 나아오는 바의 족용이 광잡(狂雜)하여 티끌이 일어나며, 난간이 움직이며, 괴이한 숨소리가 '유월 염천(炎天)에 멍에 메온 쇠 소리'168) 같거늘, 폐맹(廢盲)한 일목에는 눈물이 아무 때도 그칠

---

164) 생소고악(笙簫鼓樂) : 생황(笙篁)과 통소, 북 등의 악기.
165) 관옥지모(冠玉之貌) : 관옥처럼 아름다운 모습. 관옥은 관(冠)을 꾸미는 옥.
166) 금련채석(錦蓮彩席) : 비단에 연꽃을 수놓아 아름답게 꾸민 자리.
167) 독좌(獨坐)의 예(禮) : 혼인례에서 대례(大禮)를 달리 이른 말. 즉 신랑과 신부가 대례를 행할 때 각각의 앞에 음식을 차려 놓은 독좌상(獨坐床)을 놓고 교배(交拜)·합근(合巹) 등의 의례를 행하는 것을 이르는 말이다.
168) 유월염천(六月炎天)에 멍에 메온 쇠 소리 : 한 여름 뙤약볕 아래 무거운 짐을

줄 모르니, 자연 시울[169)이 짓물러 연지로 씻은 듯, 검은 얼굴은 괴석
(怪石)이며 머리털은 백발이니, 백세노인이라도 이에서 더하지 못할 듯,
기울어진 입은 왼편 귀를 향하고, 옥쥔[170) 수족(手足)과 뒤틀린 비각(臂
脚)이 능히 진퇴(進退)를 못하니, 그 모양의 흉괴 하고 더러움이 늑늑하
고 아니꼬움을 어이 비할 곳이 있으리오. 짓뭉개진 코는 붉기도 각별하
여 주토(朱土)를 칠한 듯, 내민 이마에 거두친[171) 턱이 더욱 보기 싫어
미움이 아무 마음에도 극한지라.

  하공의 강맹함과 조부인의 견고단숙(堅固端肅)함으로도 신색이 변함
을 깨닫지 못하여, 어린 듯이 흉인을 바라보고 오래도록 말을 못하니,
좌우빈객이 더러움을 이기지 못하여, 비위 약한 이는 고개를 돌리며, 초
공 부인 윤씨와 윤태부 부인 하씨를 돌아보아 흉금(胸襟)이 상연(爽然)
하고 양목(兩目)이 시원키를 구하며, 신부를 다시 보지 않으니, 이 중
초공부인 연씨는 도리어 상모 예사로운 듯, 신인으로 비컨대 십 배나 나
음이 있으니, 공의 부부 생래 처음으로 연씨 같은 박색을 보고, 매양 그
인물기질이 자부 항에 꺼림함이 되었더니, 및 신부를 대하매, 천선 같은
아들의 배항이 그릇 됨을 애달고 분하여, 조부인은 눈물이 거의 떨어질
듯하고, 윤이부 부인의 남다른 우애로써 원상의 배필이 이 같음을 보고,
어찌 놀랍고 차악치 않으리오마는, 자기 부모의 경해(驚駭)하시는 심사
를 위하여 남매 함께 좌를 떠나, 이성화기(怡聲和氣)로 가로되,

  "여자는 덕이 으뜸이요, 색이 버금이라. 하물며 홍안(紅顔)이 박명(薄

  끌고 가는 소가 헐떡거리며 내는 거친 숨소리.
169) 시울 : 언저리. 흔히 눈이나 입의 언저리를 이를 때에 쓴다. *눈시울; 눈언저
   리의 속눈썹이 난 곳. *입시울; '입술'의 옛말.
170) 옥쥐다 : 옥여 꽉 쥐다. *옥다; 안쪽으로 오그라져 있다.
171) 거두치다 : 걷다. 걷어 올리다. 아래로 늘어진 것을 말아 올리다.

命)이라. 신부의 용안이 불미(不美)하나, 가장 유덕(有德)하여 황씨(黃氏)의 대량과 맹광(孟光)의 어짊이 있으며, 복덕이 가득할진대, 이만 기쁜 일이 없을지라. 대인과 자정은 장래를 두고 보소서."

공이 강인하여 답왈,

"여언(汝言)이 정합아심(正合我心)172)이라. 여자는 덕이 으뜸이니 신부 비록 외모는 더러우나 그 덕행이 숙요(淑窈)한즉 어찌 다행치 않으리오."

중객이 소리를 응하여 신부 유덕하여 보임을 일컬어, 서어(齟齬)히 말을 지어 칭하(稱賀)하니, 공이 전혀 모르는 듯 화기를 작위하고, 부인은 마침내 말이 없더니, 연씨 신부의 흉상박면(凶狀薄面)을 보고 쟁그라움이 가려온 데를 긁는 듯하여, 나상(羅裳)을 떨치고 홍수(紅袖)를 지어173) 대소 왈,

"나는 승상의 손녀요, 공주의 만금 일녀며, 선(先) 황제의 손이요, 금(今) 황제 생질로, 부귀호치(富貴豪侈) 세상에 뛰어나되, 어인 얼굴이 두역(痘疫)을 험히 지내고 체지 민첩치 못한 고로, 구고와 가군이 날 알기를 더러운 흉174)같이 아시더니, 금일 신부를 보니 일목이 폐맹한 가운데 아니꼬운 물을 줏흘리고175) 얽고 맺기를 나보다 더한 듯하며, 검고 푸르고 흉참한 빛은 와석(瓦石)이라도 저렇지 못할 것이오. 아무리 병과 풍증(風症)인들 비각과 수족이 뒤틀린 저 신부 같은 병인을 나는 보지 못하였나니, 사람이 못 생기다 한들 현마176) 저토록 할 길이 있으

---

172) 여언(汝言) 정합아심(正合我心) : 네 말이 나의 마음과 똑같다.
173) 지다 : 물건 따위를 등에 얹다. 뒷짐 지다.
174) 흉 : 흉터. 허물.
175) 줏흘리다 : 마구 흘리다. '줏+흘리다'의 형태. '줏'은 '마구', '함부로', '몹시'의 뜻을 더하는 접두사.
176) 현마 : 설마, 차마.

리오. 머리로 보아는 백세나 된듯 하니, 저 백발을 붙이고 신부라 하며 서방 맞고 싶은 의사 나던고. 나이는 열세 살이라도 두발은 검은 털이 하나도 없으니, 우리 존고 춘추 오십에 다다라 계시되 비상참척(非常慘慽)177)하시어 심장을 다 살라 계시되, 반백(半白)도 못하여 계시거늘, 이 신부는 태중노인(泰重老人)178)이로다."

좌객이 연씨의 우스운 말을 듣고 박장대소 하고, 공과 부인이 또한 웃음을 참지 못하고, 공이 이에 탄 왈,

"여아는 윤사빈 같은 군자의 배필노 부부의 상적함이 용린(龍麟)과 난봉(鸞鳳) 같거늘, 유부인의 악착함으로 영주 만상사변(萬狀事變)을 겪고 윤이부 십생구사(十生九死)한 사람이 되었으니, 저의 팔자 사경을 벗어나 오늘날이 있으리라 하였으리요. 원상의 취한 바 만고추물박색(萬古醜物薄色)의 병인(病人)이니, 우리 명도(命途) 남 같지 못하고, 처치 난안(赧顔)하니 사사(事事)의 불행이로다."

초공이 낯빛을 화히 하고, 위로하여 가로되,

"금일 신부를 원상의 배우라 함이 측하옵거니와179), 소자는 그윽이 의심이 없지 아니하오니, 다른 연고 아니라, 임참정은 정직한 군자라. 그 여아 저럴진대 결단하여 사심(私心)의 이끌려 원상을 사위 삼지 않을 것이요, 대인을 속이지 않으리니, 왜국으로 향할 제 그 말이 수상하고 기색이 심히 괴이하옵거늘, 소자 중심에 무슨 사고 있음을 알았삽나니, 소자의 소견에는 저 병인이 임씨 아닌가 하나이다."

공이 침음양구(沈吟良久)에 왈,

---

177) 비상참척(非常慘慽) : 자식을 잃는 슬픔을 비상(非常)히 겪음.
178) 태중노인(泰重老人) : 노인 가운데서도 나이가 아주 많은 노인.
179) 측하다 : 추악(醜惡)하다. 언짢다. 보기 싫다. 원망스럽다. 정도에서 벗어나다.

"네 말이 옳거니와 임가에서 무슨 일로 내 집을 속여, 저 병인을, 제 딸 아닌 것을 혼인하여 보내리오. 아무리 생각하여도 측량치 못할 일이로되, 임형이 매양 여아의 아름다움을 이르며 혼인을 심히 바빠하더니, 왜국으로 들어갈 적 기색이 가장 좋지 않을 뿐 아니라, 나를 대하여 하던 말이 실로 괴이하도다."

윤태부 부인 왈,

"아무 마음인들 딸이 이런 병인 같으면, 미혼한 규수의 병을 일컫지는 않은들 기특하다 자랑할 리는 없으니, 그대도록 속이며, 원상의 배필을 그 같은 병신을 맡길 일이 있으리까? 두고 보면 알려니와 세상사를 측량치 못하니, 그 가운데 기괴한 일이 많은가 하나이다."

부인이 탄 왈,

"임공이 비록 기특한 딸을 두었다 일러도, 오늘날 그런 흉물을 내 집에 보냄을 통한하나니, 경각에 그 타고 온 덩에 도로 담아 보내고 싶은 것을 잉분하니180), 흉금이 터질 듯싶도다."

공이 도리어 소왈,

"부인이 평생 과도한 말을 않더니, 금일 신부의 흉참괴질(凶慘怪疾)을 보고 여차하니 가히 우습도다."

부인이 또한 미소하나, 부부 모자며 모녀 분앙함을 이기지 못하더니, 촉을 밝히매 공자 등이 내루에 와 혼정을 이룰 새, 사형제 차례로 어깨를 나란히 들어오니, 초공의 풍채는 새로이 이를 바 없거니와, 원상 등의 백옥면모(白玉面貌)와 제월풍광(霽月風光)은 이 날 더욱 기이하여, 태을군선(太乙君仙)이 하강한 듯하거늘, 원상 공자 석상(席上)에 흑살천신(黑煞天神)과 우두나찰(牛頭羅刹) 같은 병인을 보되, 조금도 불호한

---

180) 잉분하다 : 인분(忍憤)하다. 분을 참다.

빛이 없어, 춘양화기(春陽和氣)와 동일지애(冬日之愛)를 변치 않아, 동지(動止) 자약(自若)하니, 초공과 윤이부 부인이 아름다움을 이기지 못하여, 초공이 손을 잡고 윤태부 부인이 웃고 묻되,

"금일 신부를 보니 용화기질(容華氣質)이 우리 본 바 처음이라. 현제의 마음은 어떠타 하느뇨?"

공자 함소 대왈,

"자세히 보도 못하였으니 어떤동 능히 정치 못하나이다."

초공이 어루만져 탄 왈,

"대인과 자정이 너의 배항(配行)이 상적(相敵)지 못함을 애달고 분하여 하시니, 이런 절박한 일이 없도다."

공자 대왈,

"대인과 형장이 명성하심으로 어찌 임 참정의 일을 모르시나니까? 기심이 추수(秋水) 같고, 바름이 살대[181] 같아서, 반점 부직(不直)함이 있지 않은 바로, 어찌 병녀(病女)를 두고 내외를 달리하여 간사히 말을 꾸미리까? 일월이 오래면 자연 알려니와, 금일 온 것은 임공의 딸이 아닌가 하나이다."

초공이 그 등을 어루만져 탄지칭선(歎之稱善) 왈,

"어지다 오제(吾弟)야! 원대한 지식이 여차하니 어찌 아름답지 않으리오. 만사 이렇듯 출인하여 노성장자(老成長子)의 미치지 못할 곳이 많으니, 우형이 너를 미치지 못함을 깨닫노라."

공자 연망이 배사하여 불감함을 일컫는지라. 공의 부부 원아의 지각과 역량을 두굿겨 웃고, 이르되,

"네, 만일 신부로 임공의 딸이 아니라 한즉, 임가에서 그 딸을 어찌

---

181) 살대 : 화살대.

하려 하여 병인을 보내다 하느뇨?"

생이 복수(伏首) 대왈,

"소자인들 어찌 알리까마는, 세사를 측량치 못할 일이 많으니, 금일은 병인의 근본을 알지 못하오되, 결단코 임공의 딸은 아닌가 하나이다."

공이 탄 왈,

"세사 여차할 줄 어찌 알리오. 연이나 신방은 비우지 못하리니 들어가라."

생이 탄식 대왈,

"하교 마땅하시나 소자 고인의 유취지년(有娶之年)이 아니오니, 신이 그런 병인이 아니라도 동방(洞房)에 처함이 가치 않은지라. 나이 차기를 기다려 한가지로 있고자 하옵나니, 복원(伏願) 대인은 소자의 유미(幼微)함을 생각하시어, 약한 비위 굳지 못함을 생각하소서."

정국공의 강엄함으로도 차언의 다다라 동방의 가라 권할 뜻이 없어, 미우를 찡기고 가로되,

"여언이 비록 그러나 저 집이 알아도, 신방 비움이 신부의 박용을 측히 여기는 줄 알미 불행치 않으리오."

생이 온화히 고 왈,

"소자는 박용누질이라도 임공의 딸인 줄 안 후는, 나이 차기를 기다려 부부의 윤의를 폐치 아니랴 하오되, 결단하여 임씨 아닌 줄은 아옵나니, 비록 전안(奠雁)182) 독좌(獨坐)의 예(禮)183)를 이뤘으나, 납폐(納幣)184)

---

182) 전안(奠雁) : 전안례(奠雁禮).
183) 독좌(獨坐)의 예(禮) : 혼인례에서 대례(大禮)를 달리 이른 말. 즉 신랑과 신부가 대례를 행할 때 각각의 앞에 음식을 차려 놓은 독좌상(獨坐床)을 놓고 교배(交拜)·합근(合졸) 등의 의례를 행하는 것을 이르는 말이다.
184) 납폐(納幣) : 혼인할 때에, 사주단자의 교환이 끝난 후 정혼이 이루어진 증거로 신랑 집에서 신부 집으로 예물을 보냄. 또는 그 예물. 보통 밤에 푸른 비단과 붉은 비단을 혼서와 함께 함에 넣어 신부 집으로 보낸다.

문명(問名)[185]은 임공의 딸에게 행하였으니, 차인은 아무인 줄 모르나니, 일월(日月)을 천연하여 근본을 자세히 알고자 하옵나니, 대인이 신방을 비움을 깃거 않으실진대, 일야를 자고 나옴이 무엇이 어려우리까."

공이 그 효순함을 두굿겨 왈,

"흉상누질(凶狀陋質)의 근본은 날호여 알려니와, 신방 비움은 우리 집 허물이 아니랴?"

공자 배이수명(拜而受命)하고, 혼정을 파하매 게을리 신을 끌어 신방의 나아가니, 초공과 이 공자 위하여 차석함을 마지않더라.

공자 신방에 들어와 흉상을 대하니, 눅눅하고 아니꼬움이 비할 곳이 없는지라. 애랑이 나이 십삼세나 한 일도 배운 바 없고, 음욕은 흉참하여 하생의 옥골선풍을 보매, 불같은 정욕이 샘솟듯 하여 일어나 맞으니, 신인의 태도를 지키지 못하여 일목을 높이 뜨고, 만목(滿目)을 지긋거려[186] 생을 바라보는 거동이 더욱 참혹하고 더러운지라. 생이 저 흉인을 오래 대하고 앉아 있음이 비위를 정치 못하여, 즉시 촉을 멸하고 침두(枕頭)[187]에 누어 자는 체하나, 아니꼬운 병인이 곁에 있으매 마음이 측하여 잠이 오지 않아, 새배 오기를 기다리니, 애랑이 정욕을 이기지 못하여, 스스로 하생의 누운 곳에 나아와 금금(錦衾)을 들썩이며 그 손을 잡고자 하나, 생이 금리에 몸을 단단히 말았으니, 둔골이 능히 이불을 벗기지 못하고, 한갓 가쁜 숨을 헐헐일 뿐이더니, 옥첨(屋簷)[188]에 금계[189] 새배를 보하니, 시원코 기쁨을 이기지 못하여 겨우 의건(衣巾)

---

185) 문명(問名) : 혼인을 정한 여자의 장래 운수를 점칠 때에 그 어머니의 성씨를 물음. 또는 그런 절차.
186) 지긋거리다 : 찡긋거리다.
187) 침두(枕頭) : 베갯머리.
188) 옥첨(屋簷) : 집의 처마.

을 찾아 몸에 걸고 총총히 나오니, 애랑이 들입다 붙들고 말하고자 하나 못하고, 무궁한 정을 한 조각 펴지 못하니, 애달고 분함을 이기지 못하여, 실성통읍(失性慟泣)함을 이기지 못하니, 임부로 좇아 온 양낭배는 참정과 강부인의 덕화를 목욕 감았는 고로, 목씨 험악함을 그윽이 원망하는지라. 저희 화월(花月) 같은 소저는 하문의 빈 채례(采禮)만 지켜 심규(深閨) 폐륜(廢倫)이 되고, 애랑 흉녀는 육녜(六禮)로 하부에 돌아옴을 분해하여, 애랑의 슬퍼함을 보나 하나도 정으로 위로치 않고 서로 눈주어 웃더라.

애랑이 인하여 하부의 머물매 행동거지 패망기괴(悖妄奇怪)하기는 연씨에 더하니, 공자에게 미친 사람이 되어 뒤틀린 다리와 오므라든 발이 행보가 구간(苟艱)키 극하거늘, 생을 두루 따라다녀 일분 염치를 차리지 못하니, 하생이 수행섭심(修行攝心)[190] 하는 마음과 청정개결(淸淨介潔) 한 뜻에 측하고 더러움이 점점 더하되, 참고 견디기를 위주하여, 화열한 낯빛을 그치지 않고 좋은 듯이 일월을 보내려 하되, 비위를 자주 정치 못하여, 명도(命途)의 기구함을 탄할 뿐이더라.

하공이 가(假)임씨를 본 후로는 원창의 배우 어긋남을 근심함이 일시를 방하(放下)치 못하더라.

일일은 원창 공자 정부 현기 등과 진부 제 공자 다 서당에 모여, 때 정히 답청화시(踏靑花時)를 당하였으니, 한 번 원중(園中)에 두루 놀아 화류(花遊)할 새, 시를 창화(唱和)하여 지기(志氣)를 소창(消暢)함을 이르니, 원창이 소왈,

---

189) 금계(金鷄) : '닭'의 미칭(美稱). 꿩과에 속한 새.
190) 수행섭심(修行攝心) : 행실을 닦고 마음을 가다듬음.

"나는 취운산 상봉에 올라 놀고자 하니 틈을 타거든 산상에 유완하리라."

현기 미소 왈,

"소제도 산경을 구경코자 않는 것이 아니로되, 가친이 매양 방외에 놀기를 금하시니, 소제는 산경을 구경치 못하리로다."

원창 왈,

"제왕이 비록 엄하시나 산상에 가 잠깐 완유(玩遊)하는 것을 무슨 대죄를 삼으시리오."

정언 간의 금평후 현기와 운기를 부르니, 양 공자는 즉시 들어가고, 진공자 등이 은기로 더불어 정부 원중을 화류할 새, 하공자 한가지로 정부 원중에 훗걸어[191] 꽃을 꺾으며 버들을 흔들어 호흥(好興)을 이기지 못하니, 진공자 등은 본디 정부 내당이라도 무상이 출입하며, 입장(入丈) 전 아동은 순태부인이 내외함이 없는 고로, 바로 자연 화원까지 들어가니, 정·진 등은 화류에 잠착(潛着)[192]하여 눈을 다른 데 옮기지 않고, 원창은 우연이 양안을 들어 화원 아래를 굽어보매, 일좌 표묘한 누각의 백옥 현판에 금자(金字)로 선취정이라 새겼는데, 채의(彩衣) 시녀 쌍쌍이 정당으로 왕래하더니, 왕후 복색한 부인과 명부 복색한 부인이 연하여 정당으로 나와, 제왕궁으로 통한 협문으로 향하니, 그 부인네 면모상광(面貌祥光)이 만고를 기울여도 독보할 숙녀거늘, 최후에 한 소저가 규수의 모양으로 운환(雲鬟)을 꿰지 않고, 삼촌금련(三寸金蓮)을 자약히 옮겨 제궁으로 나아가니, 그 광채 찬란하여 추천명월(秋天明月)이 만방에 맑은 광채를 흘리며, 춘하조일(春夏照日)이 옥란(玉欄)에 바애는 듯, 일척 향신(香身)에 나요(羅腰)는 버들의 힘없기와 방불하고, 양미아

---

191) 훗걷다 : 이리저리 거닐다. 산책하다.

192) 잠착(潛着) : 참척의 원말. 한 가지 일에만 정신을 골똘하게 씀.

황(兩眉蛾黃)[193]은 원산(遠山) 같고, 효성양안(曉星兩眼)은 영기(靈氣) 동인(動人)하고, 고운 얼굴은 추수향련(秋水香蓮)이 조로(朝露)를 떨쳤으며, 금분모란(金盆牡丹)이 동풍에 웃는 듯, 옷이 윤지고 꽃이 말하는 듯, 겸하여 선연미질(嬋娟美質)이 진세(塵世) 화식(火食)하는 사람 같지 않아, 직녀(織女)[194]가 오작교(烏鵲橋)[195]를 지내며, 월전소애(月殿素娥)[196] 하강한 듯, 영발(英發)한 화기(和氣) 만물에 견줄 곳이 없으니, 염태(艶態) 멀리 비추더니 이미 제궁으로 통한 협문으로 들며, 낙포(洛浦)[197]에 그림자 감취니 여향(餘香)이 묘연(杳然)한지라.

하공자 눈을 옮기지 않고 멀리 가도록 바라보더니, 얼핏 한 사이에 자취를 감추니 훌연한 의사 무엇을 잃은 듯, 이윽히 초창(怊悵)하다가, 은기더러 물어 왈,

"이 화원 아래 선취정이 뉘 거처뇨?"

답 왈,

"이는 우리 숙모 처쇼거니와 물어 무엇 하려 하느뇨?"

생 왈,

"내 구태여 알 일 없거니와, 너희 숙모 윤사마 부인 침실이냐?"

은기 왈,

아(兒) 숙모로다.

---

193) 양미아황(兩眉蛾黃) : 화장한 두 눈썹. *아황은 얼굴에 바르는 분(粉).

194) 직녀(織女) : 견우직녀 설화에 나오는 여자 주인공.

195) 오작교(烏鵲橋) : 까마귀와 까치가 은하수에 놓는다는 다리. 칠월 칠석날 저녁에, 견우와 직녀를 만나게 하기 위하여 이 다리를 놓는다고 한다.

196) 월전소아(月殿素娥) : ①달 속에 있다고 하는 흰옷을 입은 선녀. ②달의 이칭(異稱).

197) 낙포(洛浦) : 중국 하남성(河南省) 낙수(洛水) 가에 있는 지명. 복희씨(伏羲氏)의 딸 복비(宓妃)가 이곳에 빠져죽어 수신(水神)이 되었다고 함.

하생이 평생 원하던 바 숙녀를 친히 보고 취코자 하던지라. 금일 정소저의 용화기질과 색모염태(色貌艶態)가 자기 바라던 바에 지나고, 수수(嫂嫂) 윤부인과 저저(姐姐) 윤태부 부인으로도 일층이나 오를 듯하니, 황홀한 심신을 걷잡지 못하여, 그윽이 생각하대,

"하늘이 나를 내고 여차 숙녀를 내어 내 눈에 친히 보게 하시니, 이는 심상치 않은 일이로되, 인연을 이루기 어려우니, 장차 어찌 하면 그 규수로써 기물(奇物)을 삼을꼬? 정연숙(緣叔) 필녀가 당혼(當婚)함을 들었으나, 그 택서함이 이상하여 나를 전혀 유의치 않는 거동이라. 하물며 대인이 정공 필녀의 기특함을 들으시되, 저 집이 구혼치 않음으로 스스로 청혼하시는 의사 아니 계시리니, 내 아무려나 저저를 보고 차혼을 청하여 보려니와, 내 뜻이 몸이 금달(禁闥)[198]에 출입하여 계화(桂花)를 꽂아[199] 취처하려 하였으니, 금추(今秋) 과거에 참방함을 얻고 정씨를 취하리라."

의사 이의 미처는 타처(他處)에 취실할 마음이 없고, 정씨 취할 뜻이 철석 같으니, 만화(萬花) 교발(交發)하여 고운 빛을 서로 자랑하여, 암향(暗香)이 응비(凝飛)하나 유완(遊玩)할 의사 사라져, 정·진 제 공자를 데리고 외헌에 나오매, 황자 오왕이 마침 정부에 왔다가 하원창을 마주쳐 보고 크게 칭찬 왈,

"괴(孤)[200] 귀부의 자주 왕래하나, 일찍 죽청의 제자 밖에 다른 수자(豎子) 있음을 보지 못하였더니, 금일 저 수자를 보니 기특하고 아름다

---

198) 금달(禁闥) : 궐내에서 임금이 평소에 거처하는 궁전의 앞문.
199) 계화(桂花)를 꽂아 : 예전에 과거에 급제하면 임금이 급제자에게 종이로 만든 계화(桂花: 계수나무 꽃)를 하시어한 데서 유래한 말로 '과거에 급제함'을 이르는 말.
200) 괴(孤) : 예전에, 왕이나 제후가 자기를 낮추어 이르던 일인칭 대명사.

움을 이기지 못하나니, 아지못게라! 형의 친척이 되느냐?"

하공자 진공자와 은기로 더불어 청죽헌 청상의 오른 후, 방중에 제왕이 오왕으로 더불어 대좌하였음을 알매, 미처 피치 못하였는지라. 제왕이 웃고 하공자를 불러 왈,

"현계(賢契) 벌써 오왕 전하께 뵈옴이 되었으니, 구태여 피할 일 없는지라. 모름지기 한 번 현알함이 무방토다."

인하여, 정국공 제삼자 하원창임을 대하니, 하공자 오왕을 대하여 공경 배알할 새, 왕이 처음 보는 서어함이201) 없어 그 손을 잡고 연치(年齒)를 물으며 고금을 논문할 새, 공자 한갓 황친국척을 이르지 말고 엄연한 재렬명환(宰列名宦)이라도 그 부공이 자기 등을 금하여 보지 못하게 하던 바에, 오늘날 오왕을 봄이 부질없이 정부에 다니던 탓이라. 애달프고 뉘우쁘되202) 기상이 태연하고 상쾌하여 소졸(疏拙)함이 없어, 이에 오왕을 대하여 언어를 문답지 않음이 괴이하여, 마지못하여 묻는 나이를 고하고, 묻는바 학문을 대하매, 비록 재주를 자랑치 않으나 속에 품은 바 자연 남과 다른 고로, 고금을 담론(談論)하는 바의 주순호치(朱脣皓齒) 사이로 좇아 도도한 말씀이 하수(河水)를 드리오며 장강(長江)을 헤치니, 문장은 태사천(太史遷)203)을 압두하고, 기량은 천지로 방불(彷彿)하니, 옥면선풍(玉面仙風)에 하일지위(夏日之威)와 춘양화기(春陽和氣)를 겸하여, 십삼 소년이로되 장부의 체위와 영준의 기습(氣習)을 가

---

201) 서어(齟齬)하다 : 서먹하다. 익숙하지 아니하여 서름서름하다.
202) 뉘우쁘다 : 후회(後悔)스럽다. 뉘우치는 생각이 있다.
203) 태사천(太史遷) : 사마천(司馬遷). BC.145-86. 중국 전한(前漢)의 역사가. 태사(太史)는 태사령(太史令)을 지낸 그의 관직명. 자는 자장(子長). 기원전 104년에 공손경(公孫卿)과 함께 태초력(太初曆)을 제정하여 후세 역법의 기초를 세웠으며, 역사책 ≪사기≫를 완성하였다.

져, 언사동용(言辭動容)이 장자를 웃을지라. 오왕이 만분 경찬(慶讚) 왈,

"하학성의 기특함은 사서(士庶)의 한가지로 칭복(稱福)함은 이르지도 말고, 위로 황야와 만조가 다 기대(期待)함이 되었더니, 금일 수자를 보니 기백(其伯)의 위라. 하문 복경이 비상함을 알리로다."

제왕이 소왈,

"하자의는 대군자라. 만사 속류와 다르니, 차아가 기특하나 학성의 위 될 줄은 알지 못하되, 대개 풍도기상(風度氣像)과 문장재화(文章才華)는 학성의 아래 되든 않으리라."

오왕이 크게 경찬칭복(慶讚稱福)하여 그윽이 동상(東床)을 유의하는 고로 종용이 담화하다가 날호여 하부에 이르매, 하공이 공경치관(恭敬致款)204)하여 예필 좌정에 왕이 먼저 말씀을 펴 가로되,

"과인이 문양궁 왕래에 자주 선생께 현알할 것이로되, 명공이 중헌에 계신 때 만타 하시므로, 피차 상견이 마음과 같지 못함을 탄하더니, 금일은 마침 정부의 왔다가 선생께 부디 청할 일이 있어 왔나이다."

하공이 손사(遜辭) 왈,

"대왕의 존가(尊駕)가 누처에 임하시나 학생이 참화지후(慘禍之後)에 인사(人士)가 되차지205) 못하여 정신이 모손한 고로, 귀궁에 나아가 회사(回謝)치 못함을 우탄(憂歎)하는 바러니, 금일 학생을 대하시어 청하시는 바 무슨 말씀이니까?"

오왕이 흔흔히 웃고 왈,

"소종(小宗)이 여러 아들을 입장(入丈)함은 선생의 아시는 바라. 이제 일녀가 있어 저의 용화기질(容華氣質)이 용속(庸俗)기를 면하였으나,

---

204) 공경치관(恭敬致款) : 공경하고 정성을 다해 손님을 맞이함.
205) 되차다 : 되찾다. (정신 따위를) 다시 차리다.

혹자 명공이 더럽다 않으시면, 과인이 외람이 영랑(令郞)으로써 동상을 맞고자 하나니, 선생 존의 하여(何如)시니까?"

하공이 청파에 가장 불열하여 허락할 뜻이 몽매(夢寐)에도 없을 뿐 아니라, 본디 황친국척과 결혼을 않으려 하던 바라. 이에 몸을 굽혀 사사 왈, "대왕이 천금(千金) 일군주(一郡主)206)를 두시고, 학생의 낮은 가문과 더러운 자식을 유의하시어 친히 구혼하심이 여차하시니, 소생이 감은함을 이기지 못할 것이로되, 다만 만생의 어린 자식이 연기 십삼에 만사(萬事) 미형(未瑩)하여207), 혼취(婚娶)를 의논치 못하게 되었으니, 대왕의 후의를 받들지 못하리로소이다. 하물며 미돈(迷豚)208)의 연기 이십을 그음하여 입장코자 하옵나니, 귀 군주는 당혼(當婚)하여 계신가 싶으온지라. 사세(事勢) 미돈과 혼례를 이루지 못하실까 하나이다."

오왕이 웃고 다시 청왈,

"과인의 부재무덕(不才無德)을 낮게 여기사 혼인을 불허코자 하시나, 영랑(令郞)의 장대 숙성함은 과인의 본 바라. 십삼 소년에 팔척장부(八尺丈夫)의 언건한 체를 이뤘으니, 이십을 그음하여 입장키를 이르심은 깊이 칭탁(稱託)하시는 말씀이라. 과인이 비록 지식(知識)이 천단(淺短)하고 성정이 소활(疎豁)하나, 명공의 청덕(淸德)을 경앙(敬仰)하나니, 여아 만일 황가지엽의 교오방자(驕傲放恣) 함이 있으면, 어찌 영랑의 배우를 삼고자 하리요마는, 진실로 용속(庸俗)기를 면하였나니, 원컨대 명공은 영랑 사랑하는 정을 돌아보아 혼인을 막지 마소서."

---

206) 군주(郡主) : 조선 시대에, 왕세자의 정실(正室)에서 태어난 딸에게 내리던 정이품 외명부의 품계.
207) 미형(未瑩)하다 : 똑똑하지 못하고 어리석다.
208) 미돈(迷豚) : 아들. 가아(家兒). '어리석은 돼지'라는 뜻으로, 남에게 자신의 아들을 낮추어 이르는 말.

하공이 오왕의 말이 이 같기의 이르러는, 자기 비록 영영 뇌거(牢拒)[209]하나 반드시 천위를 빌어 사혼성지를 얻어 위력으로 혼례를 이룰 뿐 아니라, 왕이 벌써 원창을 보고 구혼하는데, 다시 미형함으로 일컫기도 직(直)지 못할지라. 사세 마지못하여 자기 말을 세울 길이 없음을 깨달아, 사례 왈,

"대왕이 돈아를 친히 보시고 그 용우함을 더럽다 아니 여기시어 구혼하심이 이렇듯 간절하시니, 학생이 어찌 두 번 사양하리까. 그러나 신장은 거의 자랐으나 만사 미거하고 무식 소활하여, 군자의 도에 나아 갈 날이 멀었으니, 대왕은 한갓 흰 얼굴과 붉은 입이 누추키를 면하였음을 취(取)치 마시고, 귀 군주의 영화롭고 즐거움을 생각하시어 아직 택서를 마심이 마땅하니, 돈아(豚兒)는 결단하여 종요로운 신랑 재목이 되지 못하리이다."

오왕이 소왈,

"과인이 딸을 위하여 천하를 두루 돌아 구하여도, 영랑 같은 이를 만나기 쉽지 않으리니, 선생이 겸양하심을 이렇듯 하시나니까? 일로 좇아 돗 위에서 친사를 뇌정하고 가나니, 과인이 길월양신(吉月良辰)[210]을 가려 보(報)하리이다."

하공이 불행함을 이기지 못하나 하릴없어, 날호여 대왈,

"미돈이 나이 어리니 혼취 실로 바쁜 마음이 없는지라. 그리 급히 택일하여 무엇 하리까? 대왕이 바빠하시니 길일을 택하는 대로 알게 하시려니와, 소생이 본디 포의지문(布衣之門)이요, 화가여생(禍家餘生)이라. 성주의 호천대은(昊天大恩)으로 일명을 잇고 있으나, 부자(父子)가 위거

---

209) 뇌거(牢拒) : 딱 잘라 거절함.
210) 길월냥신(吉月良辰) : 운이 좋거나 상서로운 달과 날.

국공(位居國公) 하고 부귀 인신에 과의(過矣)니, 매양 만영지환(滿盈之患)[211]을 두려 하는 근심에, 능히 잠자지 못하고 밥 먹지 못하거늘, 대왕과 결혼하는 외람함이 있으니 반드시 열운 복이 손할까, 황황함을 이기지 못하나이다."

오왕이 그 과겸(過謙)함을 도리어 불안하여 가로되,

"과인이 영랑으로 사위 삼음이 외람할지언정, 존부에서 과겸하실 리 없으니, 선생은 괴이한 말씀을 마시고 과인이 비록 외죄(外朝)[212] 아니나, 황가지엽(皇家枝葉)으로 사치교만(奢侈驕慢)함이 없으니, 불안하여 마소서."

하공이 오왕의 청검인현(淸儉仁賢)함을 모르지 않으나, 황가와 결혼함을 괴롭고 불열하여, 부득이 허혼하나 조금도 쾌한 빛이 없더라.

날이 늦으매 오왕이 돌아가고 초공이 관부의 갔다가 돌아와 부모께 뵈올 새, 하공이 성도 강엄하고 단묵(端默)하여 기쁘지 않은 일을 입 밖에 이르기를 괴로이 여기므로, 오왕과 정혼한 말을 구태여 이르지 않으니, 초공도 망연이 알지 못하고, 원창 공자는 더욱 깨닫지 못하여, 오왕이 비록 자기를 보고 과도히 사랑하나 동상을 유의함은 생각지 못하고, 추과(秋科)[213]를 응하여 머리 위에 계화(桂花)를 꽂고, 다시 정소저 취하기를 계교하더니, 그 매저 윤태부 부인을 보고 차사를 의논코자 하되, 옥누항에 가 돌아오지 못하였으므로 심곡소회(心曲所懷)를 펴지 못하고, 정부 화원에서 한 번 정소저를 본 후는, 몸은 집에 있으나 정소저 위

---

211) 만영지환(滿盈之患) : 가득차서 넘침으로써 생기는 환란.
212) 외조(外朝) : ①재상의 관할하(管轄下)에 있는 행정기구를 뜻하는 것으로 임금의 직속 기구인 내조(內朝)와 대비한 칭호. ②조정의 관리. ③임금의 종족(宗族)이 아닌 사람.
213) 추과(秋科) : 가을에 시행도는 과거시험.

한 마음이 한 조각 쇠돌이 되어 풀릴 길이 없는지라. 이러므로 풍경을 유
완키에도 염려 돌아가지 않아, 이후는 집의 있는 날은 마음에 없는 서책
을 뒤적이나, 정소저 옥태만광이 안저(眼底)에 삼삼하여, 좌와숙식간(坐
臥宿食間)214)의 잊을 길이 없으니, 원창의 마음 뿐 아니라 하늘이 시킴
이라.

오왕이 궁에 돌아와 제자를 대하여 하원창의 기특함을 일컬으며, 설
빈의 친사를 뇌정(牢定)코 옴을 이르니, 비와 세자 형제 다 기뻐하고,
여러 세월이 될수록 성녀 난아의 근본을 알지 못하고, 계양 태수 조전의
딸로 알아 그 무부모(無父母)한 정사를 추연할 뿐 아니라, 성녀의 자색
이 절세하고 행사 영오 총민하고, 말씀이 현하(懸河)215)를 드리웠으니,
왕과 비의 마음을 극진히 맞추고, 거짓 정성 있는 체하여, 왕의 부부 불
평함 곳 있으면 숙식을 다 폐하고 지성으로 구호하는 형상을 지으며, 세
자 등을 공경하고 우애함이 친생남매같이 하며, 말째 궁비에 이르기까
지 웃는 얼굴로 대하여, 재보를 아끼지 않고 인심을 취합하니, 오왕궁
상하가 기특히 여김을 마지않으니, 차고로 왕과 비의 사랑이 친생이 아
님을 깨닫지 못하여, 왕이 성녀를 얻은 수년만에 상게 청하고 군주 작호
를 얻어, 이미 설빈 군주를 봉하고, 구태여 양녀(養女)를 얻었노라 말을
않아, 탐혹한 사랑이 장차 인사를 잊기에 가까우니, 이 또 성씨가 요괴
(妖怪)로와 묘화·춘교로 의논하고, 저를 과도히 사랑할 약을 얻어 주찬
에 섞어 왕과 비를 먹여 아주 속게 하고, 연치는 오년을 줄여 시금(時
今) 십구 세로되 십사 센 체하여, 유충(幼沖)한 거동을 남이 보게 하고,

---

214) 좌와숙식간(坐臥宿食間) : 앉고 눕고 잠자고 밥 먹고 하는 모든 때.
215) 현하(懸河) : 급한 경사를 세게 흐르는 하천. 여기서는 세차게 흐르는 물처럼
　　　언변이 매우 유창함을 비유적으로 표현한 말.

왕과 비가 저의 혼사를 의논하면 차마 부끄러워 낯을 들지 못하는 체하여, 천교만악(千狡萬惡)이 불가형언(不可形言)이로되, 오궁 상하가 아득히 모름이 된 바로되, 세자가 남달리 명달함으로 설빈의 거동이 천연치 않음을 의심하나, 근본이 그대도록 악착음흉지녀(齷齪陰凶之女)인 줄이야 꿈에나 생각하였으리요.

오왕이 즉시 길월냥신(吉月良辰)을 택하니, 혼기 아득하여 추 팔월 습순(拾旬)이로되, 납빙은 수일이 격하였는지라. 이대로 하부의 통하니 하공이 비록 기쁘지 않으나, 당면하여 뇌약한 혼사를 물릴 길이 없는지라. 이에 부인을 대하여 오왕의 일 군주로 원창과 정혼함을 이르고 납빙을 차리라 하니, 초공이 옥 두어 가지로 빙물을 삼았음으로, 초공이 연·경 두 부인 취할 제는 월패(月佩)를 만들어 빙물을 삼은지라.

원상 공자도 월패로 임씨를 취하되, 아무리 값을 드려 월패를 극택(極擇)하되, 하공이 남강에 가 얻은 월패와 같지 못하여, 천하 보배를 다 모아 견주어 보아도 윤·하·정 삼공의 각각 얻은바 명주와 보월에 비길 바 없는지라.

차고로 제왕비 윤의열 월패와, 초공 부인 윤씨의 월패며, 정숙렬과 하 부인의 명주 인간에 다시 있지 않은 보배라. 천궁의 당연한 보배로 군자 숙녀의 빙물을 삼으려, 윤·하·정 삼공께 전함이더라.

조부인이 원창의 혼사를 오궁의 완정하였음을 가장 서운하여 왈,

"오궁 부귀는 친황자의 당당한 세엄을 물어 알 바 아니로되, 군주의 현불초(郡主)를 알 길이 없거늘, 부자 어찌 소루히 정하시니까?"

공이 탄 왈,

"내 어찌 황가지엽과 결혼코자 하리요마는, 그윽이 세사를 헤건대 오왕이 나를 당면하여 여차여차 청혼하니, 내 준절이 뇌거(牢拒)하여 허치 않은즉, 오왕이 그만하여 그칠 리 없고, 반드시 천정의 주하여 사혼성지

를 얻어 위력으로 친사를 일울 듯하니, 그리 하는 즈음은 요란만 하고 내 뜻은 세우지 못하고, 자연이 황명을 받잡는 것이 될 것이므로, 생각 다가 못하여 일이 종용키를 취하여 스스로 허혼하였나니, 불행하나 현마 어찌 하리오."

부인이 또한 하릴없어 월패(月佩)를 만들어 빙물을 삼으니, 초공이 비로소 알고 불행함을 마지않으나, 자기 집에서 차혼을 싫어도 사세 면치 못할 것이므로, 말을 간예치 않고 정일(定日)에 혼서와 월패를 보내대, 오히려 원창은 알지 못하고 일념이 다 정소저에게 돌아가, 주주야야(晝晝夜夜)에 못 잊는 회포를 견즐 곳이 없으되, 자기 심사를 향(向)하여 이를 곳이 없어, 스스로 위로하여 자기 인물이 금평후 고안(高眼)에 합하여 청혼하기를 절박히 바라되, 금후의 택서함이 비상하여 원창을 나무람이 아니로되, 성현군자(聖賢君子)의 빈빈(彬彬)한 도행이 부족함을 잠깐 미흡히 여겨, 동상(東床)을 유의치 않고 타처에 옥인군자를 택하니, 공후의 만금(萬金) 필와(畢瓦)[216]로 왕공재열(王公宰列)의 매자(妹者)요, 부귀호치(富貴豪侈) 금달공주(禁闥公主)를 부러워 아니 할지라. 정소저의 장신(藏身)함이 각별하되, '향(香)을 감초나 내[217]를 자연 감추지 못하고, 나뭇에[218] 송곳이 끝을 감추지 못 함' 같아서, 정소저 성화(聲華)가 연인지가(連姻之家)[219]로 좇아 만성에 풍동(風動)[220]하니,

---

216) 필와(畢瓦) : 막내 딸. '와(瓦)'는 실을 감는 '실패'를 뜻하는 것으로 딸을 비유한 말. 예) 농와지경(弄瓦之慶); 딸을 낳은 경사.

217) 내 : 냄새.

218) 나뭇에 : 주머니. 자루. 자루; 속에 물건을 담을 수 있도록 헝겊 따위로 길고 크게 만든 주머니. =나맟

219) 연인지가(連姻之家) : 인척(姻戚). 혼인에 의해 맺어진 친척.

220) 풍동(風動) : '바람이 일다'는 뜻으로 소문 따위가 널리 퍼져나감을 비유적으로 이르는 말.

하물며 숙렬비 아우며 금평후 자녀의 특이함이 세상의 유명한지라. 황친국척과 명문벌열의 아들 둔 자가 결승(結繩)[221]의 호연(好緣)을 이루고자 구혼할 이 낙역부절(絡繹不絶)[222] 하되, 차녀의 혼사에 다다라는 만사 다 무심치 않아, 먼저 친옹(親翁)의 선악현우(善惡賢愚)와 신랑의 외모풍신과 문장재학이며 백행예의를 친히 본 후 정하려 하는 고로, 동서(東西) 구친(求親)에 아직 여식(女息)이 유충(幼沖)함으로 밀막아[223] 대답을 않더라.

원상이 가임씨를 취한 지 수삼 삭이 되도록 측하고 아니꼬움이 비위를 걷잡지 못할 뿐 아니라, 근본을 자세히 몰라 우민함을 마지않더니, 일일은 원상 공자 신성을 파하고 나오더니, 어두운 구석으로 좇아 애랑이 행보도 남만 못한 것이 용행호보(龍行虎步)를 따르려 하매, 무궁한 층계 곡난(曲欄)에 뒤굴러[224], 벽력같이 소리 질러 가로되,

"하가 괴물은 나가지 말고 내 말을 들으라. 내 비록 얼굴이 곱지 못하나 부모의 만금 필와(畢娃)로 전신(前身)이 그대로 부부라. 첩이 그대로 하여 자문이사(自刎而死)하매 영백이 따르고자 하다가, 천제 명을 받자와 환도인세(還道人世)하여, 그대 도로 하가의 나고 첩도 도로 우리 부모께 의지하니, 나의 용광기질(容光氣質)이 어이 남만 못하리요마는, 원수(怨讐)의 두역을 험히 하고 또 풍병(風病)을 얻어, 일신을 쓰지 못

---

221) 결승(結繩) : ①끈이나 새끼 따위로 매듭을 지음. ②월하노인이 청실홍실을 묶어 부부의 인연을 맺어준다는 전설에서 유래한 말로, 혼인을 맺는다는 뜻으로 쓰인다.
222) 낙역부절(絡繹不絶) : 연락부절(連絡不絶). 왕래가 잦아 발길이나 소식이 끊이지 아니함.
223) 밀막다 : 핑계하고 거절하다
224) 뒤구르다 : 함부로 마구 뒹굴다.

하고 참혹한 병인이 되었으나, 서로 연분이 중하고 저버리지 못할지라. 이제 그대 나의 용모 불미함을 나무라, 한 번 맞아와 한 구석에 들이치고 면목을 불상견 하니, 무신박행(無信百行)함이 오기(吳起)225)의 일류라. 우리 대인이 그대의 미려한 풍광만 과애(過愛)하시고 무상함을 모르시고 동상을 삼아 계시거니와, 왜국에서 돌아오신 즉, 군의 취색경덕(取色輕德)함을 들으시면 반드시 잠잠치 않으시리라."

하생이 그 말을 들으매 기괴망측함을 이기지 못하나, 그것과 언어수작이 욕되어 대답치 않고 천천히 걸어 나오니, 애랑이 대로하여 엎어지고 자빠지며 헐헐거리고 따라 외당으로 나오니, 하생이 매양 그 근본을 쾌히 알아내고자 하되, 핑계를 얻지 못하여 할 즈음에, 이에 서동으로 하여금 임부 시녀 양낭을 불러 엄문 왈,

"내 이미 저 흉상병인(凶狀病人)이 임참정 딸이 아닌 줄 아나니, 너희 은휘(隱諱)할진대 중치하리니, 모름지기 형벌을 받지 말고 전후 간정(奸情)을 일일이 아뢰라."

제녀(諸女) 미처 대답지 못하여서, 애랑이 빨리 달려들어 생의 관(冠)을 벗기고 어지러이 두드리는 거동이라. 생이 해연(駭然) 대로(大怒) 하여 봉안을 높이 뜨고 잠미(蠶眉)를 거슬러 여성대질(厲聲大叱) 왈,

"여차 흉참한 발부(潑婦)가 어디에 있으리오. 임참정이 이 박용누질(薄容陋質)을 천만 부득이 보내었으나, 그 딸이 저러할 리 있으리오. 연이나 금일로부터 아주 부부윤의(夫婦倫義)를 끊나니, 날로써 가부라 말고 마땅히 빨리 임부로 돌아가고 머물지 말라."

애랑이 생의 옷을 틀어잡고 머리를 생의 가슴의 부딪치며 고성 왈,

---

225) 오기(吳起) : 중국 전국시대(戰國時代)의 병법가(B.C.440~B.C.381). '오기살처(吳起殺妻)'의 고사로 유명하다.

"역적 하진이 세 아들을 다 대역으로 죽이고, 제 또 주륙을 면치 못할 것이거늘, 성은이 관유하시어 일명을 보전하여 서축(西蜀) 수졸(戌卒)이 되었더니, 평제왕의 구활한 덕으로 고토(故土)에 생환하나, 대역부도(大逆不道)의 악자(惡者)를 우리 대인이 옛 친옹의 정을 생각하시어, 만금 필와를 개연이 허하시어 너를 동상을 삼으시니, 네 만일 사람의 마음이 있을진대, 대인의 지우(知遇)를 감격하여 나의 박용(薄容)을 허물치 않음이 옳거늘, 그 깐226)에 안고(眼高)한 체 하고, 노소가 다 나무라고, 하진의 교자(敎子)하는 도리 무상하여, 너 같은 경박자(輕薄子)를 계칙함이 없으니, 너의 방자함이 아비를 압두하고 어미를 능경(凌輕)하여, 처자를 말째 비복같이 여겨 천대 멸시함이 아니 미친 곳이 없으니, 어찌 통완치 않으리오. 네 심지를 무상이 가지고 향복(享福)하여 무사한가 보리라. 네 집은 여자 개가(改嫁)하기를 좋은 일같이 하는가 모르거니와, 우리는 여자 한 번 종부(從夫)227)하면 다시 돌아갈 데 없는 줄로 아나니, 네 아비더러 일러 네 어미부터 내치면 내 또 돌아가리라."

생이 비록 침정(沈靜)하여 과격준급 함이 없으나, 흉녀의 참참한 욕설을 들으매 노분(怒憤)이 열화 같아서 어찌 요대(饒貸)228)하리오. 한번 힘을 다하여 두 발로 모아 굴러 가임씨를 차 던지매, 높은 청상에서 층층한 섬 아래로 내려지매, 흉한 얼굴이 으깨져 피 흐르기를 면치 못하고, 가뜩이나229) 뒤틀린 비각(臂脚)이 중히 상한지라. 애랑이 무심 중차 던지는 환을 만나 이같이 상하매, 아픔을 이기지 못하여 소리를 벽력같이 질러 공의 부부를 참욕하며, 골 안이 터질 듯이 울기를 마지않으

---

226) 깐 : 일의 형편 따위를 속으로 헤아려 보는 생각이나 가늠.
227) 종부(從夫) : 결혼하여 남편을 따름.
228) 요대(饒貸) : 너그러이 용서함.
229) 가뜩이나 : 그러지 않아도 매우.

니, 생이 미친 욕설이 이에 미침을 당하여 어찌 참으리요.

노복을 명하여 일승교자(一乘轎子)를 가져오라 하여 뜰에 놓고, 임부 시녀 양낭을 호령하여 흉인을 위력으로 교자에 올리라 하니, 시녀 수십 인이 애랑을 껴들어 교자에 올리고자 하나, 애랑이 공의 부부와 생을 욕하고 온 몸을 뒤틀어 순히 오르지 않으니, 생이 대로하여 친히 철삭을 가져 그 몸을 긴긴히 동여 수족을 놀리지 못하게 할 새, 애랑의 욕설에 노분(怒忿)이 측량없으나, 생이 강맹(强猛)히 동이기를 다하였으매 면할 길이 없는지라. 임부 시녀를 호령하여 흉인을 동여맨 채230) 교중에 올리매, 생이 급급히 휘몰아 내치니, 임부 시녀들을 머무르고 전후 간정을 일일이 고하라 하니, 임부 시녀 등이 저희 소저를 성혼치 못하고 흉인을 하부로 데려 옴을 각골분완(刻骨憤惋)하는지라. 스스로 먼저 이르지 못할지언정 묻기를 당하여 어찌 은닉하리오.

이의 목부인과 애랑의 전후수말과 임공의 민울(悶鬱)하던 설화를 일일이 고하고, 저희 소저는 하문 빈 채례를 지켜 심규에 폐인 되기를 결단하고, 목부인 호령을 두려 임공의 딸인 듯이 하여, 천만 부득이 혼례를 이뤄 돌아왔음을 고하니, 생이 청파에 해연(駭然)코 분함을 이기지 못하여, 임부 시녀를 따라 가라 하고 내루에 들어오니, 이 날 초공은 신성 후 조참(朝參)하러 성내로 들어가고, 원창과 원필은 부모 좌하에 있더니, 시녀 등이 임씨의 쫓겨 감을 서로 일러 웃되, 하공 부부는 알지 못하니, 외당이 내루에서 먼 고로 애랑의 흉한 곡성이 내각에는 들리지 아니함으로, 공의 부부 오왕 군주의 현부를 염려할지언정, 가임씨는 족수(足數)231)치 아녀, 구태여 급히 내칠 의사는 두지 않았더니, 생이 들

---

230) 채 : 의존명사. '-은/는 채로', 또는 '-은/는 채'의 구성으로 쓰여, 이미 있는 상태 그대로 있다는 뜻을 나타내는 말.

어와 부모께 면관청죄(免冠請罪) 왈,

"소자 불초하와 대악흉녀를 엄히 구속지 못하여, 금일 참욕(慘辱)이 지존의 아니 미친 곳이 없사오니, 소자의 욕 받음은 오히려 적은 일이거니와, 해아 주가 흉녀를 출(黜)하매 대인과 자정께 품달(稟達)할 것이오되, 그 흉인의 욕설이 점점 더하오니, 인자지심(人子之心)에 한 때를 지류치 못하여 급히 돌아 보냈삽나니, 원(願) 부모는 소자의 자전(自專)한 죄를 다스리소서."

공과 부인이 놀라 가로되,

"주가 흉녀란 말이 누구를 이름이며 누구를 출거(黜去)하단 말이뇨?"

생이 전후 곡절을 아뢰고, 임부 시녀의 말을 일일이 고하여 왈,

"소자 그 박면흉상(薄面凶相)이라도 임공의 딸이면 부부윤의를 온전히 하고자 하였삽더니, 주합의 딸이던가 싶으오니, 세상에 그런 기괴한 일이 있으리까? 소자 친히 동여 교자에 담아 구박(毆縛)하여 보냄이 일이 급한 듯하오되, 그윽이 생각건대, 소자 영영 매몰한 빛을 뵈지 않아서는, 목씨 노흉이 임공을 보채여 그 흉인을 다시 보내려 의사를 낼 것이므로, 짐짓 구박하여 보냈나이다."

공의 부부 차언을 들으매, 일변 놀랍고 일변 기쁨을 이기지 못하니, 놀람은 임공의 계모 목씨의 불인흉패(不仁凶悖)함이요, 기쁨은 임씨의 화월용광(花月容光)과 빙옥기질(氷玉氣質)이 진정 아자의 배우(配偶)로 납폐(納幣) 문명(問名)을 지켜 심규에 혼자 늙으려 함이라.

원상이 주씨를 급급히 내침이 과격한 듯하나 그 말이 또한 옳고, 자기 집에서 임씨를 며느리로 알아 납폐 문명을 행하였고, 주가 흉녀는 몽리(夢裏)에도 생각지 않은 바라. 흉녀를 다시 맞아 와도 아직은 휘쫓아 내

---

231) 족수(足數) : 구짖다. 간섭하다.

칠 밖에 다른 계교 없는지라. 아자를 과급(過急)다 책할 말이 나지 않아, 다만 가로되,

"우리 집이 임공과 옛날 친용이로되 목 태부인의 그 같음을 몰랐더니 비로소 알괘라. 임씨의 대신에 주녀를 보냈으니, 주녀는 우리 알 바 아니로되, 벌써 전안(奠雁) 독좌(獨坐)의 예(禮)를 이뤘으니, 비록 납폐 문명이 없으나 아주 버리기는 되지 못할 것이요, 임씨를 종용이 취하려니와, 일이 여러 가지로 어지러오니 어찌 불행치 아니며, 너의 주씨를 내치는 거조가 그리 과급하뇨? 우리 너를 단중한가 여겼더니 저 임가에서 들어도 무식다 할까 하노라."

생이 대왈,

"하교 마땅하시되 저 흉녀를 그리 않아서는 휘쫓아 보내기 어려우므로, 비록 저 집이 소자를 무식하다 할지라도, 소자의 마음인즉, 내 부모를 참욕하는 흉인을 차마 일택지상(一宅之上)에 좋은 듯이 머물게 하지 못하여 급히 내치과이다232)."

공의 부부 다시 말을 않고 흉인을 쫓아 내치매 거림한233) 마음이 없어, 임씨를 쉬이 맞아 오고자 하되, 목씨의 용심이 그런 지경은 반드시 손녀의 친사를 희지음이 있을까, 혹자 예를 쉬이 이루지 못할까 의려하고, 부인은 오왕지녀의 현불초를 몰라 탄식 왈,

"여자의 위인이 윤현부같이 만사 완전한 숙녀는 천만인 중 하나이려니와, 심지 양선 하고 외모 하 괴이치 않은 여자도 어려운지라. 자녀에게 다다라 팔자 하 궁수(窮數)234)하니, 원창의 배우는 또 어떨꼬?, 근

---

232) -과이다 : -었/았습니다. '-과라; -었/았다'의 '하쇼셔'체 어미.
233) 거림하다 : 꺼림하다. 마음에 걸려 언짢은 느낌이 있다.
234) 궁수(窮數) : 운수가 궁핍함.

심이 이제부터 중하여 빙례를 행한 후 더욱 숙식이 편치 않도다."

원창 공자 자기 친사를 정한 줄도 알지 못하였다가, 벌써 납폐를 보내었음을 들으니 더욱 착급한지라. 자기 바야흐로 정씨를 취코자 마음이 칠년대한(七年大旱)에 운예(雲霓)도곤 더한 바에, 납폐 문명을 어느 곳 뉘 집에 보냈는고? 혹자 정부에나 정혼함이 있는가? 이럴 잪이면 자기의 소원이 이뤄지게 되고, 정부 사이 가까워 금평후 부자와 자기 부형이 조왕모래(朝往暮來) 하니, 혼서(婚書) 빙물(聘物)을 보내어도 소문이 없고 고요함인가? 능히 측량치 못하여 경각에 의사 백 가지로 어지러우니, 어찌 참을 길이 있으리오. 이에 모친께 나직이 묻자와 가로되,

"소자의 친사(親事)를 뇌정(牢定)하여 납폐를 행한 곳이 뉘 집이니까?"

부인이 미급답(未及答)에 공이 정색 왈,

"내 여등(汝等)을 경계하여 일절 외인을 보지 말라 하니, 불초자 아비 말을 홍모같이 여겨 날이 새면 어둡기를 그음하여 두루 어지러이 다니다가, 부디 여러 사람을 뵌바 되니 어찌 통해(痛駭)치 않으리오. 내 비록 용우하나 네 아비라. 위인부(爲人父)하여 자식의 혼취를 등한이 아니 할 것이로되, 만사 하늘에 달렸으니, 네 행신(行身)이 상쾌(爽快)하여235) 구상유취(口尙乳臭) 마르지 않은 것이, 부귀와 세권을 붙좇아 스스로 몸을 내어 뵈고, 그 사위되기를 영구(令求)236)하니, 내 마음이 기쁘지 않으나 사세 능히 내 뜻을 세우지 못할 것이매 허혼하고 행빙(行聘)하였나니, 혼처를 급히 알아 무엇 하랴 하느뇨? 입을 닥치고 있다가 길일(吉日)에 요객(繞客)237)의 인도를 따라 가보면 알 것이니, 범사에

---

235) 상쾌(爽快)하다 : ①느낌이 시원하고 산뜻하다. ②거리끼거나 얽매임이 없다.
236) 영구(令求) : 남의 비위를 맞추거나 아첨하여 어떤 것을 구함.

온중정대(穩重正大)키를 주하고 방자우패(放恣愚悖)키를 멀리 하라."

설파에 미우(眉宇) 한상(寒霜) 같고 사기(辭氣) 열숙(烈肅)하니, 원창의 기운으로도 매양 부전을 임하면 공구하는 고로 오직 피석 청죄할 따름이요, 다시 혼처를 묻잡지 못하고, 부친의 말씀이 자기 사람을 흔히 보기로 기쁘지 않은 혼사를 정하심을 듣되, 오히려 오궁에 정함은 알지 못하고 무궁한 염려 충출하여, 자기 만일 정씨를 취치 못하면, 스스로 정씨 향한 정을 걷잡지 못하여 사상일념(思相一念)이 성괴(成塊)[238]할 듯한지라. 미우 자주 수집(愁集)하고 뇌락앙장(磊落昂壯)[239]한 기상이 설설(屑屑)하기에 가까우니, 공이 총명하고 신성(神性)한지라. 아자의 거동이 괴이함을 의아하여 혹자 유의한 미인이 있는가 염려하더라.

차설 가임씨 출화를 만나 임부로 돌아오매, 그 모양이 괴이하여 가뜩한 병인을 철삭으로 긴긴히 동여맸으니, 그 흉함이 비할 데 있으리오. 노상(路上)에 가며 흉독한 울음을 그치지 않아 부중에 다다르니, 목씨 애랑의 소리를 듣고 대경하여 마주 나와 그 거동을 보고, 차악비절(嗟愕悲絶)하여 바삐 동인 것을 끄르고, 체읍 문 왈,

"이 무슨 경상이며 어찌된 일이뇨?"

애랑이 그간에 흉한 꾀는 없지 않아 붙들고 실성통곡 왈,

"소녀의 이리 내처 옴은 전혀 몽옥 요녀(妖女)의 탓이라. 하가가 소녀의 박용누질(薄容陋質)을 구태여 허물치 않고, 구고와 가부 예사로이 대접하거늘, 몽옥 요괴 년이 하생과 통신하는 일이 있어, 저의 혼례는 못

---

237) 요객(繞客) : 위요(圍繞). 상객(上客). 혼인 때에 가족 중에서 신랑이나 신부를 데리고 가는 사람.
238) 성괴(成塊) : 덩어리가 됨. 응어리가 맺힘.
239) 뇌락앙장(磊落昂壯) : 작은 일에 얽매이지 않고 너그러우며 높고 씩씩함.

지내고 소손을 저의 대신에 보냄을 통한하여 하생을 격동한지, 불의에 휘쫓아 내치며 욕설이 참혹하여, 조모의 전후 사나움을 크게 꾸짖더이다."

하니, 목씨 차언을 들으매, 손녀의 전정이 아주 볼 것이 없음을 헤아려, 자닝하고 슬픔이 가슴이 미어지는 듯하고, 분노함이 부아[240] 넘놀아 시랑(豺狼)의 성이 발하매, 어찌 앞뒤를 헤아리리오. 발연이 팔을 뽑내며 이를 가라 분분절치 왈,

"몽옥 요괴 년을 일만 조각에 찢어 나의 만금 소교의 신세를 어지럽게 한 분을 풀고 말리라."

이리 이르며 한 걸음에 뛰어 소저 침소의 들이달아, 죄의 경중을 이르지 않고 짓두드리며, 청운 같은 녹발을 꺼들어 주며, 벽상의 걸린 철편을 들어 소저의 만신을 두드리며, 옥부방신(玉膚芳身)을 사이사이 무러뜯어, 이를 갈며 고성대매(高聲大罵) 왈,

"이 요괴 년아! 네 무슨 뜻으로 애랑의 전정을 그릇 만드느뇨? 너를 고이[241] 하가의 보내면, 내 용렬한 사람이 되리니, 마땅히 일만 조각을 내 썰어 죽이리라."

소제 천만 생각 밖에 이 변을 당하여, 놀랍고 아픔이 이를 것이 없는지라. 조모의 거동이 흉괴하고 무서워 반드시 자기를 죽이고 그칠 모양이라. 순설(脣舌)[242]이 무익한 줄 모르지 않되, 낯빛을 화히 하여 유성(柔聲)으로 가로되,

"소손이 불초하오나 일찍 대모께 대단이 작죄한 일이 없고, 하물며 주

---

240) 부아 : 노엽거나 분한 마음.
241) 고이 : 온전하게 고스란히.
242) 순설(脣舌) : 입술과 혀를 아울러 이르는 말로, '말'을 비유적으로 이르는 말.

제(弟)의 전정을 희짓는다 하심은 더욱 몽외지언(夢外之言)이라. 일이란 것이 고요함이 으뜸이니, 대모 비록 소손을 죽이고자 하시나, 제숙부(諸叔父)와 거거(哥哥) 등을 불러, 소손의 죄상을 이르시고 종용이 다스리시는 것이 마땅하거늘, 어찌 하류천비를 형벌하심같이 난타하시나니까? 원컨대 조모는 분노를 참으시고, 일의 곡직을 살피사 과도한 거조를 그치소서."

목씨, 들은 체도 않고 다만 짓두드려 그치지 않으니, 소저 섬섬약질(纖纖弱質)로 철편으로 흉독히 치는 바를 당하니, 만신과 두골이 아니 상한 곳이 없어, 경각에 핏빛이 되었더니, 제 임공과 학사 등이 들어와 이 경상을 보고, 차악(嗟愕) 상담(喪膽)[243]함을 이기지 못하여, 빌어 왈,

"저의 죄과는 알지 못하거니와, 전일 효순온공(孝順溫恭)하옵던 아해라. 결단코 작죄함이 대단치 아니하오리니, 원컨대 노를 잠깐 참으시고 죄의 경중을 이르소서."

목씨 대로하여 왈,

"미혼 전 규수로서 하원상의 풍채를 과혹(過惑)하여, 제 대신에 애랑을 보냄을 앙앙분원(怏怏忿怨)하여, 염치를 잃고 하생으로 더불어 사통(私通)하여, 애랑의 전정을 희지어 출화(黜禍)를 보게 하니, 어찌 통해(痛駭)치 않으리오. 이 요괴 년을 죽이지 않으면 급급히 타처에 혼인하여 보내라."

하니, 제 임공과 학사 등이 목씨의 말이 한심하나, 감히 불평지색을 나토지 못하여, 다만 화열이 빌어 가로되,

"몽질은 빙청옥결지심(氷淸玉潔之心)[244]이라. 스스로 하가 빈 문명

---

243) 상담(喪膽) : 담이 떨어짐.

(問名)245)을 지켜 공규에 늙을지언정, 음비한 사정을 남자에게 통할 아해 아니요, 나이 십삼 충년이라 아직 세사를 알지 못하니, 제 어찌 음비한 뜻을 두리까? 자정은 괴이한 의심을 마시고 그 연약한 아해 참혹히 상함을 살피소서."

목씨 철편으로 상서 오곤계와 학사 등을 짓두드리며, 소저의 운발을 손에 감아 쥔 채 침소로 들어가니, 애랑 흉녜 승흥(乘興)246)하여 들이달아 흉한 힘을 다하여 소저를 짓이기니, 강 부인이 차경을 당하여 여아를 아끼는 마음에 심장이 경각에 녹을 듯하나, 목부인 흉한 성을 거우매 여아의 명이 위태할 것이므로, 차라리 본 체를 않으려 하여 일언을 하지 않고, 묵연히 눈을 낮추고 고개를 돌려 여아의 상한 곳을 보지 않고, 상서 등과 학사 등은 자기 몸의 아픈 것을 잊고, 소저의 상처를 어루만져 실성 비읍함을 마지않으니, 목씨 소저를 일각에 죽이지 못할 줄 알아, 자기 협실에 감추고 임공의 형제 숙질을 밖으로 내어 보내고, 그윽이 한 꾀를 생각할 새, 목씨 질자 시중 목표가 나이 사십에 상실(喪失)하고, 바야흐로 후취(後娶)를 구하는 즈음이라. 목씨 소저로써 시중의 재취를 삼으려 할 새, 소찰로 목표를 급히 부르니, 목시중이 급히 이르러 숙모를 배견하니, 목씨 이르되,

"현질이 상실하여 기복(朞服)247)이 지났으되 숙녀를 만나지 못하니,

---

244) 빙청옥결지심(氷淸玉潔之心) : 얼음처럼 맑고 옥처럼 깨끗한 마음.

245) 문명(問名) : 중국 주례(周禮)에 규정하고 있는 혼례의 여섯 가지 절차인 육례(六禮) 중 하나로, 신랑 측에서 신부 집에 납채(納采)를 행한 후, 다시 신부 집에 신부의 이름을 묻는 서간을 보내는데, 이를 문명(問名)이라 한다. 이때 신부 집에서는 당시 여자에게는 이름이 없기 때문에 신부의 어머니 성씨를 적어보내 허혼의 뜻을 밝힌다. 따라서 문명은 양가가 정혼한 사이임을 뜻한다.

246) 승흥(乘興) : 흥이 나는 기회를 이용함.

247) 기복(朞服) : 일 년 동안 입는 상복.

우숙이 위하여 근심하고 염려하는 바이더니, 광아의 필녀 몽옥이 연(年)이 십삼에 용광기질이 고왕금내에 희한하고, 성행사덕이 숙녀 명염의 풍이 가즉한지라. 천하를 다 돌아 구하여도 광아의 딸 같은 이는 쉽지 못하리니, 아직 광이 왜국 교유사로 나가 돌아오지 못하였거니와, 위력으로 혼사를 이루려 한즉 가중에 아무도 말릴 이 없으니 현질의 뜻이 하여오?"

목시중이 본디 사리에 통달치 못하고 여색에 주린 귀신이라. 임참정의 만금필녀요, 하가의 채례를 받았음을 알지 못하고, 당당이 저의 재실이 될 줄로 알아, 흔흔히 웃고 칭사 왈,

"숙모 소질의 환거(鰥居)함을 염려하시어, 천금 손녀를 개연이 허코자 하시니, 소질이 감사함을 이기지 못하리로소이다. 연이나 임참정이 택세(擇壻) 비상하니, 소질의 나이 많음을 깃거 않을까 하나이다."

목태 소왈,

"노모 일을 이루려 하매 광 등의 깃거 않는 바라도 우겨 내 마음을 세우나니, 광이 비록 너의 나이 많음을 깃거 않을지라도, 내 주혼(主婚)하여 손아를 너에게 보내면 감히 한 말을 못하리라. 노모 즉시 택일하여 보낼 것이니, 너는 입장(入丈)할 기구(器具)를 차리라."

목표 대열하여 돌아가매, 목씨 스스로 택일하니 공교히 흉인의 원을 맞춰 길기(吉期) 수순(數旬)이 가렸더라.

목태 제공과 강 부인을 불러 엄히 이르되,

"여등이 매양 몽옥의 폐륜함을 슬퍼 하니, 노모 보고 듣기에 심히 불안하기는 이르지도 말고, 너희는 자애에 계관(係關)248)하여 자식의 허물을 전혀 모르고, 그 계활(計活)이 남에서 낫고자 하나, 몽옥이 십삼충

---

248) 계관(係關) : 관계(關係). 서로 관련을 맺거나 관련이 있음.

년이로되 음악하고 간교하여, 남자를 사상함이 하류천창의 행실도곤 더하여, 하원상으로 더불어 가만히 사통하는 행실이 무상(無狀)코 더러운지라. 이러나 저러나 하가는 애랑의 구가로 몽옥의 돌아 갈 곳이 아니라. 하생이 비록 몽옥과 사사로이 정을 통하나 제 부형이 알지 못하니, 이즈음에 몽아를 타처에 성혼하여 보내면, 하생도 몽옥에게 정이 끊어지고 몽옥도 하생을 바랄 것이 없어지니, 목표 연기(年紀) 사순이나 의표 비속하고, 기상이 언건함은 세상이 다 아는 바요, 가계 풍족하여 재산이 누거만(累巨萬)249)이요, 노복이 수천여구(數千餘口)요, 가세(家勢)비록 미말낭관(未末郎官)이나, 생업(生業)인즉 공후지가(公侯之家)에 감치 않고, 하물며 문벌가세(門閥家勢)는 새로이 이를 것이 없으니, 몽옥을 질자와 성혼한즉 제 신세 일생 편하고 즐겁기 하가에 세 번 더할 것이요, 노모의 뜻의 벌써 굳게 정하였고 질자를 불러 벌써 면약(面約)하였으니, 너희 광의 돌아오지 못하였음을 서운하여 말고, 정혼 날에 길례를 행케 하라."

강부인이 청파의 만심이 경해하여 신색이 찬 재 같으니, 능히 한 말을 못하고, 상서 등이 백사(百事)에 친의를 순수하기를 주하나, 차사에 다다라는 죽기를 그음하여 소저를 표에게 보내지 않으려 함으로, 일시에 정색하고 연성(連聲) 고 왈,

"소자 등이 불초하여 한 일도 자의를 영합(迎合)지 못하고, 매양 그릇 여기심을 당하여, 간하는 말씀이 효험이 없사오나, 자위 성덕으로써 거의 일을 생각하실지라. 어찌 몽아 같은 청정결초(清淨潔楚)250)한 아해로써 더러운 일로 의심하며, 우리 집이 그 어떤 명문이관데 질아의 채례

---

249) 누거만(累巨萬) : 매우 많음. 또는 매우 많은 액수.
250) 청정결초(清淨潔楚) : 매우 맑고 깨끗함.

(采禮)251)가 두 번 드는 거조 있으리까. 이러므로 애랑을 하가에 보내매 몽아는 일생을 공규에 폐륜하여 하가 빈 채례를 지키게 하였삽나니, 목시중 아냐 천선이 하강하여도 몽질의 혼사는 다시 의논할 일이 없고, 자정이 아무리 질아를 목가의 보내고자 하셔도, 소자 등이 저를 죽일지언정 차마 개적하여 더러운 계집이 되게 못하오리니, 빙채(聘采) 바든 여자 등과 못한 선비와 같아서, 비록 전안(奠雁) 독좌(獨坐)의 예(禮)를 이루지 않았으나 납폐(納幣) 문명(問名)이 있으니 마침내 그 집 사람이요, 선비 임군의 은혜를 입지 않고 국록을 먹지 않았으나 그 나라 신하로 종신토록 타국에 옮는 일이 없삽나니, 명문벌열(名門閥閱)의 여자 두 번 빙채를 받는 것은 개적하는 것과 다름이 없으니이다."

부인이 제자(諸子)의 이같이 다투는 말을 들으니, 흉한 노분이 하늘을 꿰뚫 듯하여, 서안을 박차고 주먹으로 상서의 낮을 짓후려252) 가로되,

"나는 무식한 여자라. 사리를 알지 못하매 몽옥을 질아에게 가하면 제 신세 편키를 위함이러니, 흉휼(凶譎)한 놈들이 몽옥이 하생과 사통하는 줄 알아, 뜻을 맞추어 거짓 하가의 채례를 지키려 하노라 하니 어찌 통해치 않으리오. 노모 죽기를 그음하여 몽아를 질아에게 돌아 보내리라."

상서 등이 낮빛을 고치지 않고 말씀을 씩씩히 하여 가로되,

"자위 일시에 질아를 목가에 보내고자 하시나, 소자 등이 차사에 다다라는 질녀를 죽여 없이 하고, 자정께 사죄를 받자올지언정, 질아로 차마 더러운 계집을 삼지 못 하리로소이다."

---

251) 채례(采禮) : 납폐(納幣). 혼인할 때에, 사주단자의 교환이 끝난 후 정혼이 이루어진 증거로 신랑 집에서 신부 집으로 예물을 보냄. 또는 그 예물.

252) 짓후리다 : 마구 휘둘러서 때리거나 치다. '짓+후리다'의 형태. *짓; 일부 동사 앞에 붙어, '마구', '함부로', '몹시'의 뜻을 더하는 접두사.

학사 희수 소리를 매이하여 가로되,

"대모의 이렇듯 하심은 반드시 표의 청촉을 들으심이라. 천하의 흔한 것이 여자라. 표가 어데 가 재실을 못 얻을 것이라 우리 천금 일매요, 하물며 빙채(聘采) 받은 여자를 유의하며, 오가를 업수히 여겨 매자로써 저의 재실을 줄 양으로 아는 것이 통해한지라. 소손이 매제를 죽여 분을 풀고, 표를 보아 낯에 침 뱉고 눈에 재를 넣어 우리 집을 업신여기는 분을 풀려 하나이다."

목씨 분노하여 학사의 운고(雲-)253)를 풀쳐 손에 감고, 머리를 벽에 부딪쳐 가로되,

"너희 숙질이 결단하여 노모를 죽이고 그치려 하는지라. 몽아를 질아에게 보내나 못 보내나, 너를 죽여 난언(亂言)한 죄를 덜고 말리니, 나의 질자는 너로 더불어 통가지의(通家之義)254) 있거늘, 감히 눈의 재를 넣고 낯에 침을 뱉을까 싶으냐? 이는 질자(姪子)를 욕함이 아니라 나를 욕하는 일이니, 노모 너에게 그런 욕을 보고 어찌 살리오. 쾌히 너를 죽이고 내 또 죽으리라. 이리 이르며 흉한 눈을 부라리고255), 학사를 물어뜯으며 서두니 그 거동이 무서운지라. 상서 등이 비록 학사를 구코자 하나, 학사 벌써 모진 범에게 옭혀진256) 사람 같아서, 상투를 노흉의 손에 감기고, 이빨로 학사를 물어뜯어 떼치는 곳마다 붉은 피 돌지어 흐르거늘, 벽에 머리를 마구 부딪치는 화를 당하여 두골이 깨어지고 얼굴

---

253) 운고(雲-) : 상투를 틀 때 머리털을 고리처럼 되도록 감아 넘긴 것. *운(雲)은 운발(雲髮)을 줄여 쓴 말로, 구름 같은 머리, 곧 숱이 많은 탐스러운 머리를 이르는 말.

254) 통가지의(通家之義) : 인척(姻戚)의 의리. *인척(姻戚); 혼인에 의하여 맺어진 친척. ≒통가(通家).

255) 부라리다 : 눈을 크게 뜨고 눈망울을 사납게 굴리다.

256) 옭혀들다 : 옭히어 빠져들다. 일이 점점 더 어렵게 되다.

이 찬 옥 같아서 보기의 차악한지라.

몽옥 소제 그윽이 생각건대 조모의 흉한 용심이 자기 빙상절개(氷霜節槪)를 희지을 뿐 아니라, 제숙(諸叔)과 제거거(諸哥哥)를 못 견디도록 보채어 짐짓 핑계함을 헤아리매, 자기 계교를 쓰지 않고는 거거의 급한 것을 구하기 어렵고, 자기 몸을 빼어 나가지 못할지라. 부득이 아픈 정신을 수습하여 협실 문을 열고, 빨리 태부인 앞에 다다르는 학사를 붙들고 실성비읍(失性悲泣)하여 가로되,

"거거(哥哥)의 말씀이 과격하나 일시에 분을 참지 못함이요, 대모께 불순함이 아니니, 대모 어찌 과도히 하시나니까?"

하더라.

명주보월빙 권지구십사

　어시에 몽옥 소저 학사를 붙들고 실성비읍(失性悲泣)하여 가로되,
　"거거(哥哥)의 말씀이 과격하나 일시 분을 참지 못함이요, 대모께 불
순함이 아니니 대모 어찌 과도히 하시나니까? 제 숙부와 거거 소손으로
하여금 하가의 빈 문명(問名)257)을 지켜 일생을 공규(空閨)의 유발승(有
髮僧)258)이 되라 하오나, 소녀는 가내 화(和)하고 대모의 명을 순수하
여 사지라도 사양할 마음이 없삽나니, 대모는 거거의 죄를 물시(勿視)하
시고, 소손은 목가만 못 한 곳이라도 명대로 응순(應順)하오리니, 이 일
은 위로 대모께 달렸고 아래로 소손의 뜻에 있으니, 어찌 거거와 제 숙
부로 의논하시나니까?"
　목씨 바야흐로 학사를 반만 죽여 놓아, 저의 호령을 세워 소저를 표에
게 보내려 하되, 혹자 소저가 절을 굳게 지켜 스스로 인륜낙사(人倫樂

---

257) 문명(問名) : 중국 주례(周禮)에 규정하고 있는 혼례의 여섯 가지 절차인 육례
　　(六禮) 중 하나로, 신랑 측에서 신부 집에 납채(納采)를 행한 후, 다시 신부 집
　　에 신부의 이름을 묻는 서간을 보내는데, 이를 문명(問名)이라 한다. 이때 신
　　부 집에서는 당시 여자에게는 이름이 없기 때문에 신부의 어머니 성씨를 적어
　　보내 허혼의 뜻을 밝힌다. 따라서 문명은 양가가 정혼한 사이임을 뜻한다.
258) 유발승(有髮僧) : 머리를 깍지 않은 승려.

事)를 끊고 사생을 결할까 염려하던 바, 천만 기약하지 않은 소저의 말이 이 같으니, 다행코 즐거옴을 이기지 못하여 즉시 학사 치기를 그치고, 소저를 어루만져 왈,

"너의 소통영오(疏通穎悟)함이 이해를 밝히 알아, 거짓 절을 일컬어 심규에 폐륜함이 신상에 유해무익(有害無益)함을 깨달아, 질자와 성혼함을 사양치 않으니, 희수의 패악불공(悖惡不恭)한 죄를 사치 못할 것이로되, 너의 말이 가장 유리하매, 마지못하여 수를 사(赦)하나니, 너는 내 말을 순수하여, 질자로 육녜(六禮)259)를 구행(俱行)하여 좋이 돌아가 만복을 누리라."

소저 차언에 다다라는 눅눅하고 분함을 이기지 못하나, 이미 가내 화평하기를 위하고 자기 몸을 빼 집을 빠져나가려 하는 고로, 흔연이 배사하니, 목씨 흉패할지언정 위인이 불명코 사못갑지260) 못한 고로, 소저의 마음이 진실로 그런가 여겨, 가두지를 않아 침실로 순히 돌아 보내고, 일변 택일을 표에게 통하니 상서 형제 숙질이 죽기로써 다투고자 하더니, 문득 소저의 하는 말을 들으니 결단하여 무슨 계교를 정함이요, 본뜻이 그렇지 않은 줄 아는지라.

역시 부인 명을 순수하고 물러나, 상서 소저를 데리고 그윽한 데 가, 주의를 물으니, 소제 탄식 대왈,

"일이 이에 미쳤으니 몸이 일시 괴로운 것을 피치 못할 것이요, 조모의 뜻을 우기다가는 한갓 제위(諸位) 숙부와 거거 등의 신상이 크게 해롭기는 이르지 말고, 조모 무슨 변을 짓고 그치실지라. 소질이 차라리

---

259) 육녜(六禮) : 혼인의 여섯 가지 절차. 납채(納采), 문명(問名), 납길(納吉), 납폐(納幣), 청기(請期), 친영(親迎)을 이른다.
260) 사못갑다 : 꿰뚫어 알 만하다. 환히 알 만하다.

수명하는 체하고 물러 나, 더러운 날이 다다르거든 질자 한을 단장하여 목가로 보내고자 하옵나니, 한이 나이 십일세요, 얼굴이 소질을 이상이 닮았다 하니, 여복(女服)하여 목가로 보내면 대모 의심치 않으시리니, 소질은 한을 보내고 잠깐 피하여 외가로 가고자 하나이다."

상서 질녀의 재모(才貌)를 탄복 왈,

"너의 계교는 기특하거니와 다만 한이 남자요, 저 목가 축생이 한의 재모를 과혹할수록 남녀를 분변하기 쉬우니, 속이는 변이 장구치 못하여, 또 무슨 변이 날까 근심하노라."

소제 탄 왈,

"이 일이 아직 무사키를 바람이니 어찌 장구히 편할 도리를 하리까. 연이나 한이 총명하고 지혜 갖은[261] 아해니, 음양이 바뀜도 목가로 하여금 급히 알게 않을 것이요, 아무리 속여도 목축 일인은 두렵지 않은지라. 제위 숙부는 범사를 조모 명을 승순하시어 변란이 없게 하소서. 한을 먼저 치우시어 거짓 사부(師父)를 따라가, 여러 일월을 집의 돌아오지 못할 바를 조모께 고하소서."

상서 등이 질녀의 기모(奇謀)를 두굿겨 어루만져 칭선 왈,

"십삼 세 소녀 노성장자(老成長子)도 밎지 못할 바를 꾀하니 어찌 아름답지 않으리오마는, 우리 마음은 표를 속이고 싶은지라. 한이 비록 남자나 얼굴이 너와 다른 일이 없으니, 저 목표 도적놈이 처음은 여자로 알아 그 자색을 황홀할 바 분해하도다."

소제 대왈,

"소질인들 목축을 통완치 않으리까마는, 저 축생을 거윗다[262]가는 대

---

261) 갖은 : 골고루 다 갖춘. 여러 가지의.
262) 거우다 : 집적거려 성나게 하다.

모의 노를 요동하여 가간에 변괴를 일으키리니, 차라리 한으로써 소질의 대신에 보내고, 대인이 돌아오심을 기다리시는 것이 옳을까 하나이다."

숙부 등과 제소저와 정시랑 원흠의 부인과 태학사 남창진의 부인이 다 웃고, 소저의 계교 마땅함을 일컬으니, 이런 일을 가중 비복도 모르게 하고, 한으로써 사부를 좇아 멀리 감을 고하여, 먼저 목씨에게 하직할 새 한은 곳 임학사의 장자이니, 시년 십일에 곤산(崑山)263)의 미옥(美玉)과 추공(秋空)의 명월 같고, 만사 총명다재(聰明多才)하여, 단묵함이 그 숙모 몽옥 소저와 같으니, 학사 매양 장부의 기상이라 하더니, 소저의 대신으로 표에게 보내는 줄 알고, 개연이 말을 꾸며 목씨께 배사하직하매, 목씨 한이 종손(宗孫)이로되, 원래 한 조각 사랑이 없던 고로, 그 멀리 나가 오래 돌아오지 못할 바를 고하되, 조금도 결연(缺然)이 여김이 없더라.

공자 목씨께 하직하고 나와 협실에 감춰있더니, 길일이 다다르니, 강부인이 즉시 서헌의 나와 공자의 아미(蛾眉)264)를 그리고, 여복을 개착하며 지분(脂粉)을 난만이 취하매, 공자 가소롭고 괴로움을 이기지 못하나, 숙모의 절개를 차마 그릇 만들지 못하여 자기가 대신의 가고자 하매, 부인이 범사를 낱낱이 가르치고 소저는 가만히 장(帳) 속의 들어 표숙 강태우 집으로 옮고, 공자 여복으로 소저 침소의 있으니, 가내 비복도 무심히 보는 이는 모르더라.

길일에 표 육례를 갖추어 임소저를 친영할 새, 옥안화모(玉顔花貌)의

---

263) 곤산(崑山) : 곤륜산(崑崙山). 중국 전설상의 높은 산. 중국의 서쪽에 있으며, 옥(玉)이 난다고 한다. 전국(戰國) 시대 말기부터는 서왕모(西王母)가 살며 불사(不死)의 물이 흐른다고 믿어졌다.

264) 아미(蛾眉) : 누에나방의 눈썹이라는 뜻으로, 가늘고 길게 굽어진 아름다운 눈썹을 이르는 말. 미인의 눈썹을 이른다.

연분(鉛粉)을 난만이 칠하고, 긴단장265)을 끌어 대례를 필하고 덩의 오
를 새, 작약미질(婥約美質)이 당대의 독보절염(獨步絶艶)이라. 축생이
공자임을 몽리에도 깨닫지 못하고 호송하여 부중에 돌아와, 합근교배
(合卺交拜)266)를 마치고 기쁜 눈을 바삐 들어 보니, 폐월수화지태(閉月
羞花之態)267)요, 침어낙안지용(沈魚落雁之容)268)이니, 장강(莊姜)269)
반비(班妃)270) 같으며, 서시(西施)271) 옥진(玉眞)272)을 곱다 못할지라.
만고를 기울여도 다시 같은 절염이 없을 듯, 저의 본 바 처음이니 황홀
한 은정과 무궁한 즐거움이 모양하여 견줄 곳이 있으리오. 동방화촉(洞
房華燭)에 대하매 긴 말씀을 펴며 공자의 손을 어루만져 금리(衾裏)에
나아감을 청하니, 공자 발연대로(勃然大怒)하여 아미를 거스르고 추파

---

265) 긴단장 : 온갖 단장. 특히 혼인 때 신부의 머리에 족두리나 화관을 씌워 단장
　　하는 일을 이른다.
266) 합근교배(合卺交拜) : 전통 혼례에서, 신랑 신부가 서로 잔을 주고받고[합근],
　　절을 주고받고[교배] 하는 의례.
267) 폐월수화지태(閉月羞花之態) : 꽃도 부끄러워하고 달도 숨을 만큼 여인의 얼굴
　　과 맵시가 매우 아름답다는 것을 비유적으로 이르는 말.
268) 침어낙안지용(沈魚落雁之容) : 미인을 보고 물 위에서 놀던 물고기가 부끄러워
　　서 물속 깊이 숨고 하늘 높이 날던 기러기가 부끄러워서 땅으로 떨어질 만큼,
　　아름다운 여인의 용모를 비유적으로 이르는 말. ≪장자≫ 〈제물론(齊物論)〉에
　　나온다.
269) 장강(莊姜) : 중국 춘추시대 위(衛)나라 장공(莊公)의 처. 아름답고 덕이 높았
　　고 시를 잘하였다.
270) 반비(班妃) : 중국 한(漢)나라 성제(成帝)의 후궁. 시가(詩歌)를 잘하여 성제의
　　총애를 받았으나 조비연(趙飛燕)에게 참소를 당하여 장신궁(長信宮)에 있으면
　　서 부(賦)를 지어 상심을 노래하였다.
271) 서시(西施) : 중국 춘추 시대 월나라의 미인. 오나라에 패한 월나라 왕 구천이
　　서시를 부차에게 보내어 부차가 그 용모에 빠져 있는 사이에 오나라를 멸망시
　　켰다.
272) 옥진(玉眞) : 옥진부인(玉眞夫人). 하늘에 있는 신선으로 옥진보황도군(玉眞保
　　皇道君)이라 일컫는데, 옥청삼원궁(玉淸三元宮)에 산다고 한다.

맹렬(秋波猛烈)하여 찾던 옥장도를 끌러 어루만져 가로되,

"군이 날을 소소약녀(小小弱女)라 하여 이렇듯 핍박하거니와, 내 정한
뜻은 돌이 되었으니, 군이 조모의 세엄(勢嚴)으로써 나의 머리는 가히
베려니와, 나의 일편단심은 가히 앗지 못하리니, 하문 빙채(聘采)를 지
켜 공규에 늙으려 하거늘, 그대 우리 조모 위엄을 비러 혼례를 이뤘거니
와, 우리 대인이 아니 계시니 천하에 아비 모르는 혼인이 어디 있으리
오. 내 존명을 거역치 못하여 그대 집에 왔으나, 대인이 환가하심을 기
다려 여차 소유를 자세히 고하고, 부부윤의를 잇고자 하나니, 그대 그
사이를 참지 못하여 핍박고자 할진대, 내 반드시 이 칼로 한 번 질러 경
혈로써 그대에게 뿌려, 군으로 하여금 살인한 죄를 당케 하리라."

언파에 기위(氣威) 한상열일(寒霜烈日) 같으니, 목표 가장 두려워 무
류(無聊)히 물러 좌를 멀리 하고, 빌어 가로되,

"생이 무식하나 어찌 소저로써 재실 삼을 뜻을 감히 내리오마는, 과연
모일에 숙모가 소생을 불러 여차여차 이르시니, 감히 청치 못할지언정
쾌허하는 혼인을 공연이 사양하리오. 인연이 기특하여 오늘날 소저를
맞아오니, 이는 하늘이 정하신 연분이라. 소저는 노하지 마시고 영엄(令
嚴)의 돌아오시기를 기다려 이성지합(二姓之合)을 이루게 하사이다."

공자는 남자라 이런 말을 어찌 부끄러워하리오. 갈수록 맹성으로 목
표를 가까이 앉지도 못하게 하니, 야심 후 긴단장을 벗고 단의홍군(單衣
紅裙)으로 스스로 자기 자리에 나아가 편히 자니, 목표는 직숙(直宿)하
는 비자나 다르지 않아, 제 침금을 멀리 포설하고 공자 누운 후 드러눕
되, 국궁(鞠躬)하여 조심하기를 극진히 하고, 임소저의 화용월태를 우러
러 여산중정(如山重情)이 있으나, 감히 발뵈지 못하고 새도록 마음이 경
경(耿耿)하여, 소제 매양 저러 할까 염려 깊더라.

공자 목가에 머물러 목표를 원거(遠居)함이 날로 더해, 면전에 어른

기지 못하게 하니, 표 그 뜻을 우기다가 임씨 혹 죽을까 겁을 내, 정을 발뵈지 못하더니, 수순(數旬)이 지난 후 공자 홀연 목표를 대하여,

"내 그대와 졸연이 화락치 말고자 하였더니 그대 날 향한 정이 감사하니, 어찌 의논치 않으리오. 나는 당당한 하가의 채례를 받은 사람이라. 그대에게 돌아옴이 실로 참괴하니, 경사에서 살 의사 없는지라. 그대 날로 더불어 하향(下鄕)하여 한가지로 삶이 어떠하냐?"

목표 불감청(不敢請)이언정 고소원(固所願)이라. 즉시 본향 서주(徐州)273)로 내려가려 하니, 공자 가만히 서간을 닦아 부숙과 태태께 서주로 가는 뜻을 고하고, 하향(下鄕)하여 외면으로 화평함을 짓고, 밤인즉 표를 외헌으로 쫓아 붙이지 않으니, 목표 임참정의 환경하기를 약약히274) 날로 바라더니, 시시의 임부에서 임상서 등이 소저를 강부로 옮기고 공자를 목가로 보내매, 가내 잠깐 고요하여 목녀의 요란이 굴기 덜하되, 애랑을 다시 하가의 보낼 계교를 생각하여 상서 등더러, 하공 부자를 보고 애랑을 무고히 박대하여 내치지 못할 바를 이르라 하니, 상서 등이 처음에 애랑을 하부로 보내미 참괴난안(慙愧赧顔)하여 낯을 깎고자 하니, 또 무슨 면목으로 하공 부자를 보고 애랑을 용납함을 이르리오. 오직 부인 뜻을 역한즉 또 대란이 날지라, 낯빛을 화히 하고 흔연 수명하여 하부의 가는 듯이 물러갔다가, 이윽고 내당에 들어와 목태를 보고 길이 탄식하여 왈,

"소자 등이 자의를 받들어 하퇴지를 가서 보고, 애랑을 무고히 박대하여 내치는 것이 덕이 아니라 하오니, 머리를 흔들고 대언하되, 그 흉상추면(凶狀醜面)으로 인하여 성한 아들이 병들게 되어 비위를 차마 정치

---

273) 서주(徐州) : 중국 강소성(江蘇省)의 서북쪽에 있는 도시.
274) 약약하다 : 싫증이 나서 귀찮고 괴롭다.

못하나니, 자식의 인륜을 온전코자 않음이 아니로되, 연기 유충한 아해 혈기 미정하여 심지 굳지 못한지라. 만고제일 추악병인(醜惡病人)을 대하니, 부부 사정은 의논도 말고 멀리서 그 형용을 생각하여도 눅눅하여 식음을 거스르니, 아무리 친옹의 딸이라도 다시 용납지 못하리니 다시 일컫지 말라. 하고, 원상은 소자를 백안멸시(白眼蔑視)하여 염치없이 여기니, 소자 등이 무류하고 참괴하여 한 설(說)을 못하고, 하공의 분노한 상이 아무리 일러도 들을 길이 없으므로 즉시 돌아오니이다.”

목씨 상서 등을 호령하여 가내에서는 모진 범같이 위엄이 끔찍하나, 어찌 하공 부자조차 호령하며 질책하여 제 마음을 세울 길이 있으리오. 다만 시포(猜暴)히 노를 머금고 상서 등을 꾸짖어 하공 부자를 대하여 말을 잘 못하기로 그렇다 하니, 상서 차사의 다다라는 모친을 기망(欺罔)함이더라.

일일은 정국공이 임처사 부중에 와 임상서 등을 청하니, 이 임처사는 상서 등의 숙부라. 일찍 문달(聞達)을 구치 않고 도학이 고명한 대유(大儒)니, 일세(一世)가 추앙하는 바요, 명공거경이 자주 청알(請謁)하여 그 도덕을 공경하는지라. 하공이 임처사를 배견하고, 상서 등을 청하여 예필(禮畢) 한훤(寒暄)275) 파(罷)에, 하공이 웃음을 띠어 가로되,

“소제 선생께 배견하고 형 등을 보기 실로 참괴하되, 연소미돈(年少迷豚)의 취색경덕(取色輕德)하는 도리를 다하니 소제 그윽이 교자불엄(敎子不嚴)함을 부끄러워하나, 선생과 형 등이 거의 소제 부자의 그름을 사할 곳이 있음은, 저의 친영하여 왔던 바 주씨 비록 영질의 성씨(姓氏)를 비러 내 집에 왔으나, 우리 부자는 임씨를 알고 주씨는 몽리(夢裏)에도

---

275) 한훤(寒暄) : 날씨의 춥고 더움을 말하는 인사.

생각지 않은 바라. 얼굴이 염미(艷美)치 못하나 죄를 삼을진대 크게 그
르거니와, 백행 처사에 한 곳도 일컬음직 한 곳이 없으니, 소제의 말이
가장 세쇄(細瑣)커니와, 주씨 위인이 장부의 배항(配行)이 아니요, 비위
약한 자는 견딜 바가 아니라. 돈아가 참기를 오히려 많이 하고, 저도 벌
써 주씨를 맞아 오던 날 임형의 딸이 아닌 줄 깨달아, 나를 대하여 여차
여차 하더니, 사족지녀(士族之女)가 차마 행치 못할 바를 다 몸소 행하
여, 미돈을 당면하여 우리 부자를 참욕하며, 가부의 관을 벗기며 난타함
을 못 미칠 듯이 하는지라. 돈아가 욕급부모(辱及父母)함에 다다라는 분
을 능히 참지 못하여, 급히 쫓아 보내고 이미 근본을 자세히 들었나니,
영백(令伯)이 비록 돌아오지 못하였으나, 납폐 문명을 행한 바에 영질이
채례(采禮)를 지킨다 하니, 일이라 하는 것이 정도도 있고 권도도 있으
니, 영자당 태부인께 고치 못할지라도, 영질(令姪)이 피한 곳에서 성례
코자 하나니, 형은 익히 생각하라.”

상서 하공의 말을 들으매 낯이 붉어지고 말이 막혀, 그 모친의 실덕을
알았음을 참괴하여 쉬이 대답지 못하니, 처사 미소 왈,

“질아의 집 일과 수(嫂)의 노망(老妄)은 이르지 않아 명공이 밝히 아
시리니, 질아 등의 참괴함이 깊지 않으리오. 이제 명공이 광이 돌아오기
전이라도 성혼하려 하니, 만생(晩生)이 우용(愚庸)하나 광의 아자비라.
사백(舍伯)이 기세하신 지 오래고, 저의 형제 일종(一從)[276) 내 말을 어
기지 않으니, 종손녀 친사를 내 어찌 모르리오. 주가 아해 귀부의 갔다
가 출화를 받고, 또 기괴한 일이 있어 종손녀 즉금 외가의 가 있나니,
과수(寡嫂)[277) 알지 못하시게 종용이 택일하여 보낼 것이니, 명공은 욱

---

276) 일종(一從) : 하나같이 따름. 한결같이 따름.
277) 과수(寡嫂) : 과부(寡婦)가 된 형수(兄嫂)

녜(六禮)를 구행(俱行)하라."

하공이 행희(幸喜)하여 연망(連忙)이 칭사하고, 상서 등이 날호여 왈,
"생녀(甥女)278)를 보내어 존부 합문을 놀내고 영랑의 비위를 상(傷)하
게 함은, 날이 오랠수록 욕사무지(欲死無地)라. 어느 면목으로 형에게
뵈오리오. 질녀는 감히 있는 바를 세상에 들리지 못하여, 채례를 지켜
외가의 감춰있더니, 형이 밝히 알아 사백(舍伯)의 환경 전이라도 성친코
자 하고, 계부(季父)의 존의(尊意) 쉬이 행례(行禮)코자 하시니, 소제 등
은 오직 존명을 봉행하리이다."

하공이 가장 깃거 쉬이 택일함을 일컫고, 빈주(賓主) 종용이 담화하다
가 이윽고 돌아가되, 목태 아득히 알지 못하더라.

임처사 길일을 택하여 하부에 보하니, 추 팔월 습순(拾旬)279)이니 원
창 공자의 길일과 한 날이요, 그 사이 임공이 환가할 듯하더라.

어시에 하공자 원창이 자기 혼사를 아무데 정하였음을 알지 못하고,
크게 울울하나 감히 다시 부모께 묻잡지 못하고, 가만히 형을 대하여 자
기 혼처를 물으니, 대공자 왈,
"다른 곳이 아니라 황자 일 군주(郡主)니, 황가지엽과 결혼함을 깃거
않으시고, 현제 부질없이 두루 다니다가 오왕을 뵌 바 되니, 대인이 너
를 통완이 여기시대 구태여 책하지 않으심은, 시작하기를 괴롭게 여겨
않으신가 하노라."

차공자 청파에 대경대해(大驚大駭)하여 눈을 두렷이 뜨고 왈,
"오왕이 비록 간청할지라도, 대인이 실로 황가지엽(皇家枝葉)으로 결

---

278) 생녀(甥女) ; 생질녀(甥姪女).
279) 습순(拾旬) : 십일. 초열흘.

친(結親)함을 괴로와 하실진대, 오왕이 세엄(勢嚴)이 장하나 위력으로 어찌 청혼할 리 있으리까? 소제 평생 괴로워하는 바는 황친국척이거늘, 오왕의 동상이 되어 어찌 괴롭지 않으리까? 애달고 통해하도소이다."

원상 왈,

"정왕과 오왕은 황자라도 교오방자(驕傲放恣)한 일은 없고, 가장 청검할 뿐 아니라, 벌써 인연이 중하여 면약뇌정(面約牢定)하고 빙채를 보냈으니, 다시 요개(搖改)치 못할 혼사라. 부질없이 다언(多言)이 굴지 말라."

공자 심중에 실망하여 오왕지녀(吳王之女)를 취한 후는, 정소저 취할 길이 없는지라. 아무려나 오왕의 딸을 취치 않을 계교를 생각하되, 좋은 꾀를 얻지 못하여 유유초창(儒儒怊悵)하다가 마음을 지향치 못하여, 날 호여 정부의 이르매, 제왕 오곤계 대엿280) 장 글을 가지고 등제(等第)281)하여 고하를 정할 새, 정공 왈,

"이 글 가운데 조현창의 장재 문필이 으뜸이라. 하물며 그 위인을 여등이 본 바요, 제조가 다 남에서 나은 바니, 자연 문풍의 기특함과 부모의 여음(餘蔭)이라. 내 친히 조현창의 아들을 한 번 보아 결단코자 하노라."

제왕이 주왈,

"조랑의 기특함은 천만 중 독보할 것이로되, 소자의 우견은 너무 진태(塵態) 없어 수한(壽限)이 칠십을 넘지 못할까 하나이다."

정공 왈,

---

280) 대엿 : 대여섯의 준말. 다섯이나 여섯쯤 되는 수.

281) 등제(等第) : 조선 시대에, 벼슬아치들의 근무 성적을 조사하여 등급을 매기던 일. 해마다 두 차례 왕에게 보고하였으며, 이를 근거로 승진이나 유임, 좌천, 파직 따위를 결정하였다. 여기서는 글의 등급을 매기는 일을 이르는 말.

사람들이 오십을 요절(夭折)이라 칭하지 않으니, 조재 만일 육십을 넘길 상모면, 어찌 부족하게 여기리오."

왕이 대왈,

"조자의 상모거동이 윤사빈과 방불하되, 일분 사빈을 미치지 못할 곳이 강맹한 것을 따르지 못할까 하나이다."

공이 답왈,

"버금 사위는 부디 도덕군자를 얻고자 하더니, 조자의 필법과 시사(詩思)에 명성온중(明聖穩重)한 것이 나타나니, 이를 버리고 다시 서랑 재목이 쉽지 않으리니, 뜻을 결하여 조가의 뇌정코자 하노라."

제왕과 예부 다 마땅함을 주하고, 동월후 다시 고 왈,

"사귀신속(事貴迅速)이라 하오니, 조자의 기특함으로써 질족자(疾足者)[282]에게 빼앗기기 쉬울지라. 대인은 조승상 부자를 보시고 친사를 뇌정하소서."

공이 점두(點頭) 왈,

"여언(汝言)이 정합아심(正合我心)이라."

하거늘, 원창이 듣기를 다하매 자기는 힘힘히 오왕의 사위 되고, 정소저는 조가에 정혼하여 다시 바랄 것이 없는지라. 화원에서 한 번 정소저의 빙자옥질(氷姿玉質)을 구경하고, 정신이 무르녹아 만사 부운 같고, 일념이 정소저를 위하여 금석(金石)이 되었던 바로써, 인연이 망단(妄斷)하니, 차악상심(嗟愕喪心)하여 옥 같은 면모 자주 변이함을 깨닫지 못하고, 와잠용미(臥蠶龍眉)에 수운(愁雲)이 영영(盈盈)하여, 일천 가지 우색(憂色)이 띠었으니, 제왕이 돌아보고 경문(驚問) 왈,

"현제 기운이 불평하냐?"

---

282) 질족자(疾足者) : 발 빠른 자.

공자 유유 대왈,

"신기도 불안할 뿐 아니라, 심사 불쾌하여 자연 외모의 화기를 잃도소이다."

왕 왈,

"현제를 보면 매양 흔흔쾌락 하더니 금일 별단 불쾌함은 어찌오?"

공자 대왈,

"몸이 남재 되어 세상의 나매, 반드시 마음에 싫고 괴로운 일을 두지 않음직 하거늘, 소생은 그렇지 못하여 뜻에 불합한 일을 당하면, 우환 같기를 면치 못하더니, 이제 아득히 몰랐다가 갓 들으매, 오왕이 일 군주를 두고 어데 가 옥인군자를 못 가려, 소생의 불능누질(不能陋質)과 혼사를 뇌정(牢定)타 하오니, 소생은 비록 아소지심(兒小之心)이나 황친국척은 실로 깃거 않거늘. 하물며 친황자(親皇子)니까? 시고로 오궁 여서 될 일이 정히 등에 가시를 진 듯하이다."

정공 부자 다 웃고 위로 왈,

"오왕은 황가지엽이나 교오 방자함이 없고, 본디 인자한 위인이니 빙악이라 함이 괴로움이 없을지라. 어찌 당치 않은 근심을 과히 하리오. 영백(令伯)이 연군주 같은 이도 능히 후대하여 부부윤의를 폐치 않으니, 진정 관홍한 도량이라. 현제는 모름지기 영백의 기량(器量)을 효칙하라."

공자 묵묵히 사례하나 마음에 깊이 생각는 것이 있는 듯하여 은우(隱憂)가 만복(滿腹)하니, 제왕 부자 극히 의괴하되 아주 소저를 위한 뜻임을 몽리(夢裏)에도 생각지 못하더라.

이날 원창이 본부의 돌아와 밥도 먹고 싶은 마음이 없고, 천사만상(千思萬想)하여도 정소저의 배우(配偶) 됨을 얻지 못할지라. 스스로 넘난 뜻으로 헤오되,

"내 비록 오왕의 딸을 취하여도 벌써 마음이 돌아지고, 정이 기운 곳은 정씨 으뜸이니, 정씨를 취치 못한즉, 청춘에 원사한 혼백이 유유탕탕(悠悠蕩蕩)하여 슬픈 한을 천만년이 가도록 풀지 못할지라. 장부 이의 미처는 가히 더러운 일을 행함도 있으리니, 이 지경에 미쳤으나 정씨는 아득히 모르고 내 홀로 애를 사름이 녹녹(碌碌)한지라. 차라리 반야삼경(半夜三更)에 선취정에 돌입하여 나의 정회를 쾌히 일러, 저로 하여금 타문에 가지 못하게 하고 금후라도 하릴없이 여겨, 그 딸을 폐륜치 못할 지경은 자연 내 기물(奇物)을 삼게 하리라."

의사 이에 미쳐는 정부의 와 자기를 날마다 할 새, 제정이 잠이 깊은 후 개연이 일어나, 겹겹한 문호(門戶)와 첩첩한 장원(牆垣)을 넘어, 화원 길로 좇아 신고히 선취정을 찾아 들어간즉, 차시 하유월(夏六月) 망간(望間)이라.

명월은 교교(皎皎)하여 원근을 비추고, 선취정 사문을 황연이 여러 주렴과 장(帳)을 드리운 일이 없는지라. 공자 가장 괴이히 여겨 청사의 올라 두루 살핀즉 정소저의 그림자도 없고, 시녀 양낭 등만 지켜 잠이 깊었는지라. 공자 낙막함을 이기지 못하여 오래 앉았다가 소저도 보지 못하고, 혹자 시녀에게 들킬까 하여 도로 나오나, 일념이 경경(耿耿)하여 주주야야(晝晝夜夜)의 잊지 못하는지라. 연야(連夜)하여 선취정에 왕래하여 선아(仙娥)의 자취를 희망함이 마음이 초갈(焦渴)하기에 미쳐, 침식을 다 폐하고 흐르는 술로 목을 적시며, 실없는 과실로 구미를 진정하매, 밤을 당하면 신고히 선취정에 들어옴이 사오 차에 미쳐도 소저의 그림자도 얻어 보지 못하니, 차는 정소저의 마음이 영신(靈神)하여, 자기 침소가 화원 아래라, 여름을 당하여 창호를 열고 자기는 허소(虛疎)하고 굳게 닫기는 훈열한 고로, 제시녀로 당을 지키케 하고 자기는 태부인께 시침하고, 낮이면 협실에 있으니 가내 비복도 소저의 얼굴을 얻어 보지 못하고, 소저 침당을 옮은 후는 실없이 나들지 않는 고로, 하생이 번번이 만나지 못하여 헛되이 나오고, 결울코 답답함을 마지않더라.

일일은 윤이부 장자 창린이 취운산에 나와 생양외조부모(生養外祖父母)를 배현하고 채죽헌에서 현기를 따라 문자를 배우거늘, 원창이 창린을 어루만져 이윽이 가차하다가, 현기 등이 못 듣게 가만히 이르되, 네 이에 와 숙모 정씨를 본다?"

창애 대왈,

"뵈었거니와 숙씨(叔氏) 물어 무엇 하려 하나니까?"

원창 왈,

"소저 어데 있더뇨?"

창린이 육세라. 총명 영오하니, 숙부의 수상이 물음을 괴이히 여겨, 웃고 왈,

"숙모를 대조모 침전에서 뵈었거니와 숙씨의 이같이 물으심은 의외로소이다."

공자 소왈,

"알 일이 있기로 묻거니와 정씨 원간 어데서 잔다 하더뇨?"

창린 왈,

"숙모 처소가 화원 선취정이러니, 근간엔 대모 침전에서 잔다 하더이다."

원창이 우문 왈,

"정소저 친사를 어데 정하다 하더뇨?"

창린 왈,

"이런 일이야 어찌 자세히 알리까. 다만 우리 야야와 백부 주선하시어 옥화산 조부에 정혼하다 하더이다."

하공자 길이 탄식하고, 창린의 등을 어루만져 왈,

"한 장 서간을 써 줄 것이니 정소저를 주고 답간을 맡아 올까 싶으냐?"

창린이 매매히 떼쳐 왈,

"숙씨 아 숙모께 서사 통신할 일 없고, 소질이 여러 이목 가운데 괴이한 서찰을 어찌 왕래하리까?"

공자 웃고 왈,

"내 만일 불사한 서간일진대 구태여 너더러 전하라 하리오. 비록 정소저에게 전치 못할지라도, 제왕 부자로 하여금 서간을 가져 왔던 줄만 알게 함이 어떠하뇨?"

창린이 대왈,

"숙시 아무리 청하여도 못 가져 가리로소이다."

공자 창린의 어린 나해 준절 씩씩하여 자기 말을 들을 리 없음을 보고, 하릴없어 웃고 왈,

"옥누항의 가거든 저저기 내 말씀을 고하여, 금후 필녀로 하여금 타처에 혼인하는 날이면 나는 죽을 밖 하릴없음을 고하라."

창린이 답지 않더라.

원창이 정소저에게 서간을 부칠 길이 없어 민민하다가, 한 의사를 생각고 지필을 나와 만단회포(萬端懷抱)를 여러, 한 장 서간을 일워 긴긴히 봉한 후, 창린의 돌아 간 수일에 제왕의 삼자 은기 육세라. 옥누항 저저(姐姐)께서 너의 아숙모께 부친 글월이라. 갖다가 전하라. 은기 아무런 줄 모르고 소매에 넣거늘, 공자 재촉 왈,

"이 서간이 급한 것이니 어서 갖다가 전하고 답간을 맡아 오라."

은기 즉시 일어 내루로 들어가니, 하공자 또한 집으로 오니라.

은기 내당의 들어와 아주 소저를 향하여 봉서(封書)를 던져 왈,

"옥누항 하숙모께서 숙모께 부친 서간이라 하더이다."

소제 봉서를 보지 않고 물어 왈,

"이 서간을 뉘 주더뇨?"

은기 대왈,

"하생이 여차여차 이르고 주더이다."

소제 의괴하여 서간을 떼어 보지 않거늘, 월후 곁에 앉았다가 웃고 왈,

"저제 각별이 네게 서간을 부쳤으니, '무슨 설화인고?' 내 먼저 보리라."

이에 봉서(封書)를 떼어 보니 먼저 필획이 웅장쇄락(雄壯灑落)하여 지상(紙上)에 창농(蒼龍)이 서리며 난봉(鸞鳳)이 뛰노는 듯하니, 월후 대경하여 여자의 소작이 아님을 깨달아 내리 보니, 이 문득 서사 괴이하여 하생이 한 번 화원에서 정소저를 본 후로, 주야 잊지 못하는 정이 간절하여 만일 인연을 이루지 못하면, 속절없이 십삼 청춘에 원사한 혼백이 구천야대(九泉夜臺)[283]에나 따라 다니렸노라 하여, 만편사의(滿篇辭意) 해연차악(駭然嗟愕)한지라. 월후 견파의 대로하여, 곁에 노힌 순금 서진(書鎭)을 들어 은기를 매우 쳐 왈,

"나이 육세만 하여도 거의 눈치를 알려든 그리 암녈(暗劣)하여 하원 창 탕자의 흉중(胸中)에 빠졌느뇨?"

은기 천만 생각 밖 월후의 중타함을 당하여, 놀랍고 아픔을 이기지 못하여 한갓 눈물이 비같이 내리니, 태부인과 진부인이 곡절을 모르고 정색 왈,

"너는 친자 질자를 의논치 않고 조금이라도 뜻에 맞지 않으면, 짓두드리기를 일삼으니, 그 상(傷)함을 생각지 않음이 어찌 괴이치 않으리오."

---

283) 구천야대(九泉夜臺) : '땅 속 무덤'이라는 말로 죽은 뒤 넋 돌아가는 곳을 이르는 말.

월후 대왈,

"하교 마땅하시나 아해 눈치를 모르고 음비한 서간을 가져와, 소매 빙청옥결(氷淸玉潔) 같은 신상의 욕이 미치게 함이, 어찌 통한치 않으리까?"

양 부인이 차언을 듣고 크게 놀라고, 금후 서간을 보매 한심경악(寒心驚愕)함을 이기지 못하여, 양구무언(良久無言)이라가, 길이 탄 왈,

"내 필녀 위한 정이 천륜 밖에 자별하여, 택서하는 뜻이 과도하기에 미쳤더니, 문득 재앙이 일어 이런 변이 있으니, 만사 명야(命也)라. 현마 어찌 하리오."

제왕과 예부 등이 불승한심(不勝寒心) 하나 말을 않고, 태부인 고식이 서간을 보매 차악 경해함을 모양치 못하여 왈,

"정국공의 교재(敎子) 정숙다 하더니 어찌 이런 거조가 있느뇨? 알지 못하리로다."

정공이 탄 왈,

"이 도시 아주의 명도니 인력으로 못할 바로소이다."

인하여, 고위제왕(告謂帝王) 왈,

"내 뜻을 결하여 조가에 친사를 이루고 타처에 의논치 말고자 하였더니, 이런 변괴 있어 여아의 혼사를 타처의 의논치 못하게 되었으니, 조현창을 보거든 여아 아직 어려 혼례를 이루지 못할 바로 추탁(推託)[284]하라."

제왕이 대왈,

"소자 조현창의 아들이 기특함을 유의하여 사원 형제와 의논하였사오나, 조가에는 이르지 않았으매 현창이 소자를 보아도 청혼할 리 없으리

---

284) 추탁(推託) : 다른 일을 핑계로 거절함.

이다.”

공 왈,

“연즉 일이 좋도다.”

왕 등이 불행이 여기나, 공이 여러 말을 않으니, 구태여 기쁘지 않은 말을 일컫지 않되, 월후 분을 이기지 못하여 그 서간을 은기를 주어 왈,

“네 이 서간을 하원창에게 던지고 전어하라. 네 우리 집을 업신여겨 인사 모르는 아해에게 이런 괴이한 말을 주어, 남의 규수를 욕하고자 하나, 벌써 타처에 정혼하여 빙폐를 행하였으니, 요개(搖改)할 바 아니라. 이런 미친 글을 일시 머물기 더러워 내 보고 즉시 보내노라”

하되, 공이 구태여 말리지 아니하더라.

은기 밖에 나와 하공자를 찾으니 벌써 돌아갔거늘, 바로 하부에 나아가니, 정국공과 초공은 내루에 있고, 원창이 원상 원필로 더불어 좌를 이뤘다가, 은기를 보고 일어나 뒤 청사로 나아가니, 은기 따라 가 서간을 주고 삼 숙부 말씀을 전하니, 공자 청파에 신색이 찬 옥 같아서, 벌써 빙폐 받았음을 차악하여, 서간을 받아 소매의 넣고 은기더러 왈,

“너의 숙모 빙채를 뉘 집으로부터 받았느뇨?”

은기 대왈,

“빙채는 받았으나 아니 받았으나 아른 체 말라.”

언파에 소매를 떨쳐 돌아가니, 공자 두어 소리를 길이 탄식하고, 심신이 아득하여 백일정에 돌아와 소매로 낯을 덮고 누으니, 양 공자 그 거지 괴이함을 의아하여 문기고(問其故) 한데, 공자 추연 탄 왈,

“소제 근간 신기 불안하고 심사 어지러워 스스로 살 뜻이 없고 매양 죽을까 싶으이다.”

대공자 경문 왈,

“현제 하고(何故)로 이런 말을 하느뇨? 너의 골격과 기상이 백세를 그

음하리니, 일시 신기(身氣) 불안함으로 사생을 염려할 바 아니라. 현제는 모름지기 의약을 이루어 통처를 차성케 하라.”

공자 장탄수성(長歎數聲)에 병세 충가하여, 식불감미(食不甘味)285)하고 침불안석(寢不安席)286)하여, 다만 먹는 것이 일종(一鍾)287) 청수(淸水)라. 사오일이 넘지 못하여 옥골이 수부(瘦膚)288)하고 화풍이 소삭(消索)289)하여 그 장열(壯烈)하던 기상이 설설나약(屑屑懦弱)290)하여 옷을 이기지 못하게 되었으니, 공이 비록 밖으로 엄함을 지으나 슬하(膝下) 상명(喪明)의 통(痛)291)을 남 달리 겪어 상(傷)한 심사(心思)가, 이때 사자(四子)를 두었으나, 혹자 불평한 일 곳 있으면 염려 아니 미친 곳이 없는지라. 공자의 안색이 초췌(憔悴)하여 대병(大病)이 발함을 자못 우려하여, 공자를 나오게 하여 보기(補氣)할 미죽(糜粥)을 가져 친히 먹기를 권하니, 공자 강인하여 두어 번 마시매 목에 넘으며 비위 상하여 장부를 흔드는 듯, 후설을 넘지 못하여 경각에 거스르니, 공의 경악함은 이르지도 말고 부인의 황황함을 무엇에 비기리오. 눈물을 머금고 공자를 어루만져 왈,

“너의 상모기질이 범범용속(凡凡庸俗)기를 면하여 웅장준수(雄壯俊秀)하니, 우리 깊이 믿는 바거늘, 무슨 병이 그대도록 위악하여 형용이 환

---

285) 식불감미(食不甘味) : 근심과 걱정으로 음식을 먹어도 맛이 없음.
286) 침불안석(寢不安席) : 걱정이 많아서 잠을 편히 자지 못함.
287) 일종(一鍾) : 한 종지. *종(鍾); 종지. *종지: 간장·고추장 따위를 담아서 상에 놓는, 종발보다 작은 그릇.
288) 수부(瘦膚) : 몸이 몹시 마르고 낯빛이나 살색이 핏기가 전혀 없음.
289) 소삭(消索) : 다 사라져 없어짐.
290) 설설나약(屑屑懦弱) : 자잘하고 연약함.
291) 상명(喪明)의 통(痛) : 눈이 멀 정도로 슬프다는 뜻으로, 아들이 죽은 슬픔을 비유적으로 이르는 말. 옛날 중국의 자하(子夏)가 아들을 잃고 슬피 운 끝에 눈이 멀었다는 데서 유래한다.

탈하고 너른 식량(食量)에 일종 죽음을 나오지 못하니, 아지못게라! 어
느 때부터 앓아 이 지경에 미쳤느뇨?"

공자 부모 우려를 민박(憫迫)하여 화평이 대왈,

"소자 우연이 서열(暑熱)에 비위 상한 바라. 구태여 고황(膏肓)²⁹²⁾의
깊은 병이 아니오니, 복원 부모는 물우(勿憂)하소서."

공이 미우를 찡겨 왈,

"일시 서열에 상한 바는 저렇지 않으리니 어찌 근심이 적으리오. 너의
형용이 괴이하여 썩은 나무 같으니 결단코 중병이 발하리로다."

공자 재삼 관계치 않음을 고하고, 이윽히 모셨다가 외헌에 나와 누울
새, 이 날 초공은 마침 나가고 원상과 원필은 협문으로 정부에 간 때라.
공자 고요히 무릎을 안고 앉아 스스로 헤아리되,

"사람이 세상에 나매 부모 생이휵지(生而慉之)²⁹³⁾하시며 구로지은(劬
勞之恩)²⁹⁴⁾을 생각할진대 하늘이 낮고 땅이 좁을지라. 하물며 우리 부
모 천륜자애와 상척(喪慽)에 상하신 심사는 타인으로 많이 다름이 있으
니, 우리 형제 효를 다하여 부모의 기뻐하심을 이룸이 인자(人子)의 도
이거늘, 내 이제 음황(淫荒)함으로 남의 규수를 엿보고 사상지심(思相之
心)이 간절하여 사병(死病)을 이루니, 나의 행실이 독경(篤慶)치 못할
뿐 아니라, 불효 천고를 기울여도 희한하리니, 내 어찌 살아 대인할 안
면이 있으며, 천양하(泉壤下)²⁹⁵⁾에 돌아간들 남과 같은 영백(靈魄)이 되
리오. 내 당당한 팔척장부로 처실이라도 일 여자를 위하여 구구치 않으

292) 고황(膏肓) : 심장과 횡격막의 사이. 고는 심장의 아랫부분이고, 황은 횡격막
　　의 윗부분으로, 이 사이에 병이 생기면 낫기 어렵다고 한다.
293) 생이휵지(生而慉之) : 낳아주고 길러줌.
294) 구로지은(劬勞之恩) : 낳아주고 길러준 어버이의 은혜.
295) 천양하(泉壤下) : 저승. 지하.

려든, 하물며 타처에 빙채 받은 여자를 심서(心緒)296)에 둘 바 아니라. 정씨 아니라 천상 선아(仙娥)인들 벌써 나에게 인연이 없는 탓으로 조가 사람이 되게 하였으니, 내 이제는 마음을 풀어 정씨 잊기를 공부하고, 식음을 착실이 나와 부모의 성녀를 끼치지 않고, 불효를 더하지 않으리라."

의사 이의 미처는 정소저를 영영 잊고자 하되, 이 뜻은 잠깐이요, 정소저의 선풍아질(仙風雅質)이 가슴에 박힌 돌이 되어, 능히 억제할 길이 없는지라. 하염없이 손을 들어 서안을 치며 일성(一聲)을 길이 탄 왈,

"애달고 분하다. 정부 화원에 내 불과 버들의 푸른빛과 만화(萬花)의 교발(交發)함을 구경코자 한 것이, 정씨를 한 번 보고 사상지념(思相之念)이 한 조각 철석(鐵石)이 되어, 아무리 잊고자 하나 그 용화기질(容華氣質)이 눈앞에 벌여있으니, 내 마음이나 실로 알지 못할지라. 이 반드시 정씨가 나로 더불어 심상치 않은 원수로, 용안(容顔)을 나로 하여금 보게 하여, 내 문득 여자의 빌미로 사상(思相)하여 죽게 함이라. 내 만일 살지 못하면 부모께 불효(不孝)는 이르지 말고, 청춘 원사한 원백이 불효죄인의 뒤를 따라, 좋은 곳에 참예치 못하리니, 유유(悠悠) 창천(蒼天)아, 차마 어찌 나로 하여금 이에 미치게 하시는고. 청천의 벽력화(霹靂火) 한 덩이 어찌 내 몸을 분쇄하여 죄를 속지 않는고."

언필에 하루(下淚)하며 기운이 엄애(奄碍)하여 자리의 거꾸러져 인사를 모르니, 모든 서동이 대경하여 붙들어 구호하며, 시동 연복이 급히 하공께 고하매, 하공이 연망이 신을 벗고 나와 아자를 붙들어 주므르며 약을 연속하나, 신색이 찬 옥 같고, 일신은 피육이 상년(相連)하였으니, 공이 어루만져 항루(行淚) 삼연(森然)하여 수염(鬚髥)에 연락(連落)하니,

---

296) 심서(心緒) : 심서(心緒). 심회(心懷). 마음속에 품고 있는 생각이나 느낌.

원상 형제 공자의 엄홀함을 듣고 총총이 돌아오고, 초공이 관부에 갔다가 돌아오니, 백일정이 소요하여 부친과 제제 모여 공자를 구호하니, 막힌 것이 잠깐 나으나 오히려 기운을 수습지 못하니, 초공이 공자의 수패(瘦敗)함을 우려하던 바에, 그 엄홀함을 경악하나 부공의 비회를 돕지 못하여, 다만 화성유어로 해유(解諭) 왈,

"근간 창제 자못 수패(瘦敗)함을 인하여 병을 얻었으나, 저의 상모기질이 수화(水火)라도 위태치 아니 하오리니, 복망 대인은 물우(勿憂)하시고, 소자 등이 구호하오리니 성체를 수고롭게 마소서."

공이 희허(噫噓) 왈,

"창아가 세상 안 지 십삼에 일찍 소소 미양(微恙)도 지냄을 보지 못하였더니, 근간 수패(瘦敗)함이 거지(擧止) 당황하여 실혼(失魂)한바 같더니, 이 병을 얻으니 실로 살지 못할지라. 헛된 상모를 어찌 믿으며, 하물며 하늘이 나의 불인(不仁)을 벌할 새 아까온 자식을 참혹히 마치게 하였는지라. 창아인들 무사히 장성키를 어찌 바라리오."

초공이 야야의 과려하심을 민박하여 재삼 관위(款慰)하더니, 부인이 아자의 엄색(奄塞)함을 듣고 창황히 하리 노복을 물리고, 시녀 등에게 붙들려 나와 누수 연락하여 아자를 볼 새, 공자 이때는 잠깐 인사를 차리나 앉을 기운이 없어, 차형의 무릎을 의지하였는지라. 부인이 공자의 손을 잡고 초공을 돌아보아 체읍 왈,

"우리 부부 적앙(積殃)이 미진하여 또 창아 등을 무사히 성취치 못할까 두렵더니, 또 다시 서하지통(西河之痛)297)을 볼진대 내 어찌 살 마음

---

297) 서하지통(西河之痛) : 자식을 잃은 슬픔을 이르는 말. 서하의 고통이라는 뜻으로, 공자(孔子)의 제자인 자하(子夏)가 서하(西河)에 있을 때 자식을 잃고 너무 슬픈 나머지 소경이 된 고사에서 유래하였다.

이 있으리오."

초공이 모친의 이 같이 슬퍼하심을 당하여 심신이 비황참절(悲遑慘切)하나, 사색(辭色)을 낮추어 오직 화성유어로 부인을 관위(款慰)하여, 외당이 번거함을 고하여 들어가심을 청하나, 부인 왈,

"여등이 비록 지성구호 하나 여모 자주 못 보면 더욱 못 견딜 듯한지라. 차라리 저를 내당에 데려 가 구호코자 하노라."

초공이 마지못하여 공자를 중서헌으로 옮길 새, 이 날로부터 기거할 기력이 없어 이형(二兄)과 일제(一弟)에게 붙들려 중서당에 이르러, 한 번 침금에 몸을 던지매 아주 인사를 버려 경각에 진할 듯, 형용이 생인의 모양 같지 않으니, 부인이 타는 애를 견줄 곳이 없고, 초공 삼곤계 초전(焦煎)하는 심사를 또 어디에 비하리오. 부모를 붙들어 친히 구호치 마심을 고하며, 의약을 이루어 위중(危症)을 고치려 할 새, 초공이 진맥하매 그 병근을 거의 짐작할 바로되, 오히려 정소저를 사상(思相)하여 병을 이뤘음은 알지 못하여, 의아함을 마지않더니, 하공이 또 친히 진맥하매 의심이 맹동(萌動)하여, 초공을 돌아보아 왈,

"맥후를 보건대 전혀 심려(心慮)로 발한 병이라. 제 천성이 쾌활하여 근심이 있어도 심서(心緒)에 거리끼지 않고, 기상이 광풍제월(光風霽月)[298] 같더니, 맥후를 보아는 마음에 생각하는 일과 못 잊는 바 있어 병이 난듯 싶으니, 어찌 놀랍지 않으리오."

초공이 또한 모르는 것이 아니로되, 구태여 자기 소견을 고치 않아 나직이 대왈,

---

298) 광풍제월(光風霽月) : 비가 갠 뒤의 맑게 부는 바람과 밝은 달이란 뜻으로, 마음이 넓고 쾌활하여 아무 거리낌이 없는 인품을 비유적으로 이르는 말. 황정견이 주돈이의 인품을 평한 데서 유래한다.

"맥후(脈候) 우연히 그러한 듯하오나, 저의 위인이 사람을 사상하여 병들지 아니 하오리니, 이런 일에 의심치 마소서."

공이 왈,

"내 본디 의술을 알지 못하나, 오히려 들어난 병과 맥후는 거의 아나니, 차아의 병이 심상치 않은지라. 일등 명의를 불러 뵈라."

이에 태의(太醫) 홍수창을 불러 공자의 병을 뵈고 맥후를 논문하니, 홍수창은 의술이 고명한지라. 이에 이르러 국공(國公)과 복야(僕射)299)께 배알하고 공자를 한 번 간맥(看脈)하매, 청사(廳舍)에 나와 양구침사(良久沈思)하니, 공이 문 왈,

"병세 어떠하관데 증후를 이르지 않고 묵묵하느뇨?"

태의 대왈,

"공자의 맥후를 살피오니 근위비상(根爲非常)300)한지라. 바로 고하온즉 광망(狂妄)한 죄를 당하오리니, 공자의 환후를 고칠 길 없을까 하나이다."

공이 왈,

"아무려나 그대 소견을 다 이르라."

태의 피석 대왈,

"공자 환후 구태여 서열(暑熱)의 상함도 아니요, 우연히 얻음도 아니라. 마음에 누구를 사상(思相)함이 간절하여, 아무리 잊고자 하여도 능히 못 잊고 간담(肝膽)을 살오며 심려를 허비함이 무궁하여, 하고자 하는 바를 못하면 자리에서 일어나지 못하리니, 그 소원을 이루면 명일이

---

299) 복야(僕射) : 고려 시대에, 상서성에 속한 정이품 벼슬. 좌우 두 사람이 있었으며, 조선 시대의 의정부 참찬에 해당한다. 여기서는 하원광의 관명(官名).
300) 근위비상(根爲非常) : (병의) 근본이 예사롭지 않음.

라도 완연이 성한 사람이 되리니, 소의(小醫)의 말을 망녕되이 여기지
마시고, 공자의 진정소회를 자세히 물으소서."

공이 청파에 자기 소견과 같음을 의괴하나 이연(異然)이301) 이르되,

"의관의 말이 이 같으나, 돈아가 본디 견고장맹(堅固壯猛)302) 하여
허랑부박(虛浪浮薄)한 일이 없으니, 사상하여 병들 아해 아니라. 그대
그릇 생각하도다."

태의 재배 왈,

"하교 지차(至此)하시니 소의 다시 알욀 바 업도소이다. 다만 천방백
약(千方百藥)을 이루어도 공자의 사상하는 자를 이루지 못하여는, 회두
(回頭)303)함을 바라지 못하시리니 잡약(雜藥)이 부질업도소이다."

공은 다시 말이 없으되 초공 왈,

"의관으로 행세하며 사람의 병을 보고 괴이한 데 치우고, 한 첩 약을
지어 주지 않으니, 전일 고명한 의술이 어데 있느뇨?"

태의 황공 대왈,

"이럴진대 다시 진맥(診脈)하여 약류를 생각하려니와, 소의 소견이 아
득하여 병에 당제(當劑)를 쓰지 못 하리로소이다."

인하여, 병소의 들어가 다시 진맥하고, 마지못하여 사오 첩 약을 지어
주고 돌아가나 약효 없을 줄 소연(昭然)이 지기하더라.

공이 태의 돌아 간 후 초공더러 왈,

"창아의 병이 내 뜻에 수상하더니, 홍의의 말이 고명한지라. 자식이 없
을지언정 창아 같은 것은 유무불관(有無不關)304)하니 제 병을 처음에 알

---

301) 이연(異然)이 : 달리. 다른 듯이.
302) 견고장맹(堅固壯猛) : 굳고 씩씩함.
303) 회두(回頭) : 머리를 돌린다는 뜻으로, 악화된 상황이나 병세 따위가 호전되거
나 회복의 길로 나감을 이르는 말.

지 못하고 우려하던 줄이 가소로운지라. 너희 부질없이 의약을 이루지 말고, 사생 간 후리처305) 두어 아른 체 말고, 다시 나더러 이르지 말라."

언파에 내루에 들어오니, 초공이 종후(從後)하여 들어오매, 부인이 초전우황(焦煎憂惶)함이 심장을 마저 사르는지라. 초공이 절민하여 재삼 위로하고, 공이 태의의 말을 전하고 분완 왈,

"창애 본디 단정치 못하거니와 허랑부박 하기는 오히려 면하였으니, 심장이 굳은가 여겼더니, 기괴한 병을 얻으니 통해키 극하고, 누구를 위하여 그렇듯 사상하는지 알지 못하나, 불초무상 함이 어찌 부모의 염려를 돌아보지 않고, 제 마음을 스스로 상하여 사병(死病)을 이루니, 그런 자식은 죽어도 아깝지 않은지라. 우리 석년에 원경 등 삼아를 참망(慘亡)하고, 서촉 수졸(戍卒)이 되어 한 일 위로할 것이 없으되, 광아와 영주를 돌아보매 완명(頑命)이 석목 같아서 일루(一縷)를 끊지 못하였나니, 이제 창아 죽은들 현마 어찌 하리오. 내 처음 그런 음황한 병인 줄 알지 못하고, '혹자 우연(偶然)한 병이 위태한가?' 슬퍼 염려하였더니, 상사지질(相思之疾)이라 하니, 부자지정이 난안하나 그 인물이 죽다 하여도 놀랍지 않은지라. 부인은 부질없이 염려치 말고 가 보지 마소서."

부인이 경악하여 초공을 돌아보아 왈,

"창애 이런 병 얻음이 천만여외(千萬慮外)라. 여등은 창아와 주야 한 가지로 있으니 저의 병 근본을 모르지 않으리니, 누를 위하여 그리 위태하기에 미쳤느뇨?"

초공이 이성(怡聲) 대 왈,

---

304) 유무불관(有無不關) : 있으나 없으나 관심을 두지 않음.
305) 후리다 : 후려치다. 처박다. 일정한 곳에만 있게 하고 다른 데로 나가지 못하게 하다. *후려쳐두다; 처박아두다.

"홍의의 망녕된 말을 믿을 것이 아니오니, 소자는 실로 창제의 그런 일이 없을까 하나이다."

공이 정색 왈,

"수창은 의술이 고명한 자라. 헛말 할 리 없고, 내 벌써 의심이 많았던지라. 네 어찌 그렇지 않다 하느뇨? 창아가 이제는 죽으나 사나 다시 일컫지 말라."

부인은 공의 박절함을 더욱 슬퍼 눈물을 흘리고, 초공더러 왈,

"상공 말씀이 이 같으시나 인명처럼 중한 것이 없으니, 창아의 병을 고칠 양이면 차마 그만하여 버려두지 못하리니, 너는 그 정신 차리는 때 누구를 사상(思相)함인가 자세히 물어 보라."

공이 수명이퇴 하여, 형제 삼인이 공자의 병을 구호하여 지성이 아니 미친 곳이 없으나, 공자의 질양은 시시층가(時時層加)하여 형용이 차마 보지 못하게 되었으니, 초공 형제 삼인이 서로 대하여 심장이 끊어짐을 면치 못하는지라. 각각 몸으로써 공자의 앓는 것을 나누지 못함을 애달프고 슬퍼하여, 역시 숙식을 그치고 동동(洞洞)[306]한 우애 타인에 비치 못할지라.

공자 혹자 정신을 차리는 때면 형제의 초고(楚苦)함과 모부인 과려하심을 슬퍼하매 옥면성안(玉面星眼)에 누수 여우(如雨)하여 탄식하기를 마지않으니, 초공이 아우를 어루만져 홍의의 말을 이르고, 체루비읍(涕淚悲泣)하여 가로되,

"아무리 어려운 일이라도 너의 목숨과 같지 않으리니, 우형이 너를 위하여 정성과 힘을 다 하리니, 회포를 기이지 말고 다 이르라."

공자 정소저 사모함을 바로 고코자 하되, 정부에서 벌써 조가에 채례

---

306) 동동(洞洞) : ①질박하고 성실함. ②매우 효성스러움.

를 받았음을 이르는 고로, 부질없이 구외에 냄이 음황무상(淫荒無狀)하고, 그 형이 지성을 다하나 빙채 바든 여자를 제 기물을 삼을 길이 없는 지라. 발설이 무익하여 심중 회포를 영영이 고치 않아, 아무 사람도 사상(思相)함이 없음을 대답하더니, 병세 점점 위악하여 사람의 출입을 알지 못하고 한 술 물도 넘기지 못하여, 아주 사경(死境)에 이르렀으되 공이 다시 보는 일이 없고, 초공을 꾸짖어 황황치 말라 하되, 부인과 초공 형제 날로 숙식을 잊어 천지신명께 도축(禱祝)하여 명을 바라되, 병세 점점 바랄 것이 없는지라. 부인이 역시 곡기를 그치고 상요에 몸을 버려 체루비읍으로 날을 보내니, 초공 삼 곤계 더욱 황황초전(惶惶焦煎)하여 모친께 고 왈,

"창제 비록 병이 중(重)하오나 저의 기상이 그만하여 마칠 아해 아니오니, 자정이 어찌 침식을 폐하시어 이다지도 통읍 비절하시나니까? 원(願) 자위는 물우(勿憂)하시어 식반을 나오소서."

부인이 읍읍(泣泣) 왈,

"내 석년 참변에도 오히려 마치지 못하였나니, 하물며 내 이제 창의 병으로 음식을 폐하여 죽고자 하는 것이 아니라. 팔자를 생각하니 통완코 설움이 오내(五內)[307]를 끊는 듯한지라. 원경 등 삼아를 참망하매 남은 화액이 있지 않을 듯하였으되, 창애 또 목전에 마저 죽어 참경을 볼 일이 아무리 헤아려도 측량치 못할 설움이라. 우리 살아 있으면 앙화가 여등에게 미치리니, 어서 죽어 여등으로 장수(長壽)케 하고자 하노라.

언파의 기운이 막힐 듯하니, 초공이 눈물을 머금고 모친 손을 받들어 왈,

"삼제 일시 유질하오나 자정이 이다지도 과려하실 줄은 실시여외(實

---

307) 오내(五內) : 오장(五臟). 간장, 심장, 비장, 폐장, 신장의 다섯 가지 내장을 통틀어 이르는 말.

是慮外)308)라. 태태 비록 창제 애중하심이 천륜 밖에 자별하시나, 해아 등의 초민(焦悶)한 정사를 돌아보시는 것이 자애하시는 은혜라. 소자 등이 아우의 병을 근심하는 가운데 자정의 이같이 과상(過傷)하심을 당하오니, 주야 심장이 타기를 면치 못하옵는 바라. 자위 만일 침식을 폐하시면 소자 등이 어찌 혼자 먹으며 잠자, 편키를 바라리까?"

이에 그릇을 들어 진식하심을 청하니, 부인이 마지못하여 두어 번 마시나, 가슴이 막히고 슬픔이 북받쳐 주검을 곁에 놓음 같은지라. 초공의 추천 같은 기상과 원상의 풍광으로도 무수한 심려를 허비하매, 기부 소삭하여 옷을 이기지 못할 듯, 걸음마다 엎드러지기를 면치 못하니 역시 대병이 발할 듯한지라.

공이 원창의 병을 염(念)치 않는 듯하나, 삼자의 수패함을 자못 근심하여 앞에 불러 조석(朝夕)309)을 권하며 책왈,

"여부 석년 여형(汝兄) 삼인의 참망지절(慘亡之節)에 심장이 거의 재되었거늘, 창아를 죽일진대 그 상명(喪明)310)이 어떠하리요마는, 저의 무행패려(無行悖戾)한 행사가 사류에 용납지 못하리니, 죽어 아깝지 않은지라. 괴이한 병을 이뤄, 부모의 우려를 돌아보지 아니하니, 불효 천고에 짝이 없고, 제 이미 부모를 생각지 않으니, 내 이미 부자의 윤의를 끊었나니, 여등이 비록 동기를 위한 정이 간절하나, 여부의 근심을 생각하여 너무 초전하여 몸에 질이 일게 말지어다. 음식을 때에 먹고 노부의 심려를 쓰게 말라."

인하여 삼자를 앞에서 밥 먹여 쓰다듬어 애휼하니, 초공 곤계 황공불

---

308) 실시여외(實是慮外) : 실로 생각 밖의 일임.
309) 조석(朝夕) : 아침저녁의 식사.
310) 상명(喪明) : 상명지통(喪明之痛). 아들을 잃은 슬픔을 비유적으로 이르는 말.

승하여 명을 받자오니, 공자의 병을 문후할 이 부지기수라. 공이 태연하여 예사로움을 이를 뿐이요, 아름답지 않은 병을 사람으로 하여금 알게 하자 않으니, 정히 아는 이 드물고 정·진 등 제인도 청하여 뵘이 없으니, 대개 평제왕과 진평장의 의술이 고명한 고로, 원창을 진맥한즉 병근을 쾌히 알지라. 이러므로 공자를 아무도 뵈지 아니하더라.

일일은 윤 태부 이르러 진맥하고 가장 경해하여 초공을 돌아보아 이르되,

"이 병이 실로 고치기 쉽거늘 어찌 위중하기의 두었느뇨?"

초공이 탄식 왈,

"십여 일째 벌써 인사를 알지 못하니, 십여 일 전 정신 있을 적 온 가지로 말을 물어도 그 소회를 이르지 않으니, 하릴없는지라. 오직 하늘을 바랄 뿐이라. 양친의 비고(悲苦)하신 정사와 아등의 초전(焦煎)함은 만물에 비할 것이 업도다."

윤태부 탄 왈,

"자순이 철석같은 장부 될까 하였더니 이런 병을 이룸은 실시여외라. 형은 능히 그 향의한 곳을 알까 싶으냐?"

초공 왈,

"알진대 어찌 그 위태한 바를 생각지 아니하리오."

태부 왈,

"이 병 근위(根位)를 악장도 아시느냐?"

초공 왈,

"과연 알고 계시나 그 사생을 염려치 않으시나니라."

태부 이윽이 앉아 그 인사 차림을 보고자 하되, 공자 혼혼하여 아무런 줄 모르니, 태부 지인지덕(至仁之德)으로써 원창의 청춘 요몰할 바를 자닝히 여겨, 부디 살릴 도리를 생각하되, 그 사상인(思相人)을 알지 못하

고 크게 민민하여, 차일 늦은 후 옥누항에 돌아와 하부인을 대하여, 원창의 병이 만분 위악함을 전하고, 상사지념(相思之念) 같음을 전하니, 하부인이 창린의 전언을 들음으로부터 염려 비상하더니, 태부의 말을 듣고 놀라 가로되,

"창제 행실이 실로 남 들리기 부끄러운지라. 군후 그 소회를 알지 못하시나 맥후(脈候)로 좇아 병근을 알았으니, 첩이 어찌 들은 바를 은닉하리까. 저적 창린이 운산에 나아가매 창아를 대하여 묻는 말이 여차여차 하다가 나중에 이르되, 내 정씨를 취치 못하면 내 능히 사지 못하리니, 이 소유를 첩에게 전하라 하고, 초창(怊悵)키를 마지않더라 하오니, 첩이 들으매 어이 없어 들은 체 아니 하였더니, 그 병이 위태한 지경의 이르니 어찌 놀랍지 않으리까?"

태부 경왈(驚曰),

"이런 일이 있을진대 함구하여 원창의 병을 구치 아니하리오. 병근이 가히 말함직 하지 않으나, 인명이 중함을 생각하여, 한갓 원창을 의논치 말고, 지우하천(至愚下賤)이라도, 구할 도리 있으면 살려냄이 마땅하니, 부인이 어찌 잠잠하여 악부모 우려를 돕고, 자의 형제 초전하는 심장이 사라지게 하느뇨?"

하부인이 추연 왈,

"첩이 어찌 창제의 병을 염려치 않으리까마는 아름답지 않은 병을 이르기 싫음은 이르도 말고, 양부모 은혜 하늘이 낮고 땅이 좁은지라. 우리 남매 한 일도 대은을 갚지 못하고, 창제 무상하여 양제(養弟)[311]의 일생을 희지으니, 차마 고할 낮이 없어 간예(干與)치 않으려 하였더니, 아주 사경의 이르니, 이런 불행이 어디에 있으리까?"

---

311) 양제(養弟) : 양부모(養父母)가 낳은 자녀 중 동생뻘 되는 사람을 이르는 말.

태부 왈,

"사람의 사생이 위태하기의 이르면 소소 염치를 생각지 못할 뿐 아니라, 정부 죽청 형이 우리를 대하여 그 필매(畢妹)로 표형지자(表兄之子)와 성친코자 이르더니, 일망 전 다시 이르대, 누이 나이 아직 어리니 우리는 성혼이 바쁘지 않고, 조부에서는 심히 바빠 하니, 아마 차혼을 못 지내게 되었음을 정녕(丁寧)이³¹²⁾ 이르거늘, '반드시 표질(表姪)을 미흡(未洽)히 여기는가.' 괴이히 여겼더니, 정부에서 이 기미를 스침이로다. 생이 명일 운산에 가, 자의 형을 보고 이 말을 일러, 원창의 질양을 쉬이 차성케 하리라."

하부인이 길이 탄 왈,

"군자 창제의 병을 부디 살리고자 하시나 첩이 여러 가지로 불평한 일이 많은지라. 양대인(養大人)이 창제의 인물이 군자도덕이 부족함을 인하여, 동상(東床)을 유의치 않아 계시거늘, 이제 창제 예사(例事) 동몽(童蒙)과 같지 않아, 벌써 오왕지녀(吳王之女)와 행빙(行聘)하여 길월(吉月)이 머지않은 바에, 양제(兩弟)를 사상(思相)하여 질을 이루니, 양대인이 아주로써 창제의 초취(初娶)도 주고자 않으신 바의, 더욱 재실을 허하시기 쉽지 않고, 정녀로써 초취하고 오군주로 재취하는 일이 되지 않아, 어지러움이 많을지라. 하물며 양제(養弟) 위인이 창제에 세 번 나음이 있거늘, 재실 삼음이 원통한 가운데 야야의 성이 지엄하시니, 창제의 아름답지 않은 소행을 아실진대 치죄하시는 도리 예사롭지 아니실 것이요, 오왕지녀의 현불초(賢不肖)를 알지 못하니, 혹자 불인할진대 정제 신상에 대화가 되리니, 사사(事事)의 불행이 적지 않도소이다. 태부미소 왈,

---

312) 정녕(丁寧)이 : 정녕(丁寧)히. 충고하거나 알리는 태도가 매우 간곡하게.

"정소저 우리 숙렬 수씨(嫂氏) 같으신지 모르거니와, 작인성행이 각별 초출하고 무궁한 귀복을 가졌을진대, 오왕지녀 않아 천상귀주(天上貴 主)라도 해치 못하나니, 만사 명야(命也)라. 인력으로 할 바 아니니, 즉 금 정공이 자순을 부족히 여겨 가서(佳壻)를 유의치 않으시다가, 문득 인연이 괴이하여 정소저 벌써 자순의 사상함이 되었는가 싶으니, 차역 천의(此亦天意)라. 현마 어찌 하리오."

하부인이 봉미(鳳眉)를 축합(蹙合)[313]하여 다시 말이 없더라.

태부 명일 조참 후 취운산에 나아가 먼저 정공께 배알하고, 날호여 하 부의 이르러 바로 병소에 들어가니, 조부인이 나와 바야흐로 아자를 붙 들고 실성비읍하며, 초공 등이 그 진(盡)하는 거동을 차마 보지 못하여, 모친을 붙들어 안으로 들어가심을 청하니, 일방 제인이 다 호읍하는 빛 이라. 태부 초공의 소매를 잡아 왈,

"영제 사상인(思相人)을 소제 쾌히 알아 형더러 이르고자 하나니, 형 은 능히 원창의 마음을 맞춰 그 사상하는 소저와 혼인을 이룰까 싶으 냐?"

초공이 대희 왈,

"비록 귀천을 알지 못하나 사상지인(思相之人)을 알면 지성으로 이루 고자 하나니, 사빈이 어찌 아느뇨?"

윤이부 비로소 원창의 정소저 사모하는 설화를 일일이 전하니, 초공 이 어이없어 길이 탄 왈,

"아우가 불명하여 저의 행지(行止) 해참(駭慘)함은 스스로 모르고, 내 저를 대하여 전후 물음이 간절하되 마침내 이르지 않더니, 원간 이런 일 이랏다. 정공 대인의 택서함이 십분 비상함을 알되, 이때를 당하여 염치

---

313) 축합(蹙合) : 찡그림.

를 돌아보지 못하게 되었으니, 마지못하여 청혼하려니와, 허하시는 명을 얻으나, 제 병이 만무생기(萬無生氣)하니 살기를 바라지 못할지라."

태부 소왈,

"원창의 병이 다른 빌미 아니라. 정소저를 사모하여 침식을 다 폐하여 사경에 있으나, 위악중(危惡中)에도 정소저를 일컬어 혼인을 지낼 듯이 하면, 반드시 반겨 하리니, 그 심신을 풀어 누월 사상지심(思相之心)을 정(靜)하면 자연 회소지경(回蘇地境)을 보리니, 그 병의 당제(當劑)314) 를 이루기로 으뜸을 생각하면 정소저 밖에 나지 않으리라."

초공이 즉시 모친께 이 말씀을 고하고, 공자 베갯머리에 나아가 부르 대 대답이 없더니, 가장 오랜 후 겨우 눈을 떠 백형을 보나 정신이 황난 (遑亂)하여 아무인 줄 모르니, 초공이 귀에 대고 왈,

"수월 사모하던 정소저를 이제는 내 집에 이루어 너의 건기(巾器)315) 를 소임하게 하리니, 모름지기 병을 조섭하여 쉬이 일어나게 하라."

공자 비록 반생반사중(半生半死中)이나 정소저 생각는 마음은 가슴에 뭉쳐 풀릴 길이 없는지라. 아무나 정소저 일컫는 사람이 있으면, 진(盡) 하는 정신에도 반가오미 황홀할 것이로되, 상요에 누운 지 이월(二月)여 에 모친과 제형제(諸兄弟) 약음과 음식을 권하며 생각하는 이를 물을지 언정, 정소저 사모하는 뜻을 알 이 없음을 초전(焦煎)하다가, 그 뉘 소 리임을 알지 못하되 정소저란 말을 반겨, 눈을 크게 떠 보고 손을 들어 벽을 치고 길이 느껴 왈,

"정씨는 조가의 빙폐를 받은 사람이라. 어찌 내 기물(奇物)316)이 될

---

314) 당제(當劑) : 어떤 병에 딱 들어맞는 약. 늑당약(當藥).
315) 건기(巾器) : 수건, 빗 따위의 낯을 씻고 머리를 빗는 데 쓰는 물건.
316) 기물(奇物) : 기이하게 아름다운 것, 아름다운 처나 첩을 비유적으로 이르는 말.

리 있으리까? 부질없이 진하는 정신을 놀래지 마소서.”

또 양항루를 드리워 끊일락 이을락 탄하는 소리로 가로되,

“화원에서 옥인(玉人)을 한 번 보고 인하여 내 명이 마치게 되니, 내 정씨와 삼생원수로 여차하도다.”

하고, 말을 마치며 기운이 막혀 얼굴이 찬 재 같아지거늘, 부인이 붙들고 호읍(號泣)하며, 초공 형제 삼인이 정 소저 사모하는 정을 밝히 알아, 병이 깊지 않아 고치지 못함을 크게 애달라, 일시에 약물을 흘리며 수족을 주무르고, 부인은 원창을 부르니, 오랜 후 겨우 정신을 차리거늘, 초공이 분명히 정공의 허락 얻음을 이르고, 병을 조섭하여 쉬이 정씨를 취하라 하니, 공자 비로소 곧이듣고 크게 행열(幸悅)하여 만면화기(滿面和氣)로 무슨 말을 하고자 하다가, 기운이 붙지 못하여 혼혼이 베개를 의지하여 정신을 수습지 못하는지라. 동평후 곁에 나아가 앉아 왈,

“너의 병이 실로 남이 듣게 함직 않으나, 금후 악장이 길이 허물치 않으시고 인명이 중함을 돌아보시어 허혼하시니, 이제는 네 소원이 일게 되었는지라. 식음을 힘써 나오고 기운을 조호(調護)하여 쉬이 일어나는 것이 옳으니, 차후는 뜻 잡기를 광풍제월(光風霽月)같이 하여, 여자 사상(思相)하는 치소(嗤笑)를 얻지 말라.”

공자 태부의 도덕성행을 가장 기탄하는 고로, 자가 소행을 알았음이 크게 참괴하되, 모다 저의 병을 지성으로 염려함을 감사하여 이에 탄 왈,

“정신이 현란하니 차병(差病) 후 만단회포를 고하리이다.”

태부 미소 왈,

“회포를 일러 무엇 하리오. 내 본디 그런 말을 듣고자 않나니, 오직 병심을 조섭하여 쉬이 낫기를 바라노라.”

공자 참안(慙顔)하여 다시 말을 못하고, 부인과 초공은 그 말함을 듣고 기쁨을 이기지 못하여, 보기(補氣)할 죽음을 가져 먹이며, 연애(憐

愛)함이 강보유아(襁褓乳兒) 같아, 평일 엄정(嚴整)턴 위의를 잃어 계시니, 공자 혼혼불성중(昏昏不醒中)이나 백씨의 우애를 감격하며, 자기는 부모 형제의 염려를 돌아보지 않고, 남의 규수를 사상하여 병이 사생에 미침을 크게 부끄러워 하되, 정씨를 취(取)치 못하면 실로 살 길이 없는지라. 스스로 자기지심이나 측량치 못하여 하니, 이 또한 하늘이 시킴이요, 하원창의 본심이 아닐러라.

차일로부터 공자 죽음(粥飮)을 나오고 심규(心竅)에 쌓였던 염려를 살라버려, 정소저로 제 기물 삼을 일이 즐겁고 다행하나, 오히려 오왕지녀 취할 일이 우환이 되더라.

이윽고 이부 돌아가고, 초공이 모친을 모셔 내루의 들어가신 후, 정부의 잠깐 이르매, 정공 부재 청죽헌의 고요히 있고 빈객이 하나도 없는지라. 초공이 들어와 제왕 등과 한가지로 좌를 이루매, 정공이 초공의 수패(瘦敗)함이 중병 지낸 사람 같음을 염려하여, 문 왈,

"영제(令弟)의 질양(疾恙)이 위중함을 들으니 아심이 경경(耿耿)하나, 원창의 작인이 수화(水火)에 들어도 위태할까 근심은 없으니, 자의 어찌 너무 초전(焦煎)하여 의형의 수패함이 이렇도록 하기에 미쳤느뇨?"

초공이 문득 피석 재배하여 추연(惆然) 하루(下淚) 대왈,

"년질(緣姪)의 집이 존문의 하늘같은 대은을 무릅쓰되 한 조각 마음을 갑삽지 못하고, 이제 또 예법의 불가한 말씀을 가져 연숙께 고함이 참안황괴(慚顔惶愧)함은 이르지도 말고, 사제(舍弟)의 무상함이 전혀 연질의 정도로 가르치지 못하옴이라. 연질의 불초무상하오미 비길 데 없사오나, 참황함을 무릅써 연숙께 고함은, 혹자 연숙의 지우(知遇)하시는 성덕(聖德)으로 원창의 돌아가는 목숨을 구하실까 엎디어 바라옵나니, 창제의 병이 괴이하여 우연히 얻은 질양이 아니요, 영아(令兒) 소저의 선풍옥질(仙風玉質)을 사상하는 뜻이 한 조각 돌이 되어, 능히 그름

을 알지 못하고 장차 사경에 미쳤사온지라, 백약이 무효하여 당제(當劑)를 이루려 하매 영아 소저 밖에 나지 아니하오니, 행실이 부박(浮薄)함은 죽어 아깝지 아니하오나, 소질의 정사는 타인과 같지 않아 가엄과 자모 슬하상척(膝下喪慽)317)의 상(傷)함이 무궁하시니, 차마 상척(喪慽)을 다시 보시게 함이 못할 노릇이요, 영소저의 신상을 일러도 벌써 불행하여 탕자의 눈의 걸닌 바 되어, 원창이 인하여 상사지질(相思之疾)로 죽을진대, 영아소저 신상에 일단 측함도 없지 아니하온지라. 시고(是故)로 부끄러온 낯을 들어 비례(非禮)의 말씀을 존하의 고하옵나니, 원 연숙은 소질의 교제(敎弟) 못한 죄를 다스리시고, 사제의 위태한 목숨을 돌아보사몰 원하나이다."

말씀이 간절하고 안색에 수괴함을 띠였으니, 정공이 하자의 유질함을 들으매 반드시 여아를 사상하는 질양(疾恙)임을 짐작하나, 불쾌한 일에 먼저 아는 체 않으려, 오직 하공을 날마다 보고 원창의 병을 물을지언정 언두에 그 행사를 이르지 않았더니, 초공의 말이 이 같기의 미처는 조금도 불평한 사색을 나토지 않고, 이연(怡然)이 공의 손을 잡아 왈,

"자의 우리 부자의 마음을 거의 알려든 어찌 매양 지난 일을 일러 날로 하여금 불안케 하느뇨? 이제 원창의 병이 소녀로 말미암음일진대, 이 가장 고치기 쉬우니 혼인은 양가의 좋은 일이요, 내 또 사위를 얻으매 원창에서 낫기를 바라지 못할지라. 영제 이미 오궁의 행빙(行聘)함이 있으나, 그 기상이 한 아내로 늙을 재 아니라. 병을 조섭하여 군주를 먼저 취하고, 유생의 두 아내 괴이하니 잠깐 등양(登揚)하기를 기다려 아녀(兒女)를 취할지라. 자의는 돌아 가 영제를 보아 이 말을 전하고, 범사 차례 있으니, 오군주는 황가지엽의 존귀를 가졌을 뿐 아니라, 영엄이

---

317) 슬하상척(膝下喪慽) : 슬하의 자녀를 잃은 슬픔.

오왕을 대하여 비록 기쁜 혼사(婚事) 아니나 이미 정약(定約) 행빙(行聘)한 친사(親事)니, 영제 원비는 당당한 오왕지녀라. 아녀는 위인이 혼암하고 인사 불민하여 군자의 중궤(中饋)는 감당치 못하리니, 등과 후 취할지라도 내 집에 머물 따름이라. 이만 쉬운 일을 그리 초사(焦思)하여 병나도록 하리오.”

초공이 복수문교(伏首聞敎)에 백배 사사 왈,

“사제의 목숨은 연숙이 살리시는 잤이니, 이른 바 ‘생아자(生我者)는 부모요 재생자(再生者)는 합하(閤下)시니’318), 소질의 집이 존부 대은을 첩첩히 무릅쓰매, 차생에 갚사올 도리 없으니, 오직 ‘화산(華山)에 결초(結草)’319)하고, ‘수호(守護)의 함주(含珠)’320)하여 세세생생(世世生生)321)에 모심을 바라오나, 오직 영아(令兒) 귀소저로 사제(舍弟)의 부실(副室) 삼기는 불가하오니, 오왕과 종용이 면의(面議)322)코자 하나이

---

318) 생아자(生我者)는 부모요 재생자(再生者)는 합하(閤下)시니 : 나를 낳아주신 이는 부모시요, 죽을 위기에서 다시 살려주신 이는 합하시다.

319) 화산(華山)의 결초(結草) : ‘화산에 풀을 맺는다’는 뜻으로 죽어서도 은혜를 잊지 않고 갚는다는 말. *화산(華山); 중국의 오악(五嶽)가운데 서악(西岳). 음양학에서 동·남은 양계(陽界)이고 서·북은 음계(陰界)에 속하여 화산(華山)은 묘지 또는 묘지가 있는 산을 뜻한다. *결초(結草); 결초보은(結草報恩). 죽은 뒤에도 은혜를 잊지 않고 갚음을 이르는 말. 중국 춘추 시대에, 진나라의 위과(魏顆)가 아버지가 세상을 떠난 후에 서모를 개가시켜 순사(殉死)하지 않게 하였더니, 그 뒤 싸움터에서 그 서모 아버지의 혼이 적군의 앞길에 풀을 묶어 적을 넘어뜨려 위과가 공을 세울 수 있도록 하였다는 고사에서 유래한다.

320) 수호(守護)의 함주(含珠) : ‘구슬을 입에 문 수호자(守護者)’라는 뜻으로 죽어서도 따르면서 지켜준다는 말. *함주(含珠); 상례(喪禮)에서 염습할 때에 죽은 이의 입에 쌀이나 구슬을 물리는 데 쌀을 물리는 것을 반함(飯含)이라 하고 구슬을 물리는 것을 함주(含珠)라고 한다. 따라서 함주는 ‘죽은 사람’을 뜻한다.

321) 세세생생(世世生生) : 몇 번이든지 다시 환생하는 일. 또는 그런 때. 중생이 나서 죽고 죽어서 다시 태어나는 윤회의 형태이다.

322) 면의(面議) : 서로 얼굴을 마주보고 의논함.

다."

정공 왈,

"불가하다. 자의 어찌 이런 말을 하느뇨? 오왕이 영제(令弟)의 출류(出類)함을 과애(過愛)하여, 이미 면약뇌정(面約牢定)하고 빙채(聘采)를 보내어 길일(吉日)이 머지않았거늘, 이제 아녀로써 영제의 원비를 삼고자 말을 냄이 만만불사(萬萬不似)323) 할 뿐 아니라, 내 본디 자식으로써 남의 위에 오로고자 아니하나니, 어찌 오왕 군주의 위 되고자 하리오. 오왕이 들어도 내 일을 구차히 여길 것이요, 먼저 행빙한 친사를 늦추어 후의 지내자 하면, 오왕 아녀 한빈(寒貧)한 유생이라도 분(憤)히 여기리니, 자의는 재삼 익히 생각고 괴이한 말을 다시 말지어다."

초공이 공수(拱手)324) 대왈,

"하교 이 같으시니 소질이 다시 고할 말씀이 없사오나, 영아 귀소저로 원창의 재실의 굴함이 욕되기 극하고, 소질의 마음이 불안토소이다."

공이 소왈,

"피차 문미(門楣)325)와 가세(家勢) 상당하고, 부부의 기질이 용우치 않으니, 이른 바 천정가연(天定佳緣)이라. 녹녹(碌碌)히 선후를 다투리오. 영제로써 벌써 동상을 의논코자 뜻이 있으되, 아녀는 한낱 용우(庸愚)코 졸약(拙弱)하거늘, 원창은 기상이 광풍제월(光風霽月) 같아서 위풍(威風)이 용호(龍虎)와 병칭(竝稱)하니, 천고준걸(千古俊傑)의 기습이

---

323) 만만불사(萬萬不似) : 전혀 도리에 맞지 않음.
324) 공수(拱手) : 절을 하거나 웃어른을 모실 때, 두 손을 앞으로 모아 포개어 잡음. 또는 그런 자세. 남자는 왼손을 오른손 위에 놓고, 여자는 오른손을 왼손 위에 놓는다. 흉사(凶事)가 있을 때에는 반대로 한다.
325) 문미(門楣) : ①문벌, 가문. ②창문 위에 가로 댄 나무. 그 윗부분 벽의 무게를 받쳐 준다.

라. 어린 여식으로써 세찬 장부를 배(拜)함이, 능히 당할 수 없을 바이
거늘, 인연이 기구하여 소녀 부디 영제의 기물이 되니, 이 또 천의(天
意)라. 인력으로 면하리오."

초공이 정공의 화홍인자(和弘仁慈)한 기량을 항복하여 언언칭사(言言
稱謝)하고 감격함이 골절에 사무치더라.

명주보월빙 권지구십오

어시에 초공이 정공의 화홍인자(和弘仁慈)한 기량(器量)을 항복하여 언언칭사(言言稱謝)하고 감격함이 골절(骨節)에 사무치는지라. 제왕과 예부 등이 화기를 고치지 않되, 월후 가장 분분(忿憤)하여 초공을 향하여 무슨 말을 하고자 하거늘, 공이 양안을 흘리 떠 숙시(熟視)하매, 월후 한 말을 못하나 천금 필매(畢妹)로써 남의 부실 삼을 일이 통한(痛恨)코 분(憤)해 함을 이기지 못하더라. 초공이 날호여 부중에 돌아가매, 월후 참지 못하여 부전에 고 왈,

"대인 존의를 소자 등이 감히 앙탁지 못하오나, 소매로써 하원창의 재실을 삼으시나니까?"

공이 위연(喟然)326) 탄 왈,

"아녀는 인중성인(人中聖人)이오 여중철부(女中哲婦)라. 백행사덕(百行四德)이 초출하고 용화기질이 장녀의 많이 나리지 않으니, 내 실로 자애지정(慈愛之情)이 천륜 밖에 더함이 많더니, 저의 팔자 해연(駭然)한 액회(厄會)가 없지 않으랴? 문득 오왕지녀(吳王之女)의 적인(敵人)이 되어 그 하풍(下風)327)에 감심키에 이르니, 군주 만일 어질진대 행(幸)이

---

326) 위연(喟然) : 한숨을 수는 모양이 서글픔.

거니와, 불연즉 저의 신세 편치 않고 원창의 가사 어지러울지라. 신랑을
가리고자 할진대 원창의 외모풍신과 문벌재화(門閥才華)를 나무라리오
마는, 오히려 성자(聖者)의 빈빈(彬彬)한 도학(道學)이 없으므로 동상(東
床)을 유의치 않았더니, 천연이 괴이하여 여아의 장신(藏身)이 엄한 가
운데, 원창이 문득 그 얼굴을 본 바 되어 사상지질(思相之疾)을 이루니,
행실이 정대치 못함은 이르지도 말고 여아 신상에 심히 측328)함이 되는
고로, 그 재실이라도 쾌허하여 원창의 거리낀 마음을 풀고자 함이니, 구
태여 아주의 전정을 그릇 만들려 함이 아니니, 너희 말을 많이 말지어
다.”

월후 다시 사색치 못하되, 오궁의 정혼 전 약혼치 못함을 심히 애달라
하더라. 공이 내루(內樓)에 들어와 태부인께 아주의 정혼사를 고하니,
태부인이 탄 왈,

“원창의 서간을 봄으로부터 아주가 타문에 가지 못할 줄은 알았거니
와, 네 택서에 너무 비상한 고로 아주를 벌써 정혼치 못하고, 도리어 원
창의 부실을 삼게 되니 어찌 애달지 않으리오. 공이 화열이 고 왈,

“자교 마땅하시나 만사 천명이니 사람의 힘으로 할 수 있는 일이 아니
온지라, 소자 아주를 위하여 가랑(佳郞)을 유의함이 동서에 무심치 아니
하오되, 마침내 눈에 찬 옥인을 만나지 못하고, 이제 도리어 하원창의
재실을 삼게 되니, 전에 높이 바라던바 아니오나 이 또 연분의 중함이
라. 원창의 용모재화를 이를진대 반점 하자할 곳이 없사올 뿐 아니오라,
수복완전지상(壽福完全之相)이니, 원창의 재실이 용우한 속자의 원비도
곤 쾌할까 하옵나니, 자정은 염려치 마소서.”

---

327) 하풍(下風) : 사람이나 사물의 질이 낮음.
328) 측하다 : 추악(醜惡)하다. 언짢다. 원망스럽다. 정도에서 벗어나다.

태부인이 기뻐 않으나, 능히 물리치지 못할 혼사인 고로 다시 말을 않더라. 초공이 정공의 허락을 듣고 돌아와 모부인께 고하나, 부공께는 구태여 고치 않으니, 이는 공의 성이 엄한 연고라.

이러구러 여러 날이 되매 원창의 병이 나날이 차성(差成)하여, 음식을 스스로 찾아 먹으며, 사지백해(四肢百骸)를 분쇄하는 듯이 앓던 증(症)이 구름이 걷으며 안개 스러지듯이 낫되, 부친이 일절 묻지 않으시며 행여도 보지 않으심을 크게 황민(惶憫)하여, 양형과 원필을 향하여 왈,

"대인이 소제의 병을 한 번도 묻지 않으시니, 반드시 병의 근위(根爲)를 아시는가 하나이다. 야야 성품이 반점 비의불법(非義不法)을 용납지 않으시던 바라. 소제의 무상한 죄를 사(赦)치 않으실까 하나이다."

초공 왈,

"야야 너의 맥후를 보시고 크게 의심을 동하시는 바의 홍수창이 여차차 하니, 너의 사상인(思相人)을 알지 못하시되, 행사를 통완이 여기사 그 후 일절 묻지 않으시니, 만일 정소저를 사상함인 줄 아실진대 어찌 치죄하심이 등한하리요마는, 아직 정연숙과 내가, 구외의 낸 일 없으니 지금 모르시는 바라. 네 병을 조호하여 쉬이 오왕 군주를 취하면, 대인이 의심하시던 바를 잠깐 푸시어 우연한 질양으로 아시리니, 행지를 단중(端重)이 하라."

공자 우연(憂然) 탄 왈,

"소제인들 어찌 행사 무상함을 모르리까마는, 정씨를 사상하기의 미처는 능히 마음을 걷잡지 못하여, 생각지 말기를 공부하되 그 용화기질이 눈 앞에 의연하여, 시러금329) 중병을 이루매 황양(黃壤)길330)을 바

---

329) 시러금 : 이에, 능히
330) 황양(黃壤)길 : 황천(黃泉)길. 저승길.

야던 바라. 부질없이 남의 규수를 사상하여 내 몸이 십삼춘광(十三春光)에 느껍게 마치는 탄은 이르지도 말고, 부모께 불효(不孝)는 죽어 묻힐 땅이 없고, 영백이라도 불효패자의 뒤를 좇게 됨을 슬퍼하더니, 일병이 침면하매 사지백해와 일신골절이 아니 아픈 곳이 없고, 흉금(胸襟)에 불이 일어 장부를 사르니 식음을 나오지 못하더니, 금후의 허락이 있음을 들음으로부터 사상지심이 적이 풀리고 백병이 스스로 나으니, 실로 남 들리기 참괴치 않으리까?"

휘 어루만져 위로하고, 쉬이 차성함을 재삼 이르며, 차후나 행실을 삼가라 경계하여 지극한 말씀이 석목도 녹일 듯하니, 하물며 공자의 총명상쾌(聰明爽快)함으로써 백씨의 경계를 받들지 않으리오. 눈물을 드리워 불초경박(不肖輕薄)한 죄를 청하고, 부친의 강엄하심을 아는 고로, 혹자 자기 행지를 아실까 염려하되, 조부인은 아자의 병이 점점 나음을 만심 환열하여 조석으로 중헌에 나와 보고, 보기(補氣)할 미죽(糜粥)을 자주 권하며, 탄식 왈,

"너의 무행경박(無行輕薄)한 죄과를 이를진대, 비록 죽으나 어찌 아까온 일이 있으리오마는, 나의 구구한 사정은 벌써 남 달리 상한 심정이라. 너의 그름을 모르지 않되 또 다시 서하(西河)의 탄(嘆)331)을 이루지 않으려 함으로, 내 역시 네 대인께 영영 고치 않고, 쉬이 차성을 바라는 마음이 대한(大旱)의 운예(雲霓)라도 이렇지 못할지라. 방일한 아해는 어미 연약함을 업신여기고, 엄부를 기망하여 행실을 삼가지 않으면, 욕급조선(辱及祖先)하고 화급문호(禍及門戶)하리니, 어찌 근심 되고 염려

---

331) 서하(西河)의 탄(嘆) : 자식을 잃은 탄식. '서하의 탄식'이라는 뜻으로, 공자(孔子)의 제자인 자하(子夏)가 서하(西河)에 있을 때 자식을 잃고 너무 슬퍼한 나머지 소경이 된 고사에서 온 말.

롭지 않으리오."

공자 눈물을 흘리며 고두청죄(叩頭請罪) 왈,

"불초아의 무상한 죄는 천사무석(千死無惜)이옵거니와, 금번 죄과는 소자도 실로 임의치 못하옴이니 복원 자위는 사죄를 관사(寬赦)하소서."

부인이 어루만져 후일을 경계하더라.

차년 중추에 천자 성묘(聖廟)에 배알하시고 과갑(科甲)을 열어 인재를 뽑으실 새, 하공이 진실로 부귀를 구할 의사 없어, 아자의 장옥(場屋)을 허치 않으니, 초공이 원창의 착급히 여기는 마음을 생각하여 부전에 고 왈,

"성만(盛滿)이 기쁘지 아니하오나, 한 번 과장에 참예함으로 사람마다 등양하기를 믿지 못하오리니, 양제 나이 이륙(二六)을 지났사오니 잠깐 허하시어 품은 재주를 익힘이 좋을까 하나이다."

공이 미우를 찡겨 왈,

"네 말이 마땅하나 내 집이 호화지가(豪華之家) 아니라. 석년에 여형(汝兄) 삼인이 일찍 등과함으로 청춘에 참망(慘亡)하니, 이 곳 성만(盛滿)의 빌미라. 석사를 추회하매 어찌 상아 등을 과옥에 보낼 뜻이 있으리오."

초공이 기이배주(起而拜奏) 왈,

"석사는 이의(已矣)라. 제기할수록 통상함은 층가(層加)하오나, 삼형의 명도 기이(奇異)하와 그렇듯 마쳤사오니 각각 명도라. 이제 양제에게 비김이 불가하오니 과려치 마소서."

공이 초공의 말인즉 신청하는지라. 미미히 허하니, 대공자는 각별 즐겨 함이 없으나, 차공자는 스스로 머리에 계화(桂花)를 꽂으며 몸에 청삼(靑衫)을 입은 듯이 즐기더라. 및 장옥에 들어 가 글제를 보매 의사

구름 모이듯 하여, 형제 한 가지로 종이를 펼치매 둘이 쓰기를 시작하니, 필획이 찬란하며 시사(詩思) 웅건하여 경각에 작서(作書)하매, 종자로 바치라 하고, 형제 두루 유완하여 만인다사(萬人多士)의 두르는 붓과, 눈썹을 찡겨 생각함을 그윽이 실소(失笑)하고, 차공자는 등과함을 손에 침 뱉어 기약하여, 등양하는 날은 정소저 취할 기약이 가까움을 흔희하더라.

이 날 천자께서 중신으로 더불어 천궐에 높이 옥좌를 여시매, 채운은 애애하여 봉궐에 둘렀으며, 향기로운 바람은 경필(警驆)332) 소리를 자주 전하니, 문무천관(文武千官)은 반항(班行)이 정정제제(整整齊齊)하여 상서의 기운이 용각(龍閣)을 둘렀으니, 시각이 늦으매 모든 시권(詩券)을 뽑아 올릴 새, 형부 상서 겸 동월후 정 죽암이 시관에 참예하였더니, 하원창 곤계의 글을 보매 피봉을 떠히지 않아서 그 필적을 밝히 아는 고로, 심리에 원창이 과후(科後) 자기 매제를 취코자 함을 그윽이 미워하여, 원창의 글을 넌지시 낙복(落幅)333)에 내리치고 원상의 글만 뽑아 올리매, 천안이 한 번 살피시고 그 문한(文翰)이 세대에 희한하여 창룡이 서리고 운연(雲煙)334)이 취지(聚之)하니, 성명(聖明)335)이 남파(覽罷)에 대열(大悅)하시어 스스로 제일이라 쓰시고, 차례로 꽂아 수를 채우신 후, 전두관(殿頭官)이 소리를 길게 하여 장원을 호명하매, 하원상의 연이 십삼이요, 부는 정국공 진이라 하니, 원창 공자 형을 향하여 치하 왈,

"형장의 웅문대재(雄文大才)로써 한 번 과옥(科屋)에 참예하시매, 천

---

332) 경필(警驆) : 임금이 거둥할 때에 경호하기 위하여 통행을 금하던 일.
333) 낙복(落幅) : 시험에 떨어진 답안지. =낙복지(落幅紙).
334) 운연(雲煙) : ①구름과 연기를 아울러 이르는 말. ②운치가 있는 필적.
335) 성명(聖明) : ①덕이 거룩하고 슬기로움. ②임금을 달리 이르는 말.

만인을 압두하실 줄은 알았거니와 의의(猗猗)히 장원랑이 되시니 어찌 기쁘지 않으리까?"

대공자 미소 왈,

"우형의 글이 제일이 됨은 실시여외(實是慮外)라! 놀랍기 극하나 현제 또 높이 뽑힘을 바라노라."

이리 이르며, 부르는 소리 잦음으로 만인 중에 몸을 빼어 옥계 하에 추진응명(趨進應命)하여 산호만세(山呼萬歲)하매, 위로 천안(天顏)과 아래로 시위 제신이 일시에 눈을 들어 보건대, 장원의 신장이 칠척오촌(七尺五寸)이요, 풍채 쇄연(灑然)하여 일만 버들이 흐드러지며336), 일백 화신(花神)337)이 춘양(春陽)에 무르녹은 듯, 옥 같은 면모는 두렷하여 남전미옥(藍田美玉)이요, 성자기맥(聖者氣脈)이라.

천심이 대열하시어 이에 장원을 전에 올려 그 머리에 계화(桂花)를 친히 꽂으시고, 금수청삼(錦繡靑衫)을 별택(別擇)하여 입히시고, 일컬으시어 왈,

"하경은 가히 아들을 두었다 하리로다. 원광이 대군자지풍(大君子之風)의 영준의 기습(氣習)을 겸하여, 치세경륜지재(治世經綸之才)와 안방정국(安邦定國)할 덕화(德化) 가득하고, 원상이 또 이같이 성현군자지풍(聖賢君子之風)이 있으니, 어찌 아름답지 않으리오. 이에 초공을 전폐에 부르시어 원상을 크게 칭찬하시고, 차차 방하를 불러 청삼화대(靑衫花帶)를 주시고, 어전에서 제신래(諸新來)를 백단 유희하시다가 날이 늦으매 파조하실 새, 장원의 작직(爵職)을 이 날 정하여 한림학사(翰林學士)를 시키시니, 장원이 전폐에 고두하여 나이 어리고 재주 박하여 사

---

336) 흐드러지다 : 매우 탐스럽거나 한창 성하다.
337) 화신(花神) : 꽃의 정기(精氣).

군보국(事君輔國)할 바를 알지 못함을 주(奏)하여, 사직(辭職)하니, 상이 웃으시어 왈,

"재주는 연치다소(年齒多少)에 있지 않으니, 경은 부질없이 사양 말라. 석(昔)에 장량(張良)338)은 소년으로 범증(范增)339)의 칠십옹(七十翁)을 묘시(藐視)하니, 예로부터 재덕이란 것은 천진(天眞)의 타 난 바요, 연치(年齒)에 있지 아니하니, 너의 신장거지 이렇듯 숙성하고 어찌 사군찰임을 못할 리 있으리오."

장원이 재삼 사양하나 천의 마침내 불윤하시니, 하릴없어 방하(榜下)를 거느려 궐문을 날 새, 원창 공자 참방(參榜)키를 손의 침 뱉어 기약하다가, 헛되이 낙방하고 돌아오는 마음이 베는 듯하니, 크게 실망함은, 한갓 과욕(科慾)에 있는 것이 아니라, 유생의 재취는 있지 않음으로, 행여 등양(登揚)함이 되면 오왕지녀를 취한 후 정씨를 맞으랴 하다가, 오늘날 낙방에 소욕(所慾)이 그릇 되니, 애달프고 분함을 이기지 못하여 급급히 부중에 돌아오매, 조부인 왈,

"여등이 일시 관광(觀光)340)으로 장옥의 들어가나 어찌 참방키를 바라리오. 아지못게라!341) 형은 어찌 오지 아니하느뇨? 공자 눈물이 거의

---

338) 장냥(張良) : BC ?-189. 중국 한나라의 정치가, 건국공신. 자는 자방(子房).
  유방의 책사로 홍문연에서 유방을 구하고 한신을 천거하는 등, 유방이 한나라
  를 세우고 천하를 통일할 수 있도록 도왔다. 소하·한신과 함께 한나라 건국 3
  걸로 불린다.
339) 범증(范增) : BC277-204. 중국 초나라의 책사·정치가. 항우와 초나라를 위해
  유방을 죽이려 했지만 실패하고, 유방의 모사 진평의 반간계에 빠진 항우에게
  도 쫓겨나, 천하를 떠돌다가 객사했다.
340) 관광(觀光) : =과행(科行). 과거를 보러 감. 또는 그런 길이나 과정.
341) 아지못게라! : '모르겠도다!' '모를 일이로다!' '알지못하겠도다!' 등의 감탄의
  뜻을 갖는 독립어로 작품 속에서 관용적으로 쓰이고 있어, 이를 본래말 '아지
  못게라'에 감탄부호 '!'를 붙여 독립어로 옮겼다.

떨어질 듯하여 대왈,

"소자 비록 연기(年紀) 유충하오나 학문은 노사숙유(老士宿儒)를 압두(壓頭)하옵나니, 어찌 오늘날 장옥에 헛되이 낙방할 줄 뜻하였으리까? 차(此)에 형은 의의(猗猗)히 장원(壯元)이 되어 계지청삼(桂枝靑衫)으로 오옵나니, 소자의 문필이 또 형에서 낫다 하는 것이 아니라, 아무리 생각하여도 못할 리 없삽거늘, 소자는 방말(榜末)에도 참예치 못하니 애달키를 이기지 못하리로소이다."

조부인이 미처 답지 못하여서, 공이 정색 질왈,

"너의 문장 필법이 구태여 원상만 못하지 않으나, 인사(人士)가 원상을 미칠 날이 멀었으니, 네 문장이 아무리 기특하여도 금년의 참방치 못할 운수(運數)인 고로, 원상은 장원이 되되 너는 낙방하니 명(命)이거늘 어찌 과욕(科慾)이 그대도록 괴이하여, 한 번 장옥의 나아가므로 당당이 등양할까 여기다가, 뜻과 같지 못하매 분함이 울기의 미쳤느뇨?"

공자 자기 마음을 능히 고치 못하고 우우(憂憂)히 눈썹을 펴지 못하더니, 초공이 장원을 앞세워 돌아와 부모께 배알할 새, 장원의 선풍옥골(仙風玉骨)이 복색으로 좇아 더욱 쇄락하여, 효성봉안(曉星鳳眼)에 어주(御酒)를 반취(半醉)하였으니, 몽롱한 고운 빛이 벽실(壁室)에 조요하며, 옥면설빈(玉面雪鬢)에 윤택하고 빛난 것은 미인의 염태(艶態)를 홀로 가져, 계화(桂花) 그림자는 월액(月額)에 어른기고, 금수청삼(錦繡靑衫)은 옥산(玉山)342)에 엄연(儼然)한데, 양류(楊柳) 같은 허리에 금대(錦帶)를 두르며, 옥수(玉手)에 아홀(牙笏)을 잡아, 승당(昇堂) 전석(前席)의 재배 현알하고, 이석낙색(怡聲樂色)으로 반일 존후를 묻자오니, 빈빈한 도덕은 은은히 공부자(孔夫子) 좌상(座上)에 안증(顔曾)343)

---

342) 옥산(玉山) : 외모와 풍채가 뛰어난 사람을 비유적으로 이르는 말.

이 모신 듯, 풍채용광이 완연이 학사 원경이 돌아온 듯함을 보매, 하공
의 침중함과 조부인의 단엄함으로도, 금일 경사를 당하매 일변 두긋기
고 일변 석사를 상감(傷感)하여, 부부 일시의 그 좌우수를 어루만져 추
연 하루 왈,

"금일이 하일(何日)이관데 죽은 아해 살아 돌아와 등양하는 경사 있느
뇨? 아지못게라! 이것이 진여(眞歟)아 몽야(夢耶)아. 석년(昔年) 망아(亡
兒) 삼인이 일시에 계지(桂枝)로 돌아와 우리 부부에게 절하매, 인인이
복인(福人)으로 일컫던 바라. 물극필반(物極必反)344)으로 몽매(夢寐)에
참화를 당하여, 다시 천일을 보지 못할까 통원비절(痛冤悲絶)하던 바더
니, 오늘날이 있을 줄은 뜻하지 못한 바로다."

언파에 부부 읍읍히 슬퍼함을 마지않으니 초공이 화(和)한 안색으로
위로하고, 아우를 이끌어 사묘(祠廟)에 현성(見成)하매, 하객이 가득하
여 신래(新來) 부르는 소리 분분하니, 정국공이 장원을 데리고 외루에
나와 빈객을 접응할 새, 좌중이 연성하여 장원의 기특함을 치하하고, 신
래를 백단 유희하여 희학이 낭자하나, 하공의 진정인즉 성만(盛滿)을 두
려 치하를 기뻐 않아, 공근겸퇴(恭謹謙退)함이 석년 화변을 생각하여 조
금도 깃거 아니하더라.

날이 어두운 후 제객이 각산귀가(各散歸家)하고, 정국공 부자가 낙양
후 곤계로 더불어 백일정에서 담화할 새, 정공이 장원을 향하여 왈,

"자순의 길일이 겨우 수삼일이 가렸는데, 문득 용방천인(龍榜千人)을
묘시(藐視)하여 의의히 장원랑이 되니, 복경이 융융함은 이르지도 말고

---

343) 안증(顔曾) : 공자(孔子)의 제자인 안회, 증삼을 아울러 이르는 말.
344) 물극필반(物極必反) : 사물의 형세는 발전이 극에 다다르면 반드시 뒤집히게
    마련이라는 뜻으로 사물이나 형세는 고정되어 있지 않고 흥성과 쇠망을 반복
    하게 마련이라는 말.

임가 문난(門欄)의 광채 배승하리로다."

하공이 미소왈,

"장원랑은 기쁘지 않으나 길일이 임박하니 이 번이나 천정기연(天定奇緣)을 만날까 하노라."

정공이 미소 왈,

"이 번조차 천연을 못 만날 것이라 염려하리오. 임 참정이 금명 간 상경하리니 서랑의 과경을 깃거 하리로다."

진평장이 원창을 향하여 웃고 왈,

"군의 문장필법이 영형만 못하지 않되, 어찌 낙방함이 되었느뇨? 아지못게라 지은 글을 듣고자 하노라."

공자 함소 대왈,

"한 번 과옥의 사람마다 등양할 것이면 어찌 천하의 노위(老儒) 있으리까? 소생의 문한이 용렬함은 존공의 익히 아시는 바거늘, 새로이 물으시나니까?"

월후 일시 희롱으로 원창의 글을 지워, 그 낙막(落寞)히 여김을 보고자 한 바나, 금번에 높이 등양치 못함을 불상히 여겨, 웃고 왈,

"자균이 오늘 글을 반드시 병집(病-)[345] 있게 지었음으로 낙방함이라. 그러나 자순의 문장은 은하(銀河)의 근원이라. 힘써 공부하여 명춘 과갑을 응하라."

하공자 미소왈,

"금번 글을 병집 있게 지었을 양이면 어찌 등양키를 바라리오. 연이나 내 글을 병집 있게 본 시관이 눈이 병들었던가 하노라."

월후 소왈,

---

345) 병집(病-) : 흠집. 깊이 뿌리박힌 잘못이나 결점.

"네 소견에 극진히 짓노라 하였다 한들, 사람마다 무흠(無欠)이 여겼
으리요. 원간 어찌 지었더뇨?"

공자 월후의 거동을 수상이 여겨 눈을 들어 월후를 익히 보고 말이 없
거늘, 장원이 그 아의 글을 외와 이르고 왈,

"사제의 글인즉 소제도곤 나음이 많거늘, 도리어 낙방함이 되니 어찌
괴이치 않으리까?"

일좌(一座)가 원창의 글을 듣고 모다 공자를 위로 왈,

"금번 낙방이 애다오나 명춘 과갑을 응하리니, 모름지기 낙막히 여기
지 말라."

공자의 총명이 홀연 월후를 의심하여 자약히 웃고 왈,

"어찌 낙방을 애달아 하리까마는 시관이 무상하여 글을 꿇지346) 못함
을 애달아하나이다."

월후 소왈,

"그대 지은 글을 들으니 병집은 없는가 싶으나 운수 채 트이지 못한
연고라. 시관은 원망 말라. 우리 같은 유(類) 시관에 참예하였다가 가장
불안하도다."

공자 잠소 왈,

"시관이 되어 사혐(私嫌)을 멀리하고 공도를 잡으면, 사람에게 원망
들을 리 없으니 형을 원망하리오. 아무 시관이라도 눈이 없는 놈이 내
글을 내려놓은 것이라."

제왕과 제진이 대소 왈,

"자균이 운수 못 틔어 용방(龍榜)에 오르지 못함을 생각지 못하고, 도
리어 시관을 원망하니, 시관 되었던 자, 듣기 불평하리로다."

---

346) 꿇다 : 잘잘못을 따져서 평가하다.

초공이 소왈,

"불평할 일이 어디 있으리오. 상(常)없는347) 저의 소견과 같지 못함을 애달아하나, 등양이란 것이 그 어떤 일이라 처음에 하기 쉬우리오."

월후 소왈,

"형의 말이 옳거니와 영제 시관을 하 원망하니, 차후란 소제 같은 이 또 시관에 참예하거든, 영제의 수필(手筆)을 고름에 차고 유의하여 낙방하는 일이 없게 하리라."

이렇듯 담화하여 밤이 깊으매, 제정과 제진이 각각 부형을 모셔 환가하고, 초공이 삼제로 더불어 부공께 시침할 새, 원창이 과욕이 남다른 것이 아니라 정소저 맞을 기약이 멀었으므로 불승탄돌(不勝歎咄)하니, 초공이 기색을 스치고 병날까 염려하더라.

명일 하장원이 유과(遊街)할 새, 임처사와 제(諸) 임을 배견하되, 임참정 집의 가지 않으니, 차는 혹자 그 흉상박면이 내달아 붙들까 함일러라.

이때 임참정이 일본을 교유하고 만리 행도에 무사히 득달하여 경사에 돌아오매, 상이 인견하시어 반년지내에 무사히 득달함을 일컬으시어 특별히 사주(賜酒)하시며 표피채단(豹皮綵緞)으로 은영을 드리우시고, 작직을 도도시니, 임참정이 사은이퇴(謝恩而退)하여 부중에 돌아오매, 자녀와 자매 반기는 정이 상하키 어려우나, 목씨의 흉포함과 애랑의 흉참함은 떠났다가 볼수록 더욱 마음이 찬지라.

목씨 임공을 대하여 애랑의 내침을 받아 온 바를 탐탐히 이르며, 눈물이 비 같아서 목이 메고, 몽옥은 목표의 후취로 좋이 돌아 보내었음을 이르니, 듣는 말마다 심기 아득하되, 자기 여아의 기이함을 아는 고로

---

347) 상(常)없는다 : 보통의 이치에서 벗어나 막되고 상스럽다.

결단코 목가의 후(後)로 가지 않았을 바를 짐작하고, 길이 탄 왈,

"소자 만리 타국에 무사히 왕반하여 자안에 배알함을 얻사옵고 자후(慈候) 안강하시니, 영행하고 희열함이 이 밖에 없사오나, 애질(姪)의 일생이 바랄 것이 없사오니, 저의 청춘이 아까운지라. 소자 이러므로 처음부터 애질을 하가에 돌아 보냄이 가치 않은 줄 아오되, 자정이 과려하시니 소자 능히 사정을 다 아뢰지 못하였나이다."

목씨 참정을 당부하여 하공 부자를 보고 애랑의 일생을 제도하라 하니, 공이 마음에 불관이 여기나 마지못하여 수명이퇴(受命而退)하여, 육제와 삼매를 대하여 애랑의 출화 곡절을 자세히 묻고, 몽옥의 거처를 물으니 상서 등과 강 부인이 한을 대신으로 목가의 보내고, 몽옥은 강부의 옮았음을 전하며, 계부 주혼(主婚)하여 소저의 혼례를 비로소 이루게 되었음을 일컬으니, 참정이 놀라 길일을 물은데, 명일이라 하는지라. 참정이 변색 왈,

"자정이 애질을 하가의 다시 보내려 하시거늘, 몽아의 혼례를 너무 급히 지내어 유익함은 없고, 오아(吾兒) 신상에 또 화액이 일게 하였으니, 차혼을 정한 날 못 지내리라."

상서 등이 애랑을 다시 하부에서 용납지 않을 바를 고하며, 부질없이 친사를 물리쳐 세월을 천연하여, 하가가 증분이 넉일 바를 일컬어, 목씨에게는 하공 부자가 애랑을 용납치 않는 바를 고하고, 몽옥의 혼사를 바로 강부에서 이뤄 하가로 보냄이 마땅함을 고하니, 참정이 빈미(嚬眉) 묵연(黙然)이러니, 밖에 처사 임하심을 고하니, 참정이 연망(連忙)이 나와 맞아 당에 오르매, 처사 흔연히 반겨 무사히 돌아옴을 행열하고, 몽옥의 친사를 가만한 가운데 순히 되게 하였음을 이른데, 참정이 대왈,

"자정이 애랑을 다시 하가의 보내고자 하시거늘, 유재(猶子) 옥아의 혼인을 들입다³⁴⁸⁾ 지냄이 애질(姪)의 전정을 희지음 같사온지라. 하퇴

지를 대하여 계부 주혼하시다 하되, 유자의 인새(人事)로 편친(偏親)을
속임이 불가할까 하나이다.”

처사 왈,

“일이란 것이 권도(權度)도 있고 정도(正道)도 있으니, 어찌 일도(一
道)를 지키리오. 애랑이 몽옥의 혼사를 희(戱)지었을지언정, 몽옥이 애
랑의 전정을 해함이 없으니, 괴이한 말 말고 혼사에 잡(雜) 의논을 내지
말지어다.”

참정이 깃거 않으나 계부의 말씀이 이 같으시니, 하부에서 혼례 일일
격함으로 범구(凡具)를 성비하였는데, 또 물리자는 말이 나지 않아 오직
추연 탄식하고, 왈,

“유자(猶子), 망매(亡妹)를 생각할진데 애랑이 어찌 친녀와 다르리까
마는, 작인이 남 같지 못하여 이상이 못 생긴 연고로, 하가에 용납지 못
하여 성혼 수월에 그렇듯 참혹히 출화를 만나 돌아오니, 한갓 제 전정을
이르지 말고 유자의 마음이 부끄럽고 불평함이, 몸이 스러져 그 거동을
보지 말고 싶은지라. 이 때 옥아를 하가에 보낸즉 그 화용기질(花容氣
質)이 애랑으로 비컨대 천지현격(天地懸隔)함이 있으리니, 하퇴지의 부
부와 하원상이 본즉 진정 천정가연(天定佳緣)으로 알고, 애랑은 다시 생
각도 않으리니, 유자의 염치에는 애랑을 유렴(留念)하라 청치 못 하오리
니, 이런 난연(赧然)한 일이 있으리까?”

처사 탄 왈,

“너의 절민(切憫)함이 어이 괴이하리요마는, 그러나 애랑을 위하여 인륜
을 폐륜치 못하리니, 이미 정혼한 혼인이라, 다시 물리치지 못할 것이니,
너는 명일 강부에 가 신랑의 전안(奠雁)하는 거동이나 잠깐 보고 가라.”

---

348) 들입다 : 세차게 마구. 냅다. 곧바로.

참정이 마지못하여 수명하더라.

차시 임공자 한이 목축(畜)을 따라 향리에 내려가 한가지로 있은 지, 삼사월에 목추(醜) 홀연 유질하여 십여 일을 중통(重痛)하거늘, 임공자 의약을 이루어 힘써 구호하며, 두루 미인을 구하여 동닌(洞隣) 효렴(孝廉)[349] 황박의 서녀가 요라(姚娜)한 절색이라. 시년이 십뉵에 오직 장부를 맞지 않았다 하거늘, 임공자 서로 사귀어 서사 통신이 빈빈한 후, 황효렴의 총희와 서녀를 다 청하여 서로 보고, 효렴의 첩 곽씨를 대하여 유수지언(流水之言)으로 목표의 호부한 형세를 이르고, 기녀로 표의 총희를 삼으라 하니, 곽씨 괴이히 여겨 왈,

"부인이 목가의 돌아온 지 오래지 않다 하거늘, 어찌 노야께 다른 사람을 천거하랴 하시나니까?"

임공자 소왈,

"내 일은 내 스스로 아나니 반드시 세연(世緣)이 오래지 않을지라. 이러므로 영녀를 목자에게 천거코자 하나니, 파파(婆婆)는 괴이히 여기지 말고 영녀의 부귀할 바를 생각하여 쾌허하라."

곽씨 목표의 집이 장려한 기구와 무궁한 호부를 흠선(欽羨)하여, 돌아가 효렴과 의논하고 즉시 허하여, 그 딸로써 목표의 총희를 삼고자 하거늘, 임공자 깃거 은자 오백 양과 촉단(蜀緞) 능나(綾羅)를 갖추어 황가에 보내어, 목표의 희첩 삼을 기구를 차리라 하고, 일야는 종용이 목표를 대하여 그 통처(痛處)를 묻고 웃으며 왈,

---

349) 효렴(孝廉) : 중국 전한(前漢) 때의 관직명. 무제가 군국에서 매년 부모에 효도하고 형제간에 우애 있는 사람과 청렴한 사람을 각각 한 사람씩 천거하게 한 데서 비롯하였다.

"군이 우리 조모로써 어떤 사람으로 아느뇨?"

목표 미소왈,

"숙모의 인물을 감히 시비하진 못하나 극진히 어질진 못하신가 하나이다."

임공자 우문 왈,

"대모 날로써 그대에게 돌아 보내심은 어찌된 일이뇨?"

목표 왈,

"이는 그대 부질없이 하가 빙채를 지켜 폐륜코자 함을 자닝히 여기실 뿐 아니라, 나의 환거(鰥居)함을 잊지 못하시어, 좋이 인연을 이뤄 살게 하고자 하심이니, 다른 뜻이 아니라, 무슨 원망된 일이 있으리오."

공자 개연(慨然)350) 소왈,

"존공의 신상에 크게 유해함을 공이 개연(介然)히351) 알지 못함이라. 우리 집이 비록 잔폐(殘廢)하나, 빙폐(聘幣) 받은 딸을 공연히 군을 내어주고 한 말도 않을까 여기나냐?"

목표 왈,

"소제 총명하되 오히려 사리를 알지 못하는도다. 임가의 세엄이 아무리 장하여도 숙모 허혼하시고, 소제 순종하여 육녜(六禮)로 맞아 왔거늘 이제 다시 무슨 말을 하리오?"

임공자 문득 넓떠나352), 과의(袴衣)353)를 쾌히 벗어 자기 몸을 내어

---

350) 개연(慨然) : 억울하고 원통하여 몹시 분해 함.
351) 개연(介然)히 : 홀로. 변함없이.
352) 넓떠나다 : 벌떡 일어나다.
353) 과의(袴衣) : 남자의 홑바지. 여자의 고쟁이. *고쟁이; 한복에 입는 여자 속옷의 하나. 속속곳 위, 단속곳 밑에 입는 아래 속곳으로, 통이 넓지만 발목 부분으로 내려가면서 좁아지고 밑을 여미도록 되어 있다. 여름에 많이 입으며 무명, 베, 모시 따위를 홑으로 박아 짓는다.

목표를 뵈며, 웃으며 왈,

"아무리 어두워도 건곤이 바뀌었음을 거의 알지라. 소생이 길이 존공의 아내 소임을 하리까?"

목표 이 거동을 보고 대경 차악하여, 두 눈이 멀젖고 입이 써, 오래도록 말을 않으니, 임공자 쾌히 웃고 목표를 붙들어 왈,

"존공이 어찌 소아 임한을 몰라 보시느뇨? 생이 실로 변복하고 존공을 속일 바 없으되, 일이 위급하매 천만 부득이 이 거조를 함이라. 증조모 사숙모(舍叔母)를 존공의 후취로 보내고자 하시매, 여자의 정절이란 것이 그 어떠하기에, 숙모 명문 여자로 하가 빙채를 받고, 다시 목가의 오는 더러움이 있으리오. 이러므로 숙모 소생을 불러 여차여차 가르쳐 보내고, 숙모는 인하여 세상을 사절하고 사문(寺門)의 투입하여 불가 제재 되어 계신지라. 소생이 남자의 몸으로써 변복하여 이에 이르매, 어찌 괴롭고 구차치 않으리오마는, 증조모 성정이 과격하시어 아무 일이라도 경중곡직(輕重曲直)을 묻지 않으시고, 망극한 변고를 행코자 하시므로, 소생이 마지못하여 숙모 대신으로 존부에 나아와, 존공을 모신 지 여러 일월에 지극 애대(愛待)하시는 은혜를 받았으니, 심곡에 감격함이 여자 되지 못하여 존공의 뜻을 영합치 못함을 탄하나, 한 조각 보은할 도리 없는 고로, 동린(洞隣)의 황효렴의 서녀가 기특함을 친히 보고, 힘써 구혼하여 존공의 빈희(嬪姬)를 허하매, 황씨 데려 올 날이 지격수일(至隔數日)이라. 황씨의 절세한 용모와 특이한 기질이 완연이 신선의 골격이라. 존공의 절색 구하는 마음을 맞출 뿐 아니라, 여공지사(女功之事)와 백행숙덕이 갖추 아름답다 하니, 존공의 연기 사순(四旬)이요, 이미 노쇠한 증상이 생겨나 있으니, 아무리 보아도 입장(入丈)함이 가치 않으니, 취첩(娶妾)하는 것이 으뜸이요, 일가 가운데 아름다운 명령(螟蛉)354)을 얻어 조선혈식(祖先血食)355)을 잇고, 황씨를 얻어 천산(賤産)

이라도 층층이 보는 것이 재미라. 우리 종대부(從大夫) 육위와 가친이
존공을 통완하여, 존공이 증조모 위세를 꼈으나, 우리 가친 성정이 어려
우신 줄 거의 알 바거늘, 만일 분노를 발하여 한 번 존공을 무찌르고자
하실진대, 무엇이 어려우리오. 소생이 고요히 있어 가친의 처치만 볼 것
이로되, 존공이 여색에 염치를 잃어 불쌍히 굿기시게 되니, 나를 사랑하
여 귀히 여김이, 이른 바 범을 길러 화를 취할까, 이 말을 이르노라."

목표 청파의 추연하루(惆然下淚) 왈,

"나의 어둡고 용렬함이 남녀를 분변치 못하여, 그대로써 여자로 알아
길이 운우(雲雨)의 낙(樂)을 이룰까 하였더니, 금일 그대 몸을 보고 말
을 들으니 놀랍고 차악하니, 병심을 더욱 진정치 못할 마디라. 내 비록
용우하나 어찌 감히 영숙모(令叔母)로써 재실을 삼고자 하리요마는, 이
도시 숙모의 불인한 연고라, 누를 한하리오."

공자 호언관위(好言款慰)하고 이 밤을 새와 임공자는 목표를 하직하
고 경사로 올라오고, 목표는 수일 후 거교를 차려 황씨를 데려오니, 용
안(容顔)이 절세하고 기질이 초출(超出)하여 당세절색(當世絶色)이라.
비록 임공자의 숙연이 높으며 무궁히 맑음과 같지 못하나, 색모(色貌)
본 바 처음이라. 대열(大悅)하여 운우지락(雲雨之樂)을 쾌히 이룬 후,
집안 대소범사(大小凡事)를 다 황씨를 맡기니, 황씨 온갖 일이 다 시원
하여 조선봉사(祖先奉祀)를 극진히 하더라.

시시(是時)의 임공자 빨리 행하여 부중에 이르니, 이날 몽옥 소제 길
일이라. 임참정 부자 형제 다 강부에 갔으니, 공자 부인께 배현하고 총

---

354) 명령(螟蛉) : 나나니가 명령(螟蛉)을 업어 기른다는 뜻으로, 타성(他姓)에서 맞
   아들인 양자(養子)를 이르는 말.
355) 조선혈식(祖先血食) : 조상의 제사를 지내는 일. *혈식(血食): 혈족(血族)에게
   밥을 올린다는 뜻으로 제사를 지내는 일을 말함.

총히 강부에 나아가매, 참정 곤계와 학사가 한을 보고 대경하여 가만히
몸을 빼어 돌아온 곡절을 물으니, 공자 대강을 고하고 인하여 연석의 참
예하니, 임공 사형제 그 처변을 아름다이 여겨 두긋겨 하더라.

이때 하부에서 원상이 유과종일(遊街終日)에 입장(入丈)하게 하니, 세
대에 희한한 경사일 뿐 아니라, 원창 공자의 길일이 또 한 날이라. 대연
을 개장하여 두 신랑을 보내며 신부를 맞을 새, 일가친척이 대회(大會)
하고, 내외청사(內外廳舍)에 빈객(賓客)이 만당(滿堂)하여, 양 신랑의 기
특함을 칭찬하여 하부 높은 복경(福慶)을 하례치 않을 이 없는지라. 하
공과 조부인이 임소저는 다시 염려치 않되, 오왕 군주의 현불초(賢不肖)
를 알지 못하여, 혹자 원창과 상적(相敵)치 못할까 근심하더라.

날이 반오에 초공이 양제로 더불어 내루에 들어와 길복을 입힐 새, 장
원은 계지아홀(桂枝牙笏)356)로 입장케 되니, 부모의 두긋김과 중객의
관경(觀景)하는 눈이 황홀함을 면치 못하는지라. 하공이 양자를 길의(吉
衣)를 입혀 전안지례(奠雁之禮)를 습위(習爲)하는 거동이 비상탈속(非常
脫俗)하여 옥청진군(玉淸眞君)이 인간에 하강함 같거늘, 원창은 팔척경
륜(八尺徑輪)357)의 장복(章服)358)을 끌고, 두렷한 천정(天庭)359)에 오
사(烏紗)를 숙여 홍안(紅顔)을 안고 광수(廣袖)를 떨쳤으니, 공의 강렬
함과 조부인의 단묵(端默)하기로도, 양자의 용화기질을 보매는 입이 자

---

356) 계지아홀(桂枝牙笏) : 과거급제자의 복색. *계지(桂枝); 어사화(御賜花). 아홀
(牙笏); 상아로 만든 홀(笏).
357) 팔척경륜(八尺徑輪) : 팔척이나 되는 키와 그 몸둘레를 함께 이르는 말. 경륜
(徑輪)은 사물의 지름과 둘레를 함께 이르는 말.
358) 장복(章服) : 관지. 옛날 벼슬아치들의 공복(公服). 지금은 전통 혼례 때에 신
랑이 입는다.
359) 천정(天庭) : 관상(觀相)에서 양 눈썹의 사이, 또는 이마의 복판을 이르는 말.

연 열리니, 즐기는 빛이 요동함을 면치 못하여, 양자의 손을 잡고 웃음을 머금어 좌중에 고 왈,

"돈아 등이 쓸 데 없는 풍신이 남에서 나은 고로, 금일 길복 가운데 얼굴이 보암직하니, 부모의 무한한 사정은 그 배우 타인에서 낫기를 바란 바라. 하물며 상아는 처음 흉괴한 것을 맞아 왔던 것이니 생각할수록 놀라움을 이기지 못할소이다."

만좨 연성(連聲) 왈,

"장원의 풍채용화(風彩容華) 숙연미려(肅然美麗)함은 이르지도 말고, 삼공자의 호호탈속(晧晧脫俗)³⁶⁰하며 늠준쇄락(凜俊灑落)한 기상이 완연이 대귀인 기상이라. 청천백일(靑天白日)은 노예하천(奴隷下賤)도 역지기명(亦知其明)이라³⁶¹. 아등 제인이 비록 지인하는 안총이 밝지 못하나, 영윤 등의 대귀할 줄은 짐작하나니, 상공과 부인의 높은 복경을 칭희(稱喜)하는 가운데, 다시 눈을 씻어 신부 등의 기특함을 구경코자 하나니, 하늘이 영윤 등을 내매 또한 배항이 상적할지라. 전일 흉상의 누악(陋惡) 병인(病人)은 장원의 비자(婢子)라 하기도 측하거늘, 백년부부를 의논하리까? 일시 우스운 예(禮)를 이뤄 합문이 놀라 계시나, 금일은 진정 임소저 돌아오리니, 그 아름다움을 보지 않아 알 것이요, 오왕 군주는 황가지엽(皇家枝葉)으로 천승지궁(千乘之宮)에서 생장하시니, 그 배운 바 예법이 제왕가 예의요, 하물며 오왕과 비의 어진 교훈을 받들어 만사 범류와 내도하리니, 어찌 공자의 배우 쾌치 않으리까?"

하공 부부 기쁜 웃음이 만면의 무르녹아 늦음을 깨닫지 못하니, 윤태

---

360) 호호탈속(晧晧脫俗) : 밝고 깨끗하여 속세를 벗어나 있음.
361) 청천백일(靑天白日)은 노예하천(奴隷下賤)도 역지기명(亦知其明)이라 : 맑은 하늘에 떠 있는 밝은 태양은 노예나 천민들도 또한 그 밝음을 안다.

부 들어와 웃고 왈,

"자순 형제를 신랑의 복색을 하여 앉히시고 한갓 두굿기실 뿐이요, 신부를 맞아 올 줄 잊어 계시니 심히 답답한지라. 그만하여 내어 보내소서."

공과 부인이 웃고 비로소 양자를 재촉하여 강부와 오왕궁으로 나눠가게 하니, 장원과 공자가 부모께 하직하고 밖에 나와 허다(許多) 위의(威儀)를 거느려 노상(路上)의 오르매, 요객추종(繞客追從)이 십리(十里)에 닿았더라.

임참정의 곤계 자질을 거느리며 처사를 모셔, 강부에 와 몽옥 소저의 혼례를 지낼 새, 임공이 진정으로 목태의 모르는 것을 깃거 않으나, 벌써 계부의 주혼함을 인하여 물리치지 못하여 신랑을 맞을 새, 장원이 금안백마(金鞍白馬)362)에 청동쌍개(靑童雙個)363)와 금의재인(錦衣才人)을 앞세우고, 풍악을 대창(大唱)하며, 허다 요객을 거느려 강부의 다다라, 옥상(玉床)에 홍안(鴻雁)을 전하고 천지께 배례를 마치매, 임학사 팔 밀어 좌에 드니, 장원의 풍신용화 더욱 숙연쇄락(肅然灑落)하여 옥면선골(玉面仙骨)이 반악(潘岳)의 흰 것을 능만(凌慢)하고, 송옥(宋玉)364)의 맑은 것을 더럽게 여기는지라.

임참정이 그 모친을 기이고 몽옥을 하가에 보냄을 절민하나, 신랑의 이 같은 표치풍광을 보매, 두굿겁고 아름다움을 이기지 못하여, 흔연이

---

362) 금안백마(金鞍白馬) : 금으로 꾸민 안장(鞍裝)을 두른 흰말.

363) 청동쌍개(靑童雙個) : 푸른 옷을 입은 두 명의 화동(花童).

364) 송옥(宋玉) : B.C.290?-B.C.222?. 중국 춘추 전국 시대 초나라의 문인. 반악(潘岳)과 함께 중국의 대표적인 미남자로 일컬어짐. 〈구변(九辯)〉, 〈초혼(招魂)〉, 〈고당부(高唐賦)〉 등의 작품이 전하고 있고 굴원(屈原)의 제자로 알려져 있다.

집수연비(執手聯臂)하여 옹서(翁壻)의 정이 부자의 감치 않은지라. 만좌가 일시에 소리를 연하여 치하하고 주배를 날릴 새, 임공이 기쁨이 극하매 도리어 석사를 상감(傷感)하여 추연 탄식하고 왈,

"녜 친옹의 아들로써 다시 동상을 삼으니, 그 의형미목(儀形眉目)이 완연이 자안365)이 돌아 왔는지라. 전일 느꺼운 옹서지정(翁壻之情)을 이때에 완전하니, 세상의 어느 사람이 딸을 출가치 않으며 서랑을 얻지 않으리오마는, 실로 장서(長壻) 자안이 다시 환생하여 필서(畢壻) 되는 기특함은 만대의 희한한 일인가 하나이다."

만좌가 연성(連聲) 칭지(稱之) 왈,

"석자(昔者)에 하학사 등이 지원극통을 품어 참혹히 마치매, 영녀 임부인이 또한 자문이사(自刎而死)하여 뒤를 좇으니, 그 부부의 원통한 영백(靈魄)이 다시 환생하여 이제나 만복을 누리려 함이라. 합하(閤下) 비록 석사를 상감하시나 이 때 영화복경이 무흠하니, 무엇을 족히 슬퍼 하리까? 하물며 신랑이 의의히 용방천인(龍榜千人)을 묘시(藐視)하여 청운을 더위잡아366), 문장재학과 풍류신광은 위로 천심이 애경하신 바요, 아래로 만조의 칭복(稱福)치 않는 이 없는지라. 유가종일(遊街終日)에 계지아홀(桂枝牙笏)로 기러기를 안아 존부 문난(門欄)의 광채를 이루니, 만금을 주고 구하나 얻지 못할 영화니 어찌 기특치 않으리까?"

임공이 혹비혹희(或悲或喜)하여 두굿김을 측량치 못하고, 임상서 등이 한결같이 신랑을 애경하여 친서(親壻)에 감치 않더니, 요객이 돌아갈 길이 가깝지 않음을 일컬으매, 임참정이 잠깐 내루에 들어 소저를 덩에 올릴 새, 몽옥 소저의 빼어난 기질에 칠보단장(七寶丹粧)을 어리게

---

365) 자안 : 죽은 하원경의 자(字).
366) 더위잡다 : 붙잡다. 움켜잡다. 끌어 잡다.

하고 지분(脂粉)을 베풀매, 천태만광이 갖추 보암직하니, 우연한 남이라
도 인심이 있는 자는 사랑하며 기특함을 이기지 못하려든, 그 부모 동기
의 마음을 이르리오. 임공과 강부인이 두긋기는 입이 벌어지기를 면치
못하고, 임학사 등이 아름다움을 측량치 못하여 생세지후(生世之後) 즐
거움이 처음인 듯하더라.

이에 소저를 붙들어 덩에 올리매 하장원이 순금쇄약(純金鎖鑰)을 가
져 봉교(封轎)하기를 마치고, 상마하여 부중으로 돌아올 새, 생소고악
(笙簫鼓樂)은 훤천(喧天)하고 부려한 위의 노상(路上)을 덮은 가운데, 신
랑의 옥골선풍이 일광(日光)에 찬란하니, 관시자(觀視者) 책책(嘖嘖) 칭
선(稱善)하여 천상랑(天上郎)이라 하더라.

원창 공자 또 오궁에 다다라 전안지례(奠雁之禮)를 파하고 좌의 나아
갈 새, 오왕이 대연을 진설(陳設)하여 황친국척으로 더불어 외조(外朝)
를 대하여 배작(杯酌)을 날리며 신랑을 맞을 새, 원창 공자의 늠름한 영
풍준골이 승난(乘鸞)367) 이백(李白)이요, 태을군선(太乙君仙)이라. 중빈
(衆賓)이 오왕께 쾌서 얻음을 치하하매, 소리 분분하여, 이루 응접치 못
할러라. 오왕이 여러 아들을 두었으나 일녀를 성혼치 못하여 죽이고, 참
혹함이 오매(寤寐)에 맺혔다가, 성가 요물을 양녀로 정하매 사광(師
曠)368)의 총명이 없으니, 성녀의 간음대간을 어찌 알리오. 한갓 용모기
질을 과애(過愛)하여 언어동지의 민첩(敏捷) 영오(穎悟)함을 기특히 여
기다가, 하원창 같은 영준호걸로 배우를 삼으매 쾌하고 즐거움이 무궁
하여, 중객의 치하를 조금도 사양치 않아, 범구(凡具)를 각별 성비하여

---

367) 승난(乘鸞) : 난(鸞)새를 타고 구름 속을 날아감.
368) 사광(師曠) : 춘추시대 진나라 음악가로, 소리를 들으면 이를 잘 분별하여 길
　　흉을 점쳤다. 따라서 소리를 잘 분별하는 것을 '사광의 총명'이라 함

가득한 정이 친녀에 조금도 내리지 않으니, 설빈 군주를 단장하여 덩에
올리매, 오왕과 비(妃)가 한가지로 경계하여 효봉구고와 승순군자에 백
행사덕을 꽃답게 닦음을 당부하니, 군주 재배수명하고 덩에 오르매, 신
랑이 순금쇄약으로 봉교(封轎)하기를 마치고, 상마하여 취운산으로 돌
아 올새, 오왕이 비록 청검하나 자연 천승지군의 딸이 출가하매, 그 위
의 부성함이 만승공주 하가하는 버금이거늘, 신랑의 천일 같은 의표와
용봉 같은 자질이 세대에 독보하니, 노상 관광자(觀光者) 책책(嘖嘖) 칭
선하더라.

　행하여 부중의 이르매, 강부는 오궁도곤 가까운 고로, 장원이 임씨를
맞아 돌아와 중청에서 합환교배(合歡交拜)하고 금주선(錦珠扇)을 반개
(半開)하니 신부의 천향국색(天香國色)이 만좌를 놀래고, 신랑이 신부를
대하매 황금백벽(黃金白璧)이 서로 빛을 다투며, 난봉(鸞鳳)과 봉학(鳳
鶴)이 쌍쌍이 희롱하는 듯, 진정 천정가우(天定佳偶)라. 장원이 날호여
밖으로 나가고 신부 막차(幕次)에 쉴 즈음에, 원창 공자 설빈 군주로 더
불어 중청에서 독좌(獨坐)할 새, 공자의 척탕한 풍류는 볼수록 기이하거
늘, 설빈의 애용(愛容)이 이화(梨花)가 춘우(春雨)를 떨치며 삼색도(三色
桃)369) 이슬을 마신 듯, 홀란(惚爛)한 자태와 현요(眩耀)한 단장이 사람
의 정신을 어리게 하나, 하공자의 출류(出類)함으로 비컨대 천지현격(天
地懸隔)하니, 예파(禮罷)에 신랑이 미우에 설풍(雪風)이 은은하여 즉시
외당으로 나가, 군주 막차(幕次)에 쉬매, 임씨 먼저 배현(拜見)하니, 임
소저 구고께 폐백을 헌(獻)하고 팔배대례(八拜大禮)370)를 행할 새, 구고

---

369) 삼색도(三色桃) : 한 나무에서 세 가지 빛깔의 꽃이 피는 복사나무.
370) 팔배대례(八拜大禮) : 혼례(婚禮)에서 신부가 신랑의 부모께 처음 뵙는 예(禮)
　　인 현구고례(見舅姑禮)를 행할 때 여덟 번 큰절을 올렸다.

기쁜 눈을 들매 신부의 옥모화태(玉貌花態) 빙정쇄락(氷晶灑落)하여 천궁소월(天宮素月)371)이 만방에 바애는 듯, 조일(朝日)이 옥난(玉欄)의 조요(照耀)한 듯, 맑은 안채(眼彩)는 추수(秋水)에 샛별372)이 비추고, 팔채유미(八彩柳眉)는 상서의 기운이 영영(盈盈)하니, 성전운빈(盛全雲鬢)373)은 천지정채(天地精彩)라. 도화향시(桃花香顋)는 일천자태(一千姿態)를 머금었고, 단사앵순(丹砂櫻脣)은 고은 빛이 무르녹아, 일척세요(一尺細腰)와 아아봉익(峨峨鳳翼)이며, 주선예모(周旋禮貌)가 유법(有法)하여, 꽃다운 기질과 상연(爽然)한 용화가 천고의 숙녀가인(淑女佳人)이더라.

하공과 부인이 신부의 특이함을 영행하고 그 용화기질이 완연이 석년 총부(冢婦)374) 임씨 돌아 왔는지라. 석사를 감척(感慽)하여 추연이 양항루(兩行淚)를 드리워 왈,

"오아(吾兒) 삼인이 인세환도(人世還道)함도 세대에 없는 일이거늘, 현부 또 다시 우리 슬하의 돌아오니 이름이 신부나 옛 며느리라. 용모기질이 석일 임현부와 한 곳 다름이 없으니 어찌 기특치 않으리오. 우리는 실로 반가움을 이기지 못하노라."

만좌빈객이 연성칭예 하고, 윤태부 부인이 임씨를 보매 반갑고 비창하여, 석사를 생각고 추연이 탄식하거늘, 초공이 매제를 돌아보아 왈,

"신수(新嫂)의 출인비상 하심이 사제에게 쾌한 바요 가내의 대행이거늘, 현매 어찌 무익한 석사를 비상하여 존전의 화기를 잃느뇨?"

동후 부인이 개용(改容) 대왈,

371) 천궁소월(天宮素月) : 하늘에 떠 있는 밝은 달.
372) 샛별 : 효성(曉星). '금성(金星)'을 일상적으로 이르는 말.
373) 성전운빈(盛全雲鬢) : 잘 꾸민 구름 같은 귀밑머리.
374) 총부(冢婦) : 종부(宗婦). 맏며느리.

"거거 말씀이 마땅하시나 소매 화란에 상한 심정이라, 고사를 감척하매 능히 참연한 회포를 지향치 못함이로소이다."

공이 비색(悲色)을 거두고 웃으며 왈,

"사람이 한 번 죽으매 다시 사지 못하는 바로되, 내 집은 천대(千代)의 희한한 일이 있어, 죽었던 자부 다시 살아 우리 슬하 되니, 불행 중 환열함이 이 밖에 없는지라. 우리 무엇을 슬퍼하리오."

인하여, 오왕 군주를 배현하라 하니, 허다 궁인이 성녀를 전차후옹(前遮後擁)하여 하공 부부께 폐백을 헌(獻)하고 신부지례를 행할 새, 옥안(玉顔)이 결백(潔白)하고 쌍목(雙目)이 별 같으며, 푸른 눈썹에 살기등등(殺氣騰騰)하고, 면모에 독기은은(毒氣殷殷)하여, 한 조각 유열(愉悅)한 덕이 나타나지 않으니, 범인은 알지 못하되, 공의 명쾌함과 조부인의 혜안(慧眼)이 그 어질지 못함을 어찌 몰라보리오. 폐백을 받들어 배례를 당하여는 만심이 서늘하여 일흥(一興)이 사연(辭然)하니, 그 고운 얼굴이 도리어 근심 되고, 어여쁜 마음이 없는 지라. 하공 부부 자연 안색이 흔연치 못하나, 강인하여 궁비를 향하여 왈,

"내 집은 포의지가(布衣之家)거늘, 외람히 군주 우리 슬하에 임하니 영행한 가운데, 군주의 기질이 아름다우니 기쁨을 이기지 못하리로다."

궁인들이 설빈을 데리고 하부에 오매 교기(嬌氣) 양양하여 천하에 설빈 같으니 없을까 여겼더니, 하부에 다다라 초공의 부인 윤·경과 윤태부 부인 하씨의 천향월태(天香月態)와 신부 임씨의 선월아질(仙月雅質)을 보매, 어찌 설빈 같은 유(類)가 채를 잡아 병구(竝驅)하리오. 그윽이 무안하고 설빈이 비록 양안을 가늘게 뜨고 신부의 태를 하나, 천성이 간험질독(姦險疾毒)하고 요악암사(妖惡暗邪)하기로써 어찌 남을 시오하는 뜻이 없으리오. 정가의 박축함을 인하여 제 집에 돌아갔다가, 허다 간계로 죽기를 이름하고 몸을 빼어 조가에 개적하였다가, 조절도 죽으

매 공교로운 의사를 내어, 묘화 요리(妖尼)의 지혜로 오궁에 오년을 의
지하여 천승의 양녀 되매, 오왕과 비의 사랑이 여만금(如萬金)이라. 문
득 교앙(驕昂)한 의사 일어 나 제 위에 오를 이 없을까 하다가, 오늘날
하부의 돌아와 윤이부 부인과 윤부인을 보매 시심(猜心)이 만복할 뿐 아
니라, 하부인은 저의 면목을 익히 앎이, 동월후의 재실로 있을 때 동기
(同氣)의 의(義)로 안항(雁行)을 차려 좌를 연하며 언어를 수작하였던 바
라. 하부인 혜안으로 저를 몰라보지 않을 줄을 가장 불평하되, 천하 별
물 대악으로 도시담(都是膽)[375]이라. 저는 벌써 오왕 군주 되고, 여람
백의 딸은 죽은 지 여러 세월이 바뀌었음으로 치던 바라. 제 어찌 나를
성씨라 하리오 하여, 마음을 단단이 하고 안색을 자약히 하여 행혀도 본
체 않으니, 하부인이 윤·연 이부인으로 좌를 연(連)하여 설빈을 잠깐
보매, 만심이 차악함을 이기지 못하니, 기간(其間) 요계(妖計)를 측량치
못하여 심리(心裏)에 헤아리되,

"이 반드시 월후의 재실 성녀라. 우리는 죽으므로 알았더니 어찌된 계
교로 오궁의 들어가 오왕의 딸이 되었는고? 원창의 명도 괴이하여 저런
달기(妲己) 같은 독사를 만나니, 이로 좇아 가내 크게 어지러울 것을 보
지 않아 알지라."

의사 이에 미처는 신색이 변함을 깨닫지 못하니, 윤부인이 전일 협문
으로 좇아 정부에 가 성씨를 일차 상견함이 있던지라. 신부의 용모거동
이 호발도 다르지 않으니, 의아 하는 바에 소고(小姑)의 면색이 다름을
보고 더욱 경해(驚駭)하되, 사람됨이 남 달리 침정한 고로 천연이 모르
는 듯하여 불변안색하고, 사좌빈객은 설빈을 임씨만 못 여기나 조심경
안(照心鏡眼)이 아니니, 저 성녀의 소행이 간음대악임을 어찌 알리오.

---

375) 도시담(都是膽) : 매우 담이 크고 뻔뻔함.

한갓 낯이 희고 입이 붉음으로써 미색이라 이르며, 그 진퇴주선(進退周旋)이 영오 민첩함을 인하여, 하공자의 처궁이 유복함을 일컬으니, 하공 부부는 그윽이 듣고자 않으나, 강인하여 좌수우응(左酬右應)하여 사사할 뿐이더라.

일모서령(日暮西嶺)에 빈객이 각산귀가(各散貴家)하고, 임소저 숙소를 모월각에 정하여 보내고, 설빈군주를 선월각에 처소를 정하여 보낸 후, 하공부부 촉을 이어 담소할 새, 조부인이 빈미(嚬眉) 왈,

"오왕 군주의 연기 십새라 하더니 금일 보건대 이십이나 된 듯하고, 거동이 규수 같지 않아 의연이 화류천창(花柳賤娼) 같으니, 내 아해 용봉 같은 기질로 비컨대, 소양불모(宵壤不侔)[376]라. 그 배항(配行)의 상적지 못함이 어찌 애달지 않으리오. 하공이 탄 왈,

"사람을 지내보지 않고 처음 보는 날 그 단처(短處)를 이를 것이 아니로되, 설빈은 가장 심상치 않은지라. 그 음악살사(淫惡殺邪)[377]하여 무슨 변을 낼 듯하니 이런 불행이 어디에 있으리오."

정언간(停言間)의 제자가 들어와 시좌하니, 공이 왈,

"임의 취하여 돌아와 신방을 비움은 가치 않으니, 신방에 가 밤을 지내라."

장원은 재배 수명하고, 공자는 궤고(跪告) 왈,

"소자 어찌 엄훈을 거역하리까마는, 성례시(成禮時) 설빈이란 것을 보니, 심골이 경한(驚寒)하여 다시 대할 뜻이 없삽는지라. 소자 만일 저 요괴로 더불어 좋이 화락할진대, 삼사년이 못하여 죽으리로소이다."

공이 또한 그리 여기나, 위인부(爲人父)하여 아들의 금슬을 박하라 못

---

376) 소양불모(宵壤不侔) : 하늘과 땅처럼 큰 차이가 있음.
377) 음악살사(淫惡殺邪) : 음란하고 흉악하며 살기(殺氣) 등등하고 사악함.

할지라. 정색 왈,

"네 비록 조심경안광(照心鏡眼光)378)이라도, 사람을 한 번 보고 그 심지를 사무치기 어렵거늘, 교배시(交配時) 얼핏 본 신부를 이다지도 하자(瑕疵)하느뇨? 군주의 외모 염미(艶美)하여 인심에 사랑할 바라. 네 무슨 의사로 괴이한 말을 하느뇨?"

공자 울울불락(鬱鬱不樂)하나 감히 회포를 고치 못하여 유유(儒儒) 수명(受命)할 뿐이요, 초공과 동후 부인이 설빈 군주를 시비치 않아, 한가지로 신방 비움이 불가함을 이르니, 공자 설빈이 성씨인 줄 알지 못하되 그 면모의 살기(殺氣)를 보고, 심신이 서늘하여 죽이고 싶되, 부친의 단엄함을 두려워하는 고로 말을 못하고, 부모 취침하시매 자부 다 물러나 원상과 원창이 각각 신방으로 향하고, 초공과 원필은 외루로 나가매, 윤이부 부인이 채월각에 나아가 윤부인으로 더불어 한가지로 밤을 지낼새, 윤부인이 미소왈,

"부인이 설빈과 면목이 익지 않더니까?"

하부인이 탄 왈,

"창제의 액회 괴이하여 매달(妹妲)379) 같은 위인을 만나니, 가내 크게 어지러움을 알지라. 설빈의 용모 완연이 월후의 재실 성씨 같으니, 벌써 죽은 지 여러 세월에, 오왕의 딸로써 여람백 성공의 딸이라 함이 괴이하고, 우리 의심이 궁극하되 소매 마음이 놀랍고 차악함을 이기지 못하니, 이 말씀을 부모께 고코자 하되, 부모 신부를 보시고 경악하신 바의 또 괴이한 말씀을 고함이 불가하고, 세상에 의형이 남으로서 같은

---

378) 조심경안광(照心鏡眼光) : 속마음까지를 비춰보는 눈빛.
379) 매달(妹妲) : 중국의 대표적인 악녀(惡女)인 하(夏)나라 걸(桀)의 비(妃)인 매희(妹喜)와 주(周)나라 주(紂)의 비(妃) 달기(妲己)를 함께 이르는 말.

사람이 없지 않아, 오왕지녀가 성씨와 이상이 같은 연고거니와, 그 체지 일호 다름이 없으니 어찌 놀랍지 않으리오."

윤부인 왈,

"어찌 그리 같을 리 있으리오. 첩은 한 번 성씨를 보았으되 금일 설빈으로써 실로 성씨 아니라 못하거니와, 삼숙숙(三叔叔)의 말씀을 들으니, 금슬은 다시 이를 나위 없이 소(疎)할지라. 자연 사단(事端)이 많을 듯하니 첩심이 그윽이 불평하되, 만사 명(命)이라, 인력으로 못하리니, 부질없는 말씀을 구고께 고치 마소서."

하부인 왈,

"부모 설빈의 의형이 성씨와 다르지 않음을 들으시면 더욱 염려하시리니, 어찌 기쁘지 않은 말을 급고(急告)하리까? 오직 놀라올 뿐이로소이다."

이같이 서로 탄식함을 마지않더라.

장원이 모월각에 들어가 임소저를 대하매, 그 성모아태(聖貌雅態)는 실중(室中)에 조요(照耀)하고, 선원아질(仙嬡雅質)은 세속에 물들지 않으니, 백미천광(百美千光)이 연화(煙火)[380] 밖에 사람이라. 한림이 그 용색을 과애하는 것이 아니라, 숙덕현행(淑德賢行)이 출어외모(出於外貌)하니, 크게 흠복하여 이에 말을 펴, 왈,

"생과 자는 범연한 부부 아니라. 전생숙연(前生宿緣)으로 오문에 돌아왔으니, 어찌 행희(幸喜)치 않으리오. 생이 학박불식(學薄不識)하여 숙녀의 일생을 편히 못할까 그윽이 두렵나이다."

임소저 수용(羞容)하여 묵연부답(黙然不答)하니, 단엄한 가운데 온화

---

380) 연화(煙火) : =인연(人煙). 인가에서 불을 때어 나는 연기라는 뜻으로, 사람이 사는 기척 또는 인가, 인간세상을 이르는 말.

하고 유열하여 옥태월광(玉態月光)이 볼수록 새로우니, 한림이 흔연 애경하여 촉을 멸하고 소저를 붙들어 편히 누이고, 또한 금리(衾裏)에 나아가되 부부 다 십삼 충년이라. 고인(古人)의 유취지년(有娶之年)이 아닌 고로, 이성지합(二姓之合)을 이루지 아니하더라.

원창 공자는 선월각의 들어와 설빈을 대하매, 그 요악한 거동이 하생 같은 결증 있는 자로 하여금 한 번 보매 통완함이 비위를 잡지 못할 바이거늘, 설빈은 하생을 보니 그 풍류신체(風流身體) 늠름탈속(凜凜脫俗)하여 정죽암의 아래 아니요, 오히려 나은 곳이 있으니, 황홀한 은정이 샘솟듯 하여 착급한 의사 바빠 상요의 나아가고자 하나, 하생이 늠연 정좌(凜然正坐)하여 묵묵 불열하니, 엄렬한 거동이 북풍한설(北風寒雪) 같아서, 바라보기 두려운지라. 설빈이 비록 간음대악이나 염치없는 형상을 나토지 못하여, 아미를 낮추고 홍수(紅袖)를 정히 꼬자 신인의 태(態)를 다하는지라.

하생이 요인(妖人)을 대하였으매 더욱 심화 불 일 듯하여 즉시 촉을 물리고 상요에 나아가되, 설빈을 대하여 일언을 허비함이 없어 못 보는 듯하니, 설빈이 앉아 새와 명조에 미처는, 생이 관소(盥梳)도 않고 급히 일어나 밖으로 나가니, 설빈이 무궁한 음욕을 이기지 못하여, 측량없이 애다오며 무류함을 참지 못하여, 실성(失性) 비분(悲憤)하기를 마지않으니, 궁인 연씨 천성이 간음질독(奸淫疾毒)한 고로 설빈으로 더불어 지기상합(志氣相合)한지라. 서로 일시를 떠나지 않는 정이 있어 이에 따라오고, 춘교는 운산에 나아간즉 저의 얼굴을 알 이 많은 고로, 오궁에 머무르고 데려오지 않은지라. 연상궁이 설빈을 붙들어 위로 왈,

"신혼 초야에 상공의 박정하심이 그렇듯 하시니, 군주 어찌 분해치 않으리요마는, 작은 것을 참지 못하면 큰 꾀를 이룰 수 없다 하니, 군주의 이렇듯 슬퍼하는 것을 보고, 상공을 그르다 않고 군주를 하자할 이 많으

리니, 군주는 분노를 참으시고 좋은 모책을 생각하시어, 주군의 은정을 낚으시고, 구고의 사랑을 얻으시는 것이 마땅하니, 어찌 조급히 비척(悲慽)하시나니까? 초공 부인과 하부인을 보니, 실로 옥녀(玉女) 진세(塵世)의 있음을 깨닫지 못하여, 낭원(閬苑)381)의 선아(仙娥)를 구경함 같고, 신부 임씨 또한 당대 일색이라. 군주에게 여러 층 나으니 정국공과 조부인의 안고(眼高)하심이 자연 태악(泰岳) 같아서, 군주 같은 미색은 가장 우습게 여기는 거동이니, 군주의 명예를 모음이 가장 어려운지라. 오직 흔한 금은을 흩어 인심을 취합하고, 행신만사(行身萬事)에 긴 것을 나타내고 짧은 것을 감추어 희미한 허물도 나타내지 마소서."

설빈이 비읍 왈,

"상궁의 가르침이 이 같으니 내 어찌 받들지 않으리오마는, 본궁에 있을 때 부왕과 모비의 자애를 받자와 사람의 염박히 여기는 기색을 받지 않았더니, 명도 기구하여 하가에 속현하매 신혼 초야에 그 박정염고(薄情厭苦)하는 거동이 행로(行路) 같으니, 내 일생이 가부에게 달렸거늘, 가부의 대접이 이 같은 후, 만리전정(萬里前程)에 즐거움이 어데 있으리오. 상궁은 내 심폐를 밝히 비추니, 내 실로 상궁을 믿음이 모비 버금이라. 길이 나의 일생을 도모하여 박명지인(薄命之人)이 되게 말라."

연상궁이 위로하여 아침 문안에 참예하고, 부디 인심을 취합하여 대사를 도모하려 하더라.

이때 공자 설빈을 취하매 대함이 아니꼬울 뿐 아니라, 정씨를 취할 기약이 멀어지고, 부공이 자기 심사를 살피지 않으시니 감히 회포를 고할

---

381) 낭원(閬苑) : 곤륜산(崑崙山)의 꼭대기에 있다는 신선이 산다고 하는 선계(仙界). =낭풍요지(閬風瑤池).

길 없어, 울울한 뜻이 시시로 층가하는지라. 숙식이 편치 못하여 다시 성질(成疾)하게 되니, 초공이 근심하여 사리로 책하고 경계하여, 명춘을 기다려 정씨를 취하라 하니, 공자 미우를 찡겨 왈,

"소제 한갓 정씨를 취치 못하여 울울하는 것이 아니라, 설빈의 얼굴을 한 번 본 후로 의사 찬 재 같아서, 요물을 집에 머문 후는, 비록 정씨를 취하여도 편히 화락하기를 기필치 못하리니, 사람마다 설빈의 얼굴이 곱다 하나, 소제는 마음에 박색만 못하여 혹자 신혼성정(晨昏省定)382) 에 만날까 겁하는 바라. 부부사정은 의논치 말고 신혼 초일로부터 미움이 극하니, 진실로 설빈을 가내에 둘진대, 소제는 불초자(不肖子) 될지라도 집을 떠나 요녀를 대치 않으려 하나이다."

초공이 정색 왈,

"너의 언행이 한 일도 군자의 덕이 없고, 광망패악(狂妄悖惡)하기만 전주(專主)하니 어찌 통해치 않으리오. 네 초에 정씨를 사모함이 질을 이뤄, 한갓 남 들리기 부끄러울 뿐 아니라, 사류의 맑은 행실이 아니요, 무식자(無識者)의 경덕취색(輕德取色)하는 마음이니, 실로 너의 위인을 이를진대, 우리 부모 슬하참척(膝下慘慽)이 어찌 상하신 심정이며, 내 또 동기의 상변(喪變)에 놀라고 슬픔이 어떠하뇨? 차고(此故)로 네 죽은 즉 설상가상(雪上加霜)이라. 내 낯가죽을 십분 두껍게 하고 금후 연숙께 여차여차 청혼하여 허락을 얻고, 너의 등양함을 기다려 정씨를 취코자 하거늘, 그 사이를 참지 못하여, 설빈 군주 비록 네 마음에 불합하나, 아주 '요물'로 치워, '가내에 머무른 즉 부모 슬하를 떠나겠노라' 하니,

---

382) 신혼성정(晨昏省定) : 신성(晨省)과 혼정(昏定). 곧 밤에는 부모의 잠자리를 보아 드리고 이른 아침에는 부모의 밤새 안부를 묻는다는 뜻으로, 부모를 잘 섬기고 효성을 다함을 이르는 말.

그 어인 말이뇨? 사람이 세상에 나 부모의 구로지은(劬勞之恩)을 생각할진대, 호천(昊天)이 무애(无涯)하여 갚을 바를 알지 못하려든, 너는 대인과 태태 자애를 알지 못하고 마음에 중히 여기는 바가 정씨뿐이니, 아직 취하지도 않은 여자를 위하여 이렇도록 할 수 있으리오. 고인이 왈, '처자는 의복(衣服) 같고 동기는 수족(手足) 같다' 하였으니, 너는 다만 정씨를 사상(思相)하기에 다다라는 인사를 잊어 사생을 돌아보지 않고, 설빈은 한 허물도 보지 못하여서 연고 없이 염박(厭薄)하여, 부모께 이측(離側)함을 조금도 어려이 여기는 바 없고, 우형의 마음을 알지 못하니, 어찌 불초무상(不肖無狀) 함이 이에 미칠 줄 알리오. 우리 대인의 명성(明聖)하신 교훈 가운데 너 같은 괴이한 것이 있음을 애달아하나니, 모름지기 행신을 가다듬어 불의패도(不義悖道)에 빠지지 말라."

원창이 재배 사죄하고, 설빈을 신혼 초야에 얼핏 본 후는 다시 면목(面目)을 상견하는 일 없고, 주야 정소저를 사상하매 낙방함을 애달아함이 무궁하고, 심회를 둘 곳이 없어 이따금 정부 대월누에 나아가 제창의 청가묘무(淸歌妙舞)를 보아 연락할 뿐이요, 한자 서책을 보는 일 없이 일월을 보내더니, 일일은 하공이 백일정에 나와 원필을 불러 지은 글을 내라 하여, 일일이 날수를 헤여 차례로 보며 시사(詩詞)의 청고(淸高)함을 두긋겨, 날호여 문 왈,

"내 원창을 명하여 너로 더불어 한가지로 글을 지으라 하였더니, 어찌 원창의 글은 내지 않았느뇨?"

원필이 근간 형이 한자 지은 일이 없으므로 대답할 말이 나지 않아, 오직 희미히 고하되,

"삼형이 근간 정·진 양부의 가 글을 짓노라 하던 것이니, 소자는 그 지은 글을 보지 않았나이다."

공이 서동을 명하여 원창을 부르라 하니, 이 날 원창이 대월누에서 술

에 대취하고, 제창으로 병좌(竝坐)하여 친히 현금(玄琴)을 농(弄)하며 가성(歌聲)을 길게 내, 자기 유정(有情)한 바 칠창(七娼) 중, 연금·분매 양창(兩娼)을 명하여 춤추라 하더니, 서동이 대월누에 이르러 부명을 전하는지라. 생이 비록 취중이나 경동(驚動)하여, 자기 낯빛이 연지를 찍은 거동이라. 핑계하고 아니 감도 되지 못함이요, 가기도 어려워 금현을 놓고 이윽히 말을 않더니, 공의 성도가 강엄한 고로 공자 더디 옴을 통한하여 재촉이 성화 같으니, 마지못하여 의관을 수렴하며 취안(醉顔)을 정히 하여 승명(承命) 추진하매, 공이 눈을 들어 보니 그 취안이 더욱 기특하여, 홍련(紅蓮)이 남풍에 웃는 듯, 옥면에 주기(酒氣) 젖어, 비록 축척전율(蹙踖戰慄)하나 자연 활발함이 있어, 풍류걸사(風流傑士)의 호호방탕(浩浩放蕩)함이 있으니, 공이 그 풍채를 두굿기나 이같이 대취함을 분노하여, 이에 문 왈,

"내 너를 명하여 원필과 글을 지으라 하였더니, 원필은 수삭 지은 글을 내대 네 글은 없으니, 진부에 가 지음이 있느냐?"

공자 설빈을 취한 후 집에 들면 심화 성할 뿐이요, 학문에 뜻이 없어, 한 장 지은 글이 없는지라. 부친이 불시에 찾으심을 당하여 대답할 말이 없으니, 관을 숙이고 대왈,

"소자 수삭 지은 글을 진평장이 보아지라 하거늘, 작일 주어 가져갔더니, 금로(金爐)의 불이 내려져 제진 등의 글과 함께 타버렸다 하니, 이제 가져올 것이 없는지라. 차라리 면전에서 외와 써 드리리이다."

공이 그 꾸밈을 분(忿)해 하되, 육십여 장을 일시에 지으려 함을 어려이 여겨, 정색 왈,

"수삭 지은 것을 다 가져가 소화할 리 없으니, 아무려나 초(草) 잡은 것이나 가져 오라."

원창이 한 자 지은 것이 없으되 외와 쓰기를 이름하고 지어 내고자 하

였더니, 부친이 초 잡은 것이라도 얻어 내라 하시매, 불승절민(不勝切
憫)하다가, 홀연 정운기 지은 글 십여 장이 자기 궤중에 들어있음을 생
각하고, 즉시 궤를 열고 글을 낼 새, 천성이 소활한 고로 자기 전일 정
소저에게 보냈던 서간을 은기 가져 왔거늘, 없애지 않고 궤 중에 던져두
었더니, 살피지 않고 모두 집어 부전에 드려 왈,

"뉵십여 장 지었던 것이 수십여 장이 남았으니, 사십여 장은 이제 외
워 써 드리리이다."

공이 말을 않고 글을 받아 볼 새, 겨우 육칠 장에 미쳐 한 서간이 있으
되, 사의(辭意) 십분 괴이하고 필체 완연이 원창의 수작이라. 불승경악
(不勝驚愕)하여 재삼 자세히 보매 어찌 모를 리 있으리오. 분명이 원창
이 정소저에게 부친 서간이라. 만심차악(滿心嗟愕)하여 면색이 찬 재 같
고 양안이 둥그러 말을 못하더니, 원창이 좋이 운기 글로써 부친께 드리
고, 사십여 장은 즉각에 지으려 하였더니, 부친이 문득 괴이한 서간을
들어 오래도록 보시거늘, 잠깐 눈을 들어 보매 자기 전일 정씨에게 부친
글월이라. 비로소 없애지 못함을 뉘우치나 어찌 미치리오. 황황하여 낯
을 들지 못하고 땅을 파고 들고 싶은지라. 공이 날호여 원창을 불러 슬
하의 앉히고 그 서간을 가져 문 왈,

"나의 문견이 고루하여 일찍 이런 비례의 서찰을 본 일이 없으니, 필
체 완연이 너의 소작이라. 아득하여 오히려 깨닫지 못하나니, 네 누구를
향하여 이런 흉참한 글을 부쳤느뇨? 모름지기 바로 고하라."

공자 대취한 중 부친의 강엄한 기색을 당하여 이같이 물으심을 당하
니, 한한(寒汗)이 첨배(沾背)하고, 부친의 성정을 헤아리매 유사지심(有
死之心)하고 무생지기(無生之氣)하되, 다시 꾸밀 말이 나지 않아, 면관
청죄(免冠請罪) 왈,

"불초아(不肖兒)의 무상함은 대인이 밝히 아시니, 소자 어찌 기망하여

죄 위에 죄를 더하리까?"

이에 전후 소유를 세세히 고하니, 하공이 차차 들어보매 노발(怒髮)이 충관(衝冠)하여 이윽히 말을 못하다가, 여성질왈(厲聲叱曰),

"너의 행사를 들으매 내 실로 부자(父子) 되고자 뜻이 없는지라. 불초자 흉패음난(凶悖淫亂)하나, 오히려 염치 있을진대 스스로 죽어 다시 보지 말고자 싶으리니, 오늘 너의 목숨이 그칠 줄로 알라."

언필에 사예(司隸)를 호령하여 큰 매를 들이라 하고, 공자를 긴긴히 결박하여 장책을 가할 새, 이 날 초공과 한림은 조당에 들어가 나오지 못하였고, 공의 좌하에 다만 원필만 모셨다가, 형의 수장(受杖)함을 보고 심혼이 비월(飛越)하여, 역시 형을 따라 계하에 내려 형의 죄를 나눠 받음을 청하되, 공이 노분을 발하매 성품이 한 조각 비의(非義)를 용납지 않는지라. 오늘날 피육(皮肉)이 후란(朽爛)하는 바에 생세 후 처음 중장이라. 비록 충천장기로 신장이 언건하나 나이인즉 십삼 충년(沖年)이라. 그 아픔과 놀람을 어찌 비할 곳이 있으리오. 일장에 골절이 부서지는 듯하되, 부친의 성정을 아는 고로 죽은 듯이 엎디어 중장을 받으나, 조심함과 송연함이 자기 죄를 절절이 깨달아, 마음을 굳게 잡아 일성을 요동치 않고, 점누(點淚)를 머금지 않으니, 공이 그 견고함을 보매 등한히 다스리지 못할 줄 알아, 매마다 고찰하여 일장에 성혈(腥血)[383] 이 임리(淋漓)[384]하니, 사예(司隸) 비록 공자를 아끼나 공의 호령을 두려 힘을 다하니, 삼십여 장(杖)을 맞지 못하여서 성혈이 낭자하고 둔육(臀肉)[385]이 으깨져 보기에 무서운지라.

---

383) 성혈(腥血) : 생혈(生血). 비린내가 나는 피.
384) 임리(淋漓) : 피, 땀, 물 따위의 액체가 방울방울 흘러 흥건한 모양.
385) 둔육(臀肉) : 엉덩이 살.

원필 공자 황황망극하여 계하의 엎디어 고두유체(叩頭流涕)하며 죄를
나눔으로써 애걸하되, 공의 노기 점점 충가하더니, 홀연 정·진 이공이
협문으로 좇아 바로 서헌에 다다르니, 거조가 장차 경참(驚慘)한지라.
이 아무 연고인 줄 몰라 더욱 의아하되, 수장(受杖)하는 자가 머리를 땅
에 박고 낯을 드는 일이 없고, 일성을 부동하니 오히려 원창인 줄 깨닫
지 못하고, 당에 올라 하공을 향하여 왈,

"다스리는 죄수 뉘관데 저렇듯 상하기에 미쳐도 사(赦)치 아니하느뇨?"

하공이 빈미(嚬眉) 탄 왈,

"형이 불초자 원창의 죄를 알지 못하였관데 소제의 다스림을 과도타
하나냐? 소제 비상참척(非常慘慽) 후 흉화여생(凶禍餘生)으로 심기 약하
여, 한갓 자식을 이르지 말고 노예라도 요란이 태벌(笞罰)하는 일이 없
으되, 원창에게 다다라는 천륜지정을 돌아 볼 뜻이 없는지라. 한 일로
만사를 추이하나니, 십삼 소아가 그렇듯 무상하여 탕음패려(蕩淫悖戾)
하고, 어버이 있음을 알지 못하는 자식을 살려둘진대, 문호에 대화 되리
니, 골육상잔(骨肉相殘)이 고금대변(古今大變)이나, 저를 아주 이때에
마쳐 타일지화(他日之禍)를 당치 말고자 하나니, 형은 말리지 말지어
다."

정·진 이공이 대경하여 빨리 당하의 내려가, 그 맨 것을 그르고 사예
를 꾸짖어 물리치매, 하공이 아자를 사할 뜻이 없으되, 정·진 이공이
친히 그르는 바를 물리치 못하여 다시 말을 않으니, 정공이 한삼(汗
衫)386)을 떼어 그 흐르는 피를 없애고자 하나, 둔육이 으깨져 성혈이
돌출하니, 생의 얼굴이 청옥(靑玉) 같아서 암암(暗暗)이 인사를 버렸더

---

386) 한삼(汗衫) : 손을 가리기 위하여서 두루마기, 소창옷, 여자의 저고리 따위의
윗옷 소매 끝에 흰 헝겊으로 길게 덧대는 소매. 늑백수(白袖).

라. 금후 혀차 왈,

"퇴지의 어짊으로써 자식을 이같이 중타함은 실시녀외(實是慮外)라. 자균이 방탕하여 삼가지 못함이 있으나, 종용이 경계하여도 그 총명함이 족히 허물을 고치고, 부형의 은혜를 감격하여 정도에 나아가려든, 부자의 지극한 자애를 생각지 않고, 그 사생을 돌아보지 않아, 이토록 엄치(嚴治)하니, 어찌 모질지 않으리오."

이리 이르며, 원창을 붙들어 방중에 뉘이되, 공자 혼혼하여 아무런 줄을 모르는지라. 하공이 분을 풀지 못하여 미우를 찡겨 왈,

"형은 패자(悖子)의 흉음(凶音)함을 거의 알리니, 어찌 소제더러 일러 다스리게 않고 모르는 체하느뇨?"

정공이 원창의 중장함을 아껴 머리를 흔들어 왈,

"형으로 더불어 죽마붕우(竹馬朋友)로 서로 심담을 비추니, 말을 발치 않아 뜻을 알지라. 진실로 형이 이다지도 강악한 줄 알지 못하였더니, 오늘날 알고 보니 놀랍고 차악함을 이기지 못하리로다."

진태상이 말을 이어 하공의 강악함을 이르니, 공이 도리어 미소왈,

"양위 형이 이렇듯 소제의 모질물 이르니, 소제 진실로 가소로움을 이기지 못할 바라. 윤보 형은 창백 같은 아들이라도 관사(寬赦)하는 일이 없고, 진형은 자질의 유죄무죄를 살피지 않아, 일분이나 그 뜻에 불합함이 있으면 혈육이 상함을 헤아리지 않으니, 소제 매양 과격히 여기더니, 금일 불초패자를 다스리매 조금도 모진 일이 없거늘, 정·진 이형이 이같이 꾸짖느뇨?"

금후와 진태상이 원창을 구호하여 입에 약을 떠 넣고 상처에 약을 바르니, 가장 오랜 후 인사를 차리더라.

명주보월빙 권지구십육

익설 정·진 이공이 원창을 구호하여 입에 약을 떠 넣고 상처에 약을 바르매, 가장 오랜 후 인사를 차려, 부친과 정·진 이공을 보고 참황축척(慙惶蹙踖)하여 아무리 할 줄 모르는 바에, 초공과 한림이 조당에서 돌아와 부전에 뵈옵고, 반일 존후를 뭇잡다가, 원창을 보고 경악하여 낯빛을 변하니, 금후와 진태상이 원창의 수장함을 이르고, 그 사생이 위태함을 일컬어 아낌을 마지않으니, 초공과 한림이 놀라움을 이기지 못하되 감히 일언을 못하고, 금후 원창의 손을 잡아 조심하여 조리함을 이르니, 원창이 대참하여 능히 낯을 들지 못하고, 죽은 듯이 머리를 베개에 던지는지라. 하공이 어찌 부자지정으로 아끼지 않으리오마는, 그 위인이 호일(豪逸)함을 통해하여, 짐짓 금후를 향하여 왈,

"소제 처소에 불초자가 누우니 차마 패자를 대치 못할지라. 정형과 진형은 날로 더불어 담화하다가 돌아가라."

정공이 하공의 매몰 냉박(冷薄)함을 이르며, 하공이 몸을 일어 중헌(中軒)으로 나가니, 금후와 진공이 따라 들어가 종일 담화하다가 돌아가니라.

이 때 초공과 한림이 공자를 붙들어 주야 구호하매 정성이 아니 미친

곳이 없으니, 수월이 지나매 점점 차도 있어 능히 기거행보를 이루어, 비로소 소세(梳洗)를 이루고 부모께 신성하매, 하공이 엄히 경계하여 능히 정도의 나아가게 하니, 설화 무궁하되 대강만 기록 하니라.

공자 부친의 사를 얻어 병신(病身)이 의구하매, 초공이 매양 설빈의 침소에 가 숙소함을 이르면, 공자 대왈,

"소제 비록 밤을 저 곳의 가 자오나, 설빈을 대하면 심정이 상하여 미쳐 내닫기 쉬올까 하나이다."

초공이 그리 여기나 재삼 과도함을 책하더라.

이 때 조정이 설장(設場)하여 인재를 뽑으실 새, 하공자 원창이 등양키를 죄는 마음이 대한(大旱)에 운예(雲霓)[387] 같아서, 장옥제구(場屋諸具)를 갖추어 입장(入場)할 새, 동월후 정죽암이 또 시관에 드는지라. 초공이 함소(含笑)하고 월후더러 왈,

"여백이 금번 과장의나 공도(公道)를 행하고 사혐(私嫌)을 두지 말라."

월후 대소왈,

"소제 평생 공의를 두터이 하고 사혐을 멀리 하거늘, 어찌 뜻밖에 말을 하시느뇨?"

초공이 소왈,

"여백이 만사의 공의를 잡음이 있거니와 거추(去秋) 과갑에는 용심[388]을 많이 부렸나니, 다른 사람은 속여도 나는 속이지 못하리라."

월후 소왈,

"벌써 짐작하였으니 옳은 대로 이르리라. 자순이 해내를 압두하는 필

---

387) 운예(雲霓) : ①구름과 무지개를 아울러 이르는 말. ②비가 올 징조.
388) 용심 : 남을 시기하는 심술궂은 마음.

법과 입취천언(立就千言)389)하는 재주라도, 그 운수 틔었으면 득의함이 있을 것이거늘, 재취에 뜻이 급한 고로 염치 인사를 잃어 절박히 죄오니, 그 낙막(落寞)히 여기는 거동을 잠깐 보고자 과연 글을 낙복(落幅)390)에 내림이 있던 바나, 소제를 용심 있는 줄로 치니 우습기를 이기지 못하리로소이다."

초공이 소왈,

"아무리 하여도 그대 용심이 없다 못하리니, 금번이나 용심을 부리지 말라 당부함이니, 괴이히 여기지 말라."

월후 호호히 웃더라.

과일(科日)이 당하매 천자 제 시관을 거느려, 허다 사유(士儒)의 시권(試券)을 살피시어 인재 얻기를 갈망하시더라. 이 날 하원창의 글을 어람하시매, 먼저 필획이 찬란하여 만리에 창농이 서리고, 시새(詩思) 웅건하여, 은하만리(銀河萬里)에 비월(飛越)한 문장이 자건(子建)의 칠보시(七步詩)391)를 묘시(藐視)하며 이백의 청평사淸平詞392)를 웃을지라. 천안이 크게 깃그사 '제일(第一)'이라 쓰시고, 차차 꼲아393) 수를 채우신 후, 피봉을 떼어 장원을 호명하매, 전두관(殿頭官)이 소리를 길게 하여,

"호주인 하원창의 연이 십사(十四)니 부는 정국공 진이라."

---

389) 입취천언(立就千言) : 선 자리에서 천언(千言)의 글을 지어냄.
390) 낙복(落幅) : =낙복지(落幅紙). =낙권(落券). 과거에 떨어진 사람의 답안지.
391) 자건(子建)의 칠보시(七步詩) : 위(魏)나라 조조(曹操)의 아들 조식(曹植 : 192~232)이 일곱 걸음 만에 시를 지어 죽음을 모면하였다는 고사가 담긴 시. 자건(子建)은 조식의 자(字).
392) 청평사(淸平詞) : 중국 당(唐) 나라 시인 이백(李白 : 701-762)이 현종(玄宗)의 명을 받고 양귀비(楊貴妃)의 아름다움을 찬양하여 지은 시. 삼수(三首)로 되어 있다.
393) 꼲다 : 잘잘못을 따져서 평가하다.

연(連)하여 세 번 부르매, 일위 소년이 옥계에 추진하니, 팔척 신장에
풍광이 동탕(動蕩)하여, 옥 같은 면모는 추월(秋月)이 해곡(海谷)에 솟
으며, 빼어난 눈썹은 장강영기(長江靈氣)를 거두었고, 추수봉안(秋水鳳
眼)은 오채영롱(五彩玲瓏)하고, 늠름한 신채(身彩)는 금당(金塘)에 일만
버들이 휘날림 같아서 형용키 어려우니, 인중영걸(人中英傑)이요 어중
룡(魚中龍)이라.

위로 천심이 크게 사랑하시고, 아래로 만조가 어린 나이에 저같이 숙
성장대(夙成壯大) 함을 사랑하여, 하문의 늉복(隆福)을 칭찬하더라. 장
원을 전에 올리사 계화청삼(桂花靑衫)394)을 주시고, 일컬으시어 왈,

"산고옥출(山高玉出)이요, 해심출주(海深出珠)라. 하경(卿)의 아들이
개개이 수출(秀出)하여 인류(人類)에 특이하거니와, 원창의 기특함은
오히려 부형에 지난 듯하니, 어찌 아름답지 않으리오."

하시고, 신래(新來)를 차례로 불러 장원으로부터 방하(榜下)를 어전
(御前)에서 백단(百端)으로 유희(遊戱)하시어 옥배에 향온(香醞)을 장
원을 먹이시고, 초국공 하원광을 탑전의 부르사 장원의 기특함을 재삼
일컬으시고, 환시로 황봉어주(黃封御酒)395)를 각별이 정국공께 보내시
어 아들 잘 낳음을 칭하 하시고, 석일 슬하지척(膝下之慽)396)을 춘몽(春
夢)같이 잊고 새로 경사를 즐기라 하시니, 초공이 고두(叩頭) 사은하여
성은의 과도하심을 주하고, 원창의 나이 어리오니 사오년을 말미를 주
사, 글을 더 읽고 사군보국(事君輔國)할 재덕을 닦은 후 작임(爵任)을 주

394) 계화청삼(桂花靑衫) : 예전에 과거급제자에게 임금이 내리던 종이로 만든 계수
나무 꽃과 남색 도포.
395) 황봉어주(黃封御酒) : 임금 하시어하는 술. 황봉(黃封)은 임금이 하시어한 술을
단지에 담고 황색 천으로 봉(封) 것으로 임금이 하시어한 것임을 뜻한다.
396) 슬하지척(膝下之慽) : 슬하참척(膝下慘慽). 자식을 잃은 슬픔.

심을 청하니, 상이 불윤하시고 장원을 중서사인집현전학사(中書舍人集
賢殿學士)를 제수하시니, 장원이 고집히 사양할 뜻이 없으되 마지못하
여 재삼 사양하다가, 종불윤(終不允)하시니, 장원이 즉시 사은 퇴조(退
朝)하매, 만조가 또한 물러나, 장원이 집으로 돌아 올새, 계화청삼(桂花
靑衫)에 아홀(牙笏)을 빗기 쥐고, 금안백마(金鞍白馬)에 청동쌍개(靑童
雙個)를 앞세우고 금의재인(錦衣才人)을 거느려, 허다(許多) 하리추종
(下吏追從)이 위의(威儀)를 잡아 행하는 바에, 하장원이 향온을 반취(半
醉)하였으니, 홍련(紅蓮)이 미풍(微風)에 웃는 듯, 이백(李白)이 침향전
(沈香殿)[397]에 취한 풍신이라도 이렇지 못할지라. 노상(路上) 관시자 책
책칭선하여 천상랑(天上郎)이라 하더라.

아이(俄而)오, 부중에 돌아와 부모께 배알하매, 하공의 강엄 하기와
조부인의 단묵(端默)함으로도, 아자의 쇄락한 면모와 출류(出類)한 신
채에 계화(桂花)를 기우리고 금수청삼(錦繡靑衫)을 가하여, 황금(黃錦)
을 횡대(橫帶)하고 아홀을 빗기 잡아, 슬전(膝前)에 배례하기를 당하여
는, 아름답고 기이함을 이기지 못하여 두굿기는 입을 줄이지 못하고, 공
은 도리어 성만(盛滿)을 두려, 어선향온(御膳香醞)과 위유(慰諭)하심을
불승감은(不勝感恩)하고, 석사를 자연 비상(悲傷)함을 마지않더라.

밖에 하객이 가득하여 신래를 부르매, 하공 부자 외헌에 나와 빈객를
접대할 새, 중빈이 연성칭하(連聲稱賀)하니 정국공이 좌수우응(左酬右
應)에 불감(不堪)함을 사사하고, 모든 사관(四官)[398]이 신래(新來)를

---

397) 침향전(沈香殿) : 중국 서안(西安)에 있는 당(唐) 현종(玄宗)의 별궁(別宮)인 화
청궁(華淸宮) 내의 한 전각.

398) 사관(四官) : 조선 시대에, 과거에 관한 일을 맡아보던 사관(四館)의 관원(官
員). 성균관, 예문관, 승문원, 교서관의 관원(官員)을 이른다. 당시 과거에 급
제한 '신래(新來)'들은 이 네 관아(官衙)에 배속되어 관직생활을 시작하였는데

온 가지로 우은 거조(擧措)를 시키니, 장원이 평일 충천지기(衝天之氣)를 감추지 못하여, 역시 시키는 대로 절도지사(絕倒之事)를 사양치 않고, 호호발양(浩浩發揚)한 거동이 동서에 거칠 것이 없으니, 제인이 날이 늦음을 깨닫지 못하고 유희함을 마지않으니, 하공이 아자의 호일함을 미흡하여 양안을 길게 떠 장원을 보매, 장원이 부친의 미안(未安)이 여기심을 스치고, 황공하여 비로소 기운을 주리잡아[399), 좌간(座間)에고 왈,

"소생이 종일 이같이 유희하심을 당하여 일신이 가쁘니, 그만하여 청사의 오름을 명하소서."

사관(四官) 등이 대소 왈,

"신내 보채는 것을 염고하여 스스로 오르기를 청하니 가장 거만하도다."

이리 이르며 보채기를 그치고 오름을 청하니, 장원이 당에 올라 늠연 정좌(凜然正坐) 하여 부전에 경근하는 예를 잡아, 온순한 낯빛과 조심하는 모양이 초공의 효순함과 한림의 온중함을 거의 따를 바로되, 하공의 눈이 아니 간 곳과 자취 아니 미친 곳은 두려워하며 삼갈 일이 없는지라. 야심토록 빈객이 파치 않아 좌중에 날리는 잔이 분분하고, 담소가 그치지 않더니, 야심하매 정·진 등 제공과 동린제인(洞隣諸人)은 다 돌아가고, 성내(城內) 빈객은 하부에서 밤을 지내고 명일 흩어지니라.

이날 하장원이 등양함을 즐겨하는 것만 아니라, 이제는 정씨를 취할 기약이 가까움으로 만심 환열하되, 설빈이 가내에 있음을 분완하여 부부의 은근위곡한 정은 행여도 없고, 미운 뜻이 날로 심하고 시로 충가하

이때 통과의례로 선배관원들 곧 '선진(先進)'들에게 면신례(免新禮)를 행하던 관례가 있었다.

399) 주리잡다 : 줄여 잡다. 줄잡다. 다잡다. 들뜨거나 어지러운 마음을 가라앉혀 바로잡다.

여 능히 강인(强忍)치 못하더라.

삼일유과(三日遊街)를 마치매 직임에 나아가 사군찰임(事君察任)에 만사 숙연(肅然)하여 직절언론(直節言論)이 엄숙정대하고 풍력(風力)[400]이 강개하여 부형에 나리지 않고, 호기(豪氣) 출류(出類)하며 쾌활능려(快活凌厲)하여 오히려 양형에 지난지라. 그 위인을 상이 심애(甚愛)하시어 총우(寵遇)하심이 진신명사(縉紳名士)[401] 중 으뜸이요, 만조가 기대(期待) 추앙하여, 나이 어리고 작위 낮음을 생각지 못하여, 저마다 하사인을 큰 그릇으로 미루어 청망(淸望) 재예(才藝) 일세를 기울이더라.

하사인이 등과한 지 월여에 이르도록 정부에서 혼사붙이에 말을 않으니, 사인이 궁금하고 절민함을 마지않으나, 금평후 부자를 대하여는 간대로 청혼치 못하여, 일일은 정부 서헌에 가니, 다른 이는 없고 운기만 있거늘, 웃고 물어 왈,

"너희 아숙모 친사를 어데 정한 곳이 있느냐?"

운기 나이 십세를 당하였으나 언연이 대장부의 위풍과 노성군자의 틀을 겸하였는지라, 하사인이 문득 아숙모의 친사(親事) 다히[402]를 물어 말을 시작고자 함을 보고, 정색 답왈,

"숙모의 친사 다히를 내 어찌 알 것이라 이렇듯 무르시느뇨? 우리 부숙께 묻자오면 자세히 알리이다."

사인이 소왈,

"너희 무슨 일로 본 적마다 영악(獰惡)히 대답하느뇨? 네 비록 아해나 귀·눈은 없지 않으리니 아숙모의 혼처를 바히 알지 못할러냐?"

---

400) 풍력(風力) : ①바람의 세기. ②사람의 위력.
401) 진신명사(縉紳名士) : 홀을 큰 띠에 꽂은 이름난 선비라 뜻으로, 모든 벼슬아치들 가운데 이름난 선비를 이르는 말.
402) 다히 : ①일, 쪽, 편. ②대로. ③처럼. 같이.

운기 미소왈,

"어찌 아둥이 사인을 영악히 대접하리요마는, 숙모의 혼사를 자세히 알지도 못하고, 어른이 이르지 않으시더라."

사인 왈,

"흉휼한 놈이 날을 조롱하며 진정을 이르지 않으니 어찌 밉지 않으리오. 네 조부께 아뢰어 부질없이 일월을 천연치 말고, 바삐 진진(秦晉)403)의 좋음을 맺게 하소서 청하라."

운기 정색 왈,

"사인이 어찌 이런 말을 하느뇨? 혼인은 인륜대사(人倫大事)라. 양가 부모 상의하여 주장하실 것이요, 또 중매란 것이 없지 않으니, 어느 미친 신랑이 스스로 청혼할 염치 있으리오. 사인이 종시 마음을 잡지 않으면 녹발(綠髮)이 희여도 우리 숙모를 취치 못할까 하노라."

사인이 웃고 왈,

"네 말이 옳거니와 남자가 여인과 다르니, 내 이미 네 숙모를 위한 정은 생전에 풀릴 길 없으니, 부질없이 세월을 천연치 말고 쉬이 친사를 지내고저 함이니, 구태여 미친 일이 아니라. 너는 들은 말을 조부께 고할 따름이니라."

운기 머리를 흔들어 왈,

"이런 말을 조부께 고함이 나의 소임이 아니요, 부숙께 일장대책을 받자올 일이니, 부질없는 말을 하리오."

사인이 저의 매매히 떼침을 보고 다시 혼사 다히 말을 못하여, 오직 서안의 예기를 살피다가 이윽한 후 돌아가니, 운기 날호여 내루에 들어

---

403) 진진(秦晉) : 중국 진(秦)나라와 진(晉)나라 두 나라가 대대로 혼인을 하였다는 사실에서, 혼인이나 우의가 두터운 관계를 비유적으로 이르던 말.

와 조부께 뵈옵고 하사인의 하던 말을 고하니, 금후 묵연이요, 진부인이
탄 왈,

"상공이 사위를 가리시다가 딸로써 남의 재실 삼는 낮가움이[404] 있으
니 어찌 애달지 않으리오."

제왕이 고 왈,

"만사 천야(天也)라. 소매의 팔자를 두고 보실 따름이요, 원창의 재실
삼음을 한치 마소서. 자순이 소매를 사상(思相)키는 인사를 잃었으니,
쉬이 혼사를 이루지 않아서는 또 괴이한 서찰이 소매의 청심고절(淸心
高節)에 측한 일을 이룰 것이니, 원창으로 일러도 '물고 못 먹는 고기 같
아서'[405] 주야에 민망하니, 일월을 천연하는 것이 유익하지 않은지라,
하공을 보시어 쉬이 성례함을 의논하소서."

공이 탄 왈,

"일월을 천연함으로 유익할 것은 아니로되 성례할 마음은 없어, 원창
이 등과 후 성친함을 퇴지와 의논한 일이 없더니, 네 말이 마땅하니 종
용이 퇴지와 상의하고 성례를 쉬이 하리라."

태부인은 아주로 하생의 재실 삼음을 애달아하나, 노인의 마음이라 그
부부 쌍유하는 재미를 보고자 하여, 또한 쉬이 성혼케 하라 하니, 공이 배
사수명(拜謝受命)하고 수일 후 하공을 청하여 서로 담화할 새, 정공 왈,

"소제 불초 여식이 연기 이칠이니 자순으로 동년이라. 소제 매양 자순
의 호호걸출(浩浩傑出)함을 사랑하되, 여아 심히 암렬(暗劣)하여 자순의

---

404) 낮갑다 : 낮다. 품위, 능력, 품질 따위가 바라는 기준보다 못하거나 보통 정도
　　에 미치지 못하는 상태에 있다.
405) 물고 못 먹는 고기 같다. : 굶주린 이가 고기를 입에 물었다가 차마 먹지 못하
　　고 속이 달아서 애를 태운다는 뜻으로, 미련이 강해 단념을 못함을 비유적으
　　로 이르는 말.

상적한 배우 되지 못하니, 이로써 자저(趑趄)하여 혼인을 정치 못하였더니, 천연이 괴이하여 자순이 오군주를 취하나 오히려 번사(繁事)를 생각하여 소녀를 유의하니, 일이 능히 타문을 생각지 못하게 되었는지라. 소제 자순의 등양함을 본 후 형과 의논하여 즉시 친사를 이루고저 하되, 형이 진정으로 영랑의 번화를 즐겨 않으니, 소제 또 양아(兩兒)의 연기더 차기를 기다리고자 하더니, 편친이 가장 궁금해 하시고, 다시 헤아리매 일월을 천연함으로 수복(壽福)이 더 나을 것이 아니요, 자순으로 하여금 점점 마음을 잡지 못하게 할 징조라. 이러므로 특별히 형을 청하여 성례할 일을 의논하나니 형의 뜻이 어떠하뇨?"

하공이 문득 빈미 왈,

"욕자의 무상함이 영녀의 일생을 희지은바 되어, 이제 형이 만금 농주(弄珠)로써 원창 패자의 재실을 삼고자 하니, 비록 마지못할 일이나 어찌 마음의 절박치 않으리오. 소제 영녀로써 식부를 삼을진대 영행함이 이 밖에 없을 것이로되, 영녀의 기특함이 능히 같은 배필을 만나지 못하고 원창 같은 탕자를 맞게 하니, 이른 바 옥을 이토(泥土)에 던지며 명주를 사석(沙石)에 버림 같으니, 어찌 아깝지 않으리오."

금후 화연히 웃고 왈,

"자순을 뉘 하자하리오. 연소호일(年少豪逸)함이 흠사나, 장성하면 자연 근심이 없으리니, 형은 다시 개회치 말라."

하고, 돗 위에서 택일하니, 혼기 불과 수순이 격하였는지라. 양공이 종용이 담화하다가 하공이 돌아가다.

이러구러 길일이 다다르매, 양가의 연석을 열어 신인을 맞을 새, 이때 설빈이 시녀의 전어(傳語)로 사인의 재취함을 들으니, 놀라움이 벽력이 만신을 분쇄함 같으나, 아직 명예를 드러내 사인의 은총을 낚아 보려,

독사의 심정과 시호(豺虎)의 사납기를 서리담아406), 겨우 발악치 않으나 사색(辭色)이 분분(忿憤)하여 뵈니, 하공이 설빈의 거동을 보매 염려 비상하고, 작화가 어느 지경에 이를지 근심이 적지 않더라.

　이날 일색이 반오에 초공과 한림이 사인을 데리고 들어와 길복을 찾으니, 조부인이 설빈으로써 길복을 시키지 않고 침선 비자로 지었던 바라. 즉시 내어 입힐 새, 하공이 초공더러 왈,

　"정부 너무 가까워 요객(繞客)이 밀릴 듯하니, 길을 잠깐 돌아가게 하라."

　초공이 수명하여 사인으로 더불어 길을 돌아 정부로 향할 새, 하사인의 풍광이 오늘날 더욱 새롭고, 만조 명공거경이 다 요객이 되어 장녀(壯麗)한 위의 노상에 덮였더라.

　행하여 정부에 다다라 옥상에 홍안을 전하고 배례를 마치매, 제왕 오곤계 예복을 갖추고 웃음을 띠어 팔을 민데, 하사인이 즉시 좌에 드니, 그 풍채신광이 쇄락하여 추천에 제월(霽月)이 두렷하고, 화(和)한 기상은 삼춘의 만화(萬花)가 흔들리는 듯하더라.

　금후 비록 신랑의 호일방탕함을 깃거 않던 바나, 오늘 그 표치풍광을 대하여 두굿기고 연애하는 정을 이기지 못하여, 흔연 집수 왈,

　"신랑이 이곳에 발이 설고 면목이 서어(齟齬)하리니 자연 수습함이 있으려니와, 너의 풍용이 금일 더욱 새로운 듯하니, 어찌 아름답지 않으리오."

　하사인이 함소(含笑) 궤좌(跪坐)하고, 제객이 소리를 연하여 쾌서 얻음을 치하하니, 금후 좌수우응에 조금도 사양치 않더라.

　순 태부인이 전어 왈,

　"신랑이 비록 독좌(獨坐)의 예(禮)407)를 행치 않았으나, 전안지례

---

406) 서리담다 : '서리다'와 '담다'의 합성어. 차곡차곡 포개어 담다.

(奠雁之禮)를 이뤘으니 잠깐 봄이 해롭지 않을지라. 인도하여 들어와 노모의 구구한 정을 펴게 하라."

공이 모친 말씀을 듣잡고 사인을 돌아보아 웃고 왈,

"편친이 너를 바삐 보고자 하시니 날과 내루의 잠깐 들어 가미 어떠하뇨?"

사인이 배사수명 한대, 금후 제왕 등 오자를 거느려 창후와 동후를 향하여 왈,

"새 서랑(壻郎)이 들어가니 옛 서랑을 홀로 두리오. 한가지로 들어 가 존당께 뵈옴이 어떠하뇨?"

창후 소이대 왈(笑而對曰),

"하 자순은 존당이 보고자 하심이요, 소생은 보고자 하심이 없을 뿐 아니라, 소생 형제는 귀부 동상(東床)이 된 지 세월이 오래여, 보시나 신신(新新)치 않고 하자순은 새로 정을 쏟아 계시니, 소생 등은 가장 앙앙(怏怏)토소이다.

공이 소왈,

"새 서랑이라고 사랑이 더할 것 아니요, 내 집이 사원 형제 귀중함은 친자의 감치 않으니, 하자순 아녀 천상랑(天上郎)인들 사원 형제보다 더 사랑하랴?"

창후 함소 왈,

"소생은 본디 빙가의 종요로운 서랑이 되지 못하고, 사제는 본디 성정이 재기롭지 못하여 무미한 위인이라. 일찍 악부모의 사랑하시는 정을

---

407) 독좌(獨坐)의 예(禮) : 독좌례(獨坐禮). 혼인례에서 대례(大禮)를 달리 이른 말. 즉 신랑과 신부가 대례를 행할 때 각각의 앞에 음식을 차려 놓은 독좌상(獨坐床)을 놓고 교배(交拜)·합근(合卺) 등의 의례를 행하는 것을 비유하여 쓴 말이다.

알지 못할 뿐 아니라, 소생의 너른 주량도 빙가에 와 채와 본 바 없으니, 사위를 대접한다 하리까?"

공이 대소 왈,

"내 본디 사람을 권장하는 도리 주색에 침닉케 말고자 하는 고로, 사원을 주량이 차도록 권치 못하였더니, 사위 대접 잘 못함을 이르니, 금일 연석에 취토록 먹으라."

창후 소이대 왈,

"금일은 악장이 소생 등의 먹기를 위함이 아니라, 자연 주찬이 흔하여 하리노자배(下吏奴子輩)라도 다 취하오니 소생 따녀, 통음(痛飮)치 않으리까?"

정공이 웃고 자서(子壻)로 더불어 내루에 들어오니, 태부인이 바야흐로 아주 소저를 단장하여, 중청에서 습의(襲衣)함을 보고, 두굿거운 웃음이 만면이러니, 공의 부재 신랑과 창후로 들어옴을 고하니, 모든 내객이 장래로 들고, 아주 소저를 방 중에 들게 한 후, 태부인이 진부인과 낙양후 부인 주씨며, 진태상 부인, 진각로 부인으로 더불어 신랑을 볼새, 사인이 제왕 등의 인도함을 좇아 차례로 배례하고 좌에 들고자 하더니, 공이 웃고 왈,

"비록 독좌의 예를 행치 않은 전이나 이미 자정이 보시고, 내 집이 본디 서랑 대접을 외객으로 하는 일이 없을 뿐 아니라, 내 서랑 등은 동기 같은 친붕의 아들이니, 동상(東床)이 되기 전이라도 통내외(通內外)할 사이라. 여아와 식부 어찌 좌간에 나지 않았느뇨? 모름지기 서로 보라."

공의 영이 한 번 나매 금수장(錦繡帳)을 드는 바에 향풍이 일어나고, 서광(瑞光)이 애애(靄靄)하며 제왕비 오인과 이·양·한·주·소·주·화 등이며, 창후 부인 숙렬과 제 부인이 금년(金蓮)을 자약히 옮겨 나오니, 각각 품수(稟受)한 바 천생특용(天生特容)이 만고(萬古)를 기울여

얻기 어려운 자색이요, 예모행동이 유법단일(有法端壹)하여 유연이 학
리군자(學理君子)의 풍이 있는 중, 제왕 삼비 이씨와 도찰의 원비 두씨
는 용상(庸常)한 위인이로되, 기여는 다 선풍옥태(仙風玉態)라. 윤의열
정숙렬의 일월명광과 추수정신(秋水情神)이며 팔채염광(八彩艶光)이 태
양의 빛을 앗으니, 한 번 보매 기운이 상연(爽然)하여 몸이 진세(塵世)
의 있으나, 호호(晧晧)이408) 영백(靈魄)이 월궁 항아(姮娥)를 봄 같고,
그 밖에 이·양과 경비며, 소·한·화 등과 문양공주의 백태미질(百態
美質)이 개개히 화옥(花玉)을 낮게 여기며, 금수(錦繡)를 우습게 여기는
지라.

하사인이 순태부인의 유법 신중 함과 현명화열(賢明和悅)한 거동을
일안(一眼)에 경복하고, 그 악모 진부인의 할연청고(黯然淸高)하며 단아
정숙한 위의를 또한 기특히 여기고, 제 부인의 화용월태를 비록 화원(花
園)에서 잠깐 구경한 바나, 어찌 자세히 보았으며, 정숙렬은 처음 보는
바라, 크게 경복하여 숨을 길게 쉬고 헤오대,

"우리 백수(伯嫂)와 매저(妹姐)를 독보(獨步)할까 하였더니, 어찌 정부
에는 절색숙완이 이다지도 많은고? 평제왕과 위국공은 무슨 복으로 저
런 만고무비(萬古無比)한 성녀철부를 두었는고? 처궁도 과연 남달리 유
복하도다."

이 같이 흠탄(欽歎)하는 마음이 형상치 못하기에 미쳐는, 금일 취한 정
씨 구태여 윤·양 등 아래 있지 않을 줄 아니, 쾌활함을 이기지 못하더라.

태부인과 진부인이 아주 소저로 하생의 재실 삼음이, 실로 애달고 분
한 의사가 한 구석에 맺혔더니, 오늘 신랑을 보건대 반악(潘岳)이 재세
(再世)하고 두목지(杜牧之) 다시 살아도 이에 지나지 못할지라. 사랑하

---

408) 호호(晧晧)이 : 호호(晧晧)히. 빛나고 맑게.

는 정이 가득하여, 태부인이 이에 말을 펴, 왈,

"낭군이 칠세에 촉지로서 돌아오매 집이 장원을 연하고, 사이에 협문을 두어 서로 조왕모래(朝往暮來)하여, 영엄과 아자가 이름이 붕우(朋友)나 동기와 다름이 없으니, 노인이 어찌 군 등 곤계를 청하여 한 번 보고자 마음이 없었으리오마는, 오히려 남녀가 별이(別離)409)함이 있는지라. 능히 뜻 같지 못하더니 이제 미약한 손녀로써 군자의 부실을 삼으니, 오늘날로부터 내 집 동상이 될지라. 군의 풍채(風彩) 문한(文翰)은 비록 보지 않으나 이미 우레같이 들었던 것이거니와, 노인의 구구한 정이 독좌지례(獨坐之禮)를 행치 않은 전이나, 착급히 보고자 뜻이 있음으로 청함이 있더니, 문득 선풍옥골을 상견하니, 노인이 기쁜 정과 두긋김이 극하나, 돌아 손녀의 잔미함을 생각건대, 실로 군의 배우 못 되리니, 중궤 소임은 위에 원비 계시매 저의 당할 바 아니거니와, 군자의 화홍대량(和弘大量)으로써, 여자의 소소 허물을 책망치 말고, 길이 화락하여 불평지사 없을진대, 노인이 불승감격 하리로다."

진부인이 또 말씀을 이어 왈,

"석년으로부터 귀부와 정문의 교분이 자별하시니, 여자의 마음에도 또한 일가지친(一家至親)같이 알다가, 천흥이 기특이 영주를 얻어 우리 부녀모녀지의(父女母女之義)를 정하니, 저의 출인한 성효 생양부모(生養父母)를 간격치 않고, 존엄(尊嚴)이 은사를 띠어 상경하시매, 옥누항 구택(舊宅)을 버리시고 별원에 머무시니, 더욱 정의 자별하여, 내외로 교도를 이으매 골육 형제로 다름이 없으되, 첩이 소졸(疏拙)하고 가내에 소년 여자 많은 고로, 연고 없이 군 등을 청하여 상견치 못하였더니, 금일 군자 소녀를 부실로 취하시니 문난의 광채를 돋우고410), 군자의 풍

---

409) 별이(別離) : 서로 나뉘어 섞여 있지 않음.

류문장을 모르던 바 아니나, 피차 상견이 처음이라. 실로 과망(過望)하니, 첩이 구구한 정으로써 어찌 흔행(欣幸)치 않으리오마는, 다만 소녀의 누질노 군자의 쾌한 배우 아니라 가장 외람하니, 도리어 불안함을 이기지 못하노라."

하사인이 복수궤좌 하여 듣기를 마치매, 일어 재배 사사(謝辭) 왈,

"소생의 집이 존부의 산은해덕(山恩海德)을 힘입사와 부형이 고토(故土)에 생환함을 얻고, 삼 망형(亡兄)의 해골을 감추시며, 일매의 위태한 명맥을 구하심이, 다 존부 대은이라. 소생 같은 후생 아해(兒孩)는 구일 대덕(舊日大德)을 듣자올 적마다, 수심명골(樹心銘骨)하와 함환결초(銜環結草)할 뜻이 있던 바라, 금일 동상에 모첨(冒添)하여 슬하에 자애하심을 받자오니 불승황감(不勝惶感)토소이다."

성음이 청월유화(清越柔和)하여 단혈(丹穴)411)의 봉성(鳳聲)이요, 기상이 굉위(宏偉)하여 청천백일지상(青天白日之相)이라. 태부인 진부인의 두긋기미 비할 데 없더라.

금후 왈,

"하아는 신랑을 내외하여 아니 나오느냐? 어찌 좌의 없느뇨?"

하부인이 지게를 열고 비로소 웃고 왈,

"신랑을 내외함이 아니라, 필제(畢弟)의 특이한 위인으로 상적한 배우를 만나지 못하고, 방탕취객의 배우 되니 소녀 동기를 위한 정이 헐한 것이 아니오나, 진실로 창제의 방일(放逸)함을 통한하고, 필제의 일생이 편함을 얻지 못할까 울울한 염려 비상한 고로, 원창의 들어옴을 알되 즉시 나와 보고자 뜻이 없었나이다."

---

410) 돋우다 : 돋아서 내밀다. 정도나 수준을 더 높이다.
411) 단혈(丹穴) : 예전에, 중국에서 남쪽의 태양 바로 밑이라고 여기던 곳.

금후는 잠소하고, 제왕이 날호여 왈,

"현매 자순을 방탕취객으로 이르지 말라. 사람됨이 단중침묵(端重沈默)함이야 사빈 같은 이 어디 있으리오마는, 천고의 희한한 액경을 지내고 현매 정인군자를 만나시매 화란이 비상하니, 각각 팔자에 매인 바요, 인력으로 못할 것이라."

부인이 웃고 다시 말을 하려 하더니, 창후 곤계 재좌하였음을 보고 그치더라. 낙양후 전어 왈,

"한 번 신랑을 데려 들어가더니 오래도록 나오지 않고, 질녀의 상교도 생각지 않으니, 아무리 사이 가까운들 독좌지례(獨坐之禮)와 현구고지례(見舅姑之禮) 늦음을 알지 못하나냐?"

공이 비로소 창후 곤계로 신랑을 데려 밖으로 나가게 하고, 자기 부자는 잠깐 이에 있어, 여아의 덩[412]에 오름을 볼새, 태부인과 진부인이 안전기화(眼前奇花)로 알던 바로 오늘날 하부에 보내게 되매, 비록 상거(相距) 가깝고 협문이 있어 조왕모래(朝往暮來) 할 바나, 오히려 결연하여 눈물을 머금으니, 소저 또한 척연함을 띠어 덩에 들매, 공이 모친을 위로하고, 하사인이 금쇄를 가져 봉교하기를 마치고, 상마하여 부중에 돌아 올새, 가취고악(歌吹鼓樂)[413]이 훤천(喧天)하며, 홍분시아(紅粉侍兒) 쌍쌍하여 부문(府門)에 다다르매, 양 신인이 청중에서 합근교배(合巹交拜)할 새, 남풍여모(男風女貌) 서로 바애여 일월이 함께 밝았으며, 황금백벽(黃金帛璧)이 서로 빛을 다투는 듯한지라. 이른 바 천정일대(天定一對)요, 백세가우(百歲佳偶)라. 만좌가 책책(嘖嘖) 칭선(稱善)하여 경동치 않을 이 없으니, 하물며 구고지심(舅姑之心)이리오. 교배

---

412) 덩 : 공주나 옹주가 타던 가마.
413) 가취고악(歌吹鼓樂) : 관악기와 타악기의 연주소리.

(交拜)를 파하고 금주선(錦珠扇)을 앗은 후, 조율(棗栗)을 받들어 팔배 대례를 행할 새, 구고 기쁜 눈으로 신부를 살피매 광염이 찬란하여, 비컨대 일륜홍일(一輪紅日)이 부상(扶桑)에 오르며, 청공신월(青空新月)이 운간에 바애는 듯, 미우팔채(眉宇八彩)는 청산(青山)의 수이(秀異)한 정맥을 거두어, 성자기맥(聖者氣脈)이요, 성전운빈(盛全雲鬢)은 천지정채(天地精彩)를 앗았으니, 일쌍 안채(眼彩)는 효성(曉星)이 영롱하고, 부용양협(芙蓉兩頰)은 자태 무르녹고, 단사앵순(丹砂櫻脣)은 모란이 이슬을 점쳤으며414), 빙설기부(氷雪肌膚)는 백옥이 무광(無光)하고 명주(明珠) 빛이 없으니, 연성(連城)의 보벽(寶璧)415)이요, 지란(芝蘭)의 향기니, 자약히 나아오매 말하(襪下)416)의 금련(金蓮)417)이 솟고, 물러나매 규구(規矩) 참치(參差)418)하여 자유법도(自有法度)하니, 공과 부인이 만심환열(滿心歡悅)하여 즐기는 미우(眉宇) 운동(運動)하니, 웃는 입이 절로 열리는지라. 흔연이 신부를 나오게 하여 집수 애련(愛憐) 왈,

"신부는 정형의 만금농주(萬金弄珠)라. 천연이 기특하여 금일 은인의 귀녀(貴女)가 나의 슬하 되니, 용화기질이 고왕금내에 희한하니 어찌 영

---

414) 점(點)치다 : 점(點)을 찍다. 물감 따위를 칠하거나 묻히다.
415) 연성(連城)의 보벽(寶璧) : 화씨지벽(和氏之璧)을 달리 이르는 말. 화씨지벽은 전국 때 변화씨(卞和氏)라는 사람이 형산(荊山)에서 돌 위에 봉황이 깃들이는 것을 보고 얻었다는 천하의 이름난 옥을 말하는데, 후대에 진(秦)나라 소양왕(昭襄王)이 이 옥을 탐내, 당시 이 옥을 가지고 있던 조(趙)나라 혜문왕(惠文王)에게 진나라 15개의 성(城)과 바꾸자는 제안을 했다는 데서, '연성지벽(連城之璧)'이라는 이름이 붙게 되었다고 한다.
416) 말하(襪下) : 버선 아래.
417) 금련(金蓮) : 금으로 만든 연꽃이라는 뜻으로, 미인의 예쁜 걸음걸이를 비유적으로 이르는 말. 중국 남조(南朝) 때 동혼후(東昏侯)가 금으로 만든 연꽃을 땅에 깔아 놓고 반비(潘妃)에게 그 위를 걷게 하였다는 고사에서 유래한다.
418) 참치(參差) : 참치부제(參差不齊). 길고 짧고 들쭉날쭉하여 가지런하지 아니함.

행치 않으리오. 신부는 비록 아자의 아시 정약(定約)이나, 창애 먼저 설빈 군주를 취하였으니, 서로 보고 화우하여 '황영(皇英)의 성사(盛事)'419)를 효칙하라.”

정소저 구고의 말씀이 자기로써 하사인의 아시정약(兒時定約)이라 하니, 가장 의아하여 오직 재배 사사 하니, 온순한 예모 외모에 나타나니, 하공과 부인이 한없이 희열하고, 사좌(四座) 제빈이 책책 칭하하여, 사인의 처궁이 유복함을 기리니, 공과 부인이 좌수우응하여 즐김이 무궁하더라.

신부 서연(徐然)이 설빈을 향하여 공수(拱手) 재배(再拜)하매, 공이 짐짓 가로되,

“하나는 아시 정약이요, 하나는 먼저 취하였으니 선후고하(先後高下)를 다투지 말고 서로 화우함을 동기같이 하라.”

설빈이 존구의 명을 거스르지 못하여, 정소저의 절을 예사로이 받으며 한가지로 좌를 이루나, 흉장(胸臟)이 분분하고 심골이 뛰놀아, 옛날 소고 이제 적인이 되니, 본디 정가를 원수로 알던 바라. 밉고 분함이 저의 백태만염(百態萬艶)이 나이 차매 더욱 기이함을 보니, 분함이 즉각에 칼을 들어 만 조각에 찢고자 마음이요, 저의 일쌍 혜안이 저를 알아볼까 염려하는 바도 없지 않아, 낯빛이 자주 바뀌니, 정소저를 해코자 하는 의사 백출이라.

공의 부부 설빈의 기색을 보매 더욱 근심됨을 이기지 못하여 화기 감하나, 신부의 만면복덕지상(滿面福德之相)이 소소 재앙을 근심치 않을지라. 저기 심우를 덜고 윤태부 부인이 협문으로 좇아 이르러 연석의 참

---

419) 황영(皇英)의 성사(盛事) : 중국 요(堯)임금의 두 딸인 아황(娥皇)과 여영(女英)이 함께 순(舜)에게 시집 가, 서로 화목하며 순임금을 섬겼던 일.

예하였더니, 공과 부인이 여아를 돌아보아 왈,

"너의 언사 서어(齟齬)함을 가히 알리로다. 우리 신부의 현부를 물으면 매양 이르되, 다만 만사 아름답다 할 뿐이요, 저토록 특이함을 이르지 않으니, 오히려 알지 못하였더니, 금일 보매 만고무비(萬古無比)하니, 창아의 복이 손(損) 할까 하노라."

하씨 전일 설빈의 거동을 볼수록 의심하는 바로되, 오왕의 딸이 된 곡절을 알지 못하니 발설치 못하고, 오늘 정소저를 대하여 온갖 요악한 의사 백출함을 생각하매, 염려 깊고 절박하여 즐겨 않더니, 부모의 말씀을 듣잡고 강인 소왈,

"소녀 본디 사람을 과장(誇張)치 못하는 성품이라 자세히 고치 못하였사옵거니와, 원창이 나이 이칠(二七)에 옥당 명환이 되고, 설빈 같은 절염현처를 두며, 다시 양제(養弟)를 취하니 만사 넘나물 소녀는 그윽이 두려워하나이다."

공이 점두(點頭) 왈,

"네 말이 내 마음과 꼭 같도다."

하더라. 종일 진환(盡歡)하고 내외빈객(內外賓客)이 각산귀가(各散歸家)하매, 신부 숙소를 봉원각에 정하여 보내니, 하부인이 정소저를 데리고 봉원각에 이르러 긴단장을 벗기고 편히 쉬게 하더라. 사인이 부모께 혼정을 파하고 기린촉(麒麟燭)을 들어 총총이 봉원각에 이르니, 정소저 단의홍군으로 서연이 일어나 맞으니, 생이 팔을 밀어 좌를 청하고, 저저 이에 계심을 보고 함소(含笑) 왈,

"저저는 소제를 연고 없이 증통(憎痛)하시어 정공이 소제로 동상(東床) 삼음을 대단한 불쾌사로 알아, 무수히 모함하시니, 그 어인 일이니까?"

부인이 탄 왈,

"너는 양제(養弟) 취한 것이 하늘의 오른 듯 즐기거니와, 나는 너의 부부를 위하여 염려 비경하니, 너는 내사(來事)를 생각지 못하나냐?"

생이 화히 웃고 왈,

"고인이 운(云)하되, '오늘 술이 있으매 취하고 내일 일이 있거든 당하라' 하였으니, 다다르지 않은 근심을 그리 하여 마음을 어지럽히는 것이 작히420) 녹녹하리까?"

부인이 잠소 왈,

"너는 대장부라. 기상이 광풍제월(光風霽月)같고, 도량이 굉원하여 범사를 괘념치 않거니와, 나는 여자라, 아마도 녹녹(碌碌)하여 근심 된 일이 많도다."

생이 함소왈,

"저저는 여중군자시로되 오히려 잔 근심을 많이 하시니, 실로 용속(庸俗)한 일이로소이다."

하부인이 그 방일함이 미흡하나, 그 부부 일실에 대하매 남풍여모(男風女貌) 서로 바애여, 일월이 함께 밝았음과 같음을 두긋겨, 날호여 시녀로 촉을 잡히고 나오며, 생더러 왈,

"양제 이에 이르매 사좌에 친한 이 나밖에 없다가, 내 마저 숙소로 가매 오직 일면지분도 없는 너를 대하니, 모름지기 주인 노릇을 잘하여 갓온 사람을 편케 하라."

사인이 소이대왈(笑而對曰),

"어느 사람이 처음으로 오매 면목이 익은 이를 데리고 다니리까? 저저는 당부치 마소서."

부인이 웃고 돌아가니, 사인과 정소저 저저를 기이송지(起而送

---

420) 작히 : '어찌 조금만큼만', '얼마나'의 뜻으로 희망이나 추측을 나타내는 말.

之)421)하고, 부부 다시 좌를 정하매, 사인의 정소저 반기는 정신이 황홀하고, 그 용화월태 눈의 바애고 마음이 무르녹아, 마치 몸과 팔다리에 뼈가 없는 사람처럼 기운을 차리지 못하여, 곁에 나아가 집기수연기슬(執其手連其膝)422)하고 왈,

"향자(向者) 우연이 무산(巫山)423)의 길을 열어, 한 번 선안(仙顔)을 구경하매, 선풍(仙風) 염모(艶貌)를 오매사복(寤寐思服)하더니, 천연이 지중(至重)하여 이의 돌아오시니, 그 때 생이 소저를 위하여 그대도록 함이 역시 천연(天然)이런가 하나이다."

소저 청파에 옥면이 취홍(醉紅)하고 미우(眉宇) 씩씩하여, 늠연(凜然)이 손을 빼고 좌를 고치니, 생이 더욱 애련하여 촉을 멸하고 소저를 이끌어 원앙금리(鴛鴦衾裏)424)에 나아가니, 정씨 비록 하생의 호일방탕함을 미안하여 그 정을 가납(嘉納)할 뜻이 없으나, 자못 예의를 의장(倚仗)425)하여 백행이 학리군자(學理君子)의 틀이 있는 고로, 그 마음을 세우지 않으니, 하사인의 연애(戀愛)하는 정은 산비해박(山卑海薄)하여, 장부의 적년(積年) 사상(思相)하던 정을 펴매, 천단은애(千端恩愛)와 만종풍류(萬種風流)를 불가형언이라. 상상(床上)에 쌍옥(雙玉)이 완전하여 금슬지락(琴瑟之樂)이 무흠(無欠)하니, 설빈 아냐 월전소아(月殿素娥)426)라도 하원창의 정소저 향한 정은 앗기 어려울러라.

---

421) 기이송지(起而送之)：일어나서 보냄.
422) 집기수연기슬(執其手連其膝)：손을 잡고 무릎을 맞댐.
423) 무산(巫山)：중국 중경시(重慶市) 동쪽에 있는 현. 무산십이봉(巫山十二峯)이 솟아 있는데 기암과 절벽으로 이루어져 경치가 아름답기로 유명하다. 소설 등에서 신선이나 선녀가 사는 선계(仙界)로 설정되는 경우가 많다.
424) 원앙금리(鴛鴦衾裏)：'원앙을 수놓은 이불 속'이란 뜻으로, '부부가 함께 덮는 이불 속'을 말함.
425) 의장(倚仗)：의지(依支)함.

이 날 설빈이 숙소에 돌아와 가슴을 허위며 발을 굴러 왈,

"정가는 나의 삼생원수(三生怨讐)라. 정연이 나를 그릇 만든 한이 골절에 사무쳤으니, 내 부디 정연과 정씨 아울러 없이 하여 분을 풀고 말리라."

연상궁이 말려 왈,

"군주 어찌 정공을 원망하시느뇨? 금후 비록 딸을 주군께 보냄은 잘못하였거니와, 귀주를 그릇 만든 일은 없으니 이런 말씀을 어찌 하시느뇨? 첩이 진심갈녁(盡心竭力)하여 군주의 일생이 영화롭기를 주선할 것이니, 너무 초조하여 화용(花容)을 상해오지 마소서."

설빈이 저의 내력을 저 연상궁이 알지 못함으로 괴이히 여김을 보고, 도리어 달래어 왈,

"상궁은 저 정연을 감격하여 하나냐? 만일 제 딸이 아니면 내 적인 볼리 없고, 정녀가 아니면 하사인의 마음이 미칠 리 없으니, 두고 보면 알려니와, 하생 같은 풍류랑이 정녀 요괴를 만났거든 나를 더욱 행로(行路)같이 알지 않으리오."

이리 이르며 새도록 잠을 이루지 못하여, 봉원각을 규시코자 하나, 삼춘 일기 훈화함으로 시녀 양낭의 무리 정부로서 온 유(類)는 미처 잘 곳을 얻지 못하였는지라. 난간 아래서 숙직(宿直)하니, 가서 어른기도 못하고, 한갓 가슴을 두드려 죽고자 독한 성을 이기지 못하니, 연상궁은 지족다모(知足多謀)하며 흉휼능려(凶譎凌厲)한지라. 설빈을 극진히 위로하고, 정소저 해할 꾀를 이 날부터 생각하여 없앨 의사 급하니, 가히 정소저의 위태함이 흉인의 화를 면키 어렵더라.

---

426) 월전소애(月殿素娥) : ①달 속에 있다고 하는 흰옷을 입은 선녀. ②달의 이칭(異稱).

명일 정소저 구고께 신성(晨省)하고 인하여 시립(侍立)하니, 공과 부인의 사랑이 더욱 체체(逮逮)하여[427], 볼수록 천상월녀(天上月女)같이 여기나, 설빈의 흉독을 짐작하고 정씨 애중하는 정을 십분 주리잡는지라. 이 날 정소저 추파을 흘려 설빈을 보매, 이 곳 완연이 삼거거(三哥哥)의 출처(黜妻) 성씨라. 놀랍고 흉패(凶悖)함이 만심이 차악하되, 본디 하해지량(河海之量)이 천지의 너름을 가졌음으로 조금도 경동(驚動)하는 빛을 나토지 않고, 효성쌍안(曉星雙眼)이 한결같이 가늘어 못 보는 듯, 석연(釋然)이 알지 못함 같으니, 설빈은 헤오대,

"내 정가의 출화를 볼 시절에 아주 구세러니, 그 사이 세월이 오래고 나는 죽은 사람으로 알았고, 내 오궁에 기특히 의지하여 부왕과 모비의 사랑이 친생 같아서, 얻어 길렀단 말도 없으니, 정씨 비록 사광지총(師曠之聰)[428]과 이루지명(離婁之明)[429]이라도 나를 알아 볼 길이 없으리니, 부질없이 근심치 말고 저를 매우 잡쥐어, 나를 경히 보지 못하게 하리라."

의사 이의 미치자 정소저를 고대 삼키고자 하나, 명예를 나토고자 거짓 화기를 작위하여 흔연이 말씀을 펴매, 붉은 입술에 흰 이 비추는 곳에 말이 공교하니, 더욱 의심이 없는 성씨라. 정소저 저의 말을 들을 뿐이요, 한가지로 담화함이 없으되, 놀랍고 차악함을 이기지 못하더라.

차야에 하부인이 정소저를 이끌어 봉원각의 이르러, 좌우 고요하매 가만히 이르되,

---

427) 체체하다 : 마음에 잊지 못하여 연연해하다.
428) 사광지총(師曠之聰) : 사광(師曠)은 춘추시대 진나라 음악가로, 소리를 들으면 이를 분별하여 길흉을 정확히 점쳤다 하여, 소리를 잘 분별하는 것을 말함.
429) 이루지명(離婁之明) : 눈이 매우 밝음을 비유적으로 이르는 말. 중국 황제(黃帝) 때 사람인 이루가 눈이 밝았다는 데서 나온 말이다.

"설빈군주라 하는 이 의형미목(儀形眉目)이 완연히 삼제의 출처(黜妻) 성씨와 같으니, 우형(愚兄)이 실로 해연(駭然)하여 염려하는 바라. 현제는 만사 신명하니 저 설빈의 행지(行止)를 살펴 그 간계의 빠지지 말라."

소제 쌍미를 낮추고 무사무려(無思無慮)히 앉아 오래 대답지 않거늘, 하부인 왈,

"현제의 소견이 어떠하관데 대답지 아니하느뇨?"

소제 날호여 대왈,

"성씨는 벌써 죽은 지 오래고, 비록 살았다 일러도 오왕의 딸이 될 리 없으니, 설빈을 성씨라 하기 괴이하되, 형용인즉 완연한 성씨니, 소제 정히 난측(難測)하여 하거니와, 이 가장 중대한 일이니 저저는 누설치 마소서."

부인 왈,

"우형이 어찌 여러 사람 있는 데 이 말을 하리요마는, 다만 설빈이 처음으로 오던 날 윤형과 가만히 의심됨을 이르고, 금일 현제를 대하여 근심하는 바라. 부모께도 오히려 이 말씀을 고치 못함은, 저의 근본을 자세히 알지 못하고 과격한 창 제(弟)의 귀에 들어간즉, 일장 요란한 거조가 있을까 염려함으로 발설함이 없노라."

정소저 왈,

"저저는 모름지기 존당의 불미지언(不美之言)을 고치 마소서."

하부인이 희허탄식(唏噓歎息)하더니, 정언간에 사인이 들어오니, 하부인이 말을 그치고 소저 일어나 맞아 동서분좌(東西分坐)하매, 사인이 저저를 향하여 웃고 왈,

"저저 무슨 말씀을 종용이 하시다가, 소저를 보시고 그치시나이까?"

부인 왈,

"무슨 말이리오. 우형이 명일은 옥누항으로 돌아가리니 결연(缺

然)430)함을 이르노라."

사인이 웃고 왈,

"윤부에서 저저만 내사를 가음아시관데, 태부 형의 부실 장 부인이 계시고, 또 유부인이 계시니, 무슨 일로 급급히 돌아가려 하시나니까?"

부인이 탄 왈,

"우형인들 부모 슬하에 모시고자 않으리오마는, 귀녕하는 때 순순(順順)이431) 연고 많아 오래 있지 못하니, 내 또한 훌연(欻然)432)함을 이기지 못하노라."

사인이 저저의 총총(悤悤)433)함을 심히 결연(缺然)하여 이윽히 담화하다가, 야심 후 하부인이 숙소로 돌아가니, 사인이 정소저를 볼수록 태산 같은 은애(恩愛)를 능히 억제치 못하니, 자연 연슬집수(連膝執手)하여 은근하니, 정소저 가부의 이 같은 은정을 깃거 않을 뿐 아니라, 자기 얼굴을 미혼 전에 보고 상사지질(相思之疾)을 이루기에 미쳐, 규방 아녀자에게 괴이한 서찰을 부치고, 천방백계(千方百計)로 혼인을 구하여 부디 성례(成禮)함을 불복(不服)하고, 천성이 단엄침중하여 탕객의 은애를 조금도 가납(嘉納)지 않고, 손을 빼어 묵묵 단좌하매 은연히 사군자(士君子) 같으니, 생이 더욱 흠복경탄(欽服敬歎)하여 은애 샘솟듯 하더라.

명일 윤태부 부인이 옥누항으로 가고, 정소저 인하여 구가에 머물러 효봉구고(孝奉舅姑)하고 승순군자(承順君子)하며 화우금장(和友襟丈)하

---

430) 결연(缺然) : 무엇인가 모자라거나 빠진 것이 있는 것 같아 서운하거나 불만족스러움.

431) 순순(順順)이 : ①성질이나 태도가 매우 고분고분하고 온순하게. ②번번(番番)이. 매 때마다.

432) 훌연(欻然) : ①갑작스러움. ②갑작스럽게 떠나거나 어떤 일이 일어나, 다하지 못한 일로, 마음속에 어진지 섭섭하거나 허전한 구석이 있음.

433) 총총(悤悤) : 몹시 급하고 바쁜 모양.

여 춘풍화기 가내에 가득하니, 구고의 사랑과 사인의 중대함이 비할 데 없고, 인리(隣里) 친척(親戚)의 예성(譽聲)이 윤사마 부인 숙렬의 아래 되지 않는다 하니, 주야 칼을 겨뤄434) 죽이려 하는 자는 설빈이라.

가만히 연상궁으로 더불어 모의하여 해코자 할 새, 먼저 변심하는 약과 부부 은정을 베는 요약을 갖추 얻어, 사인에게 내는 음식에 화(和)하여 시험한즉, 사인이 요약 섞은 주식(酒食)을 먹은즉 순순(順順) 구토(嘔吐)하고, 마침내 심정을 바꾸지 않으니, 설빈이 불승분노(不勝忿怒)하여, 또 괴이한 매골(埋骨)435)과 공교로운 요예지물(妖穢之物)436)을 많이 얻어, 가만히 반야삼경(半夜三更)에 축사(祝辭)를 쓰고, 연상궁으로 봉원각 벽틈에 두루 감추고 정소저의 죽기를 절박히 빌되, 정소저 벌써 요예지물을 묻던 날에 자세히 알아, 심복 시녀 벽옥·취란으로 축사와 요예지물을 가만히 파내어, 그윽한 곳에 가 소화하니 무슨 해로움이 있으리오. 설빈과 연상궁이 저주(詛呪)의 효험이 없음을 착급하여 그 묻은 곳을 파본즉, 세세히 없이 하였으니, 성녀와 연상궁이 분연(憤然)하는 중, 파 없앤 자를 알지 못하여, '혹자 사인의 안 바 되었는가?' 염려 없지 않고, 정소저 없애기 어려움을 근심하여 숙식이 편치 못하고, 주사야탁(晝思夜度)하여 흉계를 의논하더라.

차시 천하(天下) 승평(昇平)하고 병혁(兵革)을 일으키지 않았더니, 평진왕 울금서가 반하여 대국 토지를 노략하여, 절도사를 죽이고 형세 크매 참칭(僭稱) '대진천자(大晉天子)'로라 하고, 웅병맹장(雄兵猛將)을 모

---

434) 겨루다 : 서로 버치어 승부를 다투다.
435) 매골(埋骨) : 뼈를 땅에 묻음. 또는 땅에 묻힌 뼈.
436) 요예지물(妖穢之物) : 무속(巫俗)에서 방자를 할 때 쓰는 해골(骸骨)이나 인형(人形) 따위의 요사스럽고 흉측한 물건.

아 황성을 향하니, 변보(變報)가 눈 날리듯 하는지라. 상이 크게 근심하시어 문화전에 조회를 여시고 문무중신을 모아 파적(破敵)할 일을 의논하실 새, 제신이 윤광천을 천거하거늘, 천자가 미처 답하지 못하시어 문득 반부중(班部中)으로서 형부 상서 정세홍이 윤사마로 더불어 파적함을 자원하니, 상이 대희하시어 윤광천으로 대원수를 삼으시고 정세홍으로 부원수를 삼아 상방검(尙方劍)437)을 주시니, 양원수 퇴조하여 연무정(鍊武亭)에 좌하고 제로병마(諸路兵馬)를 삼일 연습하매 각처 총병(總兵)에게 하령하고, 윤원수 옥누항 본부에 돌아와 존당과 숙당과 모친께 출정함을 고하니, 위태부인과 조부인이 경왈,

"병기(兵器)는 흉지(凶地)라. 네 어찌 몸이 위태함을 염려치 않고, 원로에 출정코자하느뇨?"

원수 소이고왈(笑而告曰),

"소자 비록 재주 없사오나 어찌 조고만 도적을 근심하리까. 다만 슬하를 오래 떠날 바를 결연(缺然)하옵나니, 복원 태모와 자위는 물우소려(勿憂掃慮)하소서."

윤공이 질자의 원정을 경려(驚慮)하나, 모친과 수수(嫂嫂)의 염려를 돕삽지 못하여 호언관위(好言款慰)하고, 조손·숙질·모자·형제가 한 당에 모여 전별(餞別)을 이르며, 쌍쌍한 옥동화녀(玉童花女)를 어루만져 가차(假借)438)할 새, 원수의 차자 웅린이 구세라. 신장기위(身長氣威) 엄연(儼然)하여 그 부친의 아시 거동으로 호발(毫髮)도 다름이 없으니, 일가(一家)가 이상이 여기고 숙렬은 웅린을 볼 적마다 잃은 아들을 생각

---

437) 상방검(尙方劍) : 임금이 출정 장수에게 하시어하던 칼. 임금의 권위를 상징하는 역할을 하여 부하나 군졸 등이 명을 거역할 때 임금에게 보고하지 않고도 그들의 생사를 마음대로 할 수 있는 권위를 지니는 칼이다.

438) 가차(假借) : 잠시 정을 나눔. 편하고 너그럽게 대함.

하니, 흐르는 세월이 벌써 구년 춘추라. 실리(失離)한 아해 살아있을진대 웅린과 같이 장대하였을 바를 헤아려, 거처를 알지 못하고 주주야야(晝晝夜夜)에 참통한 심사 비할 곳이 없으되, 조부인이 매양 잃은 손아를 생각하고 비척(悲慽)하매, 원수 부부는 밖으로 태연하더라.

윤원수 삼군 장졸을 점검하여 출사(出師)할 날이 다다르매, 조모와 모친께 하직할 새, 위 태부인과 구파 누수(淚水) 산산(潸潸)하여[439] 능히 말을 못하고, 조부인은 결연(缺然)함이 등한한 것이 아니로되 존고의 슬퍼 하심을 돕지 못하여, 도리어 누수를 거두고 원수의 손을 잡아 승전개가(勝戰凱歌)로 쉬이 돌아옴을 당부하며, 유부인은 비척(悲慽)함이 조부인과 다름이 없으니, 원수 위로하여 길이 안강하심을 축(祝)하고, 돌아 정·진·남·화 사부인이며 양수(兩嫂)를 작별할 새, 사부인을 당부하여 존당을 효봉하며 자녀를 무휼하여 그 사이 합가(闔家) 무사함을 이르고, 사부인은 쉬이 입공반사(立功班師)할 바를 일컫더라.

원수 결연함을 진정(鎭靜)하여 존당에 하직하고 궐정으로 향할 새, 웅린 등 제 자질은 문외에 배별(拜別)하니, 웅린은 부친을 따라 가지 못하는 심사 더욱 베는 듯하더라.

이 때 부원수 정죽암도 존당 부모께 하직하고 위의를 정제(整齊)하여 궐하의 모였더라.

이 날 만세 황야 난가(鸞駕)를 동하시어 교외에 나와 윤원수를 전송(餞送)하실 새, 구름 장막(帳幕)은 반공(半空)에 솟았고, 기치창검(旗幟槍劍)은 일색을 가리며, 천군만마의 융장(戎裝)[440]은 정제한대, 천자 어좌(御座)를 이루시니, 문무백관이 두 줄로 시위하매, 상이 중신을 돌

---

439) 산산(潸潸)하다 : 눈물 빗물 따위가 줄줄 흐르는 모양.
440) 융장(戎裝) : 싸움터로 나아갈 때의 차림.

아보사 왈,

"주우신욕(主憂臣辱)이요, 주욕신사(主辱臣死)441)라 하나, 실로 정천흥의 남정북벌(南征北伐)과 윤광천의 동정서벌(東征西伐) 함은, 경(卿) 등이 아무리 근로하여 짐의 근심을 나누나, 충렬재덕(忠烈才德)은 이 두 신하를 당할 이 없으니, 정천흥과 윤광천을 두매, 짐이 족히 변방을 근심치 않을 것이요, 또 윤희천이 있으니 예의를 밝히고 주공(周公)442)의 덕을 이으리니, 짐이 비록 세상을 버리나 근심이 없을까 하나니, 경 등은 윤·정 등을 효칙하라."

만조 배복(拜伏)하나 성교 (聖敎) 전과 다르심을 의아하더라. 양원수를 어탑하(御榻下)에 가까이 부르사 옥배(玉杯)에 향온(香醞)을 취토록 주시고, 원수의 손을 잡으사 왈,

"경부(卿父) 국가를 위하여 명을 느꺼이443) 버리니 짐이 매양 통상하는 바라. 경의 완비(完備)한 기상이 경부(卿父0에서 나오니, 수화(水火)의 들어도 위태함을 벗어나려니와, 경을 금일 만리전진(萬里戰陣)에 보내매, 짐의 심사 심히 편치 않아 전일과 회포 다르니, 짐이 마음이 견고치 못하여 군신이 반기는 얼굴로 다시 보기를 기필(期必)치 못할까 하노라."

윤원수 천안의 슬퍼하심과 추연하신 천어(天語)를 듣자오매, 지극한

---

441) 주우신욕(主憂臣辱) 주욕신사(主辱臣死) : 임금에게 근심이 있으면 신하는 마땅히 이를 치욕으로 생각하여 근심을 없애야 하고, 또 임금에게 치욕이 있으면 신하는 마땅히 죽음으로써 그 치욕을 씻어야 한다.

442) 주공(周公) : 중국 주나라의 정치가. 문왕의 아들로 성은 희(姬). 이름은 단(旦). 형인 무왕을 도와 은나라를 멸하였고 어린 조카 성왕(成王)을 섭정하여 주나라의 기초를 튼튼히 하였다. 예악 제도(禮樂制度)를 정비하였으며, ≪주례(周禮)≫를 지었다고 알려져 있다.

443) 느껍다 : 어떤 느낌이 마음에 북받쳐서 벅차다. 여기서는 '서럽게'의 뜻.

충렬지심으로써 의아할 뿐 아니라, 신명한 헤아림이 천수를 모르지 않음으로, 다시 황야(皇爺)께 조회하기를 기약하기 어려움을 생각하매, 심사 황황하여 와잠용미(臥蠶龍眉)에 수운(愁雲)이 교집(交集)하고, 단봉냥안(丹鳳兩眼)에 누수 흐름을 깨닫지 못하나, 지척 천안(咫尺天顔)에 비색(悲色)을 나토지 못하여, 이성화기(怡聲和氣)로 주왈,

"신이 금일 탑하에 하직하옵는 심사 비할(悲割)444)하온지라. 신수부재(臣雖不才)오나 진적을 탕멸하옵고 개가로 반사하와, 금궐(禁闕)에 조회하옵는 날 즐거움은 금일 아니 가는 이에서 더할지라. 복원(伏願) 성상은 만세무강하소서."

상이 탄식하시어 왈,

"불사약(不死藥)이 없으니 어찌 하리오."

원수 정벌이 일시 급한지라. 비감(悲感)함을 참고 부원수 이하 제장으로 더불어 팔배하직(八拜下直)하고 나와, 녈후공경(列侯公卿)으로 더불어 작별하고, 부원수는 부전에 하직하매 날이 늦어가므로 총총이 행군할 새, 장사(將士)는 태산의 맹호 같고 말은 창해(蒼海)의 비룡(飛龍) 같거늘, 군용(軍容)이 정숙하고 개갑(介甲)이 선명한데, 윤원수 황금쇄자갑(黃錦鎖子甲)445)에 봉시(鳳翅)투구446)를 쓰고, 손에 죽절편(竹節鞭)447)을 쥐고, 천리대완마(千里大宛馬)448)를 탔으니, 이른 바 '기린지

---

444) 비할(悲割) : 슬픔이 칼로 살을 도려내듯 함.
445) 황금쇄자갑(黃錦鎖子甲) : 갑옷의 일종. 황색 명주옷에 사방 두 치 정도 되는 돼지가죽으로 된 미늘들을 작은 고리로 꿰어 붙여서 만들었다.
446) 봉시(鳳翅)투구 : 봉시(鳳翅)투구. 봉(鳳)의 깃으로 꾸민 투구. 봉시(鳳翅)는 봉의 깃. 투구는 예전에, 군인이 전투할 때에 적의 화살이나 칼날로부터 머리를 보호하기 위하여 쓰던 쇠로 만든 모자.
447) 죽절편(竹節鞭) : 자루가 대나무로 된 채찍.
448) 천리대완마(千里大宛馬) : 하루에 천리를 간다고 하는 명마. *대완마(大宛馬) :

어주수(麒麟之於走獸)449)와 봉황지어비조(鳳凰之於飛鳥)450)라'. 부원수
는 황금투구에 백은갑(白銀甲)451)을 껴입고, 옥수(玉手)의 용사보도(龍
蛇寶刀)452)를 쥐고, 좌하(座下)에 오화마(五花馬)453)를 탔으니 남중일
색(男中一色)454)이라. 호호탕탕이 나아 갈 새, 천자 멀리 바라보시니
그 군율이 엄숙하여 주아부(周亞夫)455)의 군문(軍門)456)을 보시는 듯한
지라. 용안이 불승희열하시더라.

윤태부 제정과 초국공 곤계는 원수의 행거를 좇아 사오 리를 더 나와
이별할 새, 제왕이 윤원수와 그 아의 손을 잡고 왈,

"사원의 재략으로써 도적을 탕멸함은 근심 없거니와, 오제(吾弟)는
일종(一終)457) 상장(上將)의 영을 준행할 따름이니, 더욱 만리 출정에
성교 비척(悲慽)하시니, 인신의 경황함을 이기지 못하리로다."

윤원수 추연 하루 왈,

"소제는 천지간 슬픈 인생이라. 외로우신 자모를 모셔 존당을 받들어
일시도 떠나지 못할 형세로되, 신자 되어 이런 때에 안연치 못하여 출정
하나, 성교를 듣자오매 심사 황란함을 이기지 못하리로다."

일명 한혈마(汗血馬). 피땀을 흘릴 정도로 매우 빨리 달리는 말이라는 뜻으로,
   한혈마(汗血馬)라 불리기도 하며, 알아비아 대완국(大宛國)에서 나는 말이라
   하여 대완마(大宛馬)라 불리기도 한다.
449) 기린지어주수(麒麟之於走獸) : 달리는 짐승 가운데서 기린(麒麟)처럼 뛰어남.
450) 봉황지어비죄(鳳凰之於飛鳥) : 나는 새 가운데서 봉황(鳳凰)처럼 특출(特出)함.
451) 백은갑(白銀甲) : 하얀 은빛 갑옷.
452) 용사보도(龍蛇寶刀) : 용과 뱀을 새긴 보검(寶劍).
453) 오화마(五花馬) : 말의 갈기를 다섯 갈래로 땋아 꾸민 말. *화마(花馬) : 얼룩말.
454) 남중일색(男中一色) : 남자 가운데 제일가는 미남자.
455) 주아부(周亞夫) : 중국 전한(前漢) 전기의 무장, 오초칠국(吳楚七國)의 난을 평
   정해 공을 세웠고 승상에 올랐다.
456) 군문(軍門) : 군대를 비유적으로 이르는 말.
457) 일종(一終) : 처음부터 끝까지. 한결같이.

제왕이 위로하고 무궁한 회포를 다 각각 억제하여 분수(分手)하니, 원수는 대군을 휘동하여 진을 향하고, 제왕 등은 어막으로 돌아와 상을 모셔 환궁하시다.

이 때 윤부에서 태부인과 조부인이 원수를 보내고 홀연함을 이기지 못하니, 윤공과 태부가 화성유어로 위로함을 마지않더라.

차시 담양 태수 구몽숙의 애민선정(愛民善政)이 제읍주현의 으뜸으로, 안찰사 계문(啓聞)에 순순(順順)이 칭선함이 되었더니, 평제왕 정죽청이 윤태부로 더불어 천문에 힘써 주하여, 구몽숙이 벌써 담양에 있은 지 여러 세월이 되었고, 개과천선(改過遷善)하여 전후 다른 사람이 되었으니, 성주의 관홍하신 후덕(厚德)으로써 몽숙의 전죄(前罪)를 사하시고, 옛 벼슬을 주사 경사에 불러 오심을 청하오니, 상이 처음은 불허하시더니, 평제왕의 뜻이 몽숙을 구하여 부디 옛 벼슬에 오르게 하고자 함이 간절함을 보시고, 그 어짊을 기특이 여기사 마지못하여 몽숙을 공부상서를 삼으사 역마로 부르시니, 제왕의 기뻐함이 측량없더라. 이미 은영이 더으매, 몽숙이 수월지내(數月之內)에 상경하여 궐하에 사은숙배하고, 바로 정부에 와 금후 부자를 보고 눈물을 흘리며 고두(叩頭) 사례하니, 금후는 다만 이르되,

"당초로부터 우리 부자는 너를 미워 한 일 없이 네 그릇 되니 마음에 애달더니, 금차지시 하여는 전과를 뉘우치고 새로 어진 뜻을 발하니, 한갓 우리 부자 행희(幸喜)할 뿐 아니라, 네 몸에 적지 않은 영화라. 모름지기 한결같이 행신을 가다듬어 다시 불의에 빠지지 말라."

몽숙이 체읍수명(涕泣受命)하고, 제왕은 반김이 무궁하나 몽숙이 은혜 일컫기에 다다라는 번연이 깃거 않아, 미우를 찡겨 왈,

"형의 사생이 성주(聖主)께 있으니, 소주의 찬배와 남양의 태수며 경

사에 올라옴이 다 성주의 명이시니, 소제를 보고 칭사할 일이 아닌가 하
노라."

몽숙이 제왕의 성정을 아는 고로 다시 칭사치 못하고, 정부 영화 부귀
그 사이 더욱 혁혁하여 제왕이 천승의 귀를 누리며, 유흥과 필흥이 다
등과하여 청현재렬(淸賢宰列)에 있음을 보니, 저의 공교히 해코자 하던
일이 새로이 뉘우쁘며458) 애달아, 마침내 정·진 양부를 의지하고 일생
을 지내고자 함으로, 가사를 취운산에 옮겨 제정, 제진을 보매, 진평장
등은 결증(潔症)이 남다른지라. 제왕의 비위 좋음을 본받지 않아 흔연
상접지 못하나, 낙양후 몽숙을 우대함이 친자 같아서 애자지원(睚眦之
怨)을 조금도 품지 않으니, 이러므로 제진이 부숙의 뜻을 역지 못하여
예사로이 대접하더라.

어시에 설빈이 하사인의 정소저 중대함을 보매 시심(猜心)이 날로 층
가하여, 정소저 해할 의사 아니 미친 곳이 없으되, 정소저 사람 됨이 사
광(師曠)의 총(聰)과 하해(河海)의 깊이를 가져 사군자(士君子) 열장부
(烈丈夫)의 위 가즉하니, 가벼이 해할 기틀이 없어 가만히 묘화 니고(尼
姑)를 불러 정소저 없애기를 꾀하니, 묘화가 응낙하고 몸을 화하여 나는
새 되어, 정소저 침소에 가 그 용화기질을 구경한즉, 한갓 미려한 자태
뿐 아니라 천지강산의 수출(秀出)한 정화를 오로지 타 났으니, 묘화가
한 번 보매 자연 두려운 의사 가득하여, 스스로 헤아리되,

"차인은 여중성자(女中聖者)라 범연한 계교와 등한한 꾀로는 해하기
어려우니, 설빈 군주의 원을 이루기 쉽지 않은지라. 각별한 재주를 베풀
어 정씨를 없앨 것이라."

---

458) 뉘우쁘다 : 후회(後悔)스럽다. 뉘우치는 생각이 있다.

하고, 즉시 설원각에 들어 가 설빈을 대하여 왈,

"빈도(貧道)459)가 정씨를 자세히 본즉 추수정신(秋水精神)이며 일월명광(日月明光)으로, 상모(相貌)에 오채팔광(五彩八光)460)이 어른기고 만복이 완전하여, 적은 재주와 범연한 꾀로는 해할 길 없으니, 저의 모르는 가운데 인사불성 되는 회화단461)이란 약을 먹여 정신을 흐리게 한 후 저를 후려다가462) 없애는 것이 옳으리라."

한데, 설빈이 깃거 칭사 왈,

"사부 나를 위하여 정녀를 없애 줄진대 대은을 명골각심(銘骨刻心)463)하여 죽어도 다 갑기 어려울까 하노라."

묘화 소리를 낮추어 왈,

"빈도가 군주의 당초 전정(前程)으로부터 이제 이르기까지 영화롭기를 바라는 정성이 고독(固篤)464)하니, 군주 비록 청치 않으시며 당부치 않으신들, 어이 군주의 적인(敵人)을 눈 아래 두고자 하리요마는, 군주의 만나신바 적인이 가장 심상치 않은 사람이라, 천방백계로 해코자 하여도 가벼이 죽이기 어려우니, 빈도의 궁극한 의사로 암약(瘖藥)465)을 먹여 정신을 흐리고, 잡아다가 없애고자 함이라. 군주는 빈도를 믿으시

---

459) 빈도(貧道) : 덕(德)이 적다는 뜻으로, 승려나 도사가 자기를 낮추어 이르는 일인칭 대명사. 늑빈승(貧僧).
460) 오채팔광(五彩八光) : 오채(五彩)와 팔광(八光)을 아울러 이르는 말. *오채(五彩); 파랑, 노랑, 빨강, 하양, 검정의 다섯 가지 색. *팔광(八光); 불교에서 말하는 여덟 가지 광명. 염(念)·의(意)·유(遊)·법(法)·지(智)·정(精)·신(神)·행(行)의 광명.
461) 회화단 : 사람의 정신을 잃게 하는 요약(妖藥)
462) 후리다 : 휘몰아 채다. 납치하다. 강제 수단을 써서 억지로 데려가다.
463) 명골각심(銘骨刻心) : 뼈에 새기고 마음에 새김.
464) 고독(固篤) : 매우 굳고 두터움.
465) 암약(瘖藥) : 말 못하는 벙어리가 되게 하는 약.

고 과도히 염려하시어 귀체를 상해오지 마소서."

설빈이 깃거 천만 사례하고, 또 눈물을 드리워 가로되,

"첩의 근본은 춘교와 사부 밖에 알 이 없는지라. 첩이 사부를 바라는 마음이 자모(慈母)에 감치 않고, 이때를 당하여 친자모(親慈母)는 첩을 죽은 줄로 하고, 양자모(養慈母)는 첩의 행지(行止)를 전연 부지(不知)하시니, 첩의 신세를 비할 곳이 없는데, 오직 사부만 첩의 슬픈 정사를 극진히 염려하니 어찌 감은각골(感恩刻骨)치 않으리오. 저 정녀의 얼굴이 한갓 곱고 빛날 뿐 아니라, 행사 신성특이(神聖特異)하여 귀신의 슬기와 천지의 너른 양(量)을 가졌으니, 효봉구고와 승순(承順)하는 도리 범류(凡類)와 내도하고, 하사인의 아시 정약으로 비록 이름이 재실이나 후백의 만금교아요, 왕공의 누이로 태산 같은 세권(勢權)이 있고, 하문이 정가 대은을 입어 깊은 정의(情誼)가 바다가 옅으며 태산이 낮을지라. 이러므로 구고 정씨를 사랑하며 중한 은정이 비할 것이 없으니, 첩이 비록 천승의 일 군주라 하나, 자취 점점 서어(齟齬)하고 하가의 불관이 여김이 행로 같으니, 애다오며 분함이 흉격이 터질 듯한 가운데, 다시 생각건대 첩이 초에 정세흥의 중대를 받아 양씨를 소제하고, 일생이 불안함이 없을 것을, 정연 역자가 원수같이 미워하여 궁극히 첩의 허물을 들춰내어, 영영 박출(迫黜)466)하니 주야 정연을 통원하는 마음이 여러 세월이 될수록 더한지라. 정연을 촌참하고 정녀를 일만 조각에 찢을진대 나의 분을 쾌히 풀 것이로되, 정연 해할 모책이 없어 우민하는 바라. 사부는 좋은 계교를 가르치라."

묘화가 머리를 흔들어 왈,

"군주의 사람 해코자 하심이 너무 괴이한지라. 금후 비록 군주를 박출

---

466) 박출(迫黜) : 다그쳐 내침.

함이 원앙(怨怏)하나, 저 정가 세권이 송조의 으뜸이요, 그 위인이 저마다 칭복하는 바니, 하늘이 정가를 망멸치 않은 후는 인력으로 능히 해치 못할지라. 군주는 다만 정씨를 없이 한 후 하사인의 마음을 돌려, 백년지락의 은정이 환흡(歡洽)하기를 취하소서."

설빈이 추연 탄식 왈,

"사부의 가르침이 마땅하나 정연 적자(賊子)가 나를 박축하던 바를 생각하면, 미움이 골절에 사무치니, 궁극히 도모할지라도 정연의 흉사함을 보고자 하되, 사부의 말씀이 이러하니 정녀나 먼저 없애면 쾌하련마는, 그 위인이 심상치 않고, 하사인이 수유불리(須臾不離)하는 은정이 있으니, 암약(瘖藥)도 먹일 틈이 없거니와, 궁극히 틈을 타면 현마 정녀를 서릇지467) 못하리오."

묘홰 왈,

"빈도 군주를 위하여 정성을 다할 것이요, 연상궁이 또 군주를 돕는 마음이 죽기를 헤지 않으리니, 일월을 천연(遷延)할진대 정씨를 없애지 못할까 근심하리까? 군주는 만사를 파락(擺落)468)하시어 부질없이 심려를 상해오지 마소서."

설빈이 진진(津津)이469) 느껴 왈,

"사부의 말이 옳음을 모르지 않되, 가부(家夫)의 은총이 정녀에게 온전함을 보면, 더욱 심장이 녹는 듯하니 실로 참기 어렵도다."

하더라.

---

467) 서릇다 : 거두어 치우다. 정리하다. 없애다. 죽이다.
468) 파락(擺落) : 털어 없앰.
469) 진진(津津)이 : 진진(津津)히. 재미나 슬픔 따위가 매우 있게. 매우 흥미 있게. 매우 서럽게.

명주보월빙 권지구십칠

어시에 설빈이 진진(津津)이 느껴 왈,

"가부의 은총이 정녀에게 온전함을 보면 더욱 심장이 녹는 듯하니 실로 참기 어렵도다."

묘홰 재삼 위로하고 암자로 돌아 가니라. 설빈이 정소저로 일택지상(一宅之上)에 있은 지 육칠 삭에 미쳐는, 미운 마음을 참지 못하여 여러 이목(耳目)이 없는 곳에서 정소저를 만나면 흉한 욕설과 앙앙한 질언(叱言)이 사람이 차마 듣지 못할 바라.

정소저 처음부터 찰녀(刹女)의 언어를 괴로이 쟁단(爭端)470)함이 없으니, 설빈이 도리어 무미(無味)하되 골똘히 미움을 참기 어려워 매양 혼자 말로 욕하니, 남 보기의 실성한 사람 같더라.

중동(仲冬)에 이르러는 정소저 회태(懷胎)함이 있어 약질(弱質)이 상요(床褥)의 침면(沈沔)471)하되, 하사인으로부터 가중이 다 그 잉태함을 알지 못하고 일시 풍한에 상함으로 치되, 설빈은 묘화 요리(妖尼)를 자주 불러 하사인과 정씨의 운수를 추점(推占)하는 고로, 묘화가 정소

---

470) 쟁단(爭端) : 다툼의 실마리. 또는 실마리를 삼아 다툼.
471) 침면(沈沔) : 병이 오래 낫지 않아 병석에 누워 있음.

저의 수태(受胎)함을 밝히 알아, 정소저 복중의 대귀할 아들이 들어있으니 만일 무사히 분만한즉, 더욱 범이 날개 돋치며 용이 여의주(如意珠)를 얻은 즐거움이 있을 것이니, 아무려나 분산 전에 정씨를 없앨 것이라 하고, 정신 흐리는 약을 설빈을 주니, 군주 정씨의 유태(有胎)함을 듣고 더욱 미움을 형상치 못하여, 묘화를 협실에 머무르고 암약을 정소저 나오는 음식과 찬선(饌膳)에 두루 화(和)하기를 신기히 함은, 묘화의 변신법(變身法)으로 하부 시녀 되어 조석 식반에 여러 번 섞되, 정소저 사광(師曠)의 총(聰)이 있음으로, 자기 침처 저주지사(詛呪之事) 설빈의 작악(作惡)임을 깨다른 후는, 범사를 살피기를 남달리 하는 고로, 비록 조석 식반이나 요인의 간계를 헤아려 의심 된 음식을 먹지 않고, 벽옥·취란 양비로 가만히 땅에 버려 일호 먹는 바 없으니, 정신이 어찌 흐리리오. 설빈이 묘화로 더불어 여러 순(順)[472] 요약을 시험하나, 마침내 효험을 보지 못하니 더욱 분분(忿憤)하여, 가만히 묘화로 의논하고 야반(夜半)에 하부 원님 깊은 곳에 제전을 베풀고, 요술을 다하여 정씨의 복아를 떼어버리고, 급급히 풍도지옥으로 영백(靈魄)을 잡아 가라 하매, 음풍(陰風)이 소슬하고 수운(愁雲)이 어리어 허다 요귀(妖鬼) 현현(顯顯)이 모임을 보리러라.

문득 동남간(東南間)으로 좇아 오운(五雲)[473]이 애애(靄靄)한 가운데, 백의관음(白衣觀音)[474]이 여성 질왈,

"묘화 요괴는 들으라. 네 몸이 사문(寺門)[475]의 제재 될진대, 도행을

---

472) -순(順) : 일부 명사 뒤에 붙어, '차례'의 뜻을 더하는 접미사.
473) 오운(五雲) : 오색구름.
474) 백의관음(白衣觀音) : 삼십삼 관음의 하나. 흰옷을 입고 흰 연꽃 가운데 앉아 있는 모습이다.
475) 사문(寺門) : 절. 불가(佛家).

어질게 닦아 영화롭기를 바랄 것이거늘, 세상 간음찰녀(姦淫刹女)의 요
악흉사를 도와 현인을 모해하며 숙녀를 없애고자 하니, 너의 악사를 사
람은 알지 못하나 천지귀신(天地鬼神)은 소연(昭然)이 아는지라. 어찌
나중이 무사함을 바라리오."

언파에 너른 소매로 요괴를 쫓고 청풍(淸風)을 일으키매, 묘화의 마
음이 스스로 황황(惶惶)하고 정신이 아득하여 다시 요술을 행할 의사 없
는지라. 제전(祭奠) 벌인 것을 거두어 앗지 못하고, 보보전경(步步顚
傾)476) 하여 선월각의 돌아와 설빈을 보고, 관음대사(觀音大師)477)의
현성(顯聖)하여 하시던 말씀을 이르고, 탄 왈,

"빈도의 신행법술(神行法術)로 시험한즉 소원을 이루지 못할 바 없고,
전후의 사람을 죽임이 많더니, 금번같이 황황한 적이 없는지라. 정씨를
해하기 이다지도 어려우니 어찌 근심 되지 않으리오."

설빈이 탄 왈,

"사부의 도술법행이 만고에 희한하니, 첩이 실로 정씨 없애기를 염려
치 않았더니, 여러 가지로 시험하는 일이 다 그릇 되니 어찌 애달지 않
으리오. '관음대사는 어디로서 내달아 사부를 그같이 꾸짖던고?' 실로
측량치 못하리로다."

묘화 탄 왈,

"계교(計巧)는 사람에게 있고 이루기는 하늘에 달렸으니, 능히 인력으
로 못할지라. 빈도 그윽이 혜건아리건대, 명년 춘말(春末)에 정소저 크게
불길하니, 그 운수 괴이한 때를 당하면, 빈도 재주를 베풀어 족히 그 소

---

476) 보보전경(步步顚傾) : 걸음마다 거꾸러지고 엎어지고 함.
477) 관음대사(觀音大師) : 관세음보살(觀世音菩薩). 아미타불의 왼편에서 교화를
    돕는 보살. 사보살의 하나이다. 세상의 소리를 들어 알 수 있는 보살이므로 중
    생이 고통 가운데 열심히 이 이름을 외면 도움을 받게 된다.

원을 일울 듯하니, 군주는 모름지기 그 사이 참고 좋은 듯이 기다리소
서."

군주 묘화를 신명(神明)478)같이 여기나, 명춘(明春) 말(末)이 오히
려 여러 달이 가렸음으로, 정소저 미운 마음을 능히 참지 못하여, 이에
만단비회(萬端悲懷)를 베풀어 오왕 부부께 상서를 올릴 새, 하공 부부
자기를 불애(不愛)하고, 사인이 박대함을 행로같이 할 뿐 아니라, 언언
이 황가지엽이라 일컫고 자기 만리전정(萬里前程)은 볼 것이 없으되, 부
모께 욕이 미침을 슬퍼하는 설화를 베풀어, 하가에 머물기 자취 서어하
고, 정씨 먼저 수태하여 형세 권총(權寵)이 태악(泰岳) 같으니, 저의 신
세는 아주 마쳤음을 고하였으니, 자닝하고 슬픔이 듣는 자로 하여금 눈
물을 흘릴 바요, 하공 부부의 인자치 못 함과 사인의 박정무신(薄情無
信)함을 통해(痛駭)케 할러라.

군주 쓰기를 마치매 연상궁을 주어 오궁에 보내니, 오왕 부부 여아의
상서를 보매 그 신세 자닝함을 위하여 슬퍼 할 뿐 아니라, 연상궁이 맹
랑지언(孟浪之言)479)을 주출(做出)하여, 하공 부부의 군주를 불애(不
愛)함이 하천·비복만 같지 못하게 여김과, 하사인의 박대 아니 미친 곳
이 없음은 이르지도 말고 언언이 오왕과 비를 질욕하여 업신여김을 갖
추 고하니, 오왕이 비록 인현하나 잠깐 너르지 못 한지라.

이 말을 듣고 설빈의 상서를 보매 하공 부자를 깊이 노하여, 차일 거
륜(車輪)을 돌려 취운산에 나아가 하공을 볼 새, 사인은 입번하였고 하
공은 초공과 한림으로 있는지라. 오왕이 하공 부자로 예필 한훤 파의 문
득 미우를 찡기고, 사색이 좋지 않아 분분(忿憤) 왈,

---

478) 신명(神明) : 천지의 신령(神靈).
479) 맹랑지언(孟浪之言) : 아무런 근거도 없는 허망한 말.

"과인의 여식이 용우잔열(庸愚孱劣)하여 영눈(令尹)의 쾌한 배우 아니라. 고산 같은 안견(眼見)으로써 불관(不關)이 여김은 괴이치 않으려니와, 오히려 드러난 대죄는 없을진대, 자순의 박대 행로(行路) 같음이 너무 심한 일이요, 명공이 소녀의 슬픈 신세를 돌아보지 않으심이 화홍관대(和弘寬大)한 덕이 아니라. 부부 사정은 위력으로 못하려니와 질언(叱言) 참욕(僭辱)이야 어찌 금단(禁斷)치 못하리오?"

하공이 수연(愁然)이 무릎을 쓸고 대왈,

"소생은 포의(布衣) 천생(天生)의 무지무식지인(無知不識之人)이라. 예의를 알지 못하와 교자어하(敎子御下)480)에 어찌 법도 있으리오. 하물며 불초자 원창이 아시로부터 광망패려(狂妄悖戾)하여, 아비를 압두(壓頭)하고 어미를 능경(凌輕)하여 윤상(倫常)을 알지 못하니, 학생이 백 번 꾸짖고 천 번 경계하여도, 아비 교훈을 홍모(鴻毛)같이 여기니, 한 조각 효험이 없을 뿐 아니라, 귀주로 금슬이 흡흡(洽洽)지 못함은 성례(成禮) 날부터 이제 이르기까지 한가지니, 소생이 자식의 부부 화(和)치 못함을 어찌 미온(未穩)치 않으리요마는, 전후 이른 말이 다 헛되니 정히 통완(痛惋)하는 바로되, 오히려 원창이 귀주를 질욕한 줄은 알지 못하였더니, 대왕이 이르시니 소생이 들으매 일변 교자(敎子) 못함이 참괴한지라. 감히 낯을 들어 대왕을 볼 뜻이 없도소이다."

언파에 의연(依然)481) 정좌하여 기위(氣威) 강렬하니, 오왕이 비록 황자의 존함이나 하공을 위력으로 꾸짖지 못할지라. 다만 사색(辭色)이 불열(不悅)하여 왈,

"명공의 말씀이 이 같으니 과인이 다시 할 말이 없거니와, 자순의 기

---

480) 교자어하(敎子御下) : 자식을 가르치고 아래 하인배들을 다스림.
481) 의연(依然) : 전과 다름없음.

특함이 인중대현(人中大賢)이요, 어중룡(魚中龍)이라 어찌 광패한 일이 있으리까마는, 명공이 과인의 부녀를 역정(逆情)하여 자순을 불인한 편으로 치우시니, 과인이 도리어 참괴(慙愧)하도소이다."

설파에 노기 표연(飄然)하니, 하공이 가장 통증(痛憎)하나 사색(辭色)지 않고, 잠깐 웃으며 왈,

"소생이 귀주를 역정하여 원창을 불인(不人)이라 하는 것이 아니라, 미돈(迷豚)482)이 귀궁 동상(東床) 되기 전에 소생의 증념(憎厭)하는 자식이니, 패자의 행사를 일컬음이로소이다."

오왕이 다시 말 않고 설원각에 들어가 군주를 보고, 머리를 어루만져 왈,

"내 원창의 풍신용채(風神容彩)483)를 과혹하여 너로써 배우를 삼았더니, 하가의 박대함이 이렇게까지 하기에 미치니, 부부 사정은 위세로 가지 않거니와, 너를 상님(桑林)의 천인(賤人)같이 여기며, 우리를 연고 없이 질욕한다 하니 가장 통원한지라. 네 하가에 머물기 서어(齟齬)코 괴로울진대 구차히 있지 말고 본궁으로 돌아오라."

군주 비읍 대왈,

"소녀의 명도 괴이하여 사람의 박멸(薄蔑)484)함을 받으니 신세를 슬퍼할지언정, 어찌 구가를 한할 의사 있으리까마는, 부모께 한 일도 효를 이루지 못하고 도리어 참욕이 미침을 골똘히 분해하나이다."

오왕이 더욱 자닝히 여겨, 재삼 어루만져 왈,

"명야(命也)라. 인력으로 미칠 바 아니니, 여아는 사덕(四德)485)을

---

482) 미돈(迷豚) : 어리석은 돼지라는 뜻으로, '가아(家兒)'를 달리 이르는 말.
483) 풍신용채(風神容彩) : 풍채와 얼굴빛.
484) 박멸(薄蔑) : 박대와 멸시.
485) 사덕(四德) : 부녀자가 갖추어야 할 네 가지 덕목. 마음씨[婦德], 말씨[婦言], 맵시[婦容], 솜씨[婦功]를 이른다.

어질게 닦아 박정한 가부의 감동할 시절을 기다리라. 부질없이 심려를
허비하여 단명할 징표(徵表)를 짖지 말지어다."

설빈이 척연타루(慽然墮淚)하고 다시 말을 않거늘, 왕이 크게 척연
(慽然)하여 사세를 보아가며 본궁으로 돌아오기를 당부하고, 날이 저물
매 돌아 가니라.

하공이 오왕의 분분(忿憤)한 사색과 협액(狹額)한 말씀을 들으매 심
화 좋지 않아, 사인이 군주를 너무 편벽되이 박대하여 가중이 어지러울
바를 지기하매, 정소저를 위한 염려 비상하여, 초공을 돌아보아 왈,

"오왕이 인현(仁賢)하나 본디 화홍(和弘)치 못하여 부녀지정이 간절
하기로, 금일 언사 가장 불호하니, 원창은 구태여 설빈의 해를 받지 않
으려니와, 정현부는 '고래 싸움에 새우 죽는 환(患)'486)을 만날까 두려
워하노라. 초공이 부복 대왈,

"하교 마땅하시나 설빈 군주의 위인이 결단하여 가부를 해하고 그칠
지라. 한갓 정수를 해함은 이르지도 말고, 원창이 군주의 독수를 면치
못하오리니, 대인은 원창으로 군주를 후대함을 권치 마소서."

공이 정색 왈,

"군주의 상모는 복록을 완전히 누릴 사람은 아니로되, 아직 드러난 죄
과 없고 저를 이심(已甚)히 박대함이, 허물이 원창에게 있고 군주의 탓
이 아니니, 내 위인부(爲人父)하여 광망패려(狂妄悖戾)한 자식을 아니
계책치 못할 것이요, 정씨 비록 기특하나, 장부 처실 거느리는 도리 하
나를 박하고 하나를 너무 위함이 과한지라. 불편한 말이 내 귀에 오게
하니 어찌 통한치 않으리오."

---

486) 고래 싸홈의 새오 죽는 환(患) : 강한 자들끼리 싸우는 통에 아무 상관도 없는
    약한 자가 중간에 끼어 피해를 입게 됨을 비유적으로 이르는 말.

초공이 부친이 원창을 통한하여 하심을 보고, 다시 설빈의 간음요악(姦淫妖惡)함을 일컫지 않으나, 심리에 염려 무궁하여 설빈의 작변하는 일이 있을까 우민하더라.

사오일 후, 사인이 출번하매, 공이 면전에 꿀리고 엄절히 수죄 왈,

"남자가 세상의 나매, 수신제가(修身齊家)는 치국평천하지본(治國平天下之本)이라. 만일 가내에 두어 여자를 편히 거느리지 못할진대, 무슨 재덕으로 임군을 섬기리오. 이제 네 아내 양인(兩人)이 다 화월(花月)의 색이 있고, 군주는 황가지엽(皇家枝葉)이요, 천승(千乘)의 일녀로, 성행(性行)이 교오(驕傲)치 않고, 정씨는 명염숙녀(名艷淑女)라. 다 네게 외람한 처실이거늘, 네 군주를 공경중대하고 정씨를 편히 대접하여, 규문의 화기를 이루고 애증을 두지 말 것이거늘, 군주를 취하던 날부터 연고 없이 증념하여 박대 태심하고, 정씨를 과혹(過惑)하여 사군찰직(事君察職) 여가는 봉원각 중에 머리를 내밀지 않으니, 어찌 용렬치 않으리오. 일처를 박대(薄待)하고 일처를 침혹(沈惑)하여, 원망이 불 일듯하여, 아비 마음이 불평함을 생각지 않으니, 너를 인하여 자식으로 책망할 것이 아니라, 네 아비라 인인의 꾸지람을 면치 못하니, 네 만일 군주를 한결같이 박대하고 정씨를 일편되이 애중(愛重)할진대, 아주 내 앞을 떠나 보지 말고, 일분이나 네 아비로 알진대 군주를 후대하고 가제(家齊)를 화평히 하여, 어지러운 변고를 일으키지 말미 옳으니, 네 모름지기 일언(一言)에 결단하고, 날로써 심려(心慮)를 불평케 말라."

엄렬(嚴烈)한 기운이 상풍한월(霜風寒月) 같고 위의 묵묵(黙黙)하니, 사인이 매양 군주로 하여금 숨은 근심이 되어, 그 부친이 군주를 후대하라 하시는 말씀을 들을 적마다 두통을 얻은 듯하더니, 금일 엄명을 듣자오매 능히 대할 바를 알지 못하여, 다만 재배 청죄 왈,

"불초아(不肖兒) 무상하와 엄훈의 지극하심을 저버리옵고, 가간에 두

어 여자를 거느리지 못하여 어지러운 원언(怨言)이 엄하에 사무치
니[487], 해아(孩兒)의 죄 경치 않도소이다. 소자 군주를 취하던 날부터
염박함은 실로 괴이하오되, 마음을 고치고 엄교를 받자와 군주를 예사
로이 대접하여 다시 원망이 없게 하리이다."

공이 질왈,

"욕자(辱子), 한낱 인면수심(人面獸心)이라. 네 말을 어찌 믿을 일이 있
으리오. 그러나 내 네가 마음을 고쳐 군주를 후대할진대 다시 서로 보려니
와, 만일 그렇지 않으면 뜻을 결하여 너를 일택지상에 머물지 못하게 하리
라."

사인이 우우(憂憂) 민박(憫迫)하나 순순(順順) 사죄(謝罪)할 따름이라.
하공 왈,

"내당에 머물 일수를 정하여 주나니, 일삭의 오일은 설원각에 머물고,
오일은 봉월각에서 밤을 지내고, 습순(拾旬)[488]은 외당에 처하라."

사인이 능히 한 말도 못하고 배사수명(拜謝受命)하고 차야(此夜)부터
설원각에 갈 새, 길이 봉월각을 지나므로 능히 참지 못하여 잠깐 들어가
정소저를 볼 새, 이 때 정씨 잉태 오삭(五朔)이라. 옥모 수약(瘦弱)하고
화용이 초췌(憔悴)하여 약질이 괴로이 신음하는 바는 사지백해(四肢百
骸) 아니 아픈 곳이 없으되, 사람 됨이 침정숙묵(沈靜肅默)하여 통처(痛
處)를 구태여 이르지 않고, 아픈 것을 견뎌 구고께 신혼성정(晨昏省定)
을 폐치 않고, 본부의도 자기 질양을 고치 못하였을 뿐 아니라, 설빈이
천흉만악을 다하여 자기를 해코자 하는 줄 아는지라. 그러나 조금도 염
려함이 없어 식음이 의심 되지 않으면, 자기 양(量)을 채와 진식(盡食)

---

487) 사무치다 : 깊이 스며들거나 멀리까지 미치다.
488) 습순(拾旬) : 10일.

하고, 밤이면 자기를 임의로 하여 일분도 심려를 상해오지 않아, 화기 일실에 가득하되, 하사인의 일편 된 은정을 불열하여, 사인을 대한즉 춘양화기 줄어져 구추상월(九秋霜月) 같으며, 성혼 십삭에 사인으로 언어를 수작함이 없으니, 사인이 도리어 그 인물의 너무 침위(沈威)489)함을 답답히 여겨, 가부를 경멸한다 하고 책하되, 소저 오직 공경하여 들을 뿐이요, 입을 여는 바 없어 한낱 벙어리로 다름이 없더니, 이 날 마침 소저 유랑(乳娘)이 하공의 사인 책함을 들었으니, 사인의 들어옴은 의외라. 다만 소저를 대하여 탄식 왈,

"소저의 천향아질(天香雅質)이 만고에 희한하시고, 겸하여 본부 대노야 만금교와(萬金嬌瓦)490)로 수상농주(手上弄珠)491)로 아시니, 노첩 등이 바람이 금궐공주(禁闕公主)492)를 부러워 않으실까 하였삽더니, 불행히 하사인 노야의 재실(再室)이 되시매, 설빈 군주의 위인이 천연(天然)한 숙녀 아니라. 노야의 은정이 소저께 온전함을 시투(猜妒)하여 매양 소저를 고요히 대할 때면, 참욕이 아니 미친 곳이 없고, 사인 노야를 원망함이 불같음으로, 금일 대노야 사인 상공을 여차여차 책하시고, 소저께 탐혹하심을 크게 분원(憤怨)하시니, 구태여 소저를 불애(不愛)하시믄 아니로되, 소저의 신세 자연 불평하여 어지러운 일이 많을까 하나니, 소저는 모름지기 사인 상공을 대하여 설원각의 자주 왕래함을 권하시고, 스스로 화를 피하여 본부로 돌아가심이 만전지계(萬全之計)요,

---

489) 침위(沈威) : 침중(沈重)하고 위엄이 있음.
490) 만금교와(萬金嬌瓦) : 만금(萬金)에 비할 만큼 귀하고 예쁜 딸. '와(瓦)'는 딸을 비유한 말. ☞농와지경(弄瓦之慶).
491) 수상농주(手上弄珠) : 손안에 가지고 있는 구슬이라는 말로, 늘 손으로 쓰다듬어 기르는 예쁜 딸을 이르는 말.
492) 금궐공주(禁闕公主) : 대궐에 있는 공주. 곧 임금의 딸을 달리 이르는 말.

하부일문(河府一門)의 소제 가부의 은총을 영구(令求)493)치 않음을 밝히심이 옳거늘, 소저는 상공의 왕래를 기쁜 일같이 여기사, 어찌 군주를 후대하심을 권치 않으시나니까?"

정씨 침금의 몸을 비겨 묵연부답(默然不答)하니, 유모 왈,

"소저는 어찌 생각하시는지 모르거니와, 노첩의 뜻인즉, 본부로 돌아가시는 것이 액화를 받지 않는 길일까 하나이다."

소제 날호여 왈,

"어미 날을 위함이 지극하나. 오는 액(厄)은 성현도 면치 못하시니, 내 무슨 재덕으로 오는 액화를 막자르리오. 하물며 하군이 어린 아해 아니요, 그 몸이 팔척장부 되어 여자의 지휘를 좇지 않을 것이요, 이곳이 또 하군의 집이라. 자기 출입하는 바를 내 어찌 시비하며, 설원각에 왕래 있으며 없음을 내 알지 못할 뿐 아니라, 저의 주견이 없지 않으리니, 내 무엇이 기특하여 남자를 어질게 돕는 체하며 투기 없음을 자랑하리오. 출가지후(出嫁之後)로 심신이 안온치 못함이, 친당에 있을 적과 같지 못함을 내 모르지 않되, 몸이 여자 되어 구가를 싫어하고 매양 내 집 편한 것을 생각함이 가치 않으니, 구고(舅姑) 돌아가라 하시기 전 내 지레 귀녕(歸寧)을 청치 못하나니, 어미는 모름지기 사세(事勢) 되어 감을 보고, 부질없는 근심을 말라."

유랑이 탄 왈,

"소저의 지식은 학리군자(學理君子)에 지나시나, 하문이 소저의 기특하심을 채 모르시고, 혹자 상공의 출입하시는 바를 막자르지 못하시는가 미안하심이 될 듯한 고로, 노첩이 불승원민(不勝冤悶)하여 돌아가심을 청함이로소이다."

---

493) 영구(令求) : 남의 비위를 맞추거나 아첨하여 어떤 것을 구함.

소제 미소 왈,

"구고 명성(明聖)하시니, 혹자 간사한 사람이 있어 날로써 가부의 은총을 영구(令求)하여, 주야 내 침처에 떠나지 않는 것을 깃거 한다 일러도, 내 침처에 반점 흐릿한 일이 없으니 부끄럽지 않은지라. 나의 본 뜻이 아무 근심이 있어도 음식이 앞에 이르면 양이 차기를 기약하고, 밤이 되면 안온이 자기를 취하나니, 아직 급한 변고를 당한 일 없이, 어찌 심려를 상해오리오. 죽으며 살기와 즐거오며 슬픔이 다 팔자라. 인수팔십(人壽八十)을 다 사라도 세상이 느껴우려든494), 지레 심장을 상해와 단명한 징조를 이루리오."

유모 또한 웃고 왈,

"노첩이 소저의 주의 이렇듯 쾌활하시니 어찌 기쁘지 않으리까?"

소저 홀연 탄 왈,

"내 생세 십사 년에 실로 아는 것이 없으며 배운 것이 없으므로, 일찍 소견이 부모 존당께도 고할 길이 없더니, 금일 어미 날을 위하여 부질없이 우려할 새, 시러금 당치 않은 근심이 무익함을 이름이니, 어미는 구태여 이 말을 부모께 고치 말고, 설빈의 현불초를 언두에 일컫지 말라."

유모와 벽옥·취란 등이 소저의 침정숙묵(沈靜肅默)함을 더욱 탄복하더니, 사인이 창외에서 그 노주(奴主)의 문답을 듣고, 잠깐 중지(中止)하여 말이 그친 후 지게495)를 열고 들어가니, 유모와 시녀 물러나고 정씨 천연이 기동하여 맞으니, 찬란한 염광이 볼수록 안중(眼中)에 현요(眩耀)하여 추천양일(秋天陽日)이 조요한 듯, 백태만광(百態萬光)이 풍

---

494) 느껍다 : 어떤 느낌이 마음에 북받쳐서 벅차다.
495) 지게 : 지게. 지게문. 옛날식 가옥에서, 마루와 방 사이의 문이나 부엌의 바깥
　　문. 흔히 돌쩌귀를 달아 여닫는 문으로 안팎을 두꺼운 종이로 싸서 바른다.

류걸사(風流傑士)의 심간(心肝)496)을 어리는지라. 사인이 바삐 나아가 그 옥수를 잡으며 무릎을 연하여 좌를 이루고, 희연(喜然)이 웃음을 띠어 왈,

"생이 자로 더불어 결발대륜(結髮大倫)497)을 정한 지 일년이 거의라. 서로 면목이 서어치 않으니, 언어를 상접하여 부부의 친한 도리를 다함이 옳거늘, 어찌 금일까지 일언을 답함이 없느뇨? 아지못게라! 자의 뜻이 어떠하여 가부를 불경(不敬)함이 이 같으뇨?"

정씨 손을 빼고 좌를 물려 대답이 없으니, 사인이 풍류영준(風流英俊)으로 본디 언사 쾌활하며, 사람의 너무 침잠묵묵(沈潛默默)한 것을 답답이 여기는지라. 정소저 만사 기이하나 지금 언어를 수작치 못함을 가장 이상히 여겨, 문득 정색 왈,

"생이 학박불민(學薄不敏)하나 오히려 자에게는 소천(所天)이라. 여자 되어 가부 중함을 알지 못하고, 한갓 침위(沈威) 함묵(含黙)기를 주하여, 가부의 이르는 말을 냉연히 답지 않으며, 스스로 중청불언(重聽不言)498)하는 병인 같기를 달게 여기니, 그 무슨 뜻이뇨?"

소저 봉관(鳳冠)을 숙이고 홍수(紅袖)를 정히 꽂아, 팔자아황(八字蛾黃)이 제제(齊齊)히 나직하며, 추파면목(秋波面目)이 미미히 가늘어, 앞을 볼 따름이요, 단순(丹脣)을 접하고 여는 일이 없으니, 사인이 문득 웃옷을 끄르며, 소저의 손을 이끌어 왈,

"엄명이 설원각에 가서 자라 하시거늘, 생이 마지못하여 설원각으로 행하더니, 자의 거동을 보매 생으로 더불어 비록 언어를 아니하나, 수유

---

496) 심간(心肝) : 심장과 간장을 아울러 이르는 말로 '깊은 마음속'을 뜻하기도 한다.
497) 결발대륜(結髮大倫) : 혼인(婚姻).
498) 중청불언(重聽不言) : 귀가 어두워서 소리를 잘 듣지 못하고, 또 말을 하지 못하는 병.

불니(須臾不離)코자 하는 마음이니, 내 어찌 옥인의 뜻을 맞추지 않고, 괴로이 설원각에 가, 보기 싫은 사람을 보리오."

하고, 언필에 소저를 붙들어 상요에 나아가고자 하거늘, 정씨 비록 밖으로 태연하나 저 설빈의 요악간음함이 예사 사람과 같지 않아, 벌써 월후를 잠깐 사이라도 그릇 만들고, 양부인을 모해함이 궁흉키의 이르렀던지라. 하사인이 만일 저 요물과 금슬이 화할진대, 결단하여 아주 상성광패지인(喪性狂悖之人)이 될 바를 헤아려, 하생의 복록을 구비(具備)한 상(相)으로, 일시 성녀의 해함을 당하여도, 나중이 위태롭던 않을 것이므로, 차라리 사인으로써 저 발부로 화락하는 일이 업게 하고자, 일찍 설빈 다히 말을 구두에 올리지 않더니, 금번은 공의 명으로 설원각으로 가다가 능히 참지 못하여 자기 곳의 들어와, 이 같은 거조가 있음을 보매, 가장 한심하여 진적히 몸을 빼고자 하나, 사인의 큰 힘을 어찌 당하리오. 이의 다다라는 마지못하여 단순을 열어 왈,

"군자 엄명을 받자와 계실진대, 이의 한 때를 지류하심이 미안하시거늘, 우용한 여자 비록 군자의 높은 뜻을 영합치 못하나, 군자는 여자의 수졸암약(守拙闇弱)⁴⁹⁹⁾한 허물을 물시(勿視)하시고, 대인의 명을 순수하시는 것이 인효지도(仁孝之道)에 당연하시거늘, 어찌 첩의 불인함을 통완(痛惋)하시어 엄명을 봉행치 않으시나니까?"

옥성이 낭랑하여 금반(金盤)에 명주(明珠)를 굴리고, 봉음(鳳吟)이 화평하여 천지의 화기를 이루거늘, 처음으로 사인을 향하여 말씀을 열매, 옥면성모(玉面星眸)에 유연(悠然)한 수색(羞色)을 띠어, 절승한 태도와 기려한 염광(艶光)이 더욱 비상하니, 사인이 황홀경아하여 차마 몸을 일으킬 뜻이 소삭(消索)하나, 엄친의 강엄함을 두려워하는 고로 마

---

499) 수졸암약(守拙闇弱) : 옹졸하고 어둡고 약함.

지못하여 다시 옷을 걸치며, 게을리 일어나 왈,

"금야는 마지못하여 설원각으로 향하거니와, 자는 모름지기 옥질방용(玉質芳容)을 조심하여 대단한 질양이나 이루지 말게 하라."

언필의 일어나 나가며 정소저의 수약(瘦弱)함을 염려하니, 유모 등이 불승감격 하더라. 사인이 설빈 군주 침소의 들어 가 서로 대하매, 설빈의 사인을 반기는 모양을 성언(成言)할 것이 없으나, 사인은 설빈의 미우에 등등한 살기(殺氣)와 안정(眼睛)에 음독(陰毒)500)한 빛을 보면, 심혼이 놀랍고 두골이 때리는 듯하여, 증분(憎憤)이 극하니 어디로 좇아 부부의 은근위곡(慇懃委曲)한 정이 나리오. 묵묵히 말을 않고 늠연정좌(凜然正坐)하였다가, 야심하매 인하여 웃옷을 끄르고 상요에 나아가되, 군주를 향하여 행여도 누움을 청치 않아 수행하는 군자 남의 집 규수를 대함 같으니, 군주 불같은 욕심이 측량없는 정애(情愛)를 능히 참지 못하여, 이날은 사인이 잠들기를 기다려 스스로 그 곁에 나아가, 사인의 옥비(玉臂)를 어루만져 금리의 한가지로 누울 뜻이 급하나, 사인이 금리(衾裏)에 단단히 말리었으니 능히 들출501) 길이 없는지라. 착급(着急) 초조(焦燥)함을 마지않으니, 사인이 비록 자는 듯하나 설원각에 들어오면 매양 계명을 절박히 기다리니, 침수(寢睡)도 편치 않으매 다만 눈을 감았으나 잠든 바 없으므로, 군주의 간음투악(姦淫妬惡)한 정태를 당하매 미운 마음이 불같을 뿐 아니라, 본디 비위 여자의 요악한 것을 차마 듣지 못하던지라, 차야에 이 거동을 당하여 비록 오왕의 딸이 아니라 황녀라도 분을 참기 어려운 고로, 짐짓 눈을 감고 누워 기지개 켜다가, 음녀가 자기 낯에 제 낯을 대고 자기 손을 단단이 잡았음을 보매,

---

500) 음독(陰毒) : 성질이 음험하고 독함.
501) 들추다 : 속이 드러나게 들어 올리다.

잠결에 모르는 체하고, 우수(右手)를 빼어 군주의 머리를 옭쥐어 두세
번 벽에 부딪치며, 혼잣말로 이르되,

"이 것이 이매망량(魑魅魍魎)502)이거나, 서안 위에 무슨 그릇시어나
한가 싶되, 어찌 내 낯을 부딪쳐 엎디었는고? 가히 측량치 못하리로다."

설빈이 천만 무심 중 하사인의 잡아 부딪치는 환을 당하여, 두골이 깨
어지고 면모 상하여, 혹자 사인이 잠결의 알지 못하고 이리 함인가, 참
아 소리도 못하고, 아픔이 간간(懇懇)503)하여 애고 소리도 내처 못하고
거의 혼절할 듯 거꾸러졌더니, 가장 오랜 후 겨우 인사를 차려 진진(津
津)이 느끼니, 사인이 저 소리를 못 들음이 아니로되, 오직 자는 체하다
가 계명(鷄鳴)에 총총(悤悤)이 나올 새, 설빈이 금침에 몸을 버려 혼혼
히 앓는 소리 장하나 구태여 묻지 않고 나가니, 연상궁이 군주의 앓는
곳을 묻다가 면모와 두골의 상처를 보고 대경하여 연고를 물으니, 설빈
이 비록 제 일이나 부끄러워, 다만 울며 왈,

"작야에 하군의 침금(寢衾)이 벗어졌거늘, 혹자 바람이 들어 복통이
날까 근심하여 침건(寢巾)504)을 들어 씌우려 하더니, 하군이 연고 없이
내 머리를 벽상에 부딪치며 여차여차 이르니, 실로 그 뜻을 알지 못하리
로다."

연상궁이 청파의 가슴을 두드려 왈,

"노야의 군주 미워하시는 마음이 골똘하여, 비록 잠 가운데라도 군주
로 아시고 짐짓 이렇듯 중상케 함이라. 만일 상처를 범연이 두어는 파상

---

502) 이매망냥(魑魅魍魎) : 온갖 도깨비. 산천, 목석의 정령에서 생겨난다고 한다.
늑망량.
503) 간간(懇懇)하다 : 매우 간절하다.
504) 침건(寢巾) : 남자들이 잠잘 때에 머리가 헝클어지는 것을 막기 위해 머리에
쓰는 모자 따위의 물건.

풍(破傷風)이 쉬우니, 약을 급급히 붙이고 이 소유를 본궁에 고하소서."

설빈이 저의 중상함을 오왕이 알면 결단하여 잠잠치 않을 것이요, 하생이 말을 다툴 지경은, 제 낯을 하생에게 대고 팔을 어루만져 손을 잡았던 일이 다 하생의 입으로 좇아 드러날 것이므로, 길이 늦겨 왈,

"하군이 나를 미워하기 원수 같으나, 나는 하군을 해할 의사 없을 뿐 아니라, 저로써 무식박행(無識薄行)하는 남자 되게 하고자 않나니, 이런 일을 다 본궁의 고하여 무엇 하리오. 모름지기 상궁은 함인(含忍)505)하고 나의 신세 타일이나 남 같기를 도모하라."

연상궁이 간악하나 오히려 설빈의 간교함을 자세히 알지 못한지라. 사인의 박대 이심(已甚)함을 원한하고, 군주의 상처를 근심하여 즉시 여의(女醫)를 불러 상처를 보여 약을 싸매고 치료함을 극진히 하고, 하공부부는 군주의 유병함을 듣되 친히 와보지 않았음으로 그 상처를 알지 못하고, 하공이 사인을 당부하여 설원각 왕래를 한결같이 하니, 사인이 설빈을 절박히 증념(憎念)하나 부명을 역지 못하더라.

사인이 설빈의 상처를 자주 보나 조금도 놀라지 않아, 매양 행로(行路) 보 듯하니, 일야는 설빈이 깨어진 머리를 동이고 으깨진 낯에 약을 바르고, 아픈 것을 강인하여 일어 앉아, 사인을 향하여 눈을 독히 뜨고 여성(厲聲) 왈.

"첩수불민(妾雖不敏)이나 황가지엽(皇家枝葉)으로 천승(千乘)의 일(一) 군주(郡主)라. 생장부귀호치(生長富貴豪侈)하여 세상 괴로운 근심을 알지 못하며, 사람의 염박(厭薄)함을 보지 않았더니, 존문의 속현(續絃)함으로부터, 상하노소(上下老少)의 박절함을 당하고, 군자의 불관이 여김은 행로에 더하니, 아지못게라! 첩이 무슨 죄 있관데 미워함이 원수

---

505) 함인(含忍) : 마음속에 넣어 두고 참음.

같으뇨? 하물며 첩의 두골과 면모를 상함이 군자의 모진 수단이라. 식
니장부(識理丈夫)로 차마 어찌 조강지처(糟糠之妻)506)를 이다지도 상해
와 목전(目前)에 주검을 보고자 하느뇨? 첩이 벌써 함분잉통(含憤忍痛)
한 지 일월이 오래니, 군자 차라리 한 말에 결단을 두어 정녀 요물로써
원비를 삼아 쾌락하고, 첩으로 부부지의(夫婦之義)를 두지 말고 본궁으
로 돌아 보내면, 부왕과 모비를 모셔 일생을 유발승(有髮僧)507)이 되고
자 하나니 일언에 결단하라.”

하사인이 부명으로 마지못하여 설원각에 들어오나, 어찌 그 요악살성
(妖惡殺性)508)을 몽리(夢裏)에나 보고자 하리요마는, 염치상진(廉恥喪
盡)한 요악발부(妖惡潑婦) 오히려 사인의 철석같은 마음을 채 알지 못하
고, 세엄을 자랑하여 일분이나 가부를 후려잡고자 하는지라. 사인이 청
미(聽未)의 심화 불 일 듯하되, 또한 참기를 많이 하여, 냉소 왈,

“나 하자순의 성정이 본디 아녀자로 더불어 다설(多說)하기를 괴로이
여기는 고로, 군주를 취한 지 수년의 오히려 언어를 문답지 않았더니,
금야는 군주 스스로 전단쟁힐(戰端爭詰)509)할 기틀을 생각하여, 괴이한
말씀을 많이 하시니, 생의 마음에 일변 기괴(奇怪)하고 일변 가소(可笑)
로와 하나니, 군주는 존귀하시거니와 또 하자순의 말을 들어 보라. 생의
집이 본디 화가여생(禍家餘生)으로 주야 긍긍업업(兢兢業業)하는 의사
있으니, 어찌 부귀영화를 구하리요마는, 영엄 전하가 생의 흰 낯과 붉은

---

506) 조강지처(糟糠之妻) : 지게미와 쌀겨로 끼니를 이을 때의 아내라는 뜻으로, 몹
　　시 가난하고 천할 때에 고생을 함께 겪어 온 아내를 이르는 말. ≪후한서≫의
　　〈송홍전(宋弘傳)〉에 나오는 말이다.
507) 유발승(有髮僧) : 머리를 깎지 않은 중.
508) 요악살성(妖惡殺性) : 요악하고 살기(殺氣)를 품은 성품.
509) 전단쟁힐(戰端爭詰) : 싸움의 실마리를 만들어 다툼.

입을 과애하여 동상(東床)을 갈구(渴求)하시니, 가친이 즐겨 않으시되
위세로 구혼함을 당하여 능히 물리칠 도리 없는 고로, 천만 부득이 허혼
하고 생이 군주를 맞아 돌아오매, 그 때 내 나이 겨우 이뉵(二六)이 지
났으니, 고인(古人)의 유취(有娶)할 연기(年紀) 멀었을 뿐 아니라, 정씨
아시정약(兒時定約)으로 양가 각각 자라기를 기다리니, 어찌 그 사이에
군주를 먼저 취할 줄이야 뜻하였으리요. 이러므로 생이 군주를 원비(元
妃)로 앎이 없어, 하나는 먼저 정혼(定婚)하고 하나는 먼저 취(娶)하니,
그 존비(尊卑)를 의논할 것이 없거늘, 구태여 염박(厭薄)함이 없으되,
장부 공교히 말을 꾸미지 않나니, 정씨의 용화기질이 군주에 십배 나음
이 있는 고로, 은애 이끌림은 진실로 금치 못하는지라. 군주 이를 시기
하거든 금일이라도 본궁으로 돌아가나 뉘 막으리오. 행지거취(行止去
就)510)를 스스로 헤아려 임의로 할 바니, 생더러 결단하라 함이 괴이하
고, 군주의 두골과 면모를 날더러 상해오다 함은 더욱 의외라. 생이 비
록 무지불식(無知不識)하나 정실을 구타치 못할 줄은 거의 아나니, 군주
를 무슨 연고로 저같이 상해(傷害)하리오. 이는 삼척동(三尺童)도 곧이
들을 이 없을까 하노라."

언파의 묵묵한 미우에 설풍이 늠름하여 참엄한 기운이 한천(寒天) 같
은지라. 군주 독한 분을 참지 못하여 다시 소리를 높혀 왈,

"정가의 세권이 당시 무쌍이라. 천자를 엎누르는 세엄이 있으니, 군자
정씨 앎을 만승공주(萬乘公主)511)와 다름이 없으려니와, 권세를 붙좇
아 정가 요물을 침혹하고, 조강을 박대 태심함은, 오래지 않아 망신멸족
지화(亡身滅族之禍)를 부를 것이나, 영선형(令先兄) 삼인은 오히려 머

---

510) 행지거취(行止去就) : 행하고 머물며 가고 다니고 하는 모든 움직임.
511) 만승공주(萬乘公主) : 황제의 딸. 만승(萬乘)은 황제를 뜻한다.

리를 보전하였거니와, 군자 마침내 정가를 우러름이 한결 같을진대 참
측한 변을 당하리니, 모름지기 조심 근행(勤行)하라."

사인이 차언을 들으매 노기 백장이나 하되, 간대로 사람을 죽이지 못
하여 즉시 외당의 나와, 연상궁과 시녀 십여 인을 엄형중타(嚴刑重打)하
여 분을 풀고, 이후는 다시 설원각에 들어가지 않더니, 신년이 다다른
고로 초공 형제 매양 돌려가며 선능(先陵)에 배알하라 소주로 가더니,
설빈이 사인으로 쟁전(爭戰) 사오일이 못하여 소주로 내려가, 수월을 보
지 못하고, 상궁 등의 중타(重打)함을 깊이 원한하나, 설분할 곳이 없어
정소저 해할 의사 일일층가(日日層加)하되, 묘화가 매양 춘말을 기다리
고 급히 서둘지 말라 하는 고로, 설빈이 참기를 위주하나, 정씨 잉태 분
명함을 미워하여 날마다 악언이 비할 데 없더라.

어시에 정소저 병세 날로 더하여 상요(床褥)를 떠나지 못하니, 차시
잉태 칠삭이라. 양가 부모 비로소 알고 두굿기미 비할 데 없고 일변 근
심하더니, 사인이 돌아와 부모께 배알하고 동기로 반기며, 정씨의 질양
(疾恙)을 근심하고, 사군찰임(事君察任)과 봉친대객(奉親待客) 여가에
는 주야 틈을 얻어 봉월각에 들어가 소저의 병을 구호하며, 그 아태(雅
態)를 황홀하여 여천지무궁(如天地無窮)512)한 정이 백년(百年)513)이
부족한지라. 하공 부부 그 아들의 부부 상적함을 두굿기되, 그 애증이
편벽하여 설빈을 박대함이 점점 더하고, 설빈의 원망이 불 일듯 하거늘,
오왕의 너르지 못함이 설빈의 간험함은 채 알지 못하고, 매양 하공 부자
를 미온하여, 오왕비 조부인께 만단설화로 서간을 부쳐, 딸을 하부 일문

---

512) 여천지무궁(如天地無窮) : 하늘과 땅처럼 끝이 없이 넓고 큼.
513) 백년(百年) : 옛 사람들이 생각했던 인간의 한계수명(限界壽命).

이 연고 없이 질욕하고, 사인의 박대능경이 상림천인(桑林賤人)[514] 같음을 분완(憤惋)하는 말씀이, 들으며 보는 자로 하여금 가장 편치 않을지라. 조부인이 차사를 공께 전하고 길이 탄 왈,

"원창의 군주 박대함이 이심(已甚)커니와, 오궁에서 궁녀의 와전(訛傳)을 곧이듣고 이리 하니, 예사 인친과 달라 황가의 위세를 가졌으니, 어찌 불행코 절박치 않으리오."

하공 왈,

"근간 원창이 괴이하여 내 아무리 엄책(嚴責)하여도, 내 앞에서는 승순하는 듯하다가도 걸음을 돌이키면 바로 봉월각으로 가니, 경계함이 거짓 것이라. 마지못하여 중장을 더하여 그 죄를 다스릴 밖 다른 모책이 없도다."

부인이 빈미(嚬眉) 대왈,

"명공은 매양 자식을 중장을 더할진대 그 몸이 상치 않으리오. 하물며 전일 중장을 받아 누월 신고함이 있던 것이니, 이제는 그 같은 중장을 더하지 마소서."

하공이 탄 왈,

"낸들 자식을 어찌 혈육이 상함을 보고자 하리요마는, 원광·원상·원필은 희미한 태벌도 가한 일이 없으되, 원창에 다다라는 내 말로 일러 효험이 없으니, 마지못하여 장책을 가하고자 함이로소이다."

차야에 시녀를 명하여 사인의 침구를 옮겨 설원각으로 들여가라 하니, 사인이 비록 침구를 들여보내나, 자기는 봉월각에 와 밤을 지내니, 명조에 하공이 사인의 설각에 들어가지 않음을 알고 대로하여, 백일정에 나

---

514) 상림천인(桑林賤人) : 뽕밭에서 뽕잎을 따는 평민이나 천민 계층의 부녀자를 이름.

와 사인을 계하에 꿀리고 수죄한 후 사십 장을 중타하매, 둔육(臀肉)이 후란(朽爛)하고 성혈(腥血)이 낭자하기의 미치니, 초공과 한림이 빌어 겨우 그치나, 하공이 크게 하령하여 장처 낫기 전, 설원각에 들어가라 하되, 사인이 또한 고집을 발하여 죽기를 그음할지언정 설빈은 다시 대치 않으려 정하였는지라. 수일을 외루에서 조리하다가, 정소저 사상하는 정이 간절하여 발이 자연 봉월각에 이르니, 정소저 또한 무사무려히 일월을 보내나, 가부 자기를 일편 되게 침혹하고, 설빈을 이심(已甚)히 박대함을 인하여 엄하에 중장 받음을 들으니, 어찌 안안(晏晏)할515) 리 있으리오. 하물며 자기 얼굴을 미혼 전 하생의 본 바 되어 상사지질(相思之疾)을 이루고, 괴이한 서간이 있던 바를 주야 신누(身累)를 삼아, 가부의 은총을 진정 불열하되 사색함이 없더니, 이 날 또 사인이 들어오매, 정씨 불평하고 절민하여 하되, 자기 순설이 무익함을 생각하여 한 말을 않더니, 밤을 당하여 상요에 나아가기의 임하여는, 정씨 질양이 비경(非輕)함을 일컬어 각침각와(各寢各臥)516)함을 간절히 청하되,

사인이 희연 소왈,

"자의 신병(身柄)517)도 불평(不平)타 하거니와 나의 상처 같지는 못하리니, 무슨 일 부부동침지락(夫婦同寢之樂)을 원거(遠居)하리오."

소제 문득 추연 탄 왈,

"첩이 무상하여 결부(潔婦)518)의 죽기를 효칙지 못하고, 군자의 행신

---

515) 안안(晏晏)하다 : 즐겁고 화평하다.
516) 각침각와(各寢各臥) : 각각 자기의 잠자리에 들어가 누움.
517) 신병(身柄) : 사람의 몸.
518) 결부(潔婦) : 중국 춘추시대 노(魯)나라 사람 추호자(秋胡子)의 아내. 추호자는 결부와 결혼한 지 5일 만에 진(陳)나라의 관리가 되어 집을 떠났다. 5년 뒤 집으로 돌아오다가 집 근처 뽕밭에서 뽕을 따는 여인을 비례(非禮)로 유혹한 일이 있는데, 집에 돌아와 아내를 보니 조금 전 자신이 수작한 그 여인이었다.

을 절절이 그릇 만드니, 숙야(夙夜)의 참황수괴(慘惶羞愧)하여 대인할
낯이 없으되, 천명(天命)이 무지(無知)하여 좋은 듯이 일월을 보내는 바
라. 이제 군주를 후대치 못함으로 엄전에 수장함을 자랑같이 이르시거
니와, 스스로 내 몸을 상하매 내 아플 따름이요, 남이 근심할 이 없을까
여기나니까?"

언파의 척연하여 자기 몸이 스러저 어지러운 경계를 모르고자 하는지
라. 근심하는 미우와 척척(慽慽)한 안모, 더욱 기이하여 계궁소월(桂宮
素月)519)이 채운에 쌓이고 녹파쌍련(綠波雙蓮)이 광풍을 당한 듯, 선연
(嬋娟)한 태도와 작요(婥燿)한 염광(艶光)이 볼수록 정신이 취(醉)하고
눈이 어리는지라. 하생이 그 불평한 심사를 그윽히 애련하여, 이에 각각
상요에 쉬기를 청하며, 원비(猿臂)를 늘여 그 옥수(玉手)를 어루만져 위
로 왈,

"부모가 자식을 장책하시매 아끼는 뜻이 비상함은 그대 이르지 않으
나, 생이 또한 모르지 않으니, 스스로 내 몸이 아플지언정 실로 나의 소
원이 다른 일이 아니라. 설빈의 위인이 예사 사람 같으면 그대도록 하리
요마는, 그 음독(陰毒)함이 사람을 죽이고 집을 망할 뿐 아니라, 그 상
모 불길하고 흉참하여 와석종신(臥席終身)520)치 못하리니, 생이 만일
요물(妖物)로 좋이 화락할진대 망신(亡身)하기를 면치 못하리니, 시방
박대하여 그 독악한 해를 받으나 나중은 무사할지라. 만사 나의 헴 밖에
나지 않으리니, 부부는 일일지간(一日之間)에도 그 마음을 비춘다 하거

크게 실망한 결부는 남편의 행동을 꾸짖은 뒤 강물에 몸을 던져 자결하였다.
『열녀전』에 나온다.
519) 계궁소월(桂宮素月) : 달. *계궁(桂宮)은 달 속에 있다고 하는 계수나무 궁전
    으로, 달을 달리 이른 말.
520) 와석종신(臥席終身) : 평소 자신이 눕던 자리에서 편안히 죽음.

늘, 하물며 자(子)[521]가 생으로 더불어 결발대륜(結髮大倫)을 정한 지 양세(兩歲)라. 생의 마음을 모르지 않을 것이요, 자의 신명함으로써 사람의 상모를 짐작하리니, 설빈의 나중을 두고 보라."

정소저 사인의 말을 들으매 자기 뜻과 같음을 항복하나, 묵묵히 말을 않더라. 사인이 봉월각의 거하여 장처를 조리하며 숙녀를 대하여 정혼이 무르녹을 따름이요, 설원각은 몽리(夢裏)에도 없으니, 하공이 불승통완(不勝痛惋)하나 그 하는 거동을 보려 다시 말을 않고, 사인을 볼 때면 한 번도 무심함이 없어, 맹렬한 기운이 어리어 강엄한 위의 날로 더하니, 어찌 황공치 않으리오마는, 설빈을 일실에 대할 마음이 나지 않아 죽기를 그음하니, 이 또한 그 고집이 남다른 연고더라.

이 때 정국공의 필자 원필의 나이 십사세니, 자는 자명이라. 사람 됨이 충신효제하고 인공화홍(仁恭和弘)하여, 군자위풍이 가득하며, 그 용모 수려한지라. 신장이 칠척을 다하고 허리 삼대[522] 같아서, 두 어깨 봉조(鳳鳥) 같고, 쇄락한 골격이 신선의 풍이 있고, 문장재화(文章才華) 출인(出人)하여 아시로부터 생이지지(生而知之)[523]하는 총명이 있으니, 하공 부부 필자의 이같이 아름다움을 애중하여 동서로 현부를 택할새, 황친국척과 명공후백의 유녀재 원필의 특이함을 흠앙하여 구혼할 이 문정(門庭)에 메었으되, 공의 택부함이 심상치 않은 고로 경(輕)이 허혼한 곳이 없더니, 기주후 진영연은 진 각로의 장자라. 위인이 강명정대하고

---

521) 자(子) : 문어체에서, '그대'를 이르는 말.
522) 삼대 : 삼(麻)의 줄기. *삼(麻); 뽕나뭇과에 속하는 긴 섬유가 채취되는 식물을 통틀어 이르는 말. 대마, 아마, 마닐라삼 따위가 있다.
523) 생이지지(生而知之) : 삼지(三知)의 하나. 도(道)를 나면서부터 알거나, 스스로 깨달아 앎을 이른다.

충현효우하여 일세명류로 미루는 바라. 사중(舍中)에 부인 화씨로 동주(同住)하여 오자 삼녀를 두매, 여아 아들의 위라. 장녀 애화의 나이 십삼에 빙자옥질(氷姿玉質)과 백태만염(百態萬艶)이 기기묘려(奇奇妙麗)하여 경성경국(傾城傾國)524)할 빛이 있고, 성행이 요조유한(窈窕有閑)하여 숙녀의 방향을 심모(深謀)하니, 부모 과애(過愛)하고 조부모 사랑함을 비상이 하더니, 기주후 하원필의 출인함을 과애하여 하공께 혼인을 간청하니, 하공이 본디 진소저의 성화를 익히 들었는 고로 일언에 쾌허하고, 양가(兩家) 상의하여 대례(大禮)를 이룰 새, 길일에 원필 공자 백량(百輛)으로 진소저를 맞아 와 합근(合졸) 교배(交配)를 파하고, 배사당(拜祠堂) 현구고(見舅姑)할 새, 신부의 옥태화질(에의 광채를 도우니, 하공 부부 두굿기미 비길 곳이 없고 만좌 빈객이 칭찬하는 소리 낭자(狼藉)하니, 공의 부부 사양치 아니하더라.

진소저 인하여 구가의 머물러 효봉구고 하며 승순군자하여 백행처사(百行處事) 꽃처럼 빼어나니, 구고 사랑하고 하생이 공경중대 하여 은정이 환흡한지라. 부모 일마다 두굿김을 마지않고, 초공으로부터 한림과 원필의 부부가 다 같이 상적(相敵)하고 화합(和合)하여 각별 근심이 없으되, 사인에 다다라는 설빈이 '명위부부(名爲夫婦)나 실위원수(實爲怨讐)'525)요, 정소저의 기특함은 사인이 너무 침혹함이 병이 되어, 정소저의 유태 중 질양이 떠나지 않음을 근심하매, 장차 과도하기에 미치는지라. 사군찰임(事君察任) 여가(餘暇)와 부모께 신혼성정(晨昏省定) 밖은 아무 긴한 사고 있어도 봉월각 밖에 발자취 나지 않아, 수유불리(須臾不

---

524) 경성경국(傾城傾國) : 성주(城主)나 임금이 여인의 미모에 반해 성이 기울어지고 나라가 기울어져도 모를 정도로 아름다운 미인을 이르는 말.
525) 명위부부(名爲夫婦)나 실위원수(實爲怨讐) : 이름은 부부이지만 실제로는 원수 사이이다.

離)하는 은정이 산비해박(山卑海薄)한지라. 정소저 가부의 일편 된 은정
이 괴롭고 싫어 근심하되, 벌써 그 고집을 엄부도 돌려놓지 못하니, 자
기 말이 효험이 없을 바를 깨달아, 오직 저의 은정을 가납(嘉納)치 않을
지언정, 초강(超强)한 사색과 불공한 말로써 장부를 능경(凌輕)치 않아,
일향(一向)526) 예의를 굳게 잡으니, 사인은 그 위인을 탄복하는 의사
시시로 더한지라.

하공이 사인을 통한하여 벼르기를 마지않더니, 일일은 하공이 황상의
명초하심을 인하여 궐정의 들어가 군신이 종용이 말씀할 새, 상이 가라
사대,

"석자의 짐이 불명하여 경의 삼자를 참혹히 마침이 있거니와, 하늘이
경의 정충직절을 살펴 복록을 주시니, 원광의 기특함은 이르지도 말고
원상·원창의 출인(出人) 특이(特異)함이 당세에 희한하니, 경의 복이
실로 무흠한지라. 짐이 위하여 기뻐하나니, 경의 자녀 몇 사람이 있으며
성혼함이 되었느냐? 경은 자세히 고하라."

하공이 부복 주왈,

"신의 명도 궁흉(窮凶)하와 석년에 원경 등 삼자를 없이 하였사오나,
오히려 사자 일녀가 있어 남취녀가(男娶女嫁)를 다 하였나이다."

오왕이 마침 전폐의 있더니, 분연이 낯빛을 고치고 주 왈,

"신이 설빈으로써 원창의 배우를 삼았더니, 설빈의 불능잔질(不能孱
質)이 원창의 염박함을 당하여, 저의 신세 볼 것이 없을 뿐 아니라, 참
혹한 질언이 신의 부부에게 미치니, 부질없는 인연을 이뤘던 바 통완토
소이다."

상이 원래 하공을 명초하심이, 오왕의 청으로 원창의 금슬을 권하려

---

526) 일향(一向) : 언제나 한결같이.

하심이라. 천안(天顔)이 잠깐 웃으시고 왈,

"부부 사정은 위력으로 못할 것이거니와, 설빈이 경가에 속현한 후 드러난 죄 없을진대, 원창의 이심(已甚)히 박대함은 가치 않고, 하물며 오왕은 짐의 아들이라. 타인과 같지 않으니, 원창이 비록 설빈은 박대한들, 오왕을 어찌 질욕하여 황자의 존함을 알지 못하리오."

하공이 상교를 듯잡고 면관돈수(免冠頓首) 왈,

"신이 무상하여 원창 패자를 어질게 교훈치 못함이 불민하오나, 제 무고히 질욕하는 죄는 짓지 않을 듯하오되, 오왕 전하가 무근지설(無根之說)을 신청하여 이렇듯 분노하니, 신이 우민하옵는 바라. 청컨대 원창의 군주 박대하는 죄와 신의 교자 잘 못 한 죄를 한가지로 다스리소서."

상이 웃으시고, 재삼 하공을 풀어 이르시어 왈,

"원창의 박처(薄妻)함이 그르나, 설빈의 명도(命途) 가부의 소대(疏待)를 바들 액회(厄會)니, 한갓 원창을 책망치 못할지라. 경은 아들을 요란이 질책치 말고 종용이 경계하여, 그 부부 금슬을 화합게 하고 오왕도 소소지사(小小之事)를 노하지 말라. 일제히 원창을 사랑하여 인친화기(姻親和氣)를 상해오지 말라."

인하여 하공의 관을 쓰라 하시고, 옥배에 어온(御醞)을 반사하시어 취토록 권하시고, 연소한 아해를 너무 책지 말라 하시니, 하공이 사은하고 집으로 돌아 갈 새, 길에서 친우 구 참정을 만나, 잠깐 구부의 들어가 술을 과취하고, 횃불을 잡혀 부중의 이르러는, 초공과 한림이 원필로 더불어 문외에 나와 부공을 맞아 백일정에 들새, 공이 사인의 없음을 보고 문 왈,

"원창이 어디 있느뇨?"

초공의 제 삼자 몽징이 대왈,

"삼숙부는 봉월각의 계서 미처 나오지 못하였나이다."

공이 몽징으로 사인에게 전어(傳語) 왈,

"불초자 아비를 알지 못하고 일처를 침혹하여 주야 봉월각 중에서 머리를 내밀지 않고, 아비 종일 나갔다가 돌아오되 보지 않으니, 내 또한 너를 볼 마음이 없는지라. 자금 이후로 침구를 설원각의 옮겨 머물진대, 형제 유의 충수하려니와, 그렇지 않으면 다시 서로 보지 않으리라."

몽징이 봉월각의 들어가 조부의 교어(敎語)를 전하매, 사인이 듣기를 다 하고 변색 왈,

"대인이 엄하시나 자식의 차마 못 견딜 바를 권하시어, 도리어 나의 죽기를 재촉하시니, 어찌 내 마음을 이다지도 살피지 못하실 줄 알리오. 네 돌아 가 대인께 내 말을 아뢰라. 숙녀미인을 어찌 사양하리까마는 설빈은 외모 염미(艶美)하나 그 미우에 흉독음사(凶毒陰邪)한 빛이 사람을 죽이고 그칠 것이요, 그 체지(體肢) 불길함이 마침내 선종(善終)하기를 바라지 못하리니, 내 만일 저를 후대할진대 내 명(命)을 상해오고, 본심을 잃어 광망지인(狂妄之人)이 될 뿐 아니라, 음녀의 위인이 장부를 농락하여 수삼 년을 못 살게 할 것이요, 저 요물을 한결같이 박대하면, 일시 요사(妖邪)함을 받아 잠깐 놀라온 변을 당하려니와, 내 몸은 마치든 않으리니, 인생이 죽지 않기를 으뜸한 후, 무릇 근심과 염려를 살피나니, 대인의 명성(明聖)하심으로 저의 상모를 깨닫지 못하시니, 이는 나를 죽이실 액회라. 대장부 사생지제(死生之際)527)의 마음을 변치 아니하나니, 내 설빈을 취하던 날부터 원수같이 하여 부부지락(夫婦之樂)을 이루지 않기로 결단하였나니, 요물이 입을 닥치고 있는 것이 옳거늘, 날을 대하면 요악한 질욕이 아니 미친 곳이 없으니, 어찌 그 곳의 들어가 욕을 감심하리오. 천자(天子)도 불탈필부지심(不奪匹夫之心)528)이니,

527) 사생지제(死生之際) : 죽음과 삶을 선택해야 할 결정적인 때.

오왕이 무슨 사람이관데 하원창의 마음을 돌이켜 그 딸을 위력으로 후
대하라 하리오. 내 실로 엄하의 역명한 죄를 받자와 죽을지언정, 다시
저를 대치 못하리로소이다."

언파에 시녀를 명하여 두어 준(逡) 술을 가져오라 하여 취토록 거우로
고, 침석에 비겨 고서를 살필지언정 설원각 향할 의사 없으니, 몽징이
하릴없어 외헌의 나와 숙부의 하던 말을 고치 못하여, 대강을 고하니,
공이 비록 비상참척(悲傷慘慽)하여 강엄함이 없으나, 오히려 불승통완
하여 다시 몽성·몽린을 명하여 사인을 끌어다가 설원각의 두고 오라
하고, 또 전어 왈,

"다시 눈의 뵈지 말라."

하니, 사인이 술을 취하여 움직이지 않아 말이 없다가, 날호여 왈,

"너희 간대로 날을 끌어 설원각으로 가지 못하리니, '날을 요인의 곳
의 보낼진대, 한 번 죽여 보내소서' 하라."

몽성 등이 하릴없어 즉제(卽際)[529] 나와, 숙부 움직이지 않음을 고하
니, 하공이 대로하여 연하여 불러도 아니 오니, 공이 노기대발 하여 노
복을 명하여 사인을 잡아 오라 하되, 사인이 탄연(坦然)[530]이 움직이지
않거늘, 노복 등이 무류히 퇴하니, 하공이 취기미란(醉氣迷亂)한 중 사
인의 여러 번 역명함을 대로하여, 한림으로 원창을 잡아 오라 하니, 한
림이 황황송구(惶惶悚懼)하여 시노(侍奴) 사오 인으로 더불어 봉원각의
이르니, 사인이 벌써 여러 번 역명하였으니, 중죄 있을 줄 짐작고 술을
연하여 거울러 대취한지라. 정소저 가부의 고집을 돌이키기 어려운 줄

---

528) 천자(天子) 불탈필부지심(不奪匹夫之心) : 천자라 할지라도 필부의 마음을 바
　　꾸게 할 수는 없다.
529) 즉제(卽際) : 즉시(卽時).
530) 탄연(坦然) : 태연(泰然). 마음이 안정되어 아무 걱정 없이 평온함.

아나, 엄구의 성노(盛怒) 진첩하심과 사인의 불초함을 십분 우려하여,
성안(星眼)을 낮추고 가월(佳月)[531]을 찡겨 맥맥히 단좌하였으니, 사인
이 취안이 몽롱하여 희허(唏嘘) 탄 왈,

"천도 우리 양인을 내시고 설빈 같은 음악발부(淫惡潑婦) 있어, 금슬
에 마장을 이룰 줄 알리오. 엄교를 여러 순 역명함이 불효(不孝)인 줄
모르리오마는, 죽을지언정 설빈은 대치 못할지라. 부인의 현심숙적으로
생의 광망함을 용서하소서."

소제 탄 왈,

"군자 그르셔이다. 사람이 그 허물을 알지 못하면 하릴없거니와 어찌
안 후 불통(不通) 고집(固執)하리오. 첩이 심규의 생장하여 학식이 암매
(暗昧)하오나, 군자의 처사를 그으기 취치 아니하나이다."

사인이 길이 탄식고 묵연무어(默然無語)러니, 문득 한림이 이르러 부명
을 전하니, 사인이 한림을 좇아 부전에 이르러 청죄하니, 공이 사인을 보
매 분기 백장(百丈)이나 하여, 서안을 박차며 장목(長目) 대질(大叱) 왈,

"패자 다만 처자 있는 줄만 알고, 아비 있는 줄은 알지 못하느냐?"

사인이 황공 부복 대왈,

"해애 비록 불초무상 하오나 어찌 부자천륜을 알지 못하오며 엄명을
거역하리까? 대인이 추처악첩(醜妻惡妾)을 화동하라 하셔도 소자 사양
치 아니하오려니와, 설빈은 반드시 사람의 집을 망하고 남자를 죽이고
말 것이오니, 엄전에 사죄를 당하와도 차마 대치 못할소이다."

공이 청파의 익노 왈,

"욕재 갈수록 무상하여 여차지언을 하느뇨? 고어의 왈, 군부 주시는
것은 견매(犬馬)라도 공경하라 하니, 설빈이 황야의 친손이요, 너의 조

강이라. 아직 드러난 허물이 없이 논죄(論罪)함이 여차하니, 이 어찌 군
자의 관대한 행사리오. 여부 비록 용렬하나 여러 번 이르되 듣지 않으
니, 이는 금수와 일체라. 너 같은 패자를 두고 하면목으로 대인하리오."

설파의 시노를 꾸짖어 사인을 잡아 내려 결장(決杖)532)할새, 매마다
고찰하여 설원각의 가며 아니 감을 물으니, 사인이 도차(到此)하여는 앙
앙불쾌(怏怏不快)533)하여 왈,

"소자 엄하(嚴下)의 수장(受杖)하여 죽을지라도 이 명은 봉승치 못하
오리니, 복원 야야는 시체를 설원각의 보내소서."

사인이 자기 언에(言語)라도 엄전의 불공무식(不恭無識)함을 알되, 설
빈 음부(淫婦)의 갈수록 창궐하여 군부 명으로 협제(脅制)함을 절치하
여, 엄명을 조금도 구속치 않으니, 공이 심화 대발하여 다시 묻지 않고,
사생을 염려치 않아 집장 노자를 꾸짖어 매매히 고찰하여 오십여 장의
미처는, 피육(皮肉)이 후란(朽爛)하고 홍혈(紅血)이 만지(滿地)하되, 공
이 일분 측은함이 없고, 생이 일성을 부동하여 혼혼이 인사를 알지 못하
니, 좌우 참불인견(慘不忍見)이요, 초공과 한림이 황황망극(惶惶罔極)하
여 자기 살을 베는 듯하니, 이의 면관돈수(免冠頓首)하여 재삼 애걸하
나, 공이 들은 체 않고 시노를 명하여 등 밀어 내치고, 치기를 재촉하여
팔십 장의 미처는 사인이 아주 혼절하니, 차시 정소저 사인의 행사 한심
하고 엄노(嚴怒)가 어느 지경에 갈 줄 모르니, 처신이 불안하여 심려 만
단이러니, 시녀 전언이 분분하여 노야 상공을 아주 마친다 하는지라. 소
제 안연치 못하여 관잠(冠簪)534)을 빼고 장복(章服)535)을 탈(脫)하여

532) 결장(決杖) : 죄인에게 곤장을 치는 형벌을 집행하던 일.
533) 앙앙블쾌(怏怏不快) : 마음에 몹시 야속하게 여겨 불쾌해 함.
534) 관잠(冠簪) : 봉관(鳳冠)과 비녀. *봉관(鳳冠); 봉황(鳳凰)을 장식한 여자의 예
관(禮冠)

두어 시녀로 더불어 바로 외당의 이르러 계하의 부복하니, 하리 등이 분분이 물러나는지라.

공이 분노 중이나 정소저의 천향아태(天香雅態)와 예절이 삼엄(森嚴)한 언사를 들으매 불승애련(不勝哀憐)하여 친히 당의 내려 왈,

"내 오늘날 불초패자를 아주 죽여 역명한 죄를 설(雪)하려 하더니, 현부 이렇듯 불안하니 내 어찌 여념(慮念)치 않으리오. 이곳이 외당이니 빨리 들어가라."

소제 재배 사례하고 내당으로 들어가니, 공이 정씨를 들여 보내고 바야흐로 사인을 사하니, 초공과 한림이 생을 붙들어 서헌의 돌아가 구호하려 하더니, 공이 명하여 설원각에 두라 하니, 초공이 부전의 고 왈,

"아의 장체 중난하니 만일 설각의 두온즉 소자 등이 자조 보옵기도 편치 못하옵고, 제 역시 심사 편치 못하오리니 외당에서 구호하여지이다."

공이 묵연이러니, 조부인이 또한 녁권(力勸)하니 공이 부득이 허한대, 초공이 깃거 사인을 붙들어서 당에 뉘이고 삼다(蔘茶)에 회생단(回生丹)을 화하여 입에 드리워 지성구호(至誠救護)하니, 가장 야심케야 바야흐로 정신을 차려, 교아절치(咬牙切齒)536) 왈,

"원창이 살아 음악찰녀(淫惡刹女)를 죽이지 못하면 장부 아니라."

하니, 초공이 절책경계(切責警戒)하나 진실로 설빈의 음악한 거동은 군자의 정시할 바 아니라. 전두의 무슨 변괴 있을지 생각이 이의 미치매 자못 우려 깁더라.

이날 설빈이 이 소식을 들으매 불승암희(不勝暗喜)하나 정소저의 사

인 구함을 분매(憤罵) 왈,

"아주 요괴로운 년이 용렬한 하가 부자를 농락함이 여차하니, 내 조만(早晚)의537) 정녀를 찢어 죽여 설분하리라."

하고, 묘화로 밀밀(密密) 상의(相議)하여, 사인의 병이 중하여 봉각의 자취 끊어진 사이를 인하여 계교하니, 아지못게라! 필경이 하여오?

사인의 상처가 수일이 지나되 일양(一樣) 대단하니, 일가(一家)가 우황하더라.

---

537) 조만(早晚)의 : 조만간(早晚間)에. 앞으로 곧. 머잖아.

명주보월빙 권지구십팔

차설 사인의 장체(杖處) 수일이 지나되 일양(一樣) 대단하니 일가 우황 중, 설빈은 악악한[538] 질언(叱言)이 사인을 원망하여 엄전(嚴前)에 수장함이 다 정녀의 연고라 하며, 한 번 문병함이 없으니, 정소저 심리에 사인의 병을 크게 염려하나 설빈이 저렇듯 하니 자기 먼저 문병함이 불안한 고로, 무심무려 한 듯하나, 남모르는 근심이 간절할지언정 한 번도 문병을 못하더라.

설빈이 사인이 봉각의 머물 적은 오히려 기탄(忌憚)함이 있어 정소저를 곤욕치 못하더니, 차시를 당하여는 두려울 것이 없는지라. 날마다 봉각에 이르러 무상(無常) 질욕(叱辱)이 매희(妹喜)·달기(妲己)라 하며, 온 가지로 욕하나, 소제 음녀발부와 결우미 욕된 고로 일언을 답지 않고, 공연이 중청(重聽)[539]이 되어 못 들으며 못 보는 듯하니, 설빈이 분하고 무류하나 감히 치지 못함은 남이 알까 두려워함이라.

설빈이 더욱 통완하여 뛰놀며 욕하되,

"정연과 진녀가 저런 별물을 생휵(生慉)하여 하원창 탕자의 심정을 농

---

538) 악악하다 : 악악하다. 몹시 기를 쓰며 자꾸 소리를 내지르다.
539) 중청(重聽) : 중청(重聽). 귀가 어두워서 소리를 잘 듣지 못하는 증상.

락하고, 나의 안중정(眼中釘)540)이 되게 하니, 저만 재용(才容)으로 어데 가 공도(公道)로운541) 가부를 못 얻어 남의 적국이 되리오. 욕심이 반드시 소천을 죽이고 사람의 집을 엎치리로다.”

소제 청파에 다른 능욕은 족가(足枷)치 않으나, 부모를 거들어 참욕하기의 다다라는 분연대로(憤然大怒)하여 잠미(蠶眉)를 거스르고 성음이 맹렬하여 왈,

“내 비록 총명하지 못하나, 또한 사문일맥(士門一脈)이라. 가부를 좇음이 상님(桑林)의 분구(奔求)542)함이 아니요, 귀궁 노예 아니니, 군주 비록 천승지녀로 금지옥엽이나, 이같이 능경천답(凌輕賤踏)543) 함도 가치 않고, 거친 즐욕(叱辱)은 천만불가(千萬不可)하니, 고어(古語)의 왈, ‘임금이 사람을 교만하게 대하면 나라를 잃게 되고, 대부(大夫)가 사람을 교만하게 대하면 그 가문을 잃게 된다.’544) 하고, 맹자는 왈, ‘내 집 어른을 섬기 듯 남의 집 어른을 기라’545)라 하니, 첩이 군주를 위하여 그윽이 취(取)치 아니하노라.”

말씀이 준널하고 분기 엄색(奄塞)하여 신색(身色)이 찬 재 같아서 혼절하니, 설빈의 독한 염치에도 무류지심(無聊之心)이 없지 않아 침소로 돌아가니, 원래 정소저 근간 감환(感患)546)으로 편치 못한대, 연하여

---

540) 안중정(眼中釘) : 눈엣가시. ①몹시 밉거나 싫어 늘 눈에 거슬리는 사람. ②남편의 첩을 이르는 말.
541) 공도(公道)롭다 : 공도롭다. 공도(公道)에 맞다.
542) 분구(奔求) : 예를 갖추지 않고 배우자를 구함.
543) 능경천답(凌輕賤踏) : 남을 경멸하여 천하고 망령되게 잔말을 늘어놓음.
544) 원문 “국군이교인즉실기국(國君而驕人則失其國)하고, 태우교인즉실기가(大夫而驕人則失其家)라.”를 역자가 번역한 문장. 사마천(司馬遷), 『사기(史記)』 위세가(魏世家)조(條)에 나오는 글.
545) 원문 “노오노(老吾老) 이급인지뇌(以及人之老)라.”를 역자가 번역한 문장. 『맹자(孟子)』 〈양혜왕 장구상(梁惠王 章句上)〉의 글.

심려도 많고 촉상(觸傷)함이 있더니, 설빈의 질욕을 들으매 엄색하니, 유랑 시아 등이 황황망극하여 종일 구호하나, 소제 혼혼불성(昏昏不省)547)하니 시비 등이 하릴없어 정당의 고하니, 공과 부인이 놀라 윤·임 양부로 더불어 봉각에 이르러 문병하니, 소저 구고의 경녀(驚慮)하심을 우려하여 기운을 강작하여 관계치 않음을 대하나, 병세 심상치 않으니 공이 미우를 찡기고 소저의 옥수를 내라 하여 진맥하고, 돌아 부인더러 왈,

"우리 오래 있음이 병심에 불안하리니 돌아가사이다."

부인이 조섭(調攝)함을 당부하고 시녀배를 조심하여 구호하라 하고, 양부로 더불어 공을 모셔 정당으로 돌아가다.

일색이 황혼에 요승 묘화 변하여 난향이 되어 봉각의 이르러, 조부인 명으로 소저 병을 묻고 각중(閣中) 기색을 살피니, 제 시아는 창외에서 분분이 약음을 다스리고, 유랑은 소저와 상 아래 있어 구호하는지라. 묘화 암약을 가져 시녀 등의 석반에 섞고, 몸을 감추어 동정을 살피더니, 밤이 깊은 후 제시아가 비로소 석반을 먹더니, 상을 물리지 못하고 일시의 쓰러져 비성(鼻聲)이 여뢰(如雷)548)하거늘, 묘화 깃거 다시 유랑 먹을 밥에 개용단(改容丹)을 화(和)하고, 또 숨어 보니 오래지 않아 유랑이 나와 쉬고 다른 시아(侍兒)로 소저를 모시라 하여, 아무리 깨어도 깨지 않으니, 유랑이 하릴없어 석반을 찾아 먹더니, 또 미처 술549)을 지지550) 못하여 엎어져 자거늘, 묘화 즉시 유랑을 향하여 두어 말 진언

---

546) 감환(感患) : 감기의 높임말.

547) 혼혼불성(昏昏不省) : 정신이 가물가물한 상태에서 깨나지 못함.

548) 여뢰(如雷) : 천둥소리와 같음. 우레와 같음

549) 술 : ①숟가락. 수저. ②술. 밥 따위의 음식물을 숟가락으로 떠 그 분량을 세는 단위.

(眞言)551)을 염하니, 경각에 노유랑(老乳娘)이 변하여 설부방신(雪膚芳身)이 완연이 정소저라.

묘화 장내에 들어가니 이 때 소제 정신이 혼혼(昏昏)하여 고요히 침수(寢睡) 깊었고, 소저의 여벌 의상(衣裳)이 가상(架上)552)에 걸렸거늘, 내려다 유랑을 입혀 소저 누었던 상상(床上)에 뉘고, 소저는 거두쳐553) 옆에 껴 설각으로 돌아오니, 소저 반생반사(半生半死)하여 정신을 차리지 못하고, 봉각 직숙(直宿) 유랑 시녀 등은 정신을 잃었고, 밤이 깊어 만뢰구적(萬籟俱寂)554)하니, 뉘 능히 정소저의 큰 액을 만나 명재경각(命在頃刻)555)임을 알리오.

차시 성가 요녀와 악인 연상궁이 묘화를 보낸 후, 촉을 밝혀 괴로이 기다리더니, 야심 후 묘화가 정소저를 잡아 옴을 보고, 급급히 내달아 금편을 들어 박살하려 하니, 묘화가 말려 왈,

"만일 정씨를 이곳에서 죽이면 이목이 번다하여 간정(奸情)556)이 발각기 쉬우니 달리 처치하소서."

연상궁 왈,

"사부의 말이 옳으니 정씨를 농중(籠中)에 넣어 바로 오궁의 보내어, 누옥(陋獄)의 가두어 음식을 주지 말고 자진(自盡)케 함이 편당(便當)하니이다."

---

550) 지다 : 지다. 수저 따위를 놓다.
551) 진언(眞言) : ①늦다라니. 범문을 번역하지 않고 음(音) 그대로 외는 일. ②신비하고 초월적인 능력을 가진다고 생각하는 신성한 말.
552) 가상(架上) : 시렁 또는 횃대 따위의 위.
553) 거두치다 : 걷어들다. 치켜들다. 거두어서 손에 들다.
554) 만뢰구적(萬籟俱寂) : 밤이 깊어 아무런 소리도 없어 아주 고요함.
555) 명재경각(命在頃刻) : 목숨이 경각에 달려 있음.
556) 간정(奸情) : 범행의 정황(情況).

설빈 왈,

"부왕과 모휘(母后) 인자하시니 날을 그릇 여기실가 하노라."

연상궁 왈,

"한 정씨 죽이기의 어찌 전하와 낭랑이 아시게 하리까? 오궁 옥중의 냉암정이란 누옥(陋獄)이 있어, 궁녀 태섬이 가음 알아 지키니, 이제 정 씨를 태섬에게 보내어 소원을 이르고, 죽여달라 하면 초로잔명(草露殘命)이 자진치 않을까 근심하리까?"

설빈이 옳이 여겨 즉시 정소저를 큰 농에 넣어 긴긴히 봉쇄하고, 시녀로 압녕(押領)하여 오궁으로 보내니, 원래 정소저 일시 액운이 기괴하여, 묘화가 봉원각에 들어 가 요약을 시녀 등 석반(夕飯)에 화(和)할 때, 소저의 나오는 차에도 화하였던지라, 한 번 요약을 먹으매 반생반사하여 힘힘히 농중에 들어 오궁 냉옥 죄수 되나 알 리 없더라.

명조에 조부인이 식부의 병을 염려하여 난향으로 문병하고 오라 하니, 난향이 봉명(奉命)하여 봉각에 이르니, 장외의 제 시애 오히려 잠이 깊었고, 유랑이 난두(欄頭)에서 창황(蒼黃)하여 거지(擧止) 황당하고 오열비읍(嗚咽悲泣)하거늘, 난향이 놀라 문기고(問其故)[557]한대, 유랑이 대왈,

"소제 종야(終夜) 고통하시다가 이제야 겨우 가매(假寐)하시니 벽옥 등도 종야불매(終夜不寐)한 고로, 이리 자거니와 소제 병세 위태하시니 아마도 회춘(回春)키 어려울까 싶으니, 노신이 차라리 먼저 죽어 보지 말고자 하노라."

언파의 누수(淚水) 여우(如雨)하니, 난향이 저 묘화 요리(妖尼)의 슬퍼함을 보고 진정 유랑만 여겨, 소저 병세 비경함을 놀라 전도히 정당의

---

557) 문기고(問其故) : 그 까닭을 물음.

고하니, 때 신성씨(晨省時)라. 초공 곤계와 설빈도 모였더니 이 말을 듣고 모두 놀라, 조부인이 봉각에 가 식부의 병을 보려 하더니, 문득 봉각 시애 전도(顚倒)히 이르러, 정소저 명재경각(命在頃刻)하였음을 고하는지라, 일시에 모다 몸이 일어나는 줄 모르고 봉각에 이르러, 조부인이 친히 금금(錦衾)을 열어 보니 정소저 이미 옥안(玉顔)이 변하고 호흡이 그쳤으니, 부인이 대경하여 두루 만져 보니 사말(四末)558)이 궐냉(厥冷)하고 흉중(胸中)의 일점 온기 없으니, 부인이 이를 보매 차악하여 읍체여우(泣涕如雨)하니, 초공이 모친의 유체(流涕)하심을 보고, 상하의 나아가 유랑으로 소저 옥비(玉臂)를 내라 하여 공경하여 진맥하니, 육맥(六脈)559)이 이미 그쳤으니 다시 바랄 것이 없는지라. 역시 경악하여 물러 한림더러 왈,

"정수의 복록완전지상(福祿完全之相)으로 금일 적은 병을 인하여 치상(致喪)560)하시니, 우형이 차후로 눈을 감아 불명(不明)함을 자과(自過)561)하리로다. 다시 생도를 바랄 것이 없으니, 빨리 정부의 통부(通訃)562)하고, 대인께 아뢰며, 창제에게 통하라."

좌우 제인과 정부 제 시녀 초공의 일언으로 좇아, 소저의 다시 바랄 것 없음을 알고 실성통곡(失性痛哭)하며, 일변(一便)563) 정부에 고하니,

---

558) 사말(四末) : '사지 말단'을 줄여 이르는 말. *사지(四肢); 사람의 두 팔과 두 다리.
559) 육맥(六脈) : 여섯 가지 맥박. 부(浮), 침(沈), 지(遲), 삭(數), 허(虛), 실(實)의 맥을 이른다.
560) 치상(致喪) : 죽기에 이름.
561) 자과(自過) : 자기 스스로 저지른 잘못. 또는 자신의 허물을 삼음.
562) 통부(通訃) : 사람의 죽음을 알림. 또는 그런 글. 늑부고(訃告).
563) 일변(一便) : 한편. 두 가지 상황을 말할 때, 한 상황을 말한 다음, 다른 상황을 말할 때 쓰는 말.

이 때 하공이 정히 백일정에 있더니, 한림이 정씨의 운거(殞去)564)함을 고하니, 공이 청파에 대경하여 급히 봉각에 나아가니, 이미 하릴없는지라.

차악비통(嗟愕悲痛)함을 이기지 못하고, 사인이 또한 신병이 미차(未差)하여 서재의 누었더니, 차형의 전어를 듣고 대경실색(大驚失色)하여 전도히 봉각에 이르니, 이미 수장금병(繡帳錦屛)565)에 옥인(玉人)의 그림자 묘연하고, 당중물색(堂中物色)이 크게 다른지라. 한 번 걸음에 세 번 엎어져 바로 상하(床下)의 나아가 금금(錦衾)을 열어 보니 정씨 쌍안(雙眼)을 그린 듯이 감았으니, 효성(曉星)566)에 영채(靈彩)를 다시 보기 어렵고, 부용양협(芙蓉兩頰)에 적적(寂寂)하여 웃는 용화(容華)를 볼 길 없고, 낭랑한 옥성(玉聲)을 구하여 다시 들을 길 없는지라.

사인이 절로 더불어 결발기년(結髮朞年)에 그 성덕재용(聖德才容)이 초세(超世)하여 요조숙녀(窈窕淑女)요, 군자호구(君子好逑)라. 부부 은정이 여산약해(如山若海)하여 금슬종괴(琴瑟鐘鼓) 흡흡(洽洽)히 생즉동주(生則同住)오 사즉동혈(死則同穴)567)하여, 백년화락(百年和樂)도 나쁠까 하였더니, 신정(新情)이 미흡하여서 저의 병이 사생간(死生間)에 있으되, 자기 공연이 찰녀(刹女)의 연고로 엄하(嚴下)의 수장(受杖)하여 죄중(罪中)의 있으매, 망연부지(茫然不知)하여 그 임종 시 한 번 영결(永訣)도 없고, 유명(幽明)이 격(隔)함을 보니, 장부웅심(丈夫雄心)과 군자의 철석간장(鐵石肝腸)이나 어찌 견딜 버리오. 일성장탄(一聲長歎)의 비

---

564) 운거(殞去) : 죽음.
565) 수장금병(繡帳錦屛) : 수놓은 휘장과 비단 병풍.
566) 효성(曉星) : 새벽별. 여기서는 새벽별처럼 반짝이는 맑은 눈동자.
567) 생즉동주(生則同住)오 사즉동혈(死則同穴) : 살아서는 한 집에서 함께 살고 죽어서도 한 무덤에 함께 묻힌다.

루천항(悲淚千行)이라.

이리 굴 제, 정부에서 흉음(凶音)을 듣고 일가가 대경하여 제왕 오곤 계 금후를 모셔 하부의 이르러, 불승통도(不勝痛悼)하여 즉시 초혼(招魂)568) 발상(發喪)569)하여 거가(擧家)의 곡성이 천지진동하고, 사인의 비척함과 제정의 애상(哀喪)함은 참불인견(慘不忍見)이요, 정부 순태부인과 진부인의 각골애상(刻骨哀喪)함이 자하(子夏)570)의 상명(喪明)571)과 다름이 없으니 식음을 능히 나오지 못하고, 금후와 진부인이 비록 여러 자녀와 식부를 가득이 두었으나, 아주에 미처는 그 재용덕화를 귀중 익애(溺愛)함이 자녀 중 자별하던 바로, 평생 아름다운 배필을 얻어 종요로이 화락하는 재미를 보고자 함으로, 택서함이 자못 과도하여 처음 부터 사인의 풍신재화를 연장접옥(連墻接屋)572)하여 결혼친친지의(結婚 親親之義)로써 모름이 아니로되, 그 너무 호일방탕(豪逸放蕩)함이 온중 한 군자 아닌 줄 미흡하여 의혼(議婚)치 않았다가, 사단(事端)이 괴이하 여 불평한 혼 새 되어, 부부의 금슬이 관저(關雎)573)의 시(詩)를 화(和) 하다가 금일을 당하니, 금후 사인의 과상(過傷)함을 도리어 책왈,

---

568) 초혼(招魂) : 사람이 죽었을 때에, 그 혼을 소리쳐 부르는 일. 죽은 사람이 생 시에 입던 저고리를 왼손에 들고 오른손은 허리에 대고는 지붕에 올라서거나 마당에 서서, 북쪽을 향하여 '아무 동네 아무개 복(復)'이라고 세 번 부른다.

569) 발상(發喪) : 사람이 죽었을 때, 상제가 머리를 풀고 슬피 울어 초상난 것을 알 림. 또는 그런 절차

570) 자하(子夏) : 중국 춘추 시대의 유학자(B.C.507~?B.C.420). 본명은 복상(卜 商). 공자의 제자로서 십철(十哲)의 한 사람이다. 위나라 문후(文侯)의 스승으 로 시와 예(禮)에 능통하였는데, 특히 예의 객관적 형식을 존중하였다.

571) 상명(喪明) : 아들의 죽음을 당함. 옛날 중국의 자하(子夏)가 아들을 잃고 슬피 운 끝에 눈이 멀었다는 데서 유래한 말.

572) 연장접옥(連墻接屋) : 집과 담장이 서로 이웃하여 잇닿아 있음.

573) 관저(關雎) : 『시경』〈주남(周南)〉의 '관저(關雎)'장을 말함.

"너의 아녀 향한 은정은 다사하574)거니와, 행사 많이 군자의 독경(篤
敬)함에 어긋나도다. 처자 비록 사정이 중하나 부자천륜대의(父子天倫
大義)와 골육동기(骨肉同氣)만 못 한지라. 아녀는 이미 죽었으니 네 일
시 사정이 참절하나, 다른 처실(妻室)이 있으니 실우지탄(失偶之嘆)575)
이 과치 않을지라. 하물며 구경지하(具慶之下)576)에 부모를 돌아보지
않고 여자를 위하여 이렇듯 구구하뇨? 사자(死者)는 이의(已矣)라. 무익
지비(無益之悲)를 과히 말고, 인신행사(人身行事)를 수렴(收斂)하여 군
자지덕(君子之德)을 상해오지 말라. 대장부 처세에 반생처신(半生處
身)577)이 남 같지 못할까 근심할지언정 처자 없을까 근심하리오. 너는
동서(東西)로 취실(娶室)하매 요조숙녀(窈窕淑女) 그 몇몇이 모일 줄 알
리오. 노부(老父)의 상명(喪明)은 긴 날에 잊기 어렵도다."

언파에 누수 광수(廣袖)를 적시니 사인이 복수(伏首) 문파(聞罷)에
묵연반향(黙然半晌)이라가, 추연(惆然) 대왈,

"소서(小婿) 용우하오나 어찌 그런 줄 모르리까마는, 정녀 명수재취
(名雖再娶)나 결발조강(結髮糟糠)578)이나 다름이 없삽고, 성혼주년(成
婚週年)이 못 되오니 사정도 구구(區區)하온 중, 난감지사(難堪之事)는
분산(分産)치 못함이라. 미사지전(未死之前)에 차마 잊기 어렵사오니,
비록 옥 같은 아내와 꽃 같은 첩이 있사온들 무슨 즐거움이 있으리이
꼬? 만일 고당(高堂)579)을 모심이 아니면 장야(長夜)에 취광(醉狂)하여

---

574) 다사하다 : 조금 따뜻하다.
575) 실우지탄(失偶之嘆) : 부부가 배우자를 잃은 탄식.
576) 구경지하(具慶之下) : 부모가 모두 살아 있음, 또는 그런 기쁨을 누리고 있음.
577) 반생처신(半生處身) : 성인(成人)이 되어 살아가는 동안의 몸가짐이나 행동.
　　*반생(半生); 한 평생의 반. 곧 성인이 되어 노인이 되기 전까지의 기간.
578) 결발조강(結髮糟糠) : 조강지처(糟糠之妻). 원비(元妃). 원비로 맞아 결혼함.
579) 고당(高堂) : ①남의 부모를 높여 이르는 말. ②남을 높여 그의 집을 이르는

느끼기를 면치 못하리로소이다."

설파(說破)의 천항루(千行淚) 흉금(胸襟)을 적시니, 장부의 만균지심 (萬鈞之心)580)으로도 설설(屑屑)함을 면치 못하니, 좌우 척연 타루하고 제정이 사인의 이렇듯 과상함을 그윽이 감사하여 위로하더라.

초종제구(初終諸具)581)를 극진히 다스려 장일(葬日)을 택하여 안장 (安葬)할 새, 홀로 의심하는 이는 평제왕이 소매의 백복완전지상(百福完全之相)으로 조사(早死)함을 믿는 듯, 마는 듯하나, 소매의 거처는 알지 못하고 분명한 시체를 보았으니, 보지 않은 바를 말하지 못하나 종시 의심이 없지 않고, 정숙렬이 또한 아우의 향수(享壽) 다복(多福)할 기질로 조세함을 의아하더라.

장일(葬日)의 임박(臨迫)하매, 예사 장사와 달라 잉부를 선산에 장치 못하여, 명산지지(名山之地)를 신택(愼擇)하여 장(葬)하고 반혼(返魂)582)하여 돌아오니, 정·하 양부에서 새로이 비척(悲慽)하고, 진부인은 식음을 폐하고 상석에 위돈(委頓)하니, 제재 우황하며 태부인이 경려(輕慮)하더니, 일일은 금후 제자를 거느려 태원전에 들어오니, 정히 낮 문안을 하려 제부(諸婦) 모다 안항(雁行)을 이뤘는데, 진부인이 불참하였는지라. 태부인이 식부 좌의 없음을 깃거 않아 시녀로 전어 왈,

"현부 비록 심사 비황하나 노모의 비척한 마음을 생각지 않았느뇨? 신혼성정 시의 자손이 다 모였으나 현부 좌에 없으니, 노모의 심사를 더

말. ③높다랗게 지은 집.
580) 만균지심(萬鈞之心) : 무게가 만균(萬鈞)이나 될 만큼 무거워 쉽게 동요하지 않는 마음.
581) 초종제구(初終諸具) : 초상이 난 뒤부터 졸곡까지 치르는 온갖 일이나 예식에 쓰는 기구. *초종(初終); 초상이 난 뒤부터 졸곡까지의 모든 상례절차.
582) 반혼(返魂) : 반우(返虞). 장례 지낸 뒤에 신주(神主)를 집으로 모셔 오는 일.

욱 정할 길 없으니, 현부의 지성지효로써 생각지 못하느뇨? 모름지기
즉시 나아 와 노모의 회포를 위로하라."

진부인이 이 때 백사의 뜻이 없고, 아주의 화용월태 안저(眼底)에 벌
였으니, 흐르는 누수 침상에 괴일 뿐이러니, 태부인의 과려하심을 듣고
마지못하여 강질(强疾)하여 정당의 이르니, 제부 기이영지(起而迎之)하
여 좌에 들매, 진부인이 나직이 태부인 존후를 묻자온대, 태부인이 식부
(息婦)의 수안척용(愁顔慽容)을 보매, 새로이 아주를 생각고 희허 탄식
왈,

"손아의 그런 숙덕재용으로 청년에 요몰함을 뜻하였으리오. 그 요라
(姚娜)한 얼굴은 안저의 벌여있고, 쇄락한 낭성(朗聲)은 이변(耳邊)에
쟁쟁하니, 아심(我心)이 비여석(非如石)583)이오 비여철(非如鐵)584)이
라. 더욱 현부의 심회 어떠하리오. 연이나 '사자(死者)는 이의(已矣)
라'585). 현부 한 자식을 위하여 과척(過瘠)하매 천흥 등의 미우(眉
憂)586)와 노모의 심려(心慮)를 돌아보지 않으며, 아주의 생시 성효로써
명명지중(冥冥之中)에 어찌 불효를 느끼지 않으리오. 현부는 소심관억
(小心寬抑)587)하라."

금후 모교를 이어 정색 왈,

"부인이 비록 편협(偏狹)하나 거의 세사(世事)를 알리니, 세간에 서하
참경(西夏慘景)588)을 본 이 홀로 우리뿐이리오. 왕왕 독자(獨子)와 독녀

---

583) 비여석(非如石) : 돌이 아님.
584) 비여철(非如鐵) : 쇠가 아님.
585) 사자(死者)는 이의(已矣)라 : 죽은 사람은 죽은 것으로 끝날 뿐 다시 어떻게 할
　　 수 없다.
586) 미우(眉憂) : 눈썹 가에 띤 근심.
587) 소심관억(小心寬抑) : 소소한 근심·슬픔 따위를 너그럽게 억제함.
588) 서하참경(西夏慘景) : 자식을 잃은 비참한 상황. *서하(西夏) : 서하지탄(西河

(獨女)도 상망(喪亡)하고 오히려 따라 죽지 못하나니, 우리 사정이 일시 참담하나 위로 자위 계시고 버거 복과 제애 있으니, 설사 일녀가 죽었으나 시인(時人)이 이로써 우리를 박복다 않으리니, 어찌 수척한 형용으로 존전에 비색(悲色)을 나토아 승안화기(承顔和氣) 적으뇨?"

설파의 기위(氣威) 씩씩하니, 진부인이 참연수괴(慙愧)하여 사사 왈,

"첩이 비록 비박누질(卑薄陋質)589)이나 어찌 존전에 설만함을 모르리까마는, 자연 척감(慽感)하여 화기를 일흐나 스스로 깨닫지 못하더니, 존고의 경녀(驚慮)와 군후의 책언(責言)을 듣자오니 불효 큼을 사죄하나이다."

언파에 비색을 고치고 화기자약(和氣自若)하니, 태부인이 자부의 유열효순(愉悅孝順)함을 깃거, 또 비색을 거두고 진부인을 위로하더라.

차시 하사인이 정소저를 장(葬)하매 비회 일일층가하여, 신혼성정과 사군찰임 여가에는 봉각을 떠나지 않아, 종일달야(終日達夜)590)토록 소저의 선풍이질(仙風異質)을 생각하니, 장부지심이나 구회촌단(久懷寸斷)하고, 영웅의 눈물이 설설하여 밤이면 광금장침(廣衾長枕)을 적시고, 낮이면 편편광수(翩翩廣袖)를 적시니, 공연이 독수공방(獨守空房)에 잔등(殘燈)을 대하여 허황실성(虛荒失性)하기에 가까우니, 부모 형제 우려하고, 공의 엄정(嚴正)함이나 하릴없어 다시 설원각 말을 드놓지 않더라.

정씨의 유랑(乳娘)이 정소저의 양녜(襄禮)591)를 마치매 스스로 종적이 없으니, 가중이 괴이히 여겨 정부에 고하니, 정부에서 의심하여 두루

之嘆). 자식을 잃은 슬픔.
589) 비박누질(妾雖卑薄陋質) : 격이 낮고 천박하여 자질이 아름답지 못함.
590) 종일달야(終日達夜) : 해가 지고 밤이 새도록.
591) 양례(襄禮) : 장례(葬禮).

구색(求索)하나 마침내 찾지 못하니라.

설빈이 정씨를 쾌히 없이 하나 사인의 냉낙증념(冷落憎厭)592)은 일체니, 대로대분(大怒大憤)하여 악악 즐언(叱言)이 그치지 않더라.

시시에 연상궁이 설빈의 문안 서찰을 오왕 부부께 드리고, 즉시 나와 정소저 넣은 농을 가지고 후원의 들어가 냉암정 차지(次知)593) 태섬을 보고 가만히 전후 일을 대강 이르고,

"정소저를 옥중에 가두어 자진(自盡)케 하되, 부디 사람이 알지 못하게 하여 행여도 전하와 낭랑이 알지 못하게 하여 차인을 죽이면, 군주의 강적(强敵)을 없이 함이라, 너의 공이 이후에 큰 상이 있으리라."

하고, 위선 약간 금백을 주고, 옥문을 열어 농속에 정씨를 옥중의 들이치고, 태섬을 당부한 후, 왕의 부부에게 하직하고 하부의 돌아와 설빈을 보고 소식을 전하니, 설빈이 대희하더라.

태섬이 연상궁을 보내고 그 흉심을 극악히 여겨 생각하되,

"아무리 적국(敵國)594)인들 사람을 차마 어찌 해하리오. 내 일찍 들으니 하사인이 부인 정씨를 극히 후대하고 평제왕의 누이라하니, 내 마땅히 지성으로 구하여 타일 풍운의 길시를 만나 돌아 가 군자숙녀 단취(團聚)케 하리라."

하고, 급히 해독할 약과 차와 보미595)를 갖추어 가지고 옥중의 들어가 정소저를 보니, 겨우 목 위에 숨이 걸녀시나 혼혼불성(昏昏不醒)하

---

592) 냉락증념(冷落憎厭) ; 쌀쌀맞고 미워함.
593) 차지(次知) : 각 궁방(宮房)의 일을 맡아보던 사람.
594) 적국(敵國) : 한 남자와 처 또는 첩의 관계에 있는 여자들이 서로 상대방을 일컫는 말.
595) 보미 : 미음(米飮). 입쌀이나 좁쌀에 물을 충분히 붓고 푹 끓여 체에 걸러 낸 걸쭉한 음식. 흔히 환자나 어린아이들이 먹는다.

니, 그 면모에 일천자태(一千姿態)와 일만광염(一萬光艶)이 서로 바애여 찬란한 광채 암벽(岩壁)에 조요(照耀)하니, 천고절염(千古絶艶)이오 만고무쌍(萬古無雙)이라. 태섬이 일견에 황홀기이(恍惚奇異)함을 이기지 못하여 생각하되,

"정소저는 가히 이른 바 일소(一笑)에 경인국(傾人國)596)이오 천하(天下) 무가보(無價寶)597)라. 이 같은 용화자질(容華資質)로 강적(强敵)의 손의 힘힘이 마치면, 어찌 아깝지 않으리오."

눈물을 흘려 재삼(再三) 차탄하며, 약음으로 종일 완호(完護)598)하니, 석양에 비로소 숨을 내쉬며 입에 독수(毒水)를 무수히 토하고, 바야흐로 눈을 들어 좌우를 살피니, 이 문득 자기 처소 아니요, 본부 택중도 아니라. 한 누추한 곳의 몸을 버렸는데, 유랑 시비 등도 없고 일개 궁환이 곁에 있어 자기를 구하는지라. 소제 아무란 줄 모르고 경문(驚問) 왈,

"내 어찌 차처(此處)의 있으며, 유랑과 벽옥·취란 등이 어데 있느뇨?"

태섬이 정소저의 정신 차림을 보고 깃거 연망(連忙)이 대왈,

"첩은 오궁 궁아(宮兒) 태섬이라. 소임이 천박하여 냉옥(冷獄)을 가음아옵더니, 이곳 냉암정이라. 설빈 군주의 연상궁이 부인을 여차여차 요약(妖藥)을 먹여 농중에 감추어 이에 와 첩을 맡기며, 해하기를 요구하는지라. 첩이 부인으로 일면지분(一面之分)이 없사오나, 저 같은 용색재덕(容色才德)으로 사람을 그릇 만나사, 천금귀체(千金貴體) 독수(毒手)

---

596) 일소(一笑)의 경인국(傾人國) : 한 번 웃음으로 사람과 나라를 기울게 함.
597) 무가보(無價寶) : 값을 매길 수 없을 만큼 귀중한 보배. ≒무가지보(無價之寶).
598) 완호(完護) : 구호(救護)함.

의 마치게 되심을 차마 보옵지 못하여, 회생단(回生丹)을 얻어 구호하옵
나니, 천첩이 고인의 의기와 현심이 없사오나, 부인께 거의 무해하오리
니, 부인은 관심(寬心)하시어, 천금지구(千金之軀)를 힘써 조호(調護)하
시어, 타일 풍운의 길시를 기다리시고, 아직 함분인통(含憤忍痛)하여 월
왕(越王) 구천(句踐)599)의 와신상담(臥薪嘗膽)600)을 본받아 천일(天日)
을 기다리고, 행혀 간인(奸人)의 탐청(探聽)이 오거든 여차여차 칭병하
소서."

소제 청파에 설빈의 대간대악(大奸大惡)을 분완통해(憤惋痛駭)하나
이미 농중(籠中)에 갇힌 봉황이요, 그물에 걸린 홍곡(鴻鵠)601)이라. 태
섬의 언어동지(言語動止)를 보니 결단코 자가를 위하여 사지(死地)라도
피(避)치 않을 듯하니, 소제 날호여 칭사 왈,

"첩은 본디 심규에 생장하여 사람에게 결원(結怨)이 없으되, 금일 이
런 액을 당하나 부모 동기 알지 못하고, 궁아의 이 같은 의기현심으로
사지에서 구활코자 하니, 첩이 다른 날 돌아감이 있을진대 금일 구생지
은(求生之恩)602)을 갚음이 적지 않을지라. 그대 이르지 않으나 첩이 부

---

599) 구천(句踐) : 중국 춘추 시대 월(越)나라의 왕(?~B.C.465). 오(吳)나라의 왕
   합려와 싸워 이겼으나, 그의 아들 부차에게 대패하여 회계산(會稽山)에서 항복
   하였다. 그 뒤 기원전 473년에 범여의 도움으로 오(吳)나라를 멸망시켰다. 재
   위 기간은 기원전 496~기원전 465년이다.
600) 와신상담(臥薪嘗膽) : 불편한 섶에 몸을 눕히고 쓸개를 맛본다는 뜻으로, 원수
   를 갚거나 마음먹은 일을 이루기 위하여 온갖 어려움과 괴로움을 참고 견딤을
   비유적으로 이르는 말. ≪사기≫의 〈월세가(越世家)〉와 ≪십팔사략≫ 등에 나
   오는 이야기로, 중국 춘추 시대 오나라의 왕 부차(夫差)가 아버지의 원수를 갚
   기 위하여 장작더미 위에서 잠을 자며 월나라의 왕 구천(句踐)에게 복수할 것
   을 맹세하였고, 그에게 패배한 월나라의 왕 구천이 쓸개를 핥으면서 복수를
   다짐한 데서 유래한다.
601) 홍곡(鴻鵠) : 큰 기러기와 고니. *고니; 오릿과의 물새. 몸이 크고 온몸은 순백
   색이며, 눈 앞쪽에는 노란 피부가 들어나 있고 다리는 검다.

모의 교애(嬌愛)로 연성지벽(連城之璧)603)과 화씨지보(和氏之寶)604)로
생장(生長)하여, 이제 요인의 독수를 만나 일신이 함정(陷穽)에 떨어져
오궁 누옥 중에 들었음을 부모 동기 어찌 알리오. 한갓 죽은 줄로 아시
어 비상참도(悲傷慘悼)605)하시리니, 첩이 만일 일루잔천(一縷殘喘)606)
을 부생(復生)치 못할진대 불효(不孝) 어떠하며 구로생휵(劬勞生慉)607)
한 몸이 어느 곳의 버릴 줄 알리오. 차고로 일만 괴로움을 견디고 투생
(偸生)하여, 존당 부모와 동기로 산 낯으로 반김을 기약하니, 어찌 부모
유체(父母遺體)를 가벼이 상해오리오. 궁인은 이로써 의심치 말고, 전후
의기를 한결같이 하여 피차 나중이 있게 하라."

섬이 소저의 식견이 명달함을 항복하여 심심(深深) 칭복(稱福) 왈,

"부인의 신명예철(神明睿哲)하심은 계차군자(笄叉君子)608)요, 결군
장부(結裙丈夫)609)라. 천첩이 그윽이 백년을 모시고자 하옵나니, 어찌
전후이심(前後二心)을 품으리까? 삼가 진심갈력(盡心竭力)하오리니 물
려하시고 귀체를 보중하소서."

---

602) 구생지은(求生之恩) : 생명을 구해준 은혜.
603) 연성지벽(連城之璧) : 화씨지벽(和氏之璧)을 달리 이르는 말. 화씨지벽은 전
　　　국 때 변화씨(卞和氏)라는 사람이 형산(荊山)에서 돌 위에 봉황이 깃들이는 것
　　　을 보고 얻었다는 천하의 이름난 옥을 말하는데, 후대에 진(秦)나라 소양왕(昭
　　　襄王)이 이 옥을 탐내, 당시 이 옥을 가지고 있던 조(趙)나라 혜문왕(惠文王)에
　　　게 진나라 15개의 성(城)과 바꾸자는 제안을 했다는 데서, '연성지벽(連城之
　　　璧)'이라는 이름이 붙게 되었다고 한다.
604) 화씨지보(和氏之寶) : 화씨지벽(和氏之璧)을 말함. '연성지벽(連城之璧)'이라고
　　　도 한다.
605) 비상참도(悲傷慘悼) : 마음이 몹시 애처롭고 참혹하여 슬피 욺.
606) 일루잔천(一縷殘喘) : 실낱같이 약하게 겨우 붙어 있는 목숨.
607) 구로생휵(劬勞生慉) : 자식을 낳아서 기르느라고 힘을 들이고 애를 씀.
608) 계차군자(笄叉君子) : '비녀 꽂은 군자'라는 뜻으로 여성 가운데 군자라는 말.
609) 결군장부(結裙丈夫) ; 치마 두른 장부.

정소저 그 현심을 칭사하고 이로 좇아 스스로 몸을 보호키를 계교하매, 천수만녀(千愁萬慮)를 척탕(滌蕩)하고, 섬의 지성으로 받듦을 힘입어 오래지 않아 병이 점점 차경에 미치니, 섬이 대경하나 행여 설빈 노주 알까 두려워, 혹자 연상궁 간찰(看察)이 이른즉, 섬이 일양(一樣) 소저의 병이 사생(死生)에 있어, 귀먹고 말 못하여 숨 있는 시체라 하니, 설빈과 연상궁이 곧이들으나 그 쉬이 죽이지 않음을 민망하되, 설빈이 혹 오궁에 귀녕하여 친히 나아가 죽이고자 뜻이 있으나, 오왕 부부를 기이는[610] 고로 그도 못하고, 연상궁으로 더불어 주사야탁(晝思夜度)하여 사인의 마음이나 돌이키기를 꾀하더니, 차시에 천하(天下) 불행하고 신민이 무복(無福)하여, 진종 황야 옥체 미령(靡寧)하시어 용탑(龍榻)에 위돈(委頓)하시니, 천하 진동하고 조야 진경하여 천방백계로 의약을 힘쓰나, 일점 신효(神效) 없는지라.

때에 평진 대원수 윤광천의 첩서(捷書)가 두 번 오르나, 황야 상벌을 내리지 못하시고 스스로 회춘치 못하실 줄 아시어, 금후와 평제왕과 하·진 등 제공을 탑하에 인견하시어 군국대사를 맡기시고, 태자를 돌아보사 왈,

"윤·하·정·진 제신은 다 국가 주석지신(柱石之臣)이라. 짐이 상해 크게 믿는 바요, 광천 형제는 기부(其父)의 충의대절(忠義大節)을 이어 왕좌보필(王座輔弼)이요, 천흥의 지용재략(智勇大略)은 국가동냥(國家棟樑)이라. 위명(威名)이 화이(華夷)에 진동하고, 또 겸하여 문양으로 하여 계액(桂掖)[611]의 손[612]이니, 범범한 외조 신료와 다르니 범사를 문

---

610) 기이다 : 기이다. 어떤 일을 숨기고 바른대로 말하지 않다.
611) 계액(桂掖) : '후비(后妃)의 처소'를 이르는 말.

의하고, 또 윤광천이 진을 정벌하여 첩음이 두 번 이르렀다 하니, 헤건대 승전환조 함이 오래지 않을 것이로되, 짐이 천명이 진(盡)하여 군신이 산 낯으로 반기지 못하니 어찌 유한(遺恨)이 아니리오. 만일 광천이 진을 평정하고 반사(班師)하거든 진에 봉하여 공을 갚고, 짐심을 저버리지 말라. 짐이 초에 혼암하여 초왕과 김탁의 간모를 몰라, 하진의 부자를 저버림이 남은 땅이 없어, 원경 삼형제 참사함이 세월이 오랠수록 뉘우치고 가석(可惜)하나니, 이제 원광의 형제 조정에 있으매 한결같이 금옥군자(金玉君子)라. 경이 또한 짐의 옛 허물을 생각하고 하진 부자를 각별 예우하여, 짐의 뉘우치는 뜻을 저버리지 말라."

하시고, 허다 조정대사를 유탁(遺託)하시고, 또 문양공주의 회과함을 일컬으시어 고호(顧護)613)함을 이르신 후, 인하여 붕(崩)하시니 재위 사십년이요, 시호(諡號)는 진종황제(眞宗皇帝)614)시라. 문무백관이 태자를 받들어 발상거애(發喪擧哀)하니, 태자의 과애(過愛)하심이 좌우를 동하더라.

애조(哀弔)를 천하에 반포하니, 사민(四民)615)이 저자를 파하고 여상고비(如喪考妣)616)하며, 삼일을 천지혼흑(天地昏黑)617)하고 일월이 무광(無光)하여, 산천(山川) 초목(草木)과 금수(禽獸)가 다 느끼는 듯하더라.

---

612) 손 : '백년손님' 곧 '사위'를 말함.
613) 고호(顧護) : 마음을 써서 돌보아 줌.
614) 진종(眞宗) : 중국 송(宋)나라의 제3대 황제(698-1022). 이름은 조항(趙恒). 태종의 셋째 아들로, 1004년 요나라가 쳐들어왔을 때에 직접 싸웠으나 굴욕적인 '전주(澶洲)의 맹(盟)'을 맺고 화의하였다. 재위 기간은 997~1022년이다.
615) 사민(四民) : 온 백성. 사(士)·농(農)·공(工)·상(商) 네 가지 신분의 백성
616) 여상고비(如喪考妣) : 부모의 상(喪)처럼 상례를 극진히 함.
617) 천지혼흑(天地昏黑) : 하늘과 땅이 다 어둡고 캄캄함.

선제(先帝) 입관(入棺) 성복(成服) 후, 태자를 받들어 보위(寶位)에 오
르시니, 이 인종황제(仁宗皇帝)[618]시라. 대사천하(大赦天下)하시고, 일
반 대신을 관작을 도도시고, 새로이 선제를 추모하시어 애척하심이 예
에 지나시더라. 윤·하·정·진 제공이 국휼(國恤)[619]을 만나매 애훼비
상(哀毁悲傷)함이 효자 부모를 여희고 애통함이나 다르지 않아, 백의소
대(白衣素帶)[620]로 외당(外堂)에 처하여 부인 여자로 면목(面目)을 상견
치 않으니, 설빈 군주는 국상을 만나 유세(有勢)할 곳이 없고, 사인의
종적이 이제는 더욱 얻어 볼 길이 없으니, 악연 초조하더라.

차시 정소저 오궁 누옥 중의 있은 지 수월(數月)에 산점(産漸)[621]이
있어, 옥중에 향기 응비(凝飛)하고 서광이 만실하더니, 일개 기린을 생하
니, 해애(孩兒)의 성음이 웅장하고 체형이 석대하여 옥안영풍(玉顔英風)
이 강산수기(江山秀氣)를 타 났으니, 소제 대희하며 섬이 희행(喜幸)하여
갱반(羹飯)으로 구호하고, 신아(新兒)의 기이함을 치하하며 수고를 잊어
갱반을 이으니, 비록 벽옥·취란이라도 정성이 이에서 더하지 못할지라.
정소저 갈수록 감사하여 생전사후에 잊지 않을 뜻이 있더라. 태섬이
영오총명하고 지족다모(知足多謀)하여 간인의 간찰이 이른 때면 정소저
사태(死胎)하여 명이 조모(朝暮)에 있다 하니, 일로 좇아 간인이 의심치

---

618) 인종황제(仁宗皇帝) : 중국 송나라의 제4대 황제(1010~1063). 재위시에 평화
　　　롭고 국력이 충실하였으며, 문학과 예술을 장려하여 사대부의 독특한 문화가
　　　크게 일어났다. 재위 기간은 1022~1063년이다.
619) 국휼(國恤) : 국상(國喪).
620) 백의소대(白衣素帶) : 흰옷을 입고 흰 띠를 두름. 상복차림을 함.
621) 산점(産漸) : 산기(産氣). 달이 찬 임신부가 아이를 낳으려는 기미.

않고, 정씨 모자 보전함을 얻으니라.

시시(是時)에 평진대원수 윤청문이 십만 웅병을 거느려 진국으로 향하니, 지나는 바의 계견금수(鷄犬禽獸)가 놀라지 않고, 백성이 향화등촉(香火燈燭)으로 맞더라. 행한 지 월여에 진읍에 다다르니, 본읍 자사(刺史)와 각읍 수령 방백이 각각 본읍 군사를 거느려 멀리 나와 맞아, 성중에 들어가 대군을 안둔하고 적세를 물으니, 자사 유한수 진왕 울금서의 상모 흉악하며 만부부당지용(萬夫不當之勇)622)이 있어, 전 당 두 고을이 저당치 못하여 관군이 무수히 죽고, 지용(智勇) 있는 장수 다 대적치 못하니, 천병이 만일 사오일만 더디 오던들, 이 성이 또 보전키 어려웠을 바를 갖추 고하고, 원수 임진(臨陣)하셔도 경적(輕敵)치 마심을 재삼 당부하니, 원수 소왈,

"울금서는 한낱 무부(武夫)라. 지모 없으리니 무엇이 두려우리오. 잔미(屛微)한 변장(邊將)들이 병법을 몰라 패망하였으나, 자사는 염려 말라."

설파에 사기 자약하여 조금도 경겁(驚怯)함이 없어, 즉시 하령하여 성상(城上)에 윤·정 양원수의 기호(旗號)623)를 세워, 적군으로 하여금 천병이 왔음을 알게 하고, 전서(戰書)624)를 보내어 삼일 후 접전함을 언약하니, 유자사 이하가 윤·정 양원수의 나이 삼십이 차지 못하고, 월면주순(月面朱脣)이 보건대 미앙궁(未央宮)625) 봄버들 같거늘, 이 같은 고담대언(高談大言)626)으로 저 흉녕(凶獰)한 울금서를 두려워 않음을

---

622) 만부부당지용(萬夫不當之勇) : 수많은 장부(丈夫)로도 능히 당할 수 없는 용맹.
623) 기호(旗號) : ①깃발로 나타낸 부호나 휘장. ②깃발로 하는 신호.
624) 전서(戰書) : 전쟁의 시작을 알리는 통지서.
625) 미앙궁(未央宮) : 중국 한(漢)나라 때에 만든 궁전. 고조 원년(B.C.202)에 승상인 소하(蕭何)가 장안(長安)의 용수산(龍首山)에 지었다.

십분 의심하여 방심치 못하더라.

이적의 진왕 울금서가 승승장구 하여 대국 토지를 노략하며 절도사를 죽이매, 뜻이 범남(汎濫)627)하여 스스로 호왈(號曰) '대진천자(大晉天子)'라 하고, 맹장(猛將) 천원(千員) 중 울금덕은 울금서의 아이니, 상모 흉악하며 팔십 근 철퇴(鐵槌)를 쓰고, 우선봉 아울강은 미목(眉目)이 수려청수(秀麗淸秀) 하고 지용(智勇)이 겸전(兼全)하며, 후군 구응사(救應使) 독고정은 울금서의 사위니 평진 공주 양영의 가부(家夫)라. 면모 아름답고 재략이 과인하니, 이 서너 사람은 지용이 겸전하여 만부부당지용(萬夫不當之勇)이 있는지라. 울금서 삼장을 믿고 장안을 범보628) 듯 하더니, 문득 천병이 이르러 격서(檄書) 이르니, 울금서 문무 제신으로 더불어 떼어 보니 하였으되,

"대송조(大宋朝) 평진대원수 윤모와 부원수 정모는 역천무도(逆天無道) 울금서에게 격서를 보내나니, 성천자 인성명화(仁聖明和)하시어 천하 승평(昇平)하거늘, 너희 시세를 알지 못하고 변방을 소요하니, 기죄(其罪) 불용주(不容誅)라. 아등이 천명을 받자와 웅병 백만과 맹장 천원을 거느려 문죄하나니, 만일 성명을 아끼거든 일찍이 항복하면, 성상이 인현하시니 관전을 드리워 대죄를 용서하시고 오히려 왕작을 보전하려니와, 불연즉 옥석이 구분하리니, 삼일 후 승부를 결하게 하라."

하였더라, 울금서 간필에 대로하여 격서를 찢고 사자를 불러 코를 베어 내치며 왈,

"너는 돌아 가 윤광천 황구치아(黃口稚兒)와 정세홍 해제(孩提)629)들

---

626) 고담대언(高談大言) : 거리낌 없이 큰소리쳐 하는 말.
627) 범남(汎濫) : ①제 분수에 넘침. ②큰물이 흘러넘침.
628) 범보다 : 범이 먹잇감을 노려보다.
629) 해제(孩提) : 어린아이.

더러 이르라. 여등은 본디 옥당명환(玉堂名宦)이라 궁마지재(弓馬之才) 없으리니, 우리 웅호걸사(雄豪傑士)의 적수 아니라 빨리 돌아가고, 다시 무장을 보내어 대적하고, 꽃다운 청춘으로 검하경혼(劍下驚魂)이 되지 말라 이르라."

하고, 끌어 내치니, 사자(使者) 울며 돌아와 고한대, 원수 대로하여 우명일의 교전할 새, 성문을 크게 열고 금고제명(金鼓齊鳴)하여 함성이 대진하는 곳에, 양원수 군장(軍裝)을 정제하고 진전에 나오니 개갑이 선명하고 풍채 천선 같으며, 좌우 제장은 공산(空山)의 맹호 같고 군용이 정제하니, 적진 장졸이 양원수의 신채 황홀하여 천신이 강림한가 의심하고, 그 장졸의 웅위함을 대경더라.

적진 문기(門旗) 열리는 곳에 진왕 울금서 나와 송진 장수의 소년영풍을 보매, 업수히 여겨 마상에서 채를 들어 가르쳐 왈,

"갑주재신(甲胄在身)하여 예를 행치 못하나니 송장(宋將)은 관서하라. 과인이 장군 등을 처음 보거니와, 송주 지혜 없어 그대 등 같은 백면서생(白面書生)을 보내어 스스로 패망키를 자취하느뇨? 일찍 항복하여 죽기를 면하라."

정원수 해연(駭然) 대로(大怒)하여 왈,

"소방 역적이 감히 난언으로 군자의 귀를 더러이느뇨? 내 너를 죽여 만민의 해를 덜리라. 언필에 보검을 춤추어 울금서를 취하니, 울금서 또한 칼을 들어 맞아 싸워 이십여 합에 정원수 한 소리를 크게 지르고, 손을 들어 지르는 곳의 울금서 마하(馬下)에 내려지니, 윤원수 정원수의 울금서 죽임을 보고 제장을 지휘하여 대군을 몰아 적진을 시살(弑殺)하니, 주검이 뫼 같고 피 흘러 내가 되었더라. 적진 장졸이 주장이 없으니 머리 없는 뱀 같아서 사산분주(四散奔走)하니, 양원수 승세하여 짓질러 울금덕 독고정을 다 베니, 여졸은 항복하고 왕비는 스스로 목매어 죽고,

진국 승상 목원은 처음에 울금서를 반(叛)치 말라 간하니, 울금서 듣지 않으매 본국을 지켰더니, 울금서 패망함을 듣고 국보(國寶)[630]를 가지고 성문을 열어 왕사를 맞으니, 원수 진국 도성에 들어가 방 붙여 백성을 안무하고, 목원 등 제인을 위로하며 그 궁실이 참람(僭濫) 사치(奢侈)함을 보고, 양원수 탄 왈,

"이렇듯 하고 어찌 망치 않으리오."

하더라. 인하여 첩서를 올리고 수십 일을 머물러 인심을 진정하며, 창늠(倉廩)을 봉하고 국도를 승상 목원으로 지키게 하고, 군사를 거느려 전일 머물던 곳에 돌아와 행장을 점검하여 반사(班師)하더니, 경사로서 애조(哀詔)가 이르니, 선제 승하하시고 태자 즉위하셨는지라.

양 원수 적심단충으로 이국(離國) 팔구 삭에 군친을 사모함이 간절하다가, 흉음을 들으매 참통비절(慘痛悲絶)하여 즉시 삼군 제장으로 더불어 북향 발상(發喪)하니, 곡성이 천지진동하더라. 즉일 반사(班師)할 새 양원수와 삼군 제장의 귀심이 살 같아서, 주야 배도(倍道)[631]하여 황성을 향하여 오니, 선성(先聲)이 경사에 미치매 윤·정 양부에서 아자의 청수미질(淸秀微質)로 흉적을 쉬이 소탕하고 승전환국(勝戰還國)함을 깃거 하성(賀聲)이 분분하고, 만세 황야 선제 유교(遺敎)를 생각하시어 난여(鸞輿)[632]를 갖추어 만조를 거느려 양원수를 문외에 맞으실 새, 이때 양원수 삼군을 재촉하여 행하여 경성의 이르러는, 멀리 바라보니 어막이 나부끼거늘, 성가(聖駕) 친림하심을 짐작하고 바삐 말에 내려, 용

---

630) 국보(國寶) : 국새(國璽). 나라를 대표하는 도장.
631) 배도(倍道) : 배도겸행(倍道兼行). 이틀에 갈 길을 하루에 걸음.
632) 난여(鸞輿) : =연(輦). 임금이 거동할 때 타고 다니던 가마. 옥개(屋蓋)에 붉은 칠을 하고 황금으로 장식하였으며, 둥근기둥 네 개로 작은 집을 지어 올려놓고 사방에 붉은 난간을 달았다.

탑하에 이르러 팔배무도(八拜舞蹈)하기를 마치매, 용안을 우러러 선제
를 생각고 충신의 누수(淚水) 자리의 괴이니, 상이 또한 비척하심을 마
지않으시고 반기시미 비할 데 없어 위로하시고, 일색이 늦으매 환궁하
시니, 윤원수 부중에 돌아와 계부를 모셔 존당과 모친께 배현하니, 위
태부인과 조부인이 손을 잡고 반기며 기쁨을 이기지 못하고, 유부인이
또 한가지라. 원수 가중이 무사함을 깃거하나, 인사 변하여 선제 안가
(晏駕)[633]하심을 슬퍼하니 좌우 참연(慘然)하더라. 정·진·남·화 사
부인과 하·장 양수와 저저 등으로 별회를 베풀고, 웅린 등 제아가 부친
을 우러러 반김이 가득하더라.

차시 정원수 부중에 돌아와 부공을 모셔 제 형제로 내당에 들어오니,
순태부인과 진부인이 제부를 거느려 반기며, 원수 존당과 모친께 배례
를 맞고 제 부인으로 반길 새, 가중제인(家中諸人)이 다 모였으되 홀로
아주 소매 없으니, 의아하여 연고를 묻자온대, 태부인이 탄식 유체하고
요절함을 이르니, 원수 대경차악하여 비읍함을 마지않더라.

명일 천자 조회를 여시어 평진제장을 봉상(封賞)하실 새, 대원수 윤광
천으로 평진왕을 봉하시어 식읍 삼만 호를 더하시고, 기여 장졸을 차차
봉작하시니 환성이 진동하더라.

윤원수 대경하여 왕작이 불감(不敢)함을 고사(固辭)하온데, 상이 선제
유교를 일컬으사 불윤하시니, 하릴없어 사은 퇴조하여 부중에 돌아오
매, 윤·정 양부에서 성은이 융성하심을 놀라고 감은하더라. 진궁 역사
를 마치매 일가가 옮으니 그 부귀영광이 혁혁하더라.

---

633) 안가(晏駕) : =붕어(崩御). 임금이 세상을 떠남.

차시 정부에서 순 태부인과 정공 부부 진궁을 지척에 두고, 숙렬비와 하부인이 층층한 자녀를 거느려 조왕모래(朝往暮來)하고, 평진왕과 윤 승상이 정공 부부와 순태부인의 애경함을 돕되, 기위 엄준하고 성정이 쾌활하여 일찍 부인 여자를 대하여 긴 설화를 열지 않고, 침정 단묵하여 평생 삼엄한 예의를 잡으며 사람으로 하여금 송연 경구케 하더라. 진부 인이 본디 단묵 하므로 서랑을 대하나 심곡소회를 폄이 없어, 다만 각각 화란을 진정하고 영화 복경이 제미함을 두긋길 따름이로되, 주야 참통 애상함이 흉장에 불이 일고 골절이 녹는 바는, 아주 소저가 오궁 누옥 중의 죄수 되어 있음은 알지 못하고, 유랑의 죽엄으로써 여아의 시신이 라 하여 장(葬)한 후, 여러 세월이 변하고 해 바뀌어 초기(初忌)634)가 다다르도록 여아의 선연염태와 천향아질이 안중에 삼삼하고, 옥성봉음 (玉聲鳳吟)이 오히려 이변(耳邊)에 머물러 비록 잊기를 공부하나 숙식 간 생각이 간절하고, 하사인의 벼슬이 때로 옮아 태중태우(太重大夫) 되 었으나, 정소저의 망(亡)함으로부터 세상 흥황이 사연(捨然)하여 슬퍼 할 뿐이요, 벼슬에 뜻이 없으나 마지못하여 이형과 같이 조항간에 참예 하되, 뜻을 결하여 다시 인륜세사를 유련치 않으려 하였는지라. 양형과 일제로 상수(相隨)치 않는 날이면 정부에 와 소일하고, 진부인께 배현하 기를 부지런히 하여 악공 부부 받듦이 소저 생시에 더한지라. 진부인이 누수를 뿌려 왈,

"불초 여식으로써 현서의 건즐(巾櫛)을 받듦이 비록 외람하나, 저의 상모 구태여 조요박복(早夭薄福)함을 알지 못하였더니, 우리 적악이 여 아에게 미처 한낱 골육을 끼친 바 없이 초로(草露)같이 스러지니, 부모 지심으로써 어찌 참통치 않으리오마는, 인생이 무지(無知)하여 능히 죽

---

634) 초기(初忌) : 사람이 죽은 지 1년이 되는 날.

은 자식을 따르지 못하는 지경은 잊는 것이 으뜸이라. 첩이 시러금[635] 모녀의 유유한 정으로써 천흥 등의 절민한 정사를 돌아보아 잊은 듯이 지내니, 현서의 유신함이 빙가를 잊지 않으니 길이 감사하나, 남자는 여자와 다른지라. 일처를 위하여 환거(鰥居)할 것이 아니니, 첩이 감히 군자의 정심을 고치라 하는 것이 아니라, 국휼삼년(國恤三年) 전(前)에 할 말씀이 아니거니와, 다른 부인께라도 유자생녀(有子生女)하여 박명 소녀에게 제향이나 그치지 않음이 옳을까 하노라."

태우 상연 유체 왈,

"소생이 이미 다른 여자로 화락지 않으려 하옵나니, 한낱 실인을 직히고자 함이 아니라, 소생의 명도 기괴하여 먼저 취한 바 설빈이라 하는 이는 사람의 집을 엎치고 가부를 죽이고 그칠 여자니, 소생은 설빈의 장리(掌裏)에 잠기지 않음으로 사화는 면하오려니와, 소생이 설사 사람을 취한들 설빈이 있으니 어찌 좋이 화락케 하리까? 소생이 실인으로 부부의 정이 중함은 이르도 말고, 존부 대은이 골절에 사무치니, 악장과 죽청을 감은한 뜻을 실인에게 갚을까 하였더니, 소생의 박덕불인이 신명의 외오 여김을 입어 실인을 참망한 바 되니, 세월이 오랠수록 참통함이 비할 곳이 있으리까?"

진부인이 불승비읍하여 다시 말을 못하나, 태우의 이렇듯 함을 감격하여 일마다 여아의 조요(早夭)함을 통도하더라.

일월이 훌훌하여 아주 소저의 초기를 지내니, 양가 부모의 참통애상함과 하태우의 애통함이 촌장(寸腸)을 살오더라.

시시에 설빈 군주 묘화의 도움을 인하여 정소저를 후려다가 오궁 누

옥에 가두고, 유랑의 시신으로써 정소저의 형용이 되게 하여 저의 간모를 족히 감추었으나, 태우의 철석같은 마음을 돌이키기 어려울 뿐 아니라, 국휼을 인하여 하승상으로부터 도어사 원상과 원필 등이 다 내루에 자취를 끊어, 사실(私室)에 부인으로 모이는 바가 없고, 오직 조부인께 사시 문안을 총총이 하고 나가니, 하물며 태우는 전일 저로 더불어 금슬지정과 운우지락을 맺음이 없고, 면목을 보고자 않는지라. 어찌 설원각에 어른거리기나 하리오. 설빈이 태우를 사상하는 정을 참지 못하여, 묘화를 대하여 체읍 왈,

"사부의 재주와 법술로써 정녀를 급히 서릇었거니와, 태우의 뜻을 돌이킬 길이 없으니, 사부는 다시 기특한 계교를 생각하여 하군의 은애가 일신에 온전케 하라."

묘화가 즉시 칠일을 목욕재계(沐浴齋戒)하고 정성을 다하여 천지신기(天地神祇)636)께 큰 재(齋)를 베풀어, 하태우의 마음을 고쳐 설빈에게 은정이 온전함을 빌 새, 공교한 진언과 요약한 작법이 정인(正人)으로 하여금 능히 바로 보지 못할지라. 군주 역시 손을 비벼 정성이 하늘에 오르도록 수복을 축(祝)할 즈음에, 홀연 광풍이 대작(大作)하며 난데없는 비사주석(飛沙走石)이 어지러이 제전을 마구 짓부수고, 묘화는 정신이 아득하여 자빠지며 제 손으로 두 뺨을 마구 치며 왈,

"요괴로운 사정(邪精)이 성난화 음악발부(淫惡潑婦)를 도와, 불의지사(不義之事)와 음악지계(淫惡之計)를 행하여 아니 미친 곳이 없으니, 사람은 알지 못하나 신명은 곁에서 보고 있나니, 네 이를 알지 못 하나냐?"

연상궁이 곁에 셨다가 성난화란 말을 괴이히 여기되, 설빈의 성명인

---

636) 천지신기(天地神祇) : 하늘과 땅의 귀신.

줄은 알지 못하고, 설빈이 저의 수복을 축할 적마다 이렇듯 어지러운 일이 많은 고로, 간특한 심정에도 경황하여 약물을 떠 넣어 묘화를 구하매, 이를 웅그려637) 물고, 어깨를 으슬으슬 떨며638), 선하품639)을 사이사이 하다가, 이르되,

"빈도 군주를 돕고자 하되 뜻을 이루기 쉽지 않으니, 아직 세월을 천연하여 군주의 길운이 틔기를 기다려 함이 마땅한지라. 빈도 금일 지장보살(地藏菩薩)640)의 엄책함을 당하여 하마 죽을 번 하과이다."

인하여 제 눈에 보살이 현성(顯聖)하여 타협(打頰)641)하던 바를 이르니, 설빈이 악연 낙담하여 눈물을 흘리다가, 연상궁이 물러 가고 좌우 고요함을 인하여, 묘화의 귀에 대고 가만히 이르되,

"하태우의 마음을 종시 돌이키지 못할 것 같으면642), 첩이 구차히 하가를 지킬 묘리(妙理) 없는지라. 군주 위호를 누리지 못하나 일생 단장박명(斷腸薄命)을 면할진대, 어찌 즐겁지 않으리오."

묘홰 왈,

"간계를 소루히643) 결단할 바 아니니, 군주는 참고 타일을 보소서."

설빈이 음악흉심(淫惡凶心)을 견디지 못하여 거의 미칠 듯하더니, 차일 조부인이 석후 기운이 불평함으로, 초공과 어사며 원필 등이 들어와

---

637) 웅그리다 ; ①웅그리다. 몸 따위를 움츠러들이다. ②오므리다. 물체의 거죽을 안으로 오목하게 패어 들어가게 하다.
638) 으슬으슬하다 : 소름이 끼칠 정도로 매우 차가운 느낌이 들어 몸을 떨다.
639) 선하품 : 몸에 이상이 있거나 흥미 없는 일을 할 때에 나오는 하품.
640) 지장보살(地藏菩薩) : 무불세계(無佛世界)에서 육도 중생(六道衆生)을 교화하는 대비보살. 천관(天冠)을 쓰고 가사(袈裟)를 입었으며, 왼손에는 연꽃을, 오른손에는 보주(寶珠)를 들고 있는 모습이다.
641) 타협(打頰) : 뺨을 침.
642) 못하량이면 : 못할 것 같으면. '못하+ㄹ+양(樣)+이면'의 형태.
643) 소루히 : 생각이나 행동 따위가 꼼꼼하지 않고 거칠게.

약음을 맛보며 수족을 주물러 가즉이 구호할 새, 태우는 조당에 들어갔다가 성내 친우의 집에서 밤을 지내므로 이에 없는지라. 설빈이 존고 침전에서 인사에 마지못하여 한가지로 구호하더니, 초공은 부친께 숙직하고 부인의 기운이 잠깐 나으므로 어사와 원필이 또한 물러나고자 하더니, 설빈이 눈을 들어 어사를 자세히 보건대 시년 십육에 옥이 윤(潤)지며644) 명월이 광채 있는데, 용모 숙연쇄락하여 유성봉안(流星鳳眼)에 영채 동인(動人)커늘, 연화양협(蓮花兩頰)과 단사주순에 고은 빛이 영롱하여, 절대미인이라도 이렇지 못할지라. 표연이 선풍옥골이오 남중일색(男中一色)이라. 아름다운 거동이 눈을 옮기기 아깝거늘, 행동처신이 온중정대하여 조심하는 부녀 같으니, 중심에 흠모경찬(欽慕驚讚)함을 이기지 못하여, 스스로 혜오대,

"어사를 처음 봄이 아니로되 정을 드려 자세히 살피매, 온유하여 천연이 어여쁘고 높은 거동이 태우의 엄준함과 같지 않아, 지인군자라. 전자의 정세홍으로 금슬종고(琴瑟鐘鼓)의 백년지락을 기약하였던 바나, 정세홍의 위인이 침묵지 못한 고로, 나에게 너무 애혹(愛惑)하여 도리어 유해하여 덧없이 의를 절하고, 하원창은 나를 원수같이 미워 화락할 뜻이 없으니, 내 또한 원창으로 동노(同老)키를 바라지 못할지라. 차라리 기특한 계교를 발하여 임씨를 없이 하고, 그 자리를 웅거하여 원상의 중대를 받음이 쾌한 복이라."

의사 이의 미처는 어사를 보는 눈이 뚫어질 듯하되, 어사 본디 앞을 볼 뿐이요, 눈 두루기를 않는지라. 나가기를 당하여 우연이 눈을 들매 설빈이 자기 보는 눈이 심히 괴이커늘, 어사 해연 경해하여 빨리 제제로

---

644) 윤(潤)지다. 윤기(潤氣)가 많다. '윤(潤))+지다'의 형태. 지다; 그런 성질이 있음' 또는 '그런 모양임'의 뜻을 더하고 형용사를 만드는 접미사.

더불어 나가니, 설빈이 불같은 음심과 흉참한 정욕(情慾)을 억제치 못하여, 침소의 돌아와 종야토록 잠을 이루지 못하니, 연상궁이 의괴하여 문기고(問其故) 한대, 차마 바로 이르지 못하여 하태우의 무신박행을 원(怨)하니, 연상궁도 오히려 설빈의 뜻을 알지 못하고 그 청춘 단장(斷腸)645)을 슬피 여기더라.

설빈이 어사 사상(思相)하는 정을 참지 못하되, 어사의 침정숙엄(沈靜肅嚴)함이 임씨를 과도히 애대하는 빛을 나토지 아니하니, 혹자 금슬이 흡연치 못 한가 하여, 일일은 모원각에 와 임소저로 담화할 새, 임소저 청정단엄(淸靜端嚴)함이 설빈으로 흔연 수작할 뜻이 나지 않아, 설빈이 어사를 본 적마다 황홀이 여기는 기색을 아는 고로 더욱 측하여, 다만 저의 묻는 말을 답할 따름이요, 흔연치 않더니, 설빈이 문득 웃고 왈,

"저저와 소제는 명위금장(名爲襟丈)646)이나 정의(情誼) 골육 같은지라. 구가에 속현하여 한가지로 구고의 자애를 받잡고, 연기 청춘에 질고(疾苦)가 없으니 구태여 근심 됨이 없으되, 여자의 일생이 가부에게 달렸거든, 소제의 부릉누질(不能陋質)이 하군의 염박(厭薄)함을 입어 불관이 여김이 노예도곤 심하니, 신세 명도의 괴로움이 어이 비할 곳이 있으리오. 첩이 부부의 사정을 모르는 고로 매양 저저(姐姐)와 숙숙(叔叔)의 금슬이 위곡(委曲)647)함을 위하여 염려하나니, 저저는 소제를 동기 아닌가 외대(外待)648)치 마소서."

이리 이르며, 임소저 곁에 나아가 그 팔을 빼어 주표(朱標) 유무를 알려 할 새, 옥 같은 팔 위에 앵혈이 규수로 다름이 없는지라. 설빈이 대경 왈,

---

645) 단장(斷腸) : 애를 태워 창자가 끊어지는 듯함.
646) 명위금장(名爲襟丈) : 명분은 동서사이 임.
647) 위곡(委曲) : 자상함. 두터움.
648) 외대(外待) : 푸대접. 냉대(冷待).

"저저조차 단장박명(斷腸薄命)이 이의 미침은 알지 못하였더니, 저렇 듯 박대함은 하문 풍속이로소이다."

임소저 설빈의 이 같음을 더욱 아니꼬워, 자기 팔을 무심 중 **빼어** 주 표를 보고 더러운 말이 그치지 않음을 크게 불쾌하여, 잠깐 쌍미를 모으 고 안색이 설상한매(雪上寒梅) 같아서 왈,

"첩은 만사 유충하여 연기 이팔에 오히려 자모의 품 떠남이 결연하니, 어느 결을에 부부 사정을 생각하리오. 미약잔질이 백사에 가취지사(可 取之事) 없거늘, 구고의 관인성덕이 양춘 같으사 슬하에 자애하심이 친 생 같으시니, 고당화루에 일신이 안한하여 세상의 괴로운 근심을 알지 못하고, 오직 세사를 깨닫지 못할 뿐이라. 군주의 첩을 염려하심이 감사 하나 첩심(妾心)인 즉 무심무려 하도소이다."

언파에 나수(羅袖)를 다래여 좌를 물리니, 설빈이 대참하여 낯을 붉히 고 왈,

"저저의 청정하심이 부부 사정을 부운으로 아시나, 소제는 저저로 더 불어 지극한 정이 동기 아님을 깨닫지 못함으로 소제의 회포를 폄이러 니, 저제 소제를 추음(醜淫)한 인물로 아시니, 소제 경설함을 불승참괴 토소이다. 임소저 천연 왈,

"첩이 어찌 군주를 추음(醜淫)한 인물노 알리까? 첩이 세사를 몰라 군 주의 이르시는 바를 잘 대답지 못하니, 불민함을 길이 사례하나이다."

설빈이 다시 말 않고 돌아가니, 임씨 그 위인의 부정함을 측히 여기되 시녀 유아 등더러도 이르지 않더라.

설빈이 침소에 돌아와 혜오대,

"임씨는 난심혜질(蘭心惠質)이오 선연아태(嬋姸雅態)라. 그 고우며 어 여쁨이 철석간장(鐵石肝腸)이라도 농준(弄蠢)할 바거늘, 하원상이 지금 부부의 낙을 맺지 않아 그 비홍이 완연하니, 벅벅이 금슬이 부조(不調)

함이라. 내 임씨의 얼굴로 어사의 내실이 되고자 하더니, 원상이 임씨를 박대하니 나의 단장박명이 심한지라. 차라리 원상의 곳에 나아가 사정을 이르면, 원상이 소년지심에 임씨를 염박하고 부부지정을 모르다가, 혹 나의 슬픈 정을 감동하여 두 뜻이 합할진대 어찌 기쁘지 않으리오. 만일 내도히 떼침이 있거든 대계(大計)를 운동하여 원상·원창을 아울러 죽일 것이라."

의사 이의 미치매, 끝을 누르지649) 못하여 매양 틈을 엿보더니, 일야는 중하(仲夏) 기망(旣望)에 어사 홀로 죽설루에서 월색을 구경하다가, 방중에 예기(禮記)650)를 보거늘, 설빈이 숨어 밤들기를 기다려 인적이 없거늘, 이에 담을 크게 하고 지게를 열고 들어서니, 어사 눈을 들어 설빈을 보고 경해하여 문득 일어서거늘, 설빈이 소리를 낮추어 왈,

"첩이 외당을 피치 아녀 이리 오믄 중심에 간절한 소회 있음이라. 첩이 비록 태우로 전안(奠雁)651) '독좌(獨坐)의 예(禮)'652)를 이뤘으나, 성혼 사재(四載)에 일침지락(一寢之樂)을 이룸이 없으니, 명위부부(名爲夫婦)나 실은 남이라. 어사 만일 돌아봄이 있으면 부귀를 측량치 못하리니, 어사는 소소 예절을 거리끼지 마르시고 첩의 지원을 이루게 하소서."

---

649) 누르다 : 억제하다. 자신의 감정이나 생각을 밖으로 드러내지 않고 참다.

650) 예기(禮記) : 유학 오경(五經)의 하나. 한나라 무제 때에 하간(河間)의 헌왕이 공자와 그 후학들이 지은 131편의 책을 모아 정리한 뒤에 선제 때 유향(劉向)이 214편으로 엮었다. 후에 대덕(戴德)이 85편으로 엮은 대대례(大戴禮)와 대성(戴聖)이 49편으로 줄인 소대례(小戴禮)가 있다. 의례의 해설 및 음악·정치·학문에 걸쳐 예의 근본정신에 대하여 서술하였다.

651) 전안(奠雁) : 전안례(奠雁禮).

652) 독좌(獨坐)의 예(禮) : 독좌례(獨坐禮). 혼인례에서 대례(大禮)를 달리 이른 말. 즉 신랑과 신부가 대례를 행할 때 각각의 앞에 음식을 차려 놓은 독좌상(獨坐床)을 놓고 교배(交拜)·합근(合巹) 등의 의례를 행하는 것을 이르는 말이다.

어사 청파의 골경신해(骨驚身駭)함을 이기지 못하여 빨리 독서당으로 피하고, 오래도록 차악함을 이기지 못하더라.

설빈이 어사의 이렇듯 단엄함을 보고 부끄러우며 분함을 이기지 못하여, 침소의 돌아와 제앵을 대하여 계교를 가르치고, 개용단을 내어 먹이매 제앵은 군주의 얼굴이 되고 군주는 하어사 되어 즉시 운환(雲鬟)653)을 풀어 운고(雲-)654)를 짜고 경보(輕寶)를 수습하여 몸의 지니고, 도로 청사의 나아와 월하에 훗걷다가655), 거짓 밖으로서 들어오는 체하고 바로 당중을 향하니, 이 때 연상궁 등이 첫 잠이 깊으매 군주의 변형하는 꾀를 모르는지라. 설빈이 제앵을 겁박하여 은정을 맺을 듯이 하매, 제앵은 군주의 저를 죽이려 함은 모르고, 그 가르침을 좇아 소리를 골안히 터지도록 질러 왈,

"천하의 제수(弟嫂) 통간(通姦)하랴는 흉음악인(凶淫惡人)이 어데있으리오. 내 죽어도 결단하여 네 말을 듣지 않으리라."

이리 이르며 또 소리 질너 사람 죽인다 소리 진동하니, 연상궁과 제시애 다 깨어 촉을 밝히고 방중을 살피니, 어사 군주로 동와(同臥)하여 깁으로 군주의 입을 틀어막고, 그 음밀한 정태와 참측한 거동이 불가형언이라.

연상궁 등이 역시 대경하여 소리 질너,

"이 어인 변인고!"

하니, 하어사 분노를 참지 못하여 허리 아래로 칼을 빼어 군주를 지르니, 제앵은 저를 어찌 죽이랴 하였다가, 무심 중 검하경혼(劍下驚魂)이

---

653) 운환(雲鬟) : 여자의 탐스러운 쪽 찐 머리. 늑운계02(雲髻).
654) 운고(雲-) : 고. 상투를 틀 때 머리털을 고리처럼 되도록 감아 넘긴 것. 늑상투.
655) 훗걷다 : 산책하다. 천천히 거닐다.

되니, 연상궁 등이 창황망극하여 아무리 할 줄 모를 즈음에, 하 어사 몸을 빼어 외당으로 나아가니, 연상궁 등이 그제야 놀라물 진정하여 군주의 시체를 붙들고 통곡하니, 반야(半夜) 곡성(哭聲)이 합사(闔舍)를 흔드는 듯한지라.

조부인이 설빈의 죽음과 원상에게 참혹한 누(陋)얼656)이 돌아감을 이르고, 차악함을 이기지 못하니, 초공이 또한 흉참함을 모양치 못하나, 모친의 과척(過瘠)하심을 민박하여 화(和)한 사색(辭色)으로 왈,

"간인의 흉계 아니 미친 곳이 없사오니, 차제를 참혹히 해코자 하나 천의 무심치 않으리니, 어찌 원상이 간인의 독수에 힘힘히 마치리까? 자정은 과려치 마시고 필경이 무사함을 보소서."

정언 간의 어사 들어오니 부인이 바삐 붙들고 왈,

"네 몸에 흉음패도(凶淫悖道)가 실렸거늘 어찌 거지(擧止) 안상(安常)하뇨?"

어사 설빈을 피하여 독서당의 왔다가, 시녀 모명으로 초공을 청함을 듣고, 내당의 무슨 변괴 있음을 알고 들어오매, 모부인 말씀이 이러하고 설원각에서 통곡소리 진동하니 차악하나, 나직이 묻자와 왈,

"가간의 무슨 변괴 있관데 자위 이같이 비애(悲哀)하시나니까?"

부인이 아자의 알지도 못함을 보고 더욱 슬퍼, 드디어 설원각 변고를 이르니,

어사 청파의 한가히 웃고 왈,

"소자 일시 액회 괴이하여 참혹한 누얼을 싣게 되었으나, 오히려 죽설루 변고의 비치 못하오리니, 자위는 허무한 변괴를 심려치 마시고, 음악

---

656) 누(陋)얼 : 사실이 아닌 일로 뒤집어쓴 더러운 허물. 얼; 겉에 들어난 흠이나 허물. 탈.

발부의 간정이 발각기를 기다리소서."

초공이 문기고(問其故) 한대, 어사 빈미 왈,

"그 난음지설(亂淫之說)은 옮기고자 하매, 마음이 떨리고 비위 거스르니 차마 고치 못하리로소이다."

초공이 벌써 설빈이 외헌의 나갔던 줄을 짐작하여 가로되,

"너의 빙옥수신(氷玉修身)으로 보는 재 하자(瑕疵)할 이 없을 것이거늘, 이 변이 장차 아무리 될 줄 알지 못하리로다."

어사 왈,

"만사 다 하늘이니, 화복길흉이 정한 바니, 염려하고 근심하여 미칠 것이 아니니, 자정은 물려하소서."

이렇듯 말씀할 사이에, 벌써 옥첨(屋簷)의 금계(金鷄)657) 새배를 보하고, 태우와 원필이 내루에 들어와 모친께 야래 존후를 묻자오려 하다가, 부인의 우황(憂惶)하심과 승상이 어사로 더불어 내루에 있음을 보고, 경아하여 가로되,

"자정이 무슨 연고로 비척하시며 양위 형장은 어찌 외루의 나가지 않으시나니까? 대인이 백형을 자정이 부르신 곡절을 몰라 하시더이다."

조부인이 설원각 변을 이르고, 흉장이 분분하여 아무리 될 줄을 알지 못하고, 어사의 몸의 참화 미칠까 슬퍼 하는지라. 태우 이 말씀을 들으매 놀라며 분함을 이기지 못하여, 양안을 높이 뜨고 가로되,

"소자 설빈을 취하던 날부터 집을 어지럽힐 흉인으로 알았으나, 차형에게 이런 변이 미칠 줄은 생각지 못한 바라. 간음찰녀의 흉계 이 같으니 어찌 통완치 않으리까?"

어사 탄 왈,

---

657) 금계(金鷄) : '닭'의 미칭(美稱). 꿩과에 속한 새.

"우형의 행실이 '신명(神明)을 질(叱)658)치 못하여'659) 이런 누얼을
싣고, 설빈이 이미 죽었으니 무사키를 어이 바라리오마는, 오히려 내 얇
히 굽지 않아 저지른 일이 없음을 믿나니, 설빈이 구태여 우형을 해코자
한 것이 아니라, 반드시 우형을 미워하는 이 있어 설빈을 죽이고 나에게
누얼을 돌아 보냄인가 하노라."

태우 분분통완(忿憤痛惋)하여 의심 없는 설빈의 작용이라 하고 새로
이 미움을 이기지 못하나, 설빈이 죽었으니 장차 살인자를 찾는 지경에,
어사 무사치 못할 듯한 고로 경황 차악한 심사를 측량치 못하더니, 정국
공이 초공을 불러 부인의 급히 부르던 곡절을 물으니, 초공이 시러금 기
이지 못하여 설빈의 작변을 일일이 고한데, 공이 청필에 하 어이없으니
말이 나지 않아, 도리어 어린듯이 하늘을 우러러 자기 팔자 기험하여 남
의 없는 변고를 갖추 당함을 차악할 뿐 아니라, 원필이 부전에 고 왈,

"설빈이 망하였으니 오가 복제를 갖춤이 마땅하리까?"

하공이 탄 왈,

"사세 이의 미처 내 집에서 비록 복제를 갖추나 오왕이 반드시 보수
(報讐)코 말리니, 아해 백옥무하(白玉無瑕)한 행사로써 화를 받음이 쉬
운지라. 아직 오궁에서 하는 대로 버려두어 아른 체 말라."

하여, 오직 부자 형제 한 당의 모여 차악 경황할 뿐이러니, 이미 군주
의 부음(訃音)이 오궁에 이르러, 하어사의 흉참히 굴던 거동을 일일이
고하니, 오왕 부부 한갓 군주의 참사함을 슬퍼할 뿐 아니라, 원상의 흉
음패악함을 불승분완(不勝憤惋)하여, 왕이 친히 가 시신을 데려 오고 원

658) 질(叱) : 꾸짖음.
659) 신명(神明)을 질(叱)치 못하여; 천지의 신령을 꾸짖을 수 있을 만큼 정대하지
    못하다는 말.

상의 죄를 천정의 주달하려 한대, 세자는 극히 화홍(和弘)하고 명달(明達)한지라. 매양 설빈의 위인을 부족히 여기더니, 죽은 바 망측한 일로써 죽고, 죄루(罪累) 하어사에게 돌아감을 차악하여, 왕께 고 왈,

"설빈의 죽음이 참통하오나, 부왕이 천상(天喪)660) 삼년에 하부를 왕래하심이 불가하오니, 소자 이제 나아가 설빈의 시신을 데려 오고, 하공과 하승상을 대하여 전후곡절을 물어보오리니, 하원상은 금옥군자(金玉君子)요, 정대명인(正大明人)이라. 결단하여 그런 흉참한 일이 있지 않으리이다."

왕이 옳이 여겨 세자를 보내어 설빈의 시신을 데려 오라 하니, 차호(嗟乎)라! 오세자의 지인화홍지덕(至仁和弘之德)661)으로써 헛되이 요인(妖人)의 독해를 입으니, 어찌 차홉지 않으리오.

세자 부왕의 명을 받들어 하부의 이르러 군주의 시신에 통곡할 새, 설빈 요인이 하가를 아주 무찔러 원상 형제를 죽여 분을 풀려 하는지라. 하어사인 체하고 급히 내달아 원중 수목 사이에 가, 다시 개용단을 삼켜 하태우 되기를 축하여 즉시 변용하매, 칼을 품고 나는 듯이 설원각에 들어와 세자를 대하여, 여성대매 왈,

"내 본디 황가지엽(皇家枝葉)을 배척하거늘, 오왕이 염치없이 청혼하여 설빈을 내 집에 보내고, 매양 부부간을 살펴 허언을 곧이듣고, 나의 박대함을 괴로이 여기더니, 설빈이 금수의 행실을 가져 사형(舍兄)이 우연이 제 방 앞을 지나는 것을 청하여 들이다가, 사형이 증분을 이기지 못하여 칼로 질러 죽였거늘, 세자는 그 행실을 알지 못하고 어리게 통곡

660) 천상(天喪) : 제왕이나 아버지의 상(喪). *천붕지통(天崩之痛); 하늘이 무너지는 것 같은 슬픔이라는 뜻으로, 제왕이나 아버지의 죽음을 당한 슬픔을 이르는 말.
661) 지인화홍지덕(至仁和弘之德) : 지극히 어질고 온화한 덕행.

하느뇨? 내 이미 분이 발하였으니 어찌 너를 못 죽이리오. 설빈의 죽음
을 사형으로 대살(代殺)코자 한다 하니 내 또 너를 죽여 보리니, 우리
형제를 다 죽이든 못하리라. 이리 이르며 칼을 빼어 세자를 지르고 나는
듯이 내달리니, 궁인 등의 무리 가득하였는지라. 세자를 질너 죽임은 실
시여외(實是慮外)662)요, 저히는가 하였더니, 세자의 죽엄이 칼을 꽂은
채 방중의 거꾸러지니, 궁인 등이 일시에 하늘을 부르며 땅을 두드려 통
곡하니, 이 때 하공 오부자는 백일정에 있고, 조부인은 제부를 거느려
침전의 있다가, 시녀의 전어로 좇아 '태우 오세자를 지르고 내닫는다.'
하니, 부인이 듣는 말마다 경해상심(驚駭喪心)하여 이 소식을 바삐 외루
에 통하니, 하공이 어이없어 태우를 돌아보아 왈,

"너희 형제 이제는 사화(死禍)를 면치 못하리니, 유유한 천지간에 어
찌 다 원억(冤抑)을 쌓으리오."

말로 좇아 상연(傷然) 체루(涕淚)함을 면치 못하니, 초공이 화평히
위로하고, 어사와 태우 고 왈,

"일이란 것이 한 조각 진실한 것이 없이 이같이 허수한663) 후는 발각
기 쉬운지라. 어찌 소자 형제의 백옥이 무하함으로써 힘힘히 사화를 면
치 못하리까? 그러나 오세자의 청춘 원사함이 자닝한지라. 오궁에서 소
자 등을 비록 죽인다 하여도 소자 등은 한 번 그 시신을 보아 통곡함이
당연하옵고, 오왕의 슬하(膝下) 참척(慘慽)이 이렇듯 하오니 위하여 슬
퍼하나이다."

하공이 드디어 사자(四子)로 더불어 일시의 설원각의 들어 가, 세자의
시신을 향하여 크게 통곡하니, 이는 세자의 위인을 아낌이라. 궁인 등이

하태우 세자를 지르고 다시 통곡함을 믿게 여기되, 천인의 아득한 소견
에 설빈의 흉계는 알지 못하고, 하태우의 모짊이 세자를 경각에 죽이는
수단이 있으니, 저희도 한 말이나 그릇 하면 파리 목숨 죽이듯 할까 두
려, 오직 이 소식을 오궁에 바삐 고하고 한갓 통곡할 뿐이러니, 하공이
사자로 더불어 일장통곡을 다하고, 국휼 후 처음으로 내루에 들어오매,
윤승상이 또 이 변을 듣고 협문으로 좇아 이르고 경참함을 이기지 못하
거늘, 부인은 어사 등의 주검을 앞에 놓은 듯, 자기 먼저 죽고자 하니,
경색이 참담한지라. 공이 길이 탄식 왈,

"우리 팔자 기험하여 슬하지척(膝下之慽)을 남달리 겪고, 또 이런 경
참한 변을 당하니, 이 도시 나의 적앙이라 수원수귀(誰怨誰咎)664)리오."

조부인이 다만 가슴을 두드려 능히 대치 못하더니, 윤승상이 이르러
경참한 변을 치위하고, 곡절을 물어 알매 일이 만만무거(萬萬無據)665)
하니, 필경이 무사할 바를 일컬어 악부모를 위로하더니, 밖에 정공 부자
와 윤공 숙질이 이르렀음을 고하니, 즉시 외루에 나오매 미우수집(眉宇
愁集)하여 희허탄식(唏噓歎息)이거늘, 제공이 호언으로 위로하여, 비록
죄루 경참(驚慘)하나 각각 앞이 굽지 않고 일이 만만허무(萬萬虛無)하니
신백(伸白)이 어렵지 않음을 일컬은데, 하공이 참연 탄 왈,

"내 집 화란이 본디 허무(虛無)한 일이 실(實)이 되어 참화를 일으키
는지라. 석자(昔者)에 경아 등 마칠 땐들 어찌 허무함이 이 변과 다름이
있으리오. 윤공이 가로되,

"형이 어찌 이런 불길한 말을 하느뇨? 그때 한 번 궂김666)도 심골(心

---

664) 수원수구(誰怨誰咎) : 누구를 원망하고 누구를 탓하겠냐는 뜻으로, 남을 원망
    하거나 탓할 것이 없음을 이르는 말.
665) 만만무거(萬萬無據) ; 전혀 아무런 증거가 없음.
666) 궂기다 : ①궂은일을 당하다. ②일에 헤살이 들거나 장애가 생기어 잘되지 않

骨)이 경한(驚寒)하니, 또 다시 그런 일이 있으리오."

정공 왈,

"퇴지는 조금도 슬퍼 말라. 자균과 자순의 상모 수화중(水火中)에도 위태치 않으리라."

하공이 심사(心思) 여할(如割)하여 희허장탄(唏噓長歎)함을 마지않으니, 제공이 위로하더라.

차시 오궁에서 세자를 보내고 설빈의 시체 데려오기를 대령(待令)667) 하더라.

다. ③사람이 죽다.
667) 대령(待令) : ①윗사람의 지시나 명령을 기다림. 또는 그렇게 함. ②늑등대(等待). 미리 준비하고 기다림.

명주보월빙 권지구십구

　재설 오궁에서 세자를 보내고 설빈의 시체 데려 오기를 대령(待令)하더니, 또 궁인의 급보로 좇아 오왕 부부의 심장을 끊으며 일신을 분쇄하니, 처음은 설빈의 흉음을 들으나 오히려 친생 골육이 아니요, 그 귀중함이 세자에게 비치 못할 고로 이토록 하지 않다가, 오왕과 비 실성운절(失性殞絶)하고, 세자빈이 칼과 노를 가져 목숨을 결코자 하니, 좌우 일변 왕의 부부를 구호하며 세자빈을 주물러 깨우매, 세자의 양자가 나이 십세에 가장 숙성하더니, 그 부친의 원수 갚음을 생각하고 울음을 그치고 왕께 고 왈,

　"이 일을 사사로이 결단치 못 하오리니 바삐 전후 소유를 천문에 주달하여, 원상 형제의 간을 빼어 부친께 제하게 하소서."

　왕이 또한 대사를 더디지 못할지라. 궁관 궁인 등을 하부의 보내어 설빈과 세자의 시신을 데려 오게 하되, 세손 등을 보내지 아니함은 미처 보수(報讐)치 않은 때에 또 다시 해함을 받을까 두려워함이라.

　이미 두 시체를 데리러 보내매, 설운 것을 금억(禁抑)하여 바로 천정에 들어가 머리를 옥계의 두드려, 세자와 설빈의 죽음을 고하고, 하원상 형제를 바삐 나래(拿來)하여 보수(報讐)하여 주심을 고할 새, 참통비절한 형상은 이르지도 말고, 오왕이 본디 심약하여 세자의 원수를 갚은 후

뒤를 따를 뜻이라.

황상이 우애 도타우시어 제왕 공주를 극애하시며, 그 자녀들을 친생 같이 사랑하시던지라. 금일 오세자의 비명원사(非命寃死)함을 참통하시고, 하원상 등의 죄과 적실할진대 만사(萬死)라도 속(贖)하기 어려울지라. 성주의 총명하심이 일월의 광휘 계신지라, 하원상 형제 호대한 죄명을 실었으나, 그 위인이 결단코 그런 사죄를 범치 않을 바를 이르시니, 오왕이 체읍 주왈,

"원상 형제 위로 상총을 믿고 아래로 신을 업신여길 뿐 아니라, 저의 당류 많음을 믿어 원상은 설빈을 죽이고, 신자(臣子)를 원창이 죽였삽거늘, 폐해 신자의 보수를 아니하여 주실진대, 신이 천상 삼년에 거조가 괴이하오나, 마지못하여 군관을 거느려 하가에 나아가 하진 부자로 크게 싸워, 신의 용력이 만일 원상 등을 쾌히 이겨 죽일진대 원수를 갚을 것이요, 그렇지 못하여도 신이 차마 좋은 듯이 있지 못하리로소이다."

상이 답왈,

"짐이 원상 등을 죽여 세자의 원수를 갚지 않으려 함이 아니라, 그 죄범이 상시 인물로 더불어 내도함을 차석함이라. 경은 너무 급히 서둘지 말라. 원상 등을 엄형추문(嚴刑推問)하여 만일 죄명이 헛되지 않으면, 촌참효수(寸斬梟首)하여 세자의 원수를 갚으리라."

하시고, 위사(衛士)를 발하여 도어사 하원상과 태중태우 하원창을 나래(拿來)하라 하시니, 금의관(禁義官)668)이 주왈,

"원상 등의 죄 비록 중하오나 역적이 아니라 살인죄에 불과하니 형부로 처결케 하소서."

---

668) 금의관(禁義官) : 의금부(義禁府)의 관원. *의금부; 조선 시대에, 임금의 명령을 받들어 중죄인을 신문하는 일을 맡아 하던 관아.

상이 가라사대,

"비록 역적의 죄수 아니나 제수(弟嫂)를 음간하려다가 마음을 이루지 못하매, 천승귀주(千乘貴主)임을 생각지 못하고 질러 죽이고, 황질(皇姪)인 오국 세자를 연고 없이 질러 죽였으니, 예사 살인과 같지 않은지라. 급히 나래(拿來)하여 대리시(大理寺)669)에 가도고, 원정(原情)을 바든 후 친국(親鞫)하리라 하시니, 금의랑(禁義郞)이 수명하여 하어사 양인을 나래할새, 위사 달려 하부에 이르니 백일정에 하공 오부자와 윤·정·진 제공이 만좌하여, 어사와 태우를 위하여 근심하되, 어사 양인은 오직 안색이 태연하고 거지(擧止) 자약(自若)하여, 부전에 하직 왈,

"일이 비록 경해(驚駭)하오나 소자 등의 무죄하옴은 백옥(白玉)이 무하(無瑕)하고 청빙(淸氷)이 티 없음 같은지라. 부월(斧鉞)에 주(誅)하옵고 정확(鼎鑊)에 나아가도 놀랍지 아니하오니, 천도(天道) 일편 되이 오문(吾門)에 혹벌(酷罰)을 내리지 아니 하오리니, 복원 대인은 성체를 안보하소서."

공이 양자의 하직을 당하여는 영웅의 기운이 절(絶)하고, 장부의 눈물이 옷깃에 젖음을 깨닫지 못하여, 좌우로 이자의 손과 팔을 어루만져 왈,

"이 도시 여부의 적앙(積殃)이니, 여형 삼인을 참망하던 시절에 죽었던들 또 어찌 이런 경상을 보리오."

이 때 공의 친붕제위(親朋諸友) 다 필경이 무사할 바를 일컬어 위로하고, 초공과 원필이 부친을 붙들어 위로하나, 공이 본디 적상한 심정이라 차마 진정치 못하니, 어사와 태우 재삼 과도하심을 간하고, 내루에 들어와 총총이 모부인께 하직을 고하니, 조부인이 가슴이 막혀 한 말을 이루

---

669) 대리시(大理寺) : 고려 시대에, 형옥(刑獄)을 맡아보던 관아. 성종 14년(995)에 전옥서를 고친 것으로, 문종 때에 다시 전옥서로 고쳤다.

지 못하니, 어사 형제 나명(拿命)을 지완(遲緩)치 못하여 저저와 수씨 등을 향하여, 태태를 관위하심을 청하고 두 번 절하여 하직하고 밖으로 나가니, 조부인이 상요에 몸을 버려 우는 눈물이 하수(河水)를 보태고, 끓는 심장이 성화(盛火)를 이룸 같으니, 윤승상 부인과 윤·연·경이 일시를 떠나지 않아 위로함을 지극히 하나, 부인이 한 술 물도 마시지 않고, 어사 등이 마치기 전에 먼저 죽고자 하더라. 어사 형제 부모께 하직하고 위사를 따라 대리시에 이르매, 위관이 어사 형제를 긴긴히 가둘새, 이 범연한 사람이 아니라 국공의 귀자(貴子)요, 상국의 제(弟)며 옥당한원(玉堂翰苑)670)의 청현을 자임하는 현신열사(賢臣烈士)로 각각 위인이 탁세속말(濁世俗末)에 뛰어난 바라. 망측한 죄를 실어 대리시의 곤(困)하니, 위관으로부터 옥졸이 경멸치 못하여, 오직 국가 법례로 가두기를 엄히 하나, 칼을 씌우지 아니하니, 태우 옥졸을 명하여 스스로 칼을 가져오라 하여, 가로되,

"상명이 아등을 역적과 같이 다스리라 하신다 하니, 아등이 신백(伸白) 전에 예사 죄인같이 하리오. 마땅히 항족(項足)671)을 봉쇄(封鎖)하라."

옥졸이 차마 칼을 나오지 못하더니, 이 말을 듣고 마지못하여 항족을 가쇄(枷鎖)672)하나 위하여 아낌을 마지않더라.

이날 어둡기로써 묻지 않으시고, 그 원정(原情)을 받으시니 찬란한 필체와 장강천리(長江千里)에 뻗친 문한(文翰)이 비록 애매하나 발명치 않

---

670) 옥당한원(玉堂翰苑) : 조선시대 홍문관(弘文館)과 예문관(藝文館)을 함께 이르는 말.

671) 항족(項足) : 항쇄(項鎖)와 족쇄(足鎖)를 함께 이르는 말. *항쇄(項鎖); 죄인에게 씌우던 형틀. 두껍고 긴 널빤지의 한끝에 구멍을 뚫어 죄인의 목을 끼우고 비녀장을 질렀다. *족쇄(足鎖); 죄인의 발목에 채우던 쇠사슬.

672) 가쇄(枷鎖) : 조선 시대에, 죄인의 목에 씌우던 나무 칼과 목이나 발목에 채우던 쇠사슬. 또는 그것을 써서 행하던 형벌.

고, 구구이 베풀지 않았으나 자연 원통이 무비(無比)함을 알지라. 천자
가 원상 등의 위인을 헤아리사 아낌을 마지않으시고, 그 애매함을 나타
낼 조각이 없어, 즉시 설빈의 시녀 유(類)에 증인과 하부 차환 유(類)의
시종(始終)을 본 자를 다 잡히라 하시니, 일로 좇아 하부 시녀와 연상궁
이 잡혀 오니라.

오궁에서 왕과 비 세자와 설빈의 시신을 데려와, 목 위에 검흔(劍痕)
이 완연함을 보고 더욱 참상비애(慘傷悲哀)하니 한가지로 죽고자 하는
지라. 오왕이 비록 인현(仁賢)하나 성난화의 음악지계(淫惡之計)를 어
찌 깨달으리오. 한갓 하가를 분완(憤惋)하여 원입골수(怨入骨髓)하니,
원상 형제의 염통을 너흘기673)를 계교하는지라. 명일 궐정의 들어가 자
녀의 원수를 갚아주심을 혈읍간걸(血泣懇乞)하니, 상이 탄하시어 왈,

"경이 이렇듯 청치 않은들 짐이 어찌 무심하리오. 이제 죄인을 올려
물어 만일 적실할진대 촌참(寸斬)하리라."

하시고, 형위를 베풀어 원상과 원창을 올리라 하시니, 어사 형제 칼
아래 죄수로 정하(庭下)의 이르니, 형은 추수빙옥(秋水氷玉)으로 맑은
기질이 명월(明月)의 숙연한 정화를 거두어 반점 진속(塵俗)에 물들지
않았거늘, 아우는 태산제월지풍(泰山霽月之風)674)과 청천백일지상(靑天
白日之相)675)으로 늠름출발(凜凜出拔)하여 용호(龍虎)의 품(稟)과 인봉
자질(麟鳳資質)이라. 언건앙장(偃蹇昂壯)676) 하고 준일격앙(俊逸激
昂)677)하여 천하영걸(天下英傑)이라. 어찌 저 사람으로써 살인흉사(殺

---

673) 너흘다 : 물다. 물어뜯다. 씹다.
674) 태산제월지풍(泰山霽月之風) : 비가 갠 날 태산 위에 떠 있는 밝은 달과 같은
  풍채(風彩).
675) 청천백일지상(靑天白日之相) : 맑은 하늘에 떠 있는 밝은 해와 같은 상모(相貌).
676) 언건앙장(偃蹇昂壯) : 기상(氣像)이 거만스러워 보일만큼 높고 씩씩하다.

人凶事) 있다 하리오. 상이 그 풍류신광(風流身光)678)을 대하시어 더욱
아끼시나, 이미 올린 바에 그 죄를 사핵(査覈)할지라. 옥음이 엄려(嚴
厲)하시어 문 왈,

"여등(汝等)이 옥당명환(玉堂名宦)으로 경악(經幄)에 근시하여 수신섭
행(修身攝行)함이 옳거늘, 차마 어찌 죄과(罪科) 윤상(倫常)을 범하며 음
일지행(淫佚之行)을 몸소 행하뇨? 지어(至於)679) 원창은 한 조각 결원
(結怨)이 없이 짐의 질자를 죽이니, 살인자사(殺人者死)680)는 한고조(漢
高祖)681) 약법삼장(約法三章)682)에도 면치 못한 바라. 여등이 형벌의
괴로움을 받지 말고 죄상을 실진무은(實陳無隱)하라."

하어사 돈수사죄(頓首謝罪) 왈,

"신이 행실이 미(微)하고 위인이 미쁘지 못하여, 이제 스스로 무상한
죄루(罪累)를 무릅써 천위(天威)의 의심을 이루오니, 골경신해(骨驚身
駭)하올지언정 차마 음예지설(淫穢之說)을 치아(齒牙)의 다시 올리지 못
하옵나니, 폐하 신을 죽이고자 하실진대 여차지사를 이르지 마시고, 오
직 행신이 미쁘지 않아 이런 죄루에 빠짐을 엄히 다스리실지니, 신수무

677) 준일격앙(俊逸激昻) : 외모가 헌걸차며 기운이 넘침.
678) 풍류신광(風流身光) : 진속(塵俗)에 물들지 않은 몸의 광채.
679) 지어(至於) : 심지어.
680) 살인자사(殺人者死) : 사람을 죽인 자는 사형에 처한다.
681) 한고조(漢高祖) : 중국 한(漢)나라의 제1대 황제(B.C.247~B.C.195). 성은 유
(劉). 이름은 방(邦). 자는 계(季). 시호는 고황제(高皇帝). 고조는 묘호. 진씨
황이 죽은 다음해 항우와 합세하여 진(秦)나라를 멸망시켰다. 그 뒤 해하(垓
下)의 싸움에서 항우를 대파하여 중국을 통일하고 제위에 올랐다. 재위 기간은
기원전 206~기원전 195년이다.
682) 약법삼장(約法三章) : 중국 한(漢)나라 고조가 진(秦)나라 군사를 격파하고 함
양(咸陽)에 들어가서 지방의 유력자들과 약속한 세 조항의 법. 곧 ①사람을 살
해한 자는 사형에 처하고, ②사람을 상해하거나 남의 물건을 훔친 자는 처벌
하며, ③그 밖의 모든 진나라의 법은 폐지한다는 내용이다.

상(臣雖無狀)이나 하늘을 이고 차마 못하올 것이거늘, 어찌 그런 일을 설빈의 좌우를 뵈며 칼로 질러 사화(死禍)를 자취코자 하리까? 삼세척동(三歲尺童)이라도 않을 바를 신이 행하다 하니, 죄루의 참혹함은 둘째요, 이 일이 허무하와 도리어 실소함을 깨닫지 못하리로소이다."

태우 말씀을 이어 주왈,

"신이 설빈을 취하던 날 망신지화(亡身之禍)를 헤아렸삽더니, 금일지화(今日之禍)를 새로이 놀날 바 아니오되, 신이 원민함을 이기지 못하는 바는, 신형의 백옥(白玉)이 무하(無瑕)하며 청빙(淸氷)이 호호(晧晧)한 행사(行事)로써 참측(慘惻)한 죄루의 빠짐을 슬퍼하옵나니, 신의 집이 국휼(國恤) 이후에 의법(依法)한 처실도 얼굴을 대치 않을 뿐 아니오라, 신이 신형으로써 백행(百行)이 과인(過人)타 하옵는 바 공언(公言)이러니, 이제 여차 맹낭한 참얼(慘孽)683)이 성주의 의심을 나토니 원통함을 이기지 못하리로소이다."

상이 양인의 언사를 들으시고 결치 못하시더니, 평진왕 윤청문과 평제왕 정죽청이 출반 주왈,

"성주(聖主)의 일월지광(日月之光)이 혁연(赫然)이 어두운 곳을 밝히시고, 신자(臣者)의 선악을 살피시니, 신 등이 우견(愚見)을 알욀 바 아니옵거니와, 하원상의 수신섭행(修身攝行)은 오히려 옛 군자에 내리지 아니하옵거늘, 여관(女款)을 꿈같이 여길 뿐 아니라, 일동일정(一動一靜)에 예 아니면 행치 않고, 하진이 교자어하(敎子御下)684)에 반점(半點) 비법(非法)을 행치 않음으로, 가행(家行)이 숙연하여 원광으로부터 여러 아들이 언필찰행필신(言必察行必愼)685)하여 한 조각 부정지사 있

---

683) 참얼(慘孽) : 참혹한 재앙.
684) 교자어하(敎子御下) : 자식을 가르치고 아랫사람을 다스리는 일.

지 않고, 충의 늠연하여 국휼지후로 애통함이 효자 친상(親喪)을 당함
같아서, 원광으로부터 제자(諸子)가 다 사사(私私) 모꼬지 없고 화미육
선(華味肉饍)686)을 물리쳐 은연이 집상(執喪)하는 상인(喪人)의 모양이
니, 신 등이 충의를 감탄하는 바라. 원상이 어찌 윤기를 난상(亂常)하며
만고 흉음지사(凶淫之事)를 몸소 행하리까? 신 등이 하가로 더불어 연
인절친(連姻切親)687)할 뿐 아니라, 집이 연장대문(連墻大門)하여 자연
세밀지사(細密之事)라도 모를 일이 없는지라. 원상이 참정 임광의 여를
취하여 사년이로되, 고인의 유취지년(有娶之年)688)이 아님을 일러, 지
금 부부의 낙을 알지 못 한다 하오니, 궁인의 무리 원상이 설빈을 간음
(奸淫)하다가 지르다 하오니, 말이 심히 측하고 원상이 비록 그럴 리 없
으나 신백(伸白)기 어렵고, 누얼을 벗기기 어려우니, 한 번 비상앵혈(臂
上鸚血)을 시험함이 마땅하고, 원간 설빈군주와 오왕자를 원상의 형제
죽이다 함이 '증삼(曾參)의 살인(殺人)'689)과 같아서 원앙(寃怏)함이 무
궁하오니, 석자에 원경 등의 참사함을 생각하시어 성대지치(聖代之治)
에 원앙함이 없게 하소서."

상 왈,

"경 등의 주사(奏辭)를 들으니 원상 등의 죄루(罪累)를 더욱 차석(嗟
惜)하나니, 경등은 원상 등 죄명의 진가를 쾌히 분변하라."

---

685) 언필찰행필신(言必察行必愼) : 말은 반드시 잘 살펴서 하고 행동은 반드시 삼
　　가 하여 신중히 함.
686) 화미육선(華味肉饍) : 사치하고 맛있는 음식과 고기반찬.
687) 연인절친(連姻切親) : 겹겹이 혼인을 맺어 매우 친절한 사이임.
688) 유취지년(有娶之年) : 장가들 나이.
689) 증삼(曾參) 살인(殺人) : 헛소문, 또는 잘못된 소문. 증자의 어머니가 증자가
　　사람을 죽였다는 헛된 소문을 듣고 베 짜던 북을 던지고 사건 현장으로 달려
　　갔다는 고사 곧 '증모투저(曾母投杼)'에서 유래된 말.

제왕이 진국공 세흥을 돌아본데, 공이 앵혈을 가져 어사의 팔 위에 흐억히 점(點)치니, 어사 즉시 씻으나 벌써 살에 박혀 백옥에 단사를 점친 듯, 능히 없애지 못하니, 어사 정색 왈,

"죽암이 어찌 사람을 이같이 업신여겨 장부 신상에 두지 않을 바를 시험하느뇨?"

공이 호호(浩浩)히 웃으며 왈,

"팔 위에 앵혈이 있어든 행신의 유해할 바 없고, 누얼을 신백지 못한 전은 마침내 꺼림하니690) 자균은 노하지 말라."

어사는 정색 묵연 하고 위로 천안과 아래로 시위 제신이 그 애매함을 더욱 깨닫더라. 상이 연상궁을 극형추문(極刑推問)하라 하시어 왈,

"원상의 맑은 행사 결단코 음비(淫鄙)치 않을 것이거늘, 요악한 궁녀 옥당명환을 함지갱참(陷之坑塹)691)하니 그 죄 흉패한지라. 엄형 추문하여 실상을 알게 하라."

위관이 상명을 응하여 형위(刑威)를 갖추더니, 오왕이 전폐에 머리를 두드려 원상이 설빈을 죽임은 정녕(丁寧)692)한 일이거늘, 원수를 갚아 주지 않으시니 하가로 불공대천지수(不共戴天之讎)임을 주(奏)하여 실성 오읍(失性嗚泣)하니, 상이 옥색을 변하시고 추연 왈,

"짐이 비록 우애 도탑지 못하나 골육의 참망(慘亡)함을 어찌 슬퍼 않으리오마는, 짐이 유예미결(猶豫未決)693)하는 바는, 원상 형제의 위인과 팔 위에 앵혈이 박힘을 보니, 그 죄 원왕함을 거의 알지라. 또한 세상의 괴이한 약이 있어 왕왕이 그런 변이 있음을 의혹하나니, 경은 이렇

---

690) 꺼림하다 : 꺼림칙하다. 마음에 걸려 언짢은 느낌이 있다.
691) 함지갱참(陷之坑塹) : 함정에 빠트림.
692) 정녕(丁寧) : 조금도 틀림없이 꼭. 또는 더 이를 데 없이 정말로.
693) 유예미결(猶豫未決) : 망설여 결정을 짓지 못함.

듯 착급히 굴지 말라. 어찌 한 번 추문키를 면하리오. 죄과 지은 자에게 돌아 감을 보라."

하시고, 연상궁 치기를 날회고 설빈의 좌우를 올려 매라 하시니, 이 때 정국공이 초공으로 더불어 금오문(金吾門)694) 밖에 대죄(待罪)하니, 상이 물대(勿待)함을 이르시고, 태우 원창을 국문하심이 오왕의 원을 맞추시나, 아끼는 의사 무궁하시고, 하태우 형위(刑威)695)에 나아가나 반점 구겁(懼怯)함이 없어 사기 자약하고 안색이 숙연한지라. 만조 문무와 나졸의 이르기까지 아끼는 마음이 가득하여, 면면이 참담함을 이기지 못하는지라. 위관이 차마 치기를 재촉지 못하고 나졸이 매를 들지 못하여서, 법고(法鼓)696) 울리는 소리 급하니, 상이 국문을 날회시고 유사(有司)697)를 명하여 원정을 물으라 하시니 차 하인야오?

차설, 정소저 오궁 냉옥에 참참한 곤액을 겪은 지 이미 기년(朞年)이라. 복아(腹兒)를 분산(分産)하니, 이 문득 산천수기(山川秀氣)와 일월정화(日月精華)를 타 나, 일척백옥(一尺白玉)의 광채 영롱하며 골격이 비상하여 천대의 희한한 기동(奇童)이라. 이 때 이미 걸음을 옮기며 말을 이루나, 옥중의 있어 하늘을 보지 못하고, 생지십이월(生之十二月)에 사람을 대한 바 태섬 일 인 뿐이로되, 가르치지 않은 언어동지(言語動止) 성인의 품질이니, 정소저 천금 귀골로 옥중에서 분산하고, 여러 일월에

---

694) 금오문(金吾門) : 의금부(義禁府)의 문.
695) 형위(刑威) : 죄인이 심문을 받는 자리. 죄인에게 위엄을 보여 협박하기 위해 여러 가지 형장기구들을 벌여 놓고 심문을 행하였다.
696) 법고(法鼓) : 신문고(申聞鼓). 조선 시대에, 백성이 억울한 일을 하소연할 때 치게 하던 북. 태종 때에 대궐의 문루(門樓)에 달았으며 등문고를 고친 이름이다.
697) 유사(有司) : 담당기관. 또는 담당자.

견디지 못할 바로되, 오히려 태섬의 정성이 시로 새롭고 천도 도움이 있어, 비록 모르는 가운데나 신명(神明)이 각별 보호하여, 산후 백병이 쾌소(快蘇)하고 아자의 주림을 면하나, 자기 이리 되었음을 구가와 친당에 고치 못하여 비분(悲憤)이 날로 더하며, 춘교는 일삭에 반은 구실 삼아 들어와 보고 죽기를 절박히 죄오나, 춘교의 작악을 간대로 밧지 않을 것이로되 유자를 해할까 두려, 춘교 오는 때면 아자를 하간(下間)698)으로 치워 보지 못하게 하고, 태섬으로 하여금 말을 내되 정소저 냉옥에서 한 없는 고초를 겪으매 능히 복아를 보전치 못하였다 하니, 춘교 그리 여겨 설빈에게 통한 고로, 옥 같은 기린이 승어부(勝於父)함을 알지 못하고, 오직 정씨의 오래 죽지 않음을 한하되 오왕 부부 이런 일을 알면 그릇 여길 고로, 정씨를 냉암정의 가둔 후 오궁에 여러 번 왕래하되 몸소 냉옥에 나아가 정씨를 죽이지 못하였더니, 설빈이 이미 하가를 크게 어지럽혀 태우와 어사를 함정에 몰아넣고, 다시 개용단을 삼켜 예사 상한(常漢) 여인이 되어, 대로상에 완연이 걸어 오궁에 와, 춘교를 찾아 이르되 친척이 와 찾는다 하니, 차시 오궁에서 세자의 시신과 설빈의 시체를 데려 와 상하에 곡성이 천지진동하고, 왕비와 세제(世弟)699) 등이 비절하여 만사 무렴(無念)하니, 비록 외인이 내궁에 들어올지라도 금단(禁斷)할 길이 없는지라. 춘교 처음은 친척만 여겨 가장 반겨 나가 제 침소로 청하여 서로 대하나, 면목을 알 길이 없어 춘교 문왈,

"가가로 더불어 일찍 면분이 없으니 어찌 되시는 친척이니까?"

설빈이 좌우의 다른 사람이 없음을 보고 저의 작용을 이르고, 귀에 대고 왈.

---

698) 하간(下間) : 아래 칸.
699) 세제(世弟) : 세자의 동생.

"내 이미 세자를 해하고 이곳에 다시 올 일이 없으되, 일자는 너를 찾아 동서남북에 한 가지로 다니고자 함이오, 이자는 정씨를 시원이 질너 죽이지 못할진대 냉암정에 아주 없애고자 함이니, 네 뜻이 어떠 하뇨?"

춘교 왈,

"소비는 오직 생내(生來)에 부인을 떠나지 말고자 할지언정 별 의견이 없는지라. 정소저를 질너 죽이고 가려 할진대 어서 냉옥으로 향하사이다."

난화 발부 흔흔이 즐겨 냉옥에 다다라, 석문(石門)을 열고자 할 새 태섬이 먼저 들어 가 유아를 치우니, 정씨 짐짓 인사를 모르고 어음(語音)을 통치 못하는 체하여, 거적자리에 숨 있는 시신이 되어 거꾸러졌으니, 춘교 정소저가 추수정신(秋水精神)과 사광지총(師曠之聰)이 나700), 요연(瞭然)701)히 의구(依舊)함을 알지 못하고, 볼 적마다 조석에 위위(危危)함으로 알던지라. 이 날은 소제 춘교의 들어옴을 알고 죽은 듯이 눈을 감고 누었으니, 춘교 난화로 더불어 들어와 보고, 웃어 왈,

"명맥(命脈)같이 지리한 것이 없도다. 차인이 거년 모춘에 이곳에 잡혀 들매 그 때 위태함이 이 같더니, 지금 명맥이 걸렸으니 흉완치 않으리까?"

난화 분연 왈,

"정가는 며느리를 구박하여 내치고 아들의 금슬을 온 가지로 희짓더니, 제 딸은 날만치도 못 되어 저런 중청병인(重聽病人)702)이 되었으되, 어찌 기세(氣勢)로 찾아가지703) 못하는고? 요악(妖惡)한 정연을 만나

---

700) 나다 : 나오다. 생겨나다. 변화가 생기거나 작용이 일어나다.
701) 요연(瞭然) : 분명하고 명백함.
702) 중청병인(重聽病人) ; 귀가 어두워 듣지 못하는 병자(病者).
703) 찾아가다 : 찾아가다. 잃거나 맡기거나 빌려 주었던 것을 돌려받아 가지고 가다.

하원창처럼 해할진대 어찌 쾌치 않으리오."

소제 고요히 누어 저 노주의 문답을 다 들으매, 심골이 경한하여 차악
분한 함을 참기 어려우나, 나중을 다 알녀 하여 모르는 다시 누었더니,
춘교 왈,

"부인이 정씨를 죽이려 하시거든, 어서 결단을 내소서."

난화 소왈,

"정녀도곤 장성한 세자와 제앵도 내 손에 마쳤거든, 정녀의 반 죽엄은
어렵지 아니한지라. 내 죽이지 못할까 근심하리오."

이리 이르며, 문득 품 사이로 좇아 작은 칼을 내어, 빗기 쥐고 바로 정
씨를 향하여 달려드는지라. 소제 차시를 당하여 위태함을 겁냄이 아니
라, 하생의 형제 사화에 빠져 죄루를 벗을 조각이, 차 양인을 잡아 천정
의 주달하여 그 간음흉악 한 죄루를 일일이 핵실(覈實)하기에 있으리니,
'가히 이 조각을 일치 못하리라' 하고, 이의 몸을 벌떡 일어나며 팔을 잡
아 칼을 앗고 노주를 결박한 후, 태섬을 부르니, 차시 태섬이 하간(下間)
에 있다가 정소저의 부름을 인하여 즉시 위 칸에 이르니, 소제 문 왈,

"궁내에 대변이 났거늘 궁애 어찌 날더러 이르지 아니하뇨?"

섬 왈,

"변고는 무엇을 이르심이니까?"

소제 왈,

"오궁 세자가 남의 손의 세상을 버리심이 괴변이 아닌가?"

섬 왈,

"이 곳 전하와 낭랑의 계신 정침으로 사이 아득하고, 소비는 소임이
비천하여 냉암정을 가음 알 뿐이니, 궁내 소식을 자세히 모르오며, 세자
의 졸하심을 작석(昨夕)에 들으나 아무 곡절임은 알지 못하나이다."

소제 왈,

"차 양인을 매었으니 세자의 원수 갚기는 이 가운데 있을 것이요, 또한 때를 어긴즉 하부의 화(禍) 적지 않으리니, 원래 그대 날을 가둠이 왕과 비의 명이 아니요, 연상궁의 영이라. 내 어찌 돌아 갈 줄 모르리오마는, 설빈의 죄과 발각지 않은 전은, 나를 내어놓고 궁아에게 큰 화가 있을까 염려함이라. 금일은 내 가부(家夫)를 위하여 천정(天廷)에 격고 등문할 일이 있으니, 궁아가 나에게 은혜 끼침이 하늘이 낮은지라. 내 비록 이 곳을 떠나나 구당(舅堂)704)과 친가(親家)에서 미처 알지 못한 전은, 유아는 그대를 맡기고 가나니, 날이 채 저물지 않아서 저 두 여자를 잡으러 유사가 올 것이니 지키기를 등한이 말라."

하고, 소제 총총이 일어서니, 태섬이 그 착급하여 함을 보고 감히 곡절을 묻지 못하고, 다만 유아를 안고 명을 받더라.

정소저 빨리 대로(大路)에 나 조보(朝報)705)를 본즉, 상이 어사 형제를 국문하신다 하며, 혹 어사는 벗어나고 태우 중형을 당하다 하여 알 길이 없더니, 호위대장군이 궐문을 나 동료더러 자세한 소문을 전하되, 어사는 팔 위에 주점을 찍어 거의 신백하게 되었으되, 태우는 장차 형위의 임하였다 하는지라.

소제 차언을 들으매, 심신이 뛰노라 급히 한 장 혈소(血疏)를 일워 손에 쥐고, 운발(雲髮)을 풀어 낯을 덥고, 법고(法鼓)를 급히 울리니, 유사(有司) 나와 원정을 묻는지라. 소저 소소(小小) 예모(禮貌)를 돌아보지 못하여, 소리를 높여 왈,

"천지간(天地間) 지원극통을 우리 성천자 앞에 주달(奏達)하리니, 유

사는 첩을 옥폐(玉陛)에 인도하라."

유사가 정소저를 인도하여 옥계하(玉階下)에 이르니, 비록 청운 같은 두발을 풀어 낯을 덮었으나, 찬란현요(燦爛顯曜)한 광휘 벽공신월(碧空新月)이 수운(岫雲)706)에 쌓이고 추천랑일(秋天朗日)이 흑무(黑霧) 속을 나온 듯, 기이한 체지(體肢)와 빼어난 의표(儀表) 절대명염(絶代名艶)이라.

이에 어좌를 우러러 체읍 주왈,

"신첩의 더러운 사정을 감히 천위지하(天威之下)의 번득하올 바 아니오되, 성대지치에 원통한 죽엄이 있을진대, 위로 성주의 실덕이 되시고, 아래로 원사재(冤死者) 참원(慘怨)을 머금어 후세의 시비를 이룰지라. 성주의 일월지명으로써 살피심을 바라나이다."

주파(奏罷)의 소장을 올리니, 성음이 낭랑하여 쇄연이 천지 화평하며, 만물이 치정(治定)707)키를 구할지라. 상이 한림 학사 진영필로 읽으라 하시니, 진학사 소리를 높혀 읽을 새, 기소(其疏)에 왈,

"신첩 정씨는 금평후 정연의 녀요, 정국공 하진의 제삼부(第三婦)니, 곧 죄수(罪囚) 하원창의 재실이라. 가부(家夫)의 조강(糟糠)은 오왕 군주 설빈이니, 신첩은 '하풍(下風)의 시(視)'708)를 감심(甘心)하여 길이 일택지상(一宅之上)의 동렬지의(同列之義)를 온전히 할까 바라오나, 가부의 설빈을 박대함이 자못 심하되, 오히려 그 애증이 편벽함을 불복할 따름이요, 설빈의 위인이 그렇듯 음악한 여자임을 깨닫지 못하였삽더니, 오늘에야 비로소 알과이다. 희(噫)라. 사람이 세상의 나매 남녀 없이 일신대절을 삼갈지니, 남자는 충효로 본을 삼고 여자는 효절이 으뜸이라.

---

706) 수운(岫雲) : 산봉우리에서 피어나는 하얀 구름.
707) 치정(治定) : 잘 다스려 안정씨킴.
708) 하풍(下風)의 시(視) : 사람이나 사물의 수준 또는 질을 일정 수준보다 낮게 여김.

신의 삼형 세흥의 출처 성씨는 여람백 성흠의 여니, 신의 형남(兄男)을
그릇 만들며 신의 집을 어지럽히던 바는 새로이 일컬어 천정에 번득할
바 아니오되, 신의 아비 그 간정을 발각한 후 일시를 머물지 않고 성가
로 돌아보냈삽더니, 그 후 죽다 하오니 과연 그리 여겼삽더니, 오왕 군
주 설빈을 보온즉 의형미목(儀形眉目)이 하나도 다름이 없사오되, 성녀
는 이미 구천야대(九泉夜臺)709)에 돌아가고, 설빈은 황가지엽으로 오
왕의 친생이오 군주로라 하오니, 상(常)없는710) 의심을 발하여 괴이한
말을 내었다가, 도리어 화를 부르미 쉬운 고로 감히 성녀라 못하엽삽더
니, 신첩이 태신(胎身) 팔삭에 천질(賤疾)이 떠나지 않고, 정신이 자주
현황(眩恍)711)하옵더니, 모일(某日)에 신첩을 말 못하는 약을 먹여 불
의에 잡아다가 오궁 냉암정에 가두니, 죽음이 반듯하옵거늘 궁인 태섬
의 의기로 금일까지 명맥이 그치지 않고, 복아(腹兒)를 무사히 분산하
온 바라. 신첩이 냉옥 가운데 반생반사(半生半死)하여 정신을 되찾지 못
하오나, 오히려 전자에 면목이 익은 자는 기억하옵는지라. 설빈의 시녀
춘난이라 하는 것이 전일 신형(臣兄)의 출처(黜妻) 성녀의 비자 춘교
로되, 신첩이 일양 모르는 체 하오니 일삭에 세 번씩 구실 삼아 와 보고
죽기를 절박히 죄되, 신이 간인의 흉모를 두려 벙어리 되어 수작을 못하
는 듯이 하니, 신첩을 냉옥 중에 가둔 후, 유랑을 죽여 시신으로써 신첩
의 시신을 만들어, 구가(舅家) 합문(闔門)과 신의 부모를 속이고, 가부
와 구숙(舅叔)712)을 함정에 몰아넣음은 이르지도 말고, 제 몸이 오왕
전하의 양녀 되어 은혜를 받음이 뫼 같거늘, 세자를 제 손으로 질러 죽

---

709) 구천야대(九泉夜臺) : 땅 속 무덤.
710) 상(常)없다 : 상(常)없다. 보통의 이치에서 벗어나 막되고 상스럽다.
711) 현황(眩恍) : 어지럽고 어릿어릿하여 정신을 차리지 못함.
712) 구숙(舅叔) : 시아주버니. 시숙(媤叔). 남편의 형.

이고 죄는 원창에게 미루어, 오왕과 비의 은혜를 저버리니, 천지간 간음찰녀(奸淫刹女) 성녀 같으니 있으리까. 신첩이 오궁 누옥에 죄수 되어 천일을 불견(不見)하니, 성녀의 간계를 어찌 알리까 마는, 흉심이 그칠 줄을 알지 못하옵고 신을 마저 죽이고자 냉암정에 들어와, 그 비자 춘교로 더불어 저의 간정을 일일이 자랑할 새, 신은 중청병인으로 죽이려 하는 고로 구숙 원상을 흉패한 죄루의 몰아넣고, 원창을 쾌히 죽이게 되었음을 이를 뿐 아니라, 저의 부모를 속여 죽은 체하고 도망하여 두루 다니다가, 오왕의 양녀 된 바를 이르고, 신을 죽이고 가려, 여차여차 이르고 발검하여 달려들거늘, 신이 겨우 태섬 궁인과 합녁하여 그 노주를 잡아 매여, 내암정에 가두고, 지아비 형제 원억한 죄루를 신백(伸白)고자 하여, 규문의 낯가리는 예를 잃고 더러운 자취 금중(禁中)을 사무침이로소이다. 신첩의 당돌한 죄 만사무석(萬死無惜)이오니, 복원 천지부모는 성가 요녀와 춘교 간비를 나래(拿來)하시어 죄를 핵실하시고, 원상 등의 지원극통(至冤極痛)한 죄루(罪累)를 살피소서."

하였더라. 상이 정씨의 소장(疏狀)을 보시고 하어사 형제의 신백이 쾌함을 크게 기뻐하실 뿐 아니라, 전상전하에 가득한 사람이 다 하어사 형제를 위하여 아낌을 마지않다가, 정씨의 소봉을 인하여 명경(明鏡)을 닦으며 청천에 부운을 쓰리친 듯하니, 평제왕 곤계 다 이에 있어 황야를 시위하였다가, 매제 완연이 생존하여 있다가 이렇듯 함을 보매 반기며 기쁨을 모양하지 못하고, 제왕은 자기 헤아림과 같음을 더욱 희열하여, 전폐에 부복 주왈,

"위사(衛士)를 발하여 성녀 노주를 잡히시고, 신매는 이제 물러가라 하심이 성덕일까 하나이다."

상이 즉시 어사 형제를 풀어 놓아 평신케 하시고, 위사를 발하여 오궁에 가 성녀 노주를 급히 잡아 오라 하신 후, 탄지칭선(嘆之稱善) 하시어 왈,

"산고옥출(山高玉出)이오 해심출주(海深出珠)라. 정선생의 여아 어찌
범연하리요마는, 남녀 없이 개개히 특출하여 하나토 한자(漢子)713) 있
지 않을 뿐 아니라, 남자는 충효 가작하고 여자는 절행이 특출하니, 정
선생의 자녀 잘 낳음과 기특히 가르침은 세(世)에 무쌍한지라. 정씨 오
궁 누옥에 갇혔다가, 금일 지아비 원억한 죄루를 당하여 격고등문(擊鼓
登聞)하여 신백이 쾌하니, 가히 아름답지 않으랴. 공후의 여부(女婦)로
명부의 존함을 가져, 변액(變厄)을 비상히 겪음이 슬픈지라. 죄인을 다
스린 후 각별한 포장이 있으려니와, 이에 오래 세워둠이 숙녀를 대접하
는 예 아니라."

하시고, 한림학사 진영필노 하여금 금거옥륜(金車玉輪)에 운산까지
호송(護送)하라 하시니, 진학사 상명을 받들어 정소저를 금거옥륜에 호
송하여 운산으로 향할새, 정소저 궐정에서 황상의 이렇듯 하시는 은권
(恩眷)을 받들어 오직 전폐(殿陛)에 백배사은(百拜謝恩) 하고 물러날
새, 예모행동(禮貌行動)이 은연이 문인명사(文人名士)의 품(稟)이 있을
뿐 아니라, 용봉(龍鳳)의 품질(稟質)이 있으니, 위로 천자와 아래로 문
무 제신이 흘홀(惚惚) 경찬(驚讚) 하더라.

유사(有司)가 성난화와 춘교를 잡아 복명하니, 상이 명하시어 춘교를
먼저 올려 엄형추문 하라 하시니, 춘교 비록 대간대악(大諫大惡)이나
천위지척(天威咫尺)에 오형(五刑)714)을 갖추었으니 어찌 복초(服
招)715)치 않으리오. 차라리 죽기나 쉬이 하려 미급일차(未及一次)에 개
개히 복초 왈,

---

713) 한자(漢子) : 상한(常漢). 본데없고 버릇없는 남자를 속되게 이르는 말.
714) 오형(五刑) : 조선 시대에, 중국 대명률에 의거하여 죄인을 처벌하던 다섯 가지
    형벌. 태형(笞刑), 장형(杖刑), 도형(徒刑), 유형(流刑), 사형(死刑)을 이른다.
715) 복초(服招) : 문초를 받고 순순히 죄상을 털어놓음.

"성씨 초에 취운산 풍경을 구경하러 갔다가, 정세홍의 풍류신채(風流身彩)를 보고 황홀하여 금령(金鈴)을 던지고 돌아와, 인하여 상사지질(相思之疾)을 이루매, 성백의 부인 노씨 사정을 참지 못하여, 귀비께 청하여 사혼하시는 은지(恩旨)를 얻어 정부의 돌아오매, 조강 양씨 장강(莊姜)716) · 반비(班妃)717)의 색(色)과 임사(姙似)718) 번월(樊越)719)의 덕행이 가즉함으로, 구고의 사랑이 양씨께 온전함을 시기하여, 묘화 니고를 사귀어 정세홍을 변심하는 약을 먹여 마음을 변케 하고, 양씨를 참혹히 해한 말이며, 소씨까지 머리털을 무지르고720) 죽이려 하던 말이며, 및 악사 발각하매 정부에서 내치니, 성백이 부녀지정(父女之情)을 베어 죽이려 하니, 부인이 과도히 슬퍼함으로 심당에 가두매, 묘화로 더불어 시신을 제 형용이 되게 작법하여 심당에 두고, 묘화를 따라 암자에 갔다가 묘화의 중매함을 인하여 변주 절도사 조흠의 재실이 되었더니, 흠이 죽으매 또 거짓 익수(溺水)한 체하고 묘화의 암자의 숨었다가, 오왕 부부 화빈 군주를 죽이고 슬퍼함으로 그 양녀 된 바와, 성을 고쳐 계양 태수 조일의 여아로라 하여, 나이를 줄여 규수인 체하던 바와, 하가에 결혼하매 정씨 들어와 용모색덕이 가즉하니, 전일 소고(小姑)로 적인이 되어 총(寵)을 얻을 길 없으니, 절치 통한하여 태신(胎娠) 팔삭에 후

---

716) 장강(莊姜) : 중국 춘추시대 위(衛)나라 장공(莊公)의 처. 아름답고 덕이 높았고 시를 잘하였다.
717) 반비(班妃) : 중국 한(漢)나라 성제(成帝)의 후궁. 시가(詩歌)를 잘하여 성제의 총애를 받았으나 조비연(趙飛燕)에게 참소를 당하여 장신궁(長信宮)에 있으면서 부(賦)를 지어 상심을 노래하였다.
718) 임사(姙似) : 중국 주(周)나라 현모양처(賢母良妻)인 문왕의 어머니 태임(太姙)과 무왕(武王)의 어머니 태사(太姒)를 함께 이르는 말.
719) 번월(樊越) : 중국 초나라 장왕(莊王)의 비(妃)인 번희(樊姬)와 소왕(昭王)의 비 월희(越姬). 둘 다 어진 마음으로 남편의 정사를 간(諫)해 덕행으로 유망하다.
720) 무지르다 : 닥치는 대로 막 깎거나 잘라버리다.

려 냉옥에 가두고, 제앵을 죽여 죄를 하어사께 돌아 보내고, 태우로 하여금 살인 중죄를 무릅쓰게 하옴이 전혀 개용단의 요괴로움이요, 정씨를 죽이려 노주 냉암정의 들어갔다가, 정씨 문득 일어나 저의 노주를 결박하던 바를 세세히 복초하여, 한 말도 희미치 않은지라.'

상이 대로하시어 서안을 쳐 가라사대,

"천살무석(千殺無惜)이요, 만사유경(萬死猶輕)이라. 세간에 어찌 이런 음악지녀(淫惡之女)가 있으리오."

성녀를 올려 추문하시니, 성녀 비록 간음찰녀나 후백의 귀녀로 생장하여 어찌 희미한 태벌인들 알리오. 개개 복초하니 춘교의 초사(招辭)로 일반이라. 또 궁흉극악이 있어 하어사의 선풍옥골을 상사(相思)하여 야반(夜半)에 나가매, 하어사 골경신해하여 빨리 피하던 말과, 저의 정을 용납지 않음으로 어사를 음흉대죄에 몰아넣은 바며, 정씨를 백 가지로 보채며 흉예지물(凶穢之物)을 만들어 묻던 바와, 향촉을 갖추어 천지께 도축하던 바를 세세히 베풀고, 정씨를 오궁으로 보낼 적 묘화 약을 먹어 정당 시녀 되었던 바와, 전후사를 세세 복초하니, 듣는 말마다 성녀의 요악이 만사유경(萬死猶輕)이니, 황상이 진노하심은 이르지도 말고, 오왕이 이에 있어 초사를 들으매, 분발(憤髮)이 관(冠)을 가르치고 노목(怒目)이 찢어질 듯하여, 다시 회면단(回面丹)의 류(類) 남았는가 물으니, 품 사이로서 내거늘 즉시 먹어 본형을 내라 하니, 성녀 회면단을 한 번 삼키매 상한천뉴(常漢賤流)의 용용(庸庸)한 얼굴이 변하여 절색미인(絶色美人)이 되는지라. 오왕이 간음찰녀로써 부녀의 의를 맺어 애휵(愛恤)던 일을 생각하매, 지감(知鑑)의 불명함과 식견의 상쾌치 못함을 스스로 부끄릴 뿐이라. 음악찰녀로써 딸이라 하여 하원창의 박대를 한하며, 허언을 신청(信聽)하여 하공 부자를 대하여 불평지언(不平之言)을 무수히 하였음을 생각하니, 낯이 붉어지고 마음이 취하니, 오직 범

을 길러 환을 취함을 추회막급(追悔莫及)이라. 애닯고 분함이 철골(徹骨)하여 황상께 체읍 주왈,

"신의 혼암불명 함이 성녀의 간음요특(奸淫妖慝)함을 모르고 여러 세월의 부녀의 의를 매자 친생이 아님을 생각지 않은 바러니, 오늘날 비로소 전전죄악을 깨닫사오니, 통완분해(痛惋憤駭)함이 고대 그 백골을 남기지 말고자 할 뿐 아니라, 필경 신자(臣子)를 질러 죽여 신으로써 역리지통(逆理之痛)[721]을 품게 하오니, 이 한을 장차 어디에 비하리까? 원 폐하는 발부음녀(潑婦淫女)를 능지처참 하시어 후세 찰녀음부를 징계하소서."

상이 오왕의 주사를 들으시고, 탄하시어 왈,

"성녀의 극악함을 알지 못하여 양녀(養女)함이 액회 비상하여 상명지통(喪明之痛)[722]을 당할 때라. 뉘우친들 미치랴?"

하시고, 하어사 형제를 전폐의 나아오라 하시어, 놀람을 위로하시고, 성녀의 간음대악을 이르시어 불승통해 하시니, 하어사 형제 망극한 죄루를 거울같이 신백한 기쁨은 이르지도 말고, 부모의 주야 아끼고 슬퍼하심이 촌장을 사르실 바를 생각하니, 구회촌단(九回寸斷)[723]이라. 만일 불행함이 있을진대 불효를 쌓을 곳이 없을 바더니, 이때를 당하여 기쁘고 쾌함이 비할 데 없는지라. 오직 형제 고두백배(叩頭百拜)하여 성주의 일월지광(日月之光)을 일컬을 따름이라.

상이 하승상을 부르시니 초공이 양제의 신원이 거울 같음과, 정소저

---

721) 역리지통(逆理之痛) : 순리(順理)를 거스르는 일을 당한 슬픔이라는 말로, 자식을 잃은 부모의 슬픔을 말함.

722) 상명지통(喪明之痛) : 아들을 잃은 슬픔을 비유적으로 이르는 말.

723) 구회촌단(九回寸斷) : 애간장이 토막토막으로 끊어짐. *구회(九回); =구회간장(九回肝腸). =구곡간장(九曲肝腸). 굽이굽이 서린 창자라는 뜻으로, 깊은 마음속 또는 시름이 쌓인 마음속[애]을 비유적으로 이르는 말.

살았음을 환희하여 천은을 숙사(肅謝)하더라.

상이 연상궁을 형문삼차(刑問三次)724)에 절도(絶島)에 찬배(竄配)하시고, 성녀는 형문삼차(刑問三次)에 화형(火刑)725)을 더하여 머리를 베어 동시(東市)726)의 달고 수족(手足)을 이(離)하여 구주(九州)에 회시(回示)727)케 하시고, 춘교는 장하(杖下)에 마치고, 급히 묘화 요괴를 나래(拿來)하라 하시니, 위사 달려 암자에 이르매 요괴 몸을 화(化)하여 나는 새 되어 달아나니 어찌 잡으리오. 위사 헛되이 돌아와 잡지 못함을 주하니, 상이 구주에 조서(詔書)하시어 잡으라 하시다.

하공을 명초하시어 인견(引見)하시고, 상이 친히 잔을 주시고 놀람을 위로하시더니, 여람백 성흠의 부자가 난화의 변을 듣고 망극통완(罔極痛惋)하여 정가에 출화를 받았을 적 죽이지 못함을 뉘우치고, 재직(在職)한 제자(諸子)를 거느려 청죄하니, 상이 성후 부자의 어짊을 아시는지라. 난화의 죄를 부형에게 연루(連累)치 않으시고 위로하시어 물러감을 명하시다.

오국 세자를 왕례(王禮)로 장(葬)하고 그 아들 유를 책봉하여 세자를 삼으라 하시니, 오왕이 눈물을 드리워 물러나 난화의 머리 베는 것을 보고, 즉시 배를 타 오장을 내어다가 세자에게 제하려 하더라.

옥사(獄事)를 마친 후, 상이 정씨의 녈절성행을 포장하시어, 위로 임군의 실덕을 면케 하고, 아래로 지아비 급화를 구함을 칭찬하시어, 문려

---

724) 형문삼차(刑問三次) : 형장(刑杖)으로 죄인의 정강이를 때리는 형벌을 세 차례를 가함.
725) 화형(火刑) : 사람을 불살라 죽이는 형벌.
726) 동시(東市) : 동쪽에 있는 시장. 옛날 중국의 수도 장안(長安)에서 죄인을 처형(處刑)하던 장소. 이 때문에 '형장(刑場)'의 뜻으로 쓰임
727) 회시(回示) : 죄인을 끌고 다니거나 죄인의 시신을 방방곡곡에 보내 뭇사람에게 보이던 일.

(門閭)에 정표(旌表)하시어 '인열숙성비(仁烈淑聖妃)'를 봉하시어 금자어필(金字御筆)로 열의(烈義)를 표하시니, 제왕 등과 태우가 가치 않음을 주(奏)하되, 상이 불윤(不允)하시다.

날이 어두움을 인하여 일시에 퇴할 새, 정국공이 아자(兒子)를 사지에 들여보냄으로 알아, 심간이 촌촌이 부서짐을 면치 못하고, 석년 참화에 죽지 못함을 한하여 자기 명도를 탄할 뿐이더니, 죽은 줄로 알아 일념에 참통(慘痛)하던 식부가 살아 천정에 격고등문(擊鼓登聞)함을 인하여, 이자(二子)의 죄루를 쾌히 신백하고, 화를 돌이켜 복을 삼으니 기쁘고 즐거움이 환천희지(歡天喜地)[728]한지라. 바삐 궐문을 나며 이자를 좌우로 집수무비(執手撫臂)[729]하여 웃는 용화(容華)를 열어 왈,

"작일(昨日) 너희를 대리시로 보내고 여부(汝父)의 심장이 꺾어짐을 면치 못하더니, 정 현부의 기특한 열의성행(烈義聖行)이 오궁 누옥 가운데 복아(腹兒)를 보전하여 무사히 분산(分産)하고, 내 집 대화를 도리어 복을 삼으니 이 즐겁고 기쁨을 어디에 비하리오."

어사는 유화(柔和)히 정씨의 열행을 일컬으나, 태우는 다만 정씨의 덕을 일컫지 않되, 만면화기 혜화(蕙花)[730]를 이끌어 움켜쥔 듯하더라. 하공과 승상의 환희함이 비길 데 없고, 제왕 등의 즐거움은 오늘 처음인 듯하더라.

하·정·윤 제공이 날이 어두움을 깨닫지 못하여 취운산에 이르니, 정소저 벌써 돌아와 존고께 배현하고 금장소고(襟丈小姑)로 반길 새, 조부인이 양자를 사지의 보내고 흉장(胸臟)에 불이 일고 일신이 사위

---

728) 환천희지(歡天喜地) : 하늘도 즐거워하고 땅도 기뻐한다는 뜻으로, 아주 즐거워하고 기뻐함을 이르는 말.
729) 집수무비(執手撫臂) : 손을 잡고 팔을 어루만짐.
730) 혜화(蕙花) : 혜초(蕙草)의 꽃. *혜초; 난초의 일종.

니731), 작수(勺水)를 마시지 않아 이자가 마치기 전, 먼저 죽고자 하니, 제부와 여아 백단관위(百端款慰)하나 부인이 뜻을 결하여 살 마음이 없 더니, 문득 정소저의 배현(拜見)하기의 당하여는 정신이 황홀하니, 슬픔 이 더욱 극하여 바삐 정씨를 붙들고 실성오읍 왈,

"이것이 꿈이냐, 상시냐? 어찌 죽어 초기 지난 정현부 내 눈의 뵈느 뇨? 내 죽으랴 하매 먼저 지하인(地下人)을 봄이냐?"

정소저 창황비절(悵怳悲絶)함을 진정하여 왈,

"불초 소첩이 오궁 누옥에 곤한 지 기년(朞年)이로되, 지금 일루를 보 전함은 구고의 적덕여음(積德餘蔭)이라. 지금 사생을 고치 못하였삽더 니 이렇듯 놀라심을 이루니 이 더욱 불효지죄(不孝之罪) 크도소이다."

인하여, 기년(朞年) 존후를 묻잡고 어사 등이 신백(伸白)게 됨을 고하 니, 제 소저 금거옥륜(金車玉輪)이 문에 다다름을 보매 누구임을 알지 못하다가, 정소저의 얼굴을 대하매 죽지 않았음을 아나 그간 사고를 몰 라 하더니, 정소저의 말을 들으매 요인의 화를 받아 오궁에 갇혔던 줄 깨닫고, 조부인이 비로소 이자의 누얼이 신백케 됨과 정소저의 살았음 을 보매, 기쁜 듯 슬픈 듯하여 바삐 유랑 시녀를 불러 기쁜 말을 이르고 정부에 통하니, 양가 합문 상하의 환천희지(歡天喜地)함이 일필난기(一 筆難記)더라.

진학사 벌써 정소저 살았던 바와 격고등문지사(擊鼓登聞之事)를 정부 에 고하였던 고로, 진부인이 환희함이 넘쳐 도리어 거지실조(擧止失調) 하고 태부인이 몸이 스스로 움직여 친히 가고자 하나, 정공이 붙들어 간 하니 도로 앉으나, 행희함을 형상치 못하여 진부인을 재촉하여 가라 하 니, 진부인이 윤·양·소·한 제부를 거느려 하부에 이르러 친옹(親

---

731) 사위다 : 다 타버리다. 불이 사그라져서 재가 되다.

翁)732)이 예파(禮罷)에, 아주 소저 자위와 제형의 친림함을 당하여 반 갑고 기쁨을 이기지 못하니, 슬하에 배례하고 제형으로 예파에 진부인 이 집수무배(執手撫臂)하여 반김과 슬픔을 이기지 못하니, 탐탐한 사랑 이 형상치 못하고, 즉시 근신한 양낭 사오인을 보내어 아공자를 데려 오 라 하고, 조부인께 여아의 생환함과 격고등문지사를 베풀어 혹비혹희 (或悲或喜)하니, 소제 또한 지난 바를 자세히 고하여 탐탐한 별회를 이 루 기록지 못하리러라.

진부인이 날이 저묾을 인하여 제부를 거느려 돌아가고, 조부인이 공 과 제자의 돌아오기를 기다리더니, 야심 후 하공이 부중에 돌아와 백일 정의 촉을 밝히고, 정공과 제진이 일시의 모이고, 제왕 곤계 바로 하부 에 와 매자를 보려 할 새, 하공이 시녀로 정소저를 명소(命召)하니, 소 제 승명하여 외헌에 이르러 승당입실(昇堂入室)에 존구(尊舅)와 야야 (爺爺)며 삼위 표숙(表叔)께 배알하고, 표종(表從) 등과 삼위 숙숙(叔 叔)으로 예파에, 하공이 슬하에 가까이 좌를 주고 연애귀중(憐愛貴重) 하는 마음이 측량없어, 길이 탄 왈, '시운이 부제(不齊)하고 발부의 작 악으로 인하여 현부를 죽은 줄로 알아, 참통비절(慘痛悲絶)함을 이기지 못하더니, 이제 생존하여 돌아옴과 금일 급화를 도리어 복을 삼음을' 일 컫더니, 정언간(停言間)에 양낭이 신아를 찾아 돌아오니, 공이 친히 받 아 슬상에 놓고 모다 볼 새, 이른 바 선풍옥골(仙風玉骨)이오 성자기맥 (聖者氣脈)이라. 일월면모(日月面貌)와 유성봉안(流星鳳眼)에 긴 눈썹 이 천창(天窓)733)을 떨치고, 흉중(胸中)에 수이(秀異)한 정화(精華)를 거두어 범아의 사오 세나 당함 같으니, 공의 환열함과 정공의 탐혹한 사

---

732) 친옹(親翁) : 혼인한 두 집안의 부모들을 함께 이르는 말.
733) 천창(天窓) : '눈'을 달리 표현한 말.

랑이 비길 데 없더라.

소저 부복하여 성언(盛言)을 불감승당(不敢承當)734)하고, 국휼(國恤)에 망극하심을 베풀 새 충의 유연(油然)735)하여 진정 충의지가의 생장함을 알지라. 하물며 그 용모색덕은 오래 보지 않다가, 볼수록 윤기가 나니, 하공의 새로운 사랑이 측량없고 일좌에 융융한 화기 만물을 부휵(扶慉)함 같더라.

진공이 웃음을 머금고 하어사의 옥비를 빼어 왈,

"주표를 없애지 못한 규수는 어찌 낯가리는 예를 폐하고, 명공재렬(名公宰列) 가운데 앉았느뇨?"

어사 함소(含笑) 대왈,

"죽암이 괴이하여 사람을 업신여겨 남자의 팔위에 주점(朱點)을 시험하나, 소생의 행신이 구태여 부끄러움이 없고, 죽암의 다사(多事)함을 웃노라."

"진공이 소왈 앵혈을 자균의 비상(臂上)에 시험하매, 정히 자균의 심폐를 비추어 규녀 같음을 앎이거늘, 자균이 나를 한하여 사람을 업신여긴다 하느뇨? 모름지기 일생 주표(朱標)를 지켜 실절치 않으면 족장(足杖)736)을 면하려니와, 불연즉 우리 모두 음행지죄(淫行之罪)를 마련하여 처치하리라."

어사 함소왈,

"소제 과연 고인의 유취(有娶)하던 나이를 기다려 부부동락(夫婦同樂)고자 하였거니와, 원간 정문 풍속은 비상에 주점 곳 없으면 음행지죄

---

734) 불감승당(不敢承當) : 감히 받아들여 감당치 못함.
735) 유연(油然) : 생각 따위가 저절로 일어나는 형세가 왕성함.
736) 족장(足杖) : 동상례(東床禮) 등에서 장난으로 발을 거꾸로 매달고 발바닥을 치던 일.

로 마련하나냐?"

진공이 웃으며 어사를 꾸짖고 제진이 다 기롱하여 주표지사(朱標之事)를 웃으니, 어사 좌수우응에 또한 말이 궁진치 않더라.

하공이 좌우로 태우를 부르니, 태우 내당에 들어가 모친께 뵈옵고, 비록 수일지간이나 과도히 초전우황(焦煎憂惶) 하심이 자기 등의 불효로 말미암았음을 탄하더니, 부명을 듣고 즉시 나오매, 하공이 부부 서로 봄을 이르고, 왈,

"네 정현부를 위하여 통상(痛傷)함이 실성(失性)키의 미쳤더니, 금일 사자(死者) 생환하고 복중(腹中)에 있던 자식이 세상에 나, 말을 전하며 걸음이 실하니 이런 경사 어디에 있으리오. 하물며 너의 급화를 구하여 형벌을 면케하고, 참참한 죄루를 신백함이 다 네 아내 덕이라. 내 이르지 않아도 네 모르지 않으려니와 한갓 아내로 대접치 말고, 은인의 여아요, 은덕의 아내로 알라."

태우 배이수명(拜而受命)하고 퇴하여, 돌아서서 정씨를 향하여 팔을 들매, 정씨 존전에 수괴함을 띠여 서로 예를 마치매, 하공이 아해를 안아 태우를 주어 왈,

"부자 서로 보라."

하니, 태우 비록 존전의 경근(敬謹)하는 예를 잡아 정씨를 예사로이 보나, 그 옥안화모(玉顔花貌) 가득히 반가움을 측량치 못하거늘, 다시 기린 같은 옥동을 보매 기쁨이 망외(望外)라. 흔연이 웃는 입을 주리지 못하여 아해를 어루만져 귀중하다가, 부전에 유아의 명자를 청한대, 공이 손아의 명을 '몽현'이라 하고 자를 '성의'라 하여, 밤이 깊은 후 정씨 모자를 들여보내고, 제진 등이 다 돌아 가되 금평후는 하공으로 밤을 지내고, 명조(明朝)에 여아를 데리고 부중으로 돌아 갈 새, 조부인이 정씨와 몽현을 데리고 밤을 지내나 정을 펴지 못하여서 정부로 나아가니, 결

연하나 만사 즐거워 일점 흠새 없고, 태우는 설빈의 흉함을 아니 보니 쾌활함을 이기지 못하더라.

정소저 친당의 돌아와 존당에 배현하고 남매 형제 가득한 정을 펼 새, 태부인이 아주 소저를 보매 반갑고 흐뭇하여 슬퍼함을 마지않으니, 정 공과 제왕이 즐거운 일에 상회(傷懷)737)하심을 간(諫)하고, 소제 또 화 안이성(和顔怡聲)으로 위로하며, 몽현을 태부인 진부인이 교무하여 사 랑이 비길 데 없더라.

숙렬비 아우의 손을 잡고 매양 죽지 않았던가 의심하던 바를 베푸니, 제왕이 소왈,

"내 또 그리 알되 하부에서 분명 죽었음을 이르고 자순이 과도히 슬퍼 하니, 실로 주접들어738) 뵈던지라. 사람이 어찌 상모를 도망하리오. 성 녀는 본디 불길하더니 마침내 흉사(凶死)하고, 너는 다남자(多男子) 기 상이 부귀 장원키를 묻지 않아 알리니, 내 매양 의려하던지라, 즐거히 모이니 여한이 없도다. 태부인이 손아 남매의 선견지명을 일컫더라.

소제 삼사일 머물러 하부에 돌아오니 조부인이 봉원각을 쇄소하여 들 게 하고, 성녀가 없으니 정씨 원위(元位)를 당하여 타일 여러 처첩을 모 아도 소제 상두(上頭)를 거할지라. 구고와 태우의 기쁨이 극하고 소저의 절행을 문녀(門閭)에 정표(旌表)하여 금자어필(金字御筆)로 인열숙성비 문(仁烈淑聖妃門)이라 하여 높이니, 정소저 깃거 않아 여자의 이름이 고 요치 못함을 한하니, 조부인 왈,

"녀자 스스로 덕을 자랑함은 가치 않거니와 아름다운 이로써 문려에 표하는 것을 어찌 근심하리오. 모르미 안심물려(安心勿慮)하라."

---

737) 상회(傷懷) : 마음속으로 애통히 여김.
738) 주접들다 : 초라하고 너절해지다.

소제 추연 대왈,

"소첩이 불능누질(不能陋質)로 일컬음 즉한 일이 없삽거늘, 형세 마지 못하여 격고등문함이 염치를 돌아보지 못함이오. 비록 성녀의 죄악이 관영(貫盈)하오나, 소첩이 사람을 해하여 부월지주(斧鉞之誅)를 받게 하고, 첩은 금자어필로 문을 높이니 어찌 불안황공(不安惶恐)치 않으리까?"

부인이 재삼 그렇지 않음을 이르더라.

하·정 양부에서 일가친척과 제우붕당이 날마다 모여 치하하니, 정부에는 죽은 여아 살아 돌아옴과 하부에는 어사 형제 죄루를 신백하고 정숙성의 성행이 희한함을 하례하니, 정·하 양부의 희환(喜歡)함은 비길 대 없더라.

오궁에서는 세자를 입념(入殮)739)하여 성복(成服)740)을 지내고, 난화의 염통을 짓너흘며741) 간을 회(膾) 먹어 원수를 갚으며, 세자 영연(靈筵)742)에 음녀의 장부(臟腑)743)를 가져 제(祭)하나, 사재(死者) 생환할 길 없으니, 오왕 부부 통상(痛傷)한 가운데나, 태섬의 어질고 의기로움을 기특히 여겨 으뜸 상궁을 삼고 궁중재보를 가음알게 하니, 섬이 냉암정 천역으로 비컨대 '우물 밑 개구리'744) 성룡등천(成龍登天)745)함 같

---

739) 입념(入殮) : 상례에서 입관(入棺)과 염습(殮襲)을 아울러 이르는 말. *입관(入棺); 시신을 관 속에 넣음. 염습(殮襲); 시신을 씻긴 뒤 수의를 갈아입히고 염포로 묶는 일.

740) 성복(成服) : 초상이 나서 상인(喪人)들이 처음으로 상복(喪服)을 입는 일. 보통 입관(入棺)을 마친 후 입는다.

741) 짓너흘다. 함부로 마구 물어뜯다. *너흘다; 물다. 물어뜯다. 씹다.

742) 영연(靈筵) : 혼백이나 신위(神位)를 모신 자리와 그에 딸린 물건들.

743) 장부(臟腑) : 오장과 육부, 곧 내장(內臟)을 통틀어 이르는 말. 곧 간장, 심장, 폐장, 신장, 비장의 오장과 대장, 소장, 위, 쓸개, 방광, 삼초(三焦)의 육부를 이른다.

지 않으리오. 정숙성이 그 은혜를 감골하여 오래도록 신(信)을 끊지 않
고 의상(衣裳)을 숙성이 친히 지어 보내니, 섬이 또한 불승감은이러니,
후래에 왕의 손녀 명숙 군주 하몽현의 부인이 되어 오매, 태섬이 자원하
여 군주를 좇아오니 숙성이 그 은혜를 갚으니라.

태우 숙성 향한 은정이 여산약해(如山若海)하되, 오히려 국휼(國恤)
삼년이 마치지 못하였으므로, 사실 출입을 않으니 공이 그 예(禮) 잡음
이 굳음을 희열하더라.

차년 세말에 원필이 등양(登揚)746)하여 한림학사(翰林學士)를 하니
명절(名節)이 부형여음(父兄餘蔭)으로 천총(天寵)이 융융(隆隆)하시고
거세(擧世) 일컫는 바니, 공이 성만(盛滿)의 세를 두려 갈수록 공근겸
퇴함을 주(主)할 뿐 아니라, 하승상의 검소청현한 덕이 하천척동을 대
하여도 자존함이 없으되, 자연한 위의 구추상천(九秋霜天) 같고 늠연한
예도 공맹안증(孔孟顔曾)747)을 이으니, 견시자(見視者) 칭복함을 이기
지 못하는지라. 조당(朝堂)에 나면 관복 제구는 다름이 없으나, 거가(擧
家)에는 갈건 포의를 입고, 윤부인이 그 뜻을 좇아 의복을 각별 굵은 깁
을 가려 이루니, 승상이 매양 가로되,
"연·경 양인은 촉지간고(蜀地艱苦)를 보지 않았거니와, 부인은 학생
으로 더불어 비상간고(備嘗艱苦)를 한가지로 한 바니, 옛 일을 모르지

---

744) 우물 밑 개구리 : 세상형편을 모르는, 견문이 좁은 사람을 이르는 말.
745) 성룡등천(成龍登天) : 물고기가 용이 되어 하늘을 오름. 아주 곤궁하던 사람이
      부귀하게 됨을 이르는 말.
746) 등양(登揚) : 과거에 급제함.
747) 공맹안증(孔孟顔曾) : 유학의 네 성현인 공자, 맹자, 안회, 증삼을 아울러 이르
      는 말.

않을지라. 생이 비록 위거삼공(位居三公)이요, 작차국공(爵次國公)이나 한 구석 맺힌 근심은 풀리지 않았거니, 본디 참화여생이라 무슨 호화한 뜻에 음식 의복을 사치하리오. 군전(君前)에는 누추한 거동을 뵈옵지 못하나 거가(居家)에는 촉지간고(蜀地艱苦)를 비컨대 내 마음이 편하고, 찬선의복이 화려함을 본즉 불안하고 두려우니, 지어 몽린 같은 유는 가찰(苛察)하고 가르칠 바 없으나, 몽성에 다다라는 이제부터 나의 심려가 무궁한지라. 만일 실수하면 제어키 어려우리니, 내 몸이 종사의 중함으로, 작인이 심상치 않음은 일가의 대경이라. 저의 뜻이 넘나고 고집되어 조금도 졸직(拙直)함이 없거늘, 존당이 과애(過愛)하시어 만사를 제 소원대로 하게 하시니, 아해 등이 점점 방약무인(傍若無人)하여 아비 있음을 생각지 못하는지라. 어이 근심 되지 않으리오."

부인이 승상의 뜻을 좇아 제자의 의복지절을 한사(寒士)같이 하니 제 공자 부모의 너무 절검하심을 민망히 여기더라.

차공자 몽닌은 일동일정이 예 아닌 일이 없고, 예학(禮學)이 그 부공이라도 불급할 바로되, 장자 몽성은 기운이 하늘을 받들고 태산을 뽑을 것이로되, 엄훈을 두리는 고로 단정하여 포의(布衣)를 염(厭)치 않으나, 음식에 다다라는 화미진찬(華味珍饌)을 포복(飽腹)하매, 모친께 구치 않고 눈의 뵈는 바는 양을 채우고 나니, 부인이 매양 승상의 말씀을 전하여 부형의 절검한 뜻을 어기지 말라 하니, 공자 화히 웃고 대왈,

"사람의 화복길흉이 하늘의 정한 바라. 청검하기로 장수(長壽)하고 복(福)이 더할 양(樣)이면, 안자(顔子)[748]는 백세나 살고 백금(伯禽)[749]

---

748) 안자(顔子) : 안회(顔回). 자 연(淵). 공자의 제자. 십철(十哲) 가운데 한 사람. 단명하여 요절하였다.
749) 백금(伯禽) : 중국 주(周)나라 주공(周公)의 장자. 노(魯)나라에 봉왕(封王)되었다.

은 열 아들이나 두리로소이다."

부인이 정색 왈,

"너는 매양 호화키를 취하여 이런 말을 하느뇨? 안연(顔淵)이 명도 궁하시어 조강(糟糠)을 불염(不厭)하시나, 후세에 그 도행을 이르니, 저마다 차석하는 바 되었으니, 사람이 어진 이름을 얻음이 그 어떠하며, 백두(白頭)에 무흠(無欠)코 무복(無福)함을 후세인이 천리를 애달아하는 바나, 백두에 적앙(積殃)이 과(寡)하니 내 앞이 지극히 옳고, 마음을 어질게 잡으나 팔자 유복(有福)지 않은 것이야 현마750) 어찌 하리요마는, 방탕취객(放蕩醉客)이 권문세가(權門勢家)로 좇아 생장하여 한 일 근심이 없다가, 망측대화(罔測大禍)를 보는 이도 있으니, 가히 두렵지 않으랴?"

공자 소이대왈(笑而對曰),

"자교 마땅하시나 오히려 천리를 모르시나이다. 공자 대성(大聖)이시되 철환천하(轍環天下)751)하시어 상가지구(喪家之狗)752)에 비기는 욕을 보시고, '진채(陳蔡)에 절량(絶糧)하여 곡경'753)을 지내시니, 덕으로써 복록이 나타날진대 어찌 측량하여 이르리까마는, 그 덕행이 아무리 기

---

750) 현마 : 설마, 차마.
751) 철환천하(轍環天下) : 수레를 타고 천하를 돌아다닌다는 뜻으로, 교화(敎化)를 위하여 세상을 돌아다님을 이르는 말. 공자가 교화를 위하여 중국 천하를 돌아다닌 데서 유래한다.
752) 상가지구(喪家之狗) : '상갓집 개'라는 뜻으로, 여기 가서도 천대를 받고 저기 가서도 천대를 받으면서도, 비굴하게 얻어먹으러 기어드는 가련한 꼴을 비유적으로 이르는 말.
753) 진채(陳蔡)의 곡경 : 공자(孔子)가 초(楚)나라 소왕(昭王)의 초빙을 받고 초나라로 가던 중 진(陳)나라와 채(蔡)나라의 접경지역에서 진·채의 군사들에게 포위된 채, 양식이 떨어져 7일 동안을 굶으며 고난을 겪었던 고사를 이른 것. 이를 진채지액(陳蔡之厄)이라 한다.

특하여도 복록을 누리지 못하면 거짓 것이니, 인생이 백년이 아니니, 소자는 알기를, 오늘 술이 있으면 진취(盡醉)하고 내 일이 있으면 당하올지라. 부귀공명은 구하여 얻기 어려운 노릇이오나, 남자 영복(榮福)은 인인의 쉽지 않은 바니, 아예754) 한박(寒薄)한 궁사(窮士)로 창하(窓下)에 울적히 한을 품어 죽침(竹枕)에 한가히 소유(逍遊)하면 하릴없거니와, 하늘이 재덕(才德)을 빌리시고 수복(壽福)을 태웠을진대, 조년입조(早年立朝)하여 한갓 옥당금마(玉堂金馬)755)의 명환(名宦)이 될 뿐 아니라, 몸이 황각(黃閣)756)에 깃들여 출장입상(出將入相)하여 공개천하(功盖天下)에 위진해내(威震海內)하며, 화형인각(畫形麟閣)757)하고 명수죽백(名垂竹帛)758)하여 천녹(天祿)을 안향(安享)함이 옳거늘, 재주를 품고 덕을 감추어 나아갈 데라도 거칠듯이 하며, 매양 공구(恐懼)하여 있는 것도 먹지 않아, 스스로 주림을 면치 못하고, 오늘 무사하고 명일 일이 있으매, 미리 근심하는 것이 소졸(小拙)함이라. 원간 대장부의 행사 뇌락(磊落)하여 그 중도를 얻음이 옳고, 비록 작위 높으나 사람을 능만(凌慢)치 말며, 의기현심을 두터이 하여 궁박한 자를 구활하여 적선

---

754) 아예 : 일시적이거나 부분적이 아니라 전적으로. 또는 순전하게.

755) 옥당금마(玉堂金馬) : 중국 한(漢)나라 대궐의 옥당전(玉堂殿)과 금마문(金馬門)을 함께 이르는 말로, 한림원 또는 황제를 가까이서 받드는 한림원 벼슬아치를 뜻한다. 옥당전은 한림원이 있었던 전각의 이름이며 금마문은 전각의 문으로, 문 앞에 동마(銅馬)가 있어 붙여진 이름이다. 조선에서는 홍문관을 옥당이라 했다.

756) 황각(黃閣) : 행정부의 최고기관인 의정부(議政府)를 달리 이르는 말.

757) 화형닌각(畫形麟閣) : 화상(畫像)을 공신(功臣)들을 배향(配享)하는 기린각(麒麟閣)에 걺. *기린각(麒麟閣); 중국 한나라의 무제가 장안의 궁중에 세운 전각. 선제 때 곽광 외 공신 11명의 초상을 그려 각상(閣上)에 걸었다고 한다.

758) 명수죽백(名垂竹帛) : 이름이 죽간(竹簡)과 비단에 드리운다는 뜻으로, 이름을 역사에 길이 남김을 이르는 말.

(積善)을 힘 쓰미 옳으니이다."

　윤부인이 그 옥면성모(玉面星眸)의 화류지풍(花柳之風)을 대하여 단순
호치(丹脣皓齒) 사이의 흐르는 말씀을 들으매, 두굿김을 마지않더라.

명주보월빙 권지일백 종

어시에 윤부인이 아자(兒子)의 옥면성모(玉面星眸)와 화류지풍(花柳之風)을 대하여, 단순호치(丹脣皓齒) 사이에 흐르는 말씀을 들으매, 비록 호일방탕(豪逸放蕩)함을 책하나 자연 두굿기는 미우 흔연하고, 조부인과 제 숙모 몽성의 말을 듣고 다 두굿겨, 조부인이 그 등을 어루만져 웃으며 왈,

"여부는 잔 근심이 많아 녹록(碌碌)하니 너는 대장부의 뜻을 활연 상쾌케 하라."

몽성 공자 연망이 배사 왈,

"소손이 불초무상 하오나 어찌 대인의 지성대덕을 알지 못하고 근심하심을 이름이리까? 우연히 소회를 아룀이로소이다."

하더라. 이렇듯 흐르는 세월이 '백구(白駒)의 틈 지남'759) 같아서, 국휼 삼년이 훌훌이 지나니, 천자 새로이 비통하시고 윤·하·정 삼부에서 부모 상을 마침같이 홀연통할(欻然痛割)함을 이기지 못하니, 그 세독지충(世篤之忠)760)이 여차하더라.

---

759) 백구(白駒)의 틈 지남 : 백구과극(白駒過隙). 흰 망아지가 빨리 달리는 것을 문틈으로 본다는 뜻으로, 인생이나 세월이 덧없이 짧음을 이르는 말.

하태우 비로소 봉원각에 왕래하며 정소저로 더불어 금슬지락을 이루
매, 새로운 은정이 산비해박(山卑海薄)하여 백년을 나삐 여기되, 태우의
풍채기상이 일처를 지킬 자가 아니요, 자연 천연(天緣)이 정한 바를 면
치 못하여, 태학사 양유의 여를 취하고, 시중 위박의 여를 삼취하니, 위
·양 이인이 다 명문지녀(名門之女)로 재용이 관절(寬節)하고 성행이 온
순(溫順)하여 부도(婦道)에 극진하니, 하공 부부 번사(繁事)를 깃거 않
으나 얻은 여자 현숙하니, 지극무애(至極撫愛)하고, 원창의 호신(豪身)
하는 마음으로써 위·양의 용모성행과 사덕(四德)이 가즉하니, 흡흡한
금슬이 극진하되, 사람됨이 규내에 녹녹치 않아 위풍이 규규(赳赳)하고
호령이 엄숙하여, 다만 정숙성에게 다다라는 솜761)의 바늘이요, 입 속
의 무른 떡 같아서, 여산중정(如山重情)이 백 미인을 모아도 변할 길 없
는지라. 숙성이 가부의 은애 일편 됨으로써 방자교만(放恣驕慢)함이 없
어, 한결같이 공경조심하니, 태우 본 적마다 탄복애경함이 더으나, 입장
전(入丈前) 유정(有情)한 칠창(七娼)을 잊지 못하여, 평제왕께 청하고 부
공을 권하여 금차지렬(金釵之列)762)에 용납케 하니, 수중련·금분매 등
이 이름이 비록 창기(娼妓)나 사족(士族)의 청한(淸閑)한 뜻이 있고, 여
군(女君)763)의 덕화를 감복하여 적서지분(嫡庶之分)이 천지 같으니, 일
로 좇아 태우의 가내 숙연하고 화(和)함이 춘풍 같으니, 이 한갓 태우의
제가위덕(齊家威德) 뿐 아니라, 정씨의 내조한 덕이 호대(浩大)하여, 위

760) 세독지충(世篤之忠) : 세세(世世)토록 독실하게 지켜가는 충성.
761) 솜 : 목화씨에 달라붙은 털 모양의 흰 섬유질. 부드럽고 가벼우며 탄력이 풍부
    하고 흡습성, 보온성이 있다. 가공하여 직물 따위로 널리 쓴다.
762) 금차지렬(金釵之列) : 첩(妾)의 반열(班列). *금차(金釵); 금비녀를 뜻하는 말
    로 첩(妾)을 달리 이르는 말. 형포(荊布)나 조강(糟糠) 등으로 정실부인을 이르
    는 것과 비슷한 조어법이라 할 수 있다.
763) 녀군(女君) : 일부다처제 가족에서 본처가 아닌 처나 첩이 본처를 달리 이르는 말.

·양과 칠창(七娟)을 거느리매 도리의 지극함을 다하니, 태우 스스로 처궁이 복 됨을 자희(自喜)하더라.

시시에 인종 황야 윤부에 사연사악(賜宴賜樂)하시고 연석을 재촉하시어 진왕이 위·조 양 태부인께 영효(榮孝) 극진코자 하시는지라. 계추(季秋) 기망(旣望)은 위태부인 탄일이요, 구월 습순(拾旬)764)은 윤공의 탄일이니, 진왕 형제 두 수연을 겸하여 대연을 개장할 새, 천자 윤공의 생진일(生辰日)인 줄 아시고, 또 상부(相府)765)의 위친수석(爲親壽席)이라 하시어, 각별 사연사악 하실 새, 기망의 습순으로써 각각 삼일 대연을 주시니, 먼저 삼일은 진왕의 공뇌로써 그 조모와 모비께 설연(設宴) 헌작(獻爵)게 하시고, 후 삼일은 승상의 위친지효(爲親之孝)를 빛내시며, 윤공 부부께 헌수케 하시니, 그 은영이 만고의 희한하고 천총이 일세의 으뜸이라. 만조거경과 황친국척과 연인부가(連姻府家)766) 부인네 각각 여부(女婦)를 거느려 성연(盛宴)을 구경할 새, 진궁 내외 청사를 쇄소하고 부계767)를 널리 베풀어, 금수포진(錦繡鋪陳)768)과 용문채화석(龍紋彩畫席)769)을 성(盛)히 하여, 백운차일(白雲遮日)770)은 반공(半空)의 임리(淋漓)하고, 운무병(雲霧屛)771)과 비취장(翡翠幟)772)은 일색

---

764) 습순(拾旬) : '10일'을 달리 이르는 말.
765) 상부(相府) : 재상(宰相)을 달리 이르는 말.
766) 연인부가(連姻府家) : 서로 혼인을 맺은 집안.
767) 부계 : 비계(飛階). 높은 곳에서 일을 할 때에 딛고 다닐 수 있도록 긴 나무와 널판자로 다리나 난간처럼 매어 놓은 시설.
768) 금수포진(錦繡鋪陳) 수를 놓은 비단으로 만든 요나 방석 따위의 화려한 깔개.
769) 용문채화석(龍紋彩畫席) : 용문석(龍紋席)과 채화석(彩畫席)을 아울러 이르는 말. *용문석(龍紋席); 용의 무늬를 놓아 짠 돗자리. *채화석(彩畫席); 여러 가지 색깔로 꽃무늬를 놓아서 짠 돗자리.
770) 백운차일(白雲遮日) : 구름처럼 하늘 높이 둘러친 해가림 천막.
771) 운무병(雲霧屛) : 안개처럼 둘러 있는 병풍.

(日色)을 가리며, 취운산 추경(秋景)이 가려(佳麗)하여 좌우 단풍이 홍
나장(紅羅帳)773)을 가리온 듯, 국화는 난만(爛漫)하여 향기를 토하거늘,
청천은 파사(破邪)774)하여 일점 부운(浮雲)이 없으니, 물색(物色)이 번
화(繁華)를 돕는지라.

차일 정·진·남·화 사비(四妃), 하·장 양인과 삼 소고며 우씨로
더불어 조 태비와 유부인을 모셔 원성전에서 빈객을 접응하고, 진왕 곤
계 윤공을 모셔 제빈을 접대할새, 내외 빈객의 장(壯)한775) 수(數) 천으
로 포집어776) 헬지라.

윤공이 수좌(首座)에 거하여 자질의 영효를 두굿기며, 만조공경(萬朝
公卿)으로부터 황친국척(皇親國戚)의 성히 모드물 사례하며, 돌아 석사
(昔事)를 상감(傷感)하여 백씨(伯氏)의 영화를 한가지로 두굿기지 못함
을 슬퍼 길이 탄식고, 정·하 양공을 대하여 체루 왈,

"성은이 여천(如天)하오사 금일 사연사악(賜宴賜樂)하시는 은영을 받
자오니, 부자 숙질의 감축(感祝)함은 이르지 말고, 만조거경(萬朝巨卿)
과 공경제왕(公卿諸王)이 누처(陋處)에 광님(光臨)하시어 광채를 도우시
니, 후의(厚意) 다감(多感)하나 석사를 추모하매, 사곤(舍昆)777)의 지효
지성(至孝至誠)으로써 능히 수를 얻지 못하시며 복을 받지 못하시어, 두
낱 자식으로 하여금 부형의 면목을 알지 못하여 육아지통(蓼莪之痛)778)

---

772) 비취장(翡翠欌) : 비취(翡翠)로 장식한 장롱
773) 홍나장(紅羅帳) : 붉은 비단으로 만든 장막
774) 파사(破邪) : 온갖 나쁘고 아름답지 못한 것들을 모두 깨뜨려 버림.
775) 장(壯)하다 : 성(盛)하다.
776) 포집다 : 거듭집다. 배(倍)로 헤아리다.
777) 사곤(舍昆) : 사형(舍兄)
778) 육아지통(蓼莪之痛) : 어버이가 죽어서 봉양하지 못하는 효자의 슬픔을 이르는
　　　말. 중국 전국시대 진(晋)나라 사람 왕부(王裒)가 아버지가 비명(非命)에 죽은

과 궁천지한(窮天之恨)을 끼치고, 북당(北堂)779)에 서하지탄(西河之嘆)
을 이루어 불효 막대하거늘, 당금에 아들이 천승의 부귀를 누리며 딸이
일국의 어미 되어 존귀함이 일인지하(一人之下)780)로되, 유명(幽明)이
즈음쳐781) 앎이 묘망(渺茫)한 고로, 소제의 박덕불인은 수 오십을 넘고
자질의 영효 지극하니, 세상 흥미를 안과(安過)할지라. 석일 백화헌 가운
데 어린 자녀를 가져 혼인을 정하고, 각각 부인의 유신(有娠)함을 일러
분만 후 남녀를 보아 혼인함을 언약던 바 작석(昨夕) 같되, 어느 사이 삼
십년이 거의라. 광음의 홀홀함782)과 석사의 아득함이 어찌 슬프지 않으
리오."

정·하 양공이 또한 탄식하고, 위로 왈,

"명천 형의 수를 누리지 못함이 세월이 오랠수록 통한하나, 사빈 형제
를 두며 의열 같은 딸을 두어 내외손의 번성함과, 영화복경의 무궁함이
전혀 명천 형의 충의지덕으로 비롯함이라. 명천 형의 조세(早世)함이 통
할(痛割)하나, 신후(身後)783)의 빛남이 후세의 전하염직 하니, 형은 무
익히 석사를 들놓아 화기(和氣)를 상해오지 말라. 윤공이 추연 탄식하고
중빈(衆賓)으로 더불어 담화할 새, 누대광실(樓臺廣室)에 자포오사(紫袍
烏紗)와 금옥관면(金玉冠冕)이 나열하여 왕공후백(王公侯伯)이 아니면

것을 슬퍼하여 일생 묘 앞에 여막(廬幕)을 짓고 살며 추모하였는데, 『시경』
〈육아편(蓼莪篇)〉을 외우며, 그 때마다 아버지를 봉양치 못하는 자신의 처지
를 슬퍼하여 눈물을 흘렸다는데서 유래한 말.
779) 북당(北堂) : 집안의 북쪽에 있는 당(堂)이란 뜻으로, 집안의 주부가 이곳에 거
처하였기 때문에 '어머니'를 지칭하는 말로 쓰였다. =자당(慈堂).
780) 일인지하(一人之下) : 한 사람의 아래, 곧 두 번째로 높은 지위[2인자의 지위]
에 있음.
781) 즈음치다 : 가로막히다. 격(隔)하다.
782) 홀홀하다 : 세월이 덧없이 빨리 흘러가다.
783) 신후(身後) : 사후(死後).

옥당명사(玉堂名士)라. 그 부성(富盛)함이 눈이 현황(眩恍)함을 깨닫지 못하거늘. 이 가운데 평진왕이 천일지표와 용봉자질이 척탕(滌蕩)하여, 태산의 위의와 장강(長江)의 깊이를 가졌으니, 풍류신광(風流身光)이 만고무적(萬古無敵)이거늘, 윤상국의 옥골선풍과 삼엄한 예모성행은 공맹(孔孟)이 부생(復生)하시나 이에 더하지 못할지라.

중좌만목이 진왕 곤계를 돌아보아 탄복공경함을 이기지 못하고, 정·하 이공과 진·장 양공이며, 남·화 제공 등이 서랑을 귀중함이 친자의 감치 않아, 어린 듯이 진왕 곤계를 우러러 웃는 입을 주리지 못하더라.

일색이 반오(半午)에 천자 예관을 보내사 위 태부인과 조 태비께 헌수하여, 진왕 형제 같은 자손 둠을 각별 일컬으시고, 지극히 예우(禮遇)하시니, 예관은 상서 정유흥이라 윤공 부자 숙질이 성은을 각골감은하여 감루(感淚) 종횡하더라. 예관을 맞아 내루의 들어 갈새, 차시 내연의 장함이 외연으로 일반이라.

위 태부인이 주벽(主壁)에 좌를 일워, 조·뉴 양부와 손부·손녀 등을 거느려 빈객을 접대할 새, 부인이 연기 희년(稀年)[784]이 거의로되, 효자 현손의 봉양을 인하여 쇠로(衰老)함이 없어, 녹발혈색(綠髮血色)이 비택(肥澤)하여 와석(瓦石)에 주토(朱土)를 칠한 듯, 백세 넘기기를 기약할지라. 석일 시포패악(猜暴悖惡)하던 상모(相貌) 악행을 버리매 변하여, 유화한 안모(顏貌)에 언변이 넉넉함은 천진(天眞)의 타 난 바라.

사좌(四座)에 구름 같은 빈객을 대하여, 석사를 느끼고 효손의 영효를 두굿기는 말씀이 축첩무궁(蓄疊無窮)[785]하여, 생각이 명천공께 미치면 목이 메고 눈물이 주줄하여[786] 설움을 깨닫지 못하고, 일가로 돈목하는

---

784) 희년(稀年) : 일흔 살을 이르는 말. 인생칠십고래희(人生七十古來稀)에서 온 말.
785) 축첩무궁(蓄疊無窮) : 첩첩(疊疊)히 쌓여 끝이 없음.

뜻이 원근친척을 한가지로 관후히 대접하니, 전자로 비컨대 얼굴이 다르지 않았으나 심지(心志)는 대현이 되었고, 유부인이 개과천선함으로부터 덕을 길러 인자온공하며 낭정소아(朗貞素雅)787)하여 좌우의 가득한 홍옥초춘(紅玉初春)788)을 둔탁(鈍濁)히 여기는 용모자색(容貌姿色)이 오순(五旬)을 지내었으되 찬연미묘(燦然美妙)하며, 삼색도(三色桃)789) 이슬을 떨치며 홍매(紅梅) 납설(臘雪)790)을 무릅쓴 듯 조금도 쇠로(衰老)함이 없으니, 사좌(四座) 위·유 두 부인의 개과천선 함을 기특이 여겨, 새로이 진왕 곤계(昆季)와 정·진·하·장 등의 성효를 감탄하며, 전자 사갈(蛇蝎) 같고 시호(豺虎) 같던 부인을 감화하여 조손모자 정의를 온전함을 중심에 흠탄하고, 조태비의 천연한 성덕과 정숙한 예모를 경복(敬服)하여 저마다 진왕과 승상의 기특함이 윤명천과 조태비의 일월정화와 추수정신(秋水淨身)을 품수(稟受)함이라 하고, 정·진·남·화·하·장 등과 하 승상 부인 윤씨와 평제왕비 의열 등 제 부인 명모상광(明眸祥光)의 찬란함이, 부용(芙蓉)이 난만(爛漫)함 같거늘, 윤의열 정숙렬의 수출지광(秀出之光)은 일좌(一座)의 조요(照耀)하니, 중목(衆目)이 현황(炫煌)하여 인세화식지인(人世火食之人)791)임을 깨닫지 못하더라.

윤공 부자 숙질이 예관으로 더불어 입내(入內)함을 고하니, 빈객이 장

---

786) 주줄하다 : 줄줄 흐르다. *줄줄; 눈물 따위가 굵은 줄기를 이루어 흐르는 모양.

787) 낭정소아(朗貞素雅) : 성품이 밝고 곧고 아름다움.

788) 홍옥초춘(紅玉初春) : 나이어린 미녀. *홍옥(紅玉); 피부색이나 안색 따위가 윤이 나고 아름다운 사람을 비유적으로 이르는 말.

789) 삼색도(三色桃) : 한 나무에서 세 가지 빛깔의 꽃이 피는 복숭아나무.

790) 납설(臘雪) : 납일(臘日; 동지 뒤 셋째 未日)에 내리는 눈.

791) 인세화식지인(人世火食之人) : 인간세상에서 불에 익힌 음식을 먹는 사람이라는 뜻으로 '세상사람'임을 강조해서 들어낸 말.

내로 들고, 위태부인이 조태비로 더불어 진·제 양왕비(兩王妃)와 하부
인을 거느려 예관을 맞을새, 윤공이 모친과 수수(嫂嫂)께 고 왈,

"성은이 여천(如天)하시어 사연사악 하시고, 또 다시 예관을 보내사
소자 등의 공로를 일컬으시고, 헌수(獻壽)하라 하시니, 황공감은 함을
이기지 못하리로소이다."

태부인과 조태비 눈물을 드리워 천은을 감축하는지라. 예관이 상교
(上敎)를 전하여 왈,

"진왕 형제는 범연한 신하와 달라 위국사절(爲國死節)한 안국공 명천
선생의 아들이니 대접함이 예사 신하와 다른지라. 하물며 진왕이 여러
번 대공을 세워 위덕(威德)이 사이(四夷)의 드레고, 충효 고금에 희한커
늘, 상부는 짐의 스승으로 충효도덕이 주공(周公)의 뒤를 이을지라. 짐
이 휴척(休戚)792)을 한가지로 할지니, 진국 태비 붕성지통(崩城之痛)을
품고 양자를 가르침이 맹모(孟母)의 삼천지교(三遷之敎)를 귀(貴)타 못
할지라. 상벌은 임군의 행할 바니, 짐이 평진왕과 상부(相府)를 총우함
이 문왕(文王)793)의 여상(呂尙)794)과 고종(高宗)795)의 부열(傅說796)

---

792) 휴척(休戚) : 편안함과 근심.
793) 문왕(文王) : 중국 주나라 무왕(武王)의 아버지. 이름은 창(昌). 기원전 12세기
   경에 활동한 사람으로 은나라 말기에 태공망 등 어진 선비들을 모아 국정을
   바로잡고 융적(戎狄)을 토벌하여 아들 무왕이 주나라를 세울 수 있도록 기반을
   닦아 주었다. 고대의 이상적인 성인 군주의 전형으로 꼽힌다.
794) 녀상(呂尙) : '태공망(太公望)'의 다른 이름. 여(呂)는 그에게 봉해진 영지(領地)
   이며, 상(尙)은 그의 이름이고 성은 강(姜)이다. 중국 주나라 초기의 정치가로
   무왕을 도와 은나라를 멸하고 천하를 평정하였다. 저서에 《육도(六韜)》가
   있다.
795) 고종(高宗) : 중국 은(殷)나라 제22대 임금. 이름은 무정(武丁). 꿈에 나타난
   현신(賢臣)의 초상화를 그려 부열(傅說)이라는 훌륭한 신하를 등용하고 정사를
   바로잡아 은나라를 부흥시켰다.
796) 부열(傅說 : 중국 은(殷)나라 고종(高宗) 때의 재상(宰相), 토목(土木) 공사(工

같으되, 청문 형제의 검박한 행사 재보를 진토(塵土)같이 여기니, 능히 상사(賞賜)를 더하지 못하고, 그 위친(爲親)하는 성효를 빛내어 삼일대연(三日大宴)을 주며, 어전풍악을 빌리고 예관을 보내어, 위태부인 복록을 칭하하며 조태비의 기자 둠을 포장하여, 두 부인께 삼배를 헌수(獻壽)하라 하시니, 양위 태비는 길이 천복을 안향(安享)하여 무궁한 세월에 효자 현손의 영효를 두굿기소서."

위태부인과 조태비 부복하여 듣기를 다하매, 상서령(尙書令)797)이 잔을 들어 위태부인과 조태비께 삼배 헌수를 다하니, 양태비 잔을 받고 망궐사바(望闕四拜)하여 성은을 황공감축 할 따름이라.

이때를 당하여 조태비의 통할(痛割)한 심사는 더욱 이를 것이 없어, 효자의 영효와 성주의 은영으로 부부 한가지로 즐기지 못함이 오내분붕(五內分崩)798)함을 면치 못하나, 존고 면전이라 감히 비색을 나토지 못하나, 비루(悲淚) 종횡(縱橫)하여 옷깃을 적시니 위태부인이 역시 상연(傷然) 유체(流涕)러라. 공이 모친을 위로하며, 수수를 향하여 가로되,

"석사를 생각하오매 심붕담녈(心崩膽裂)799) 하오나, 오늘날을 당하여는 소생과 광천 등이 자위의 희열하심을 갈망하옵는 때라. 존수는 슬픔을 관억하시어 광천 등의 절민한 정사를 살피소서."

조태비 겨우 눈물을 거두고 탄식 대왈,

"첩이 명완무지(命頑無知)하여 토목 같은 고로 붕성지통(崩城之痛)을

事)의 일꾼이었는데, 당시(當時)의 재상(宰相)으로 등용(登用)되어 중흥(中興)의 대업을 이루었음

797) 상서령(尙書令) : 고려 시대에 둔 상서도성(尙書都省)의 으뜸 벼슬. 종일품이었다.

798) 오내분붕(五內分崩) : 오장(五臟)이 무너져 흩어짐.

799) 심붕담녈(心崩膽裂) : 마음이 무너지고 찢어지듯 아픔.

능히 참지 못하고 견디지 못할 설움을 당하되 능히 여러 세월에 견뎌, 오늘날 성주의 과도하오신 은영을 당하오니 불승 황공 하온 중, 첩이 비여석(非如石)이라. 석사를 돌아보아 생각하니, 첩의 토목 같은 심장이 능히 견디고 참아, 구연시식(苟延視息)800)하여 지우금일(至于今日)801)이러니, 성은이 과도하시니 첩심이 어찌 비감(悲感)치 않으리까?"

진왕 곤계 비황(悲況)한 심사 흥황(興況)을 알지 못하되, 화기를 작위하여 유화히 위로 왈,

"석사는 참지 못할 지통이오나 금일이 왕모 탄일이라. 소자 등의 어린 정성이 태모와 자위의 즐기심을 갈망하옵나니, 왕모와 자위는 물비(勿悲) 관억(寬抑)하시어 해아(孩兒) 등의 정사를 살피소서."

양(兩) 태비 길이 탄식하고 척연(慽然)이 즐기지 않더라. 태부인이 예관을 대하여 사사 왈,

"노인의 생지일(生之日)을 일컬으시어, 성상이 은영을 더하시어 명공이 헌수(獻壽)의 수고로움을 당하시니 불승감사 하도소이다."

조태비 말씀을 이어 왈,

"윤·정 양문의 겹겹 인친과 세의(世誼)802)에 자별함이 일가 족친으로 다름이 없으되, 남녀 처신이 다른 고로 일찍 면분이 없더니, 금일은 황명을 받자와 첩에게 헌수하시는 수고를 당하시니, 성주의 대은과 상공의 수고하심을 황공 불안하여이다."

정상서 흠신 문파에 염슬(斂膝) 공경 대왈,

"선(先) 연숙(緣叔)과 가친이 지심지기(知心知己)시고 사백(舍伯)이 존

---

800) 구연시식(苟延視息) : 구차히 눈을 뜨고 숨을 쉬며 살고 있음.
801) 지우금일(至于今日) : 오늘날에 이름.
802) 세의(世誼) : 대대로 사귀어 온 정(情).

부 동상(東床)에 모첨(冒添)하고, 사매(舍妹) 존문에 속현(續絃)하니, 세의와 연인(連姻)의 각별함이 지친으로 다름이 없사오니, 통가숙질례(通家叔姪禮)803)로 벌써 배현하염즉 하오되. 내외 격절하오므로 감히 청치 못하옵더니, 금일은 황명을 받자와 양위 태비기 현알함을 얻자오니 불승희행(不勝喜幸)토소이다."

조태비 사사하매, 유화한 덕행과 옥골화모(玉骨花貌) 미망지인(未亡之人)으로 백의소상(白衣素裳)이 무색하되, 찬란한 용모는 명주(明珠)를 사석(沙石)에 던지나 더러운 티끌이 물들지 않고, 추월(秋月)이 부운에 쌓이나 명광(明光)을 잃지 않음 같아서, 천향미질(天香美質)이 숙연쇄락함이 청중의 광채 조요하니, 투목으로 잠깐 보고 중심에 탄복하여, 태임(太姙)이 태교하매 문왕이 나시고, 맹모(孟母) 삼천지교(三遷之敎)하여 맹자(孟子) 아성(亞聖)이 되심 같아서, 조태비 아니면 진왕 남매를 산휵(産慉)지 못할지라. 십삭 태교의 범연치 않음을 경복하더라.

날호여 예관이 나가매 윤공이 조비께 고 왈,

"금일 연석의 수소(數小)한 자손이 모전의 일배 경주(慶酒)를 폐치 못하오리니, 존수 비록 즐겁지 않으시나 일배를 먼저 헌하소서."

조태비 자기 헌수함이 심장이 여할(如割)하나 겨우 참고 옥배를 받들어 태부인께 나오니, 부인이 잔을 받고 집수 비읍 왈,

"금일 연석을 당하여 현부의 잔을 받으니 아심이 비여철(非如鐵) 비여석(非如石)이라. 백아(伯兒)와 한가지로 즐기지 못함이 어찌 슬프지 않으리오. 하물며 석년 노모의 여산과악(如山過惡)804)을 헤아리매, 고당

---

803) 통가숙질례(通家叔姪禮) : 인척(姻戚) 집안 간의 숙질사이에 지켜야 할 예절.
   *통가(通家); ①인척(姻戚) ②대대로 서로 친하게 사귀어 오는 집안.
804) 여산과악(如山過惡) : 산처럼 크고 많은 악행.

화루(高堂華樓)에 부귀를 안향(安享)함이 망외(望外)라. 현부와 광아 등
이 풍상곤액(風霜困厄)에 몸이 보전하여, 토목 같은 노모를 감화함이 하
늘의 도움이라. 노모 만일 현부와 광천 등의 지효 아니면 여차 영광부귀
를 당하리오."

조비 불감사사이퇴(不堪謝辭而退)805)하매 윤공이 공후면복(公侯冕服)
을 갖추고 모전에 헌수하매, 북해(北海)의 수(壽)806)를 축(祝)하니, 성음
이 장공(長空)에 어리고 기위(氣威) 척탕(滌蕩)하여 엄위한 기상이 늠름
쇄락하여 천고영걸이라. 태부인이 아자의 잔을 받고 희허(唏噓) 탄식 왈,

"노모의 석년 포악이 너의 대효를 힘입어 금일 연석을 당하니 석사(夕
死)라도 무한(無恨)이라. 하나는 선군(先君)의 보지 못하심을 비통하고,
또 여형을 생각하매 각골통석 하는 바라. 너의 그림자 처량함을 더욱 슬
퍼하노라."

공이 슬픔을 겨우 참고 모친을 관위(款慰)하고 퇴하니, 유부인이 예복
을 갖추어 옥수에 유리배(琉璃杯)를 받들어 나아 와 헌하매, 옥태화질
(玉態花質)이 먼저 수출(秀出)한지라. 태부인이 연애 왈,

"현부는 노모의 소애자(所愛子)라. 개과천선한 덕이 꽃다우니 노모 더
욱 깃거 하노라."

유부인이 배사이퇴(拜謝而退)하매, 차례 진왕에 미처, 두상(頭上)에 통
천면뉴관(通天冕旒冠)807)을 가하며, 몸에 홍금망룡포(紅錦蟒龍袍)808)를

---

805) 불감사사이퇴(不堪謝辭而退) : (말씀을) 감당치 못함을 사례하고 물러남.
806) 북해(北海)의 수(壽) : 바다처럼 한량없이 오랜 수명(壽命).
807) 통천면뉴관(通天冕旒冠) : 통천관(通天冠)과 면류관(冕旒冠)을 합한 말로 여기
    서는 면류관을 말하고 있다. 면류관은 제왕(帝王)의 정복(正服)에 갖추어 쓰던
    관으로, 거죽은 검고 속은 붉으며, 위에는 긴 사각형의 판이 있고 판의 앞에는
    오채(五彩)의 구슬꿰미를 늘어뜨린 것으로, 국가의 대제(大祭) 때나 왕의 즉위
    때 썼다. *통천관(通天冠): 제왕이 정무(政務)를 보거나 조칙을 내릴 때 쓰던

입고 허리에 양지백옥대(兩枝白玉帶)[809]를 둘렀으며, 아홉 줄 면뉴(冕
旒)[810]는 너른 천정(天庭)[811]에 어른기고 패옥(佩玉)은 장장하여[812] 면
복(冕服)[813] 사이에 울거늘, 손에 백옥홀(白玉笏)[814]을 쥐었으니, 군왕
의 기상이 당당하여 천고영걸이오 만고무적이라. 잔을 헌하고 청음을 늘
여 북두(北斗)[815]의 복(福)을 빌고 '강릉(岡陵)의 수(壽)'[816]를 축(祝)할
새, 가성(歌聲)이 청월(淸越)하여 구만리 장천(九萬里長天)에 사무친 듯,
정전(庭前)에 자던 학(鶴)이 춤추어 곡조를 화(和)하니, 태부인이 잔을
받아 거우르고 왕의 손을 잡아 흔흔 소왈,

"대재(大哉)라! 나의 손아여 정충대효로 공업(功業)이 청사(靑史)에 빛
나고, 덕망이 산두(山斗)[817]에 높으니, 성주(聖主)의 총우하시는 은영이
노모에게 미치니, 남아 '입신양명(立身揚名)하여 이현부모(以顯父母)'[818]

관. 검은 깁으로 만들었는데 앞뒤에 각각 열두 솔기가 있고 옥잠과 옥영을 갖
　　추었다.
808) 홍금망룡포(紅錦蟒龍袍) : 붉은 빛의 비단으로 지은 임금의 정복. 가슴과 등과
　　어깨에 용의 무늬를 수놓았다. 곤룡포(袞龍袍)를 망룡포(蟒龍袍)라고도 한다.
809) 냥지백옥대(兩枝白玉帶) : 명주에 백옥(白玉)을 붙여 만든 허리띠.
810) 면뉴(冕旒) : 면류관의 앞뒤에 늘어뜨린 구슬꿰미.
811) 천정(天庭) : 관상에서, 두 눈썹의 사이 또는 이마의 복판을 이르는 말.
812) 장장 : 옥이 서로 부딪쳐서 장장거리며 나는 소리.
813) 면복(冕服) : 면류관과 곤룡포를 아울러 이르던 말.
814) 백옥홀(白玉笏) : 흰 옥으로 만든 홀. *홀(笏); 조선 시대에, 벼슬아치가 임금
　　을 만날 때에 손에 쥐던 물건. 조복(朝服), 제복(祭服), 공복(公服) 따위에 사용
　　하였으며, 일품부터 사품까지는 상아홀, 오품 이하는 목홀(木笏)을 썼다. ≒수
　　판(手板).
815) 북두(北斗) : 북두칠성(北斗七星). 밀교에서, 이것을 섬기면 천재지변 따위를
　　미리 막을 수 있다고 함.
816) 강능(岡陵)의 수(壽) : 산(山)처럼 오래 삶. *강릉(岡陵) : 산. 산등성이.
817) 산두(山斗) : 태산북두(泰山北斗). 태산(泰山)과 북두칠성을 아울러 이르는 말.
818) 입신양명 이현부모(立身揚名 以顯父母) : 『효경(孝經)』「개종명의장(開宗明
　　義章)」에 나오는 말로, 출세하여 이름을 세상에 떨침으로써 부모님의 덕을

하며 문호를 흥기(興起)함이 정히 손아를 이름이라. 노모의 쾌락함이 만사 무흠하되, 흉장에 맺힌 바는 여부(汝父)의 조세(早世)함이라. 천양지하(天壤之下)의 유명(幽明)이 격(隔)하여 앎이 없으니, 유유천지(悠悠天地)에 이 설음을 어찌하며, 석년 노모의 조현부와 여등 부부를 참혹히 보채던 바 회장하급(悔將何及)819)이리오. 만일 천의(天意) 도음이 아니런들 어찌 이런 영복(榮福)을 보리오."

왕이 연석을 당하여 오내분붕(五內分崩) 하나, 강인(强忍) 배사이퇴하니, 승상이 일품 관복을 정제하여 헌작하고 물러 나, 축수가(祝壽歌)를 부르니, 성음이 청검유화(淸儉柔和)하여 천지의 화기를 이루며 만물의 생기를 동하니, 일생을 익히던 자라도 미치지 못할지라. 백옥용화(白玉容華)는 경운(慶雲)이 화(和)하고 빈빈한 예모와 숙숙한 도덕이 한(漢)·당(唐) 이후 일인이라. 그 표치용광(標致容光)820)이 맑고 수려함이 연기(年紀)로 좇아 완연이 명천공의 풍녁(風力)821)과 모비(母妃)의 색광(色光)을 겸하여 다시 장원(長遠)함을 더했으니, 이른 바 일월명광(日月明光)이라.

태부인이 그 잔을 받고 등을 두드려 두굿김을 이기지 못하되, 명천 공의 보지 못함을 통도하여 집수 타루 왈,

"너의 풍신용화는 의연히 여부(汝父) 같으니, 볼 적마다 반갑고 슬픈 심사 더한지라. 석일 노모의 과악을 생각하매 어찌 차악치 않으리오마는, 여등이 노모의 행악을 원(怨)치 않고 성효(誠孝) 갈수록 더하니, 어찌 아름답지 않으리오. 금일 경사를 당하여 고사를 추상(追想)하매, 비

들어내는 것.
819) 회장하급(悔將何及) : 후회가 장차 어지까지 미칠 것인가.
820) 표치용광(標致容光) : 아름다운 얼굴빛.
821) 풍녁(風力) ; 풍채가 발산하는 위력(威力).

회(悲懷)를 금억치 못하여 도리어 너희 화기를 상해오니, 사사에 노모의 박덕불인을 이겨 이르랴.”

승상이 겨우 누수를 가리와 배사이퇴 하니, 윤공이 웃고 영능후더러 왈,

“사위는 반자(半子)822)라. 현서 등이 수고로우나 이미 이에 있으니, 일배주(一杯酒)로써 우리 자당의 두굿기심을 이루라.”

영능공과 하승상이 크게 괴로이 여기나 마지 못하여 수명하고, 영능공이 공후 복색으로 헌작하매 동탕한 신위와 준매한 기상이 영웅준걸이라. 태부인이 연망이 잔을 받고 함소 왈,

“내 자손은 예사거니와 현서의 잔을 받으니 불승감사 하도다.”

영능공이 소이대왈,

“소생이 존부 동상에 참예한 지 여러 세월이니 하마 고인이라. 금일 연석에 일배를 드려 하정(下情)을 펴올 뿐 아니오라, 존부 화란을 진정하고 이같이 화열하시니, 가히 하례하는 잔을 받듦 직 하온 고로 복경(福慶)을 하례함이로소이다.”

태부인이 차언을 들으매 한갓 전과를 뉘우칠 따름이라. 능후 퇴하매 제왕이 천승 위의와 군왕의 복색으로 유리배(琉璃杯)에 경장(瓊漿)823)을 가득 부어 헌(獻)하니, 늠연한 풍류신광이 동탕수려하여 세대무적이거늘, 공개천하(功盖天下)하고 위진해내(威震海內)하여 산두중망(山斗衆望)이 천하에 으뜸이니, 견시자(見視者) 늠연이 공경하고 흠복갈채(欽服喝采)하는지라. 부인이 잔을 받고 그윽이 불안하여 수고로움을 일컫고, 괴치(愧恥)함이 나타나니, 왕이 염슬(斂膝) 궤고(跪告) 왈,

---

822) 반자(半子) : 반자식. 아들이나 다름없이 여긴다는 뜻으로 사위를 이르는 말.
823) 경장(瓊漿) : 옥액경장(玉液瓊漿)을 이르는 말로, 맑고 고운 빛깔과 좋은 향을 갖추어 신선들이 마신다고 하는 술.

"소생이 존부 동상에 모첨하온 지 여러 세월이라. 반자지례(半子之禮)와 인친지의(姻親之義)가 예사 빙가(聘家)로 알지 못하올 바라. 금일 귀부 경화(慶華)를 당하여 국가 사연하시니, 소생 등이 또한 일배로 하정을 펴오미 당연하온지라. 어찌 과도히 일컬으시어 친애하시는 후의를 소(疏)히 하시나니까?"

부인이 더욱 감은칭사하니, 하승상이 자포금관(紫袍金冠)에 옥대(玉帶)를 돋우어 잔을 들고 나아오니, 선풍화모 늠름쇄락 하여 왕왕(旺旺)이 창해(蒼海)의 교룡(蛟龍)이오 아아히 운리(雲裏)에 나는 학(鶴)이라. 태부인이 잔을 받으며 희연이 두굿겨 후정(厚情)을 칭사하니 승상이 불감사사(不堪謝辭)하고 좌의 나아가니, 상서 한희린이 또 배작(杯酌)을 헌할 새, 수앙한 격조와 쇄락한 용화 태을군선(太乙君仙)이 하강함 같거늘, 자연한 귀격이 타일 당당이 천승(千乘)을 기필할지라. 부인이 잔을 받고 두굿겨 왈,

"우아는 광아가 기특이 만나 결의남매하고 현서는 희천으로 사제지도(師弟之道)를 일워 우리 동상이 되니, 실로 범연한 서랑과 달라 친손에 다름이 없더니, 이제 헌작의 수고를 사양치 않으니 더욱 감사하도다."

한상서 배사하고 물러나매 윤공이 웃음을 머금고 경아 등을 돌아보아 왈,

"여등이 비록 나이 숙렬 질부 등의 위나, 헌작에 다다라는 종부(宗婦)의 헌수(獻壽)가 앞설지라. 여등은 제부의 헌배(獻杯)를 기다려 뒤를 좇아라."

하승상 부인이 웃고 왈,

"소녀 등이 헌작을 폐하면 오히려 하정이 결흠(缺欠)하오려니와, 선후는 구태여 다투지 않아 최말(最末)의 하라 하셔도 명대로 하리이다."

윤공이 웃고 숙렬을 명하여, 진·남·화 삼비를 거느려 먼저 헌수하라 하니, 사비 차례로 헌수하나 구태여 어깨를 갈오지 않아 잠깐 선후

있게 헌작하니, 숙렬은 비컨대 추천명월이 만방에 광채를 흘리는 듯, 창해같이 깊음과 천지같이 너르미 사람으로 그 속을 엿보지 못할지라. 씩씩하고 어위차 여중군왕(女中君王)이로되, 그 가운데 온순비약(溫順卑弱)하여 진선진미(盡善盡美)하니 빙자아질(氷姿雅質)이 매양 보고 싶은지라. 남비의 숙뇨쇄락(淑窈灑落)함과 화비의 설부옥골(雪膚玉骨)이 각각 작교직녀(鵲橋織女)824)같아서, 인류의 특출할 뿐 아니라, 숙녀 사덕(四德)이 임강(姙姜)825) 마등(馬鄧)826)에 사양치 않을지라. 태부인이 사비의 잔을 받으매, 정·진 이비의 손을 잡고 각별이 전과를 뉘우쳐 넷일을 탄하고 당금 영화를 깃거 하나, 곳곳이 비회교집(悲懷交集)하여 명천 공의 보지 못함을 슬퍼 비루(悲淚) 옷깃을 적시고, 정비의 장자를 잃어 사생거처를 알지 못함을 참연하니, 왕과 비 아자의 연기를 헤아려 경사를 당하매 심장이 더욱 촌단하나, 존당의 비회를 관위하고 재배퇴좌(再拜退坐)하니, 하·장 이부인이 옥배를 받들어 태부인께 나올새, 하부인의 천향미질은 볼수록 기려하고 유한한 행사 당금제일(當今第一)이니 만일 정숙렬이 아니면 그 위에 오를 이 없을 바요, 장부인의 명쾌상낭(明快爽朗)함이 추천망월(秋天望月) 같으니, 태부인이 면면이 두굿기며 귀중하고, 한부인 우씨 일시에 어깨를 갈와 배작을 헌할 새, 석부인의 교용미질(嬌容美質)이 전주모습(專主母襲)827)하여, 아리따오미 연기 삼

---

824) 작교직녀(鵲橋織女) : 칠월칠석날 저녁에, 견우와 직녀를 만나게 하기 위하여 까마귀와 까치가 은하수에 놓는다는 오작교(烏鵲橋) 위에 있는 직녀(織女).
825) 임강(姙姜) : 중국 주(周) 문왕(文王)의 모친 태임(太姙)과 주(周) 선왕(宣王)의 비(妃) 강후(姜后)를 함께 이르는 말. 모두 어진 덕으로 유명하다.
826) 마등(馬鄧) : 중국 동한(東漢) 명제(明帝)의 후비 마후(馬后)와 동한(東漢) 화제(和帝)의 후비(后妃) 등후(鄧后)를 함께 이르는 말. 둘 다 후궁 가운데 덕이 높았다.
827) 전주모습(專主母襲) : 오로지 어머니의 모습만을 빼닮음.

십이 넘었으되 삼오(三五) 초춘(初春)828)을 묘시(藐視)하고 개과책선하
여 선도(善道)에 들었음을 알 것이오. 하부인의 선풍이질과 화월지풍이
덕기성인(德期聖人)829)하여 만고절염이거늘, 우씨 연아는 청아쇄락 하
고 온순자혜(溫順慈惠)하여 숙녀 제일좌를 점득(占得)하니, 천연한 법도
와 숙숙한 예모는 남자로 이를진대 공맹(孔孟)의 후를 이음직 하되, 천
생이 단묵 나즉하여 그 깊이를 탁량(度量)치 못함이, 상국 효문으로 더
불어 일반이라. 의열을 대두할 자는 정숙렬이로되, 의열은 봄 하늘의 아
지랑이 끼인 듯, 춘풍이 만물을 회생하는 조화 있고, 정비는 부상명월
(扶桑明月)830)이 동정(洞庭)831)에 솟아 만국에 광채를 흘리는 듯, 일쌍
숙녀로 막상막하(莫上莫下)하니, 태부인이 손녀의 잔을 잡고 경아의 숙
덕을 깃거하며, 윤비의 절효열행을 칭찬하고, 하부인 현아의 효행예절
을 칭복하며, 우씨의 성덕혜질을 애련하여 친손녀에 감치 않은지라. 사
인이 배사이퇴(拜謝而退)하매, 윤공이 또 잔을 들고 구파 슬전(膝前)의
나아가 잔을 드려 왈,

"자(子)가 일배주로 서모(庶母)께 정성을 펴나니 비록 기출 자녀 없으
나, 자의 잔을 받아 즐기시고 무익한 석사를 생각하여 비상(悲傷)치 마
소서."

구파 불승감은(不勝感恩)하여 황망이 잔을 받고, 눈물을 흘려 왈,

"상공의 대접하심을 볼 적마다 석사를 추모하여 지통(至痛)이 재심(再
甚)하고, 금일 영화부귀 전자로 비컨대 기약치 않은 바로되, 인욕이 무

---

828) 초춘(初春) : 초봄의 아름다운 풍경.
829) 덕기성인(德期聖人) : 덕(德)이 성인(聖人)의 경지에 이르기를 기약함.
830) 부상명월(扶桑明月) : 해가 뜨는 동쪽 바다 위에 떠오른 달.
831) 동정(洞庭) : 동정호(洞庭湖). 중국 호남성(湖南省) 북동부에 있는 호수. 상강
    (湘江), 자수(資水), 원강(沅江) 등이 흘러들어 가는 중국 최대의 호수이다.

상하여 심사 비황하더니, 상공이 미신을 태부인 버금으로 하시니, 첩이
손복할까 두리나이다."

공이 안색을 고쳐 왈,

"서모는 선군의 총행하시던 바로, 자(子) 등을 지극 무양(撫養)하시
니, 경중이 비록 다르나 자의 우러옵는 마음이 어찌 범연하리까. 백씨
생시에는 자위 봉양과 서모를 대접하심이 구태여 자의 염려 없어, 사곤
(舍昆)께 미뤄오다가, 선형(先兄)이 기세하심으로부터 자의 소탈함이 가
사를 살피노라 하여도 능히 뜻 같지 못하더니, 이제 내외사를 다 자질을
맡겨 봉사봉친과 서모봉양을 다 염려함이 없나이다."

구파 척연 손사하니, 공이 진왕 형제 부부와 의열 등 사인으로 구파에
게 헌작한 후, 비로소 조태비께 헌수함을 청하니, 조비 본디 일작불음
(一勺不飮)으로 지통이 흉억(胸臆)에 맺혀, 새로이 오내분붕(五內分崩)
하니, 실로 자녀의 잔을 받을 뜻이 없어 굳게 물리치되, 태부인이 권하
여 자녀의 정을 펴게 하라 하니, 조비 부득이 양자뉵부(兩子六婦)와 여
서(女壻)832)의 잔을 받고, 양 질녀의 잔을 받되 비(妃) 과도히 비통하
고, 위태부인이 크게 즐기지 않으니 윤공 부자 숙질이 슬픔을 서리담고
이성화기(怡聲和氣)로 양 태비를 위안하고, 어악으로 즐기심을 요구할
새, 청하(廳下)에 갑장833)을 두르고 부계를 널린 후, 이원(梨園)834) 제
재(諸才)835)를 드려 풍악을 주(奏)할 새, 용생봉관(龍笙鳳管)836)의 가

---

832) 양자육부(兩子六婦)와 여서(女壻) : 윤광천·희천 두 아들과 광천의 4처와 희
    천의 2처 및 딸 명아와 사위 정천흥을 말함.
833) 갑장 : 비단 장막.
834) 이원(梨園) ; ①중국 당나라 때, 현종이 몸소 배우(俳優)의 기술을 가르치던
    곳. ②장악원(掌樂院); 조선 시대에 음악에 관한 일을 맡아보던 관아로, 연산
    군 때 전악서를 고친 것이다.
835) 제재(諸才) : 모든 재인(才人).

성(歌聲)이 열렬(烈烈)하여 구소(九霄)에 어리고, 무수(舞袖)는 편편(翩翩)하여 추풍에 나부끼니, 초요월안(楚腰越顔)[837]에 홍상미아(紅裳美兒)의 교용묘질(嬌容妙質)이 기려묘묘(奇麗妙妙)커늘, 다 각각 재주를 비양(飛揚)하여 채수(彩袖) 분분(紛紛)하고 홍상(紅裳)이 날렵하니[838] 차경이 더욱 보암직하되 조비 만사 무렴(無念)하여 영화복경을 볼수록 석사(昔事)를 느끼니, 공이 진왕 등을 돌아보아 왈,

"내 현금(玄琴)[839]을 농(弄)하리니 너희 한 번 춤추어 자위(慈闈)와 수수(嫂嫂)의 웃으심을 돕사오라."

왕의 형제 무수(舞袖)의 흥이 없으나 조모와 모친 심회를 위로코자 배사수명 하매, 공이 금현(琴絃)[840]을 농하여 음률을 맞출 새, 진왕 곤계 천승의 위의와 일품 재상의 복색으로 의표(儀表)의 휘황함과 신장이 층등치 않아 용화 서로 방불하니, 홍금망룡포와 일품관면(一品冠冕)이 섞여 돌아 광수(廣袖) 편편(翩翩)하여 추풍에 나렬하니, 정히 공곡(空谷)에 나는 학이라. 징청(澄淸)한 안광과 수려한 용모 추수장강(秋水長江)에 사양(斜陽)이 비추는 듯, 무수의 신기함이 풍류화사(風流花士)의 노름을 다하여, 절차규구(規矩)에 합하여 진선진미(盡善盡美)하니, 제객이 제성갈채 하여 배반(杯盤)을 잊었더라.

---

836) 용생봉관(龍笙鳳管) : 용(龍)을 장식한 생황(笙簧)과 봉황(鳳凰)을 장식한 피리. *생황(笙簧); 아악(雅樂)에 쓰는 관악기의 하나. 큰 대로 판 통에 많은 죽관(竹管)을 돌려 세우고, 주전자 귀때 비슷한 부리로 불게 되어 있다. *피리; 속이 빈 대에 구멍을 뚫고 불어서 소리를 내는 악기를 통틀어 이르는 말.
837) 초요월안(楚腰越顔) : 중국 초나라 미인의 가는 허리와 월나라 미인의 아름답게 화장한 얼굴.
838) 날렵하다 : 매끈하게 맵시가 있다.
839) 현금(玄琴) : 거문고.
840) 금현(琴絃) : 거문고의 줄.

태부인은 웃는 입을 주리지 못하고, 조비는 슬픔이 가득하나 양자의 지성을 감동하여 눈물을 거두고 무수의 기이함을 바라볼 뿐이더니, 가장 오랜 후 무수를 그치고 좌에 드니, 태부인이 양손의 익힌 바 없이 무수의 기이함을 애중하더라.

윤공이 자질을 거느려 외헌에 나와 빈객을 접대할 새, 진왕이 상국으로 더불어 선인의 친우와 계부 붕배는 공경함을 극진히 하여 각각 잔을 들어 나오고, 그 중 작차가 낮은 이는 가장 불안하여 헌작의 수고로움을 일러 사양한데, 진왕이 잔을 들고 좌중(座中)에 고 왈,

"소생 형제는 천지 간 궁민(窮民)이라. 친안을 모르는 지통이 오내붕절(五內崩切)하고, 가엄의 명훈(明訓)을 받잡지 못하고 오직 사숙의 은양(恩養)을 받자올 뿐이니, 무지불식(無知不識)하여 무일가취(無一可取)거늘, 성은이 여천하시어 외람한 작직이 인신(人臣)에 과의(過矣)라. 박덕부재(薄德不才)로써 형은 천승의 거하고 아은 묘당 중임을 당하니, 숙야우구(夙夜憂懼)하여 여림박빙(如臨薄氷)이거늘, 사연하시는 은영을 인하여 황친국척과 만조공경이 누처(陋處)의 왕굴(枉屈)하시니 폐실의 광채 배증(倍增)함을 불승감사 하옵나니, 하물며 선친 붕우와 사숙의 친우는 소생으로 더불어 숙질지의로 다름이 없삽거늘, 이 불과 사친수연(私親壽宴)[841]에 위친(爲親)하는 연석(宴席)이요, 조당공회(朝堂公會) 아니니 작차를 의논할 바 아니요, 춘추다소(春秋多少)를 좇아 소생 등을 연소배로 대접하심이 옳거늘, 어찌 부운 같은 작위를 일컬어 불안하실 바이리까? 석년의 선인(先人)께 정의(情誼) 불범(不凡)하시던 바를 듣자와 각별한 하정(下情)이 무궁하니, 인세간(人世間) 가히 궁민이 아니리까?"

언파에 봉안에 누수여우(淚水如雨)하여 용포를 적시거늘, 승상이 금

---

841) 사친수연(私親壽宴) : 사삿사람의 어버이 수연.

관(金冠)을 숙여 말씀을 않으나 항루(行淚) 산산(潸潸)하니842) 만좌 빈
객이 추연개용(惆然改容)하여, 위하여 슬퍼 비풍(悲風)이 습습(濕濕)하
고843) 윤공이 추연하루(惆然下淚) 왈,

"여등이 참기를 많이 하나 어찌 이렇듯 통상하여 연석의 화기를 잃고
나의 마음을 더욱 비황(悲況)케 하느뇨?"

진왕 곤계 슬픔을 강인하여 개용사죄 하고, 인하여 선군의 친우와 계
부의 절친 붕우에게 헌배한 후, 진왕이 정공께 고 왈,

"소생이 악장께 한갓 구생지의(舅甥之義)844) 뿐 아니라, 선군과 관포
(管鮑)의 지음(知音)845)이시던 줄 알아, 의앙지성(依仰之誠)이 사숙 버
금으로 하옵나니, 금일 연석에 빈객이 다 부형을 모신 이 많으니, 소생
은 그 복됨을 부러워하나이다."

또 하공을 향하여 우러르는 뜻이 정공께 다름이 없음을 일컬어, 석사
를 감상하더라.

일모(日暮)하여 파연하매, 내외 빈객이 각귀기가(各歸其家)할 새, 촉롱
(燭籠)846)이 분분하여 어깨 부딪치고 인성(人聲)이 훤괄(喧聒)하여847)
소리 십리의 이었으니, 차일 장관(壯觀)은 천고에 처음이러라.

윤공이 촉을 이어 정·진·하·장 제공으로 즐기다가 상요의 나아가
니, 진왕 곤계 제인으로 더불어 한가지로 밤을 지내나 처연 비상(悲傷)
하여 잠을 이루지 못하더라.

---

842) 산산(潸潸)하다 : 눈물 따위가 줄줄 흐르다.
843) 습습(濕濕)하다 : 축축하다.
844) 구생지의(舅甥之義) : 장인과 사위 사이의 의리.
845) 관포(管鮑)의 지음(知音) : 관중(管仲)과 포숙(鮑叔)이 서로 마음이 통하는 친
      한 친구였음을 이르는 말. 관포지교(管鮑之交).
846) 촉롱(燭籠) : 촛불을 켜 드는, 긴 네모꼴의 채롱. 종이나 무명을 발라서 만든다.
847) 훤괄(喧聒)하다 : 떠들썩하다.

명일 윤공 부자 숙질이 상표하여 성은을 사례하니, 상이 인견(引見) 사주(賜酒)하시어 은영이 호호(浩浩)하시니, 공의 부자 숙질이 황은을 감골(感骨)하여 세세생생(世世生生)에 천은을 갚삽고자 하더라.

차시 정부에서 층층한 손아가 차례로 장성하니, 제왕의 장자 현기 십세에 금추에 등양(登揚)하고, 차자 운기 탐화(探花)의 참예할 뿐 아니라, 수천 군웅 가운데 의의히 무과 장원이 되니, 형제 양인이 구슬 꿰듯이 등양하여 풍채기질이 세대에 출인하니, 상총의 늉성하심과 백료의 애경함이 극하되, 제왕이 조모의 명으로 양자를 응과(應科)하나, 성만을 두려 기쁨을 알지 못하는지라.

현기는 윤비 소생이요, 운기는 이비 소생이니, 모비의 명쾌한 품도를 닮으나 행여도 그 박면추용(薄面醜容)을 닮지 않아, 전습부왕(專襲父王)하여 기골의 동탕(動蕩)함과 문장의 장진(長進)함이 탈속(脫俗)하니, 존당이 현·운 양아를 제손 중 더 사랑하고, 현기는 종장(宗長)의 중함을 가져 위인이 성현유풍으로 일가의 으뜸이라. 존당 부모 택부하는 염려 일시를 방심치 못하여, 동서로 숙녀를 구하더니, 동평장사 진양후 장운의 여를 취하니, 장씨 용모덕행이 인류에 특이하여 진정 천정가우(天定佳偶)라. 존당 구고 희출망외(喜出望外)하고, 제왕 부부 환희불승(歡喜不勝)이러라.

운기 이어 취실하니 경조윤 조현숙의 딸이니 윤비의 표종질(表從姪)이라. 조소저의 비상출류(出類)(非常出類)함이 장소저에게 내림이 없고, 총명지식이 신명하여 장씨에게 일배 승이라. 운기 처궁이 또한 부왕을 닮음이러라.

제왕이 사비와 문양으로 화락하여 십칠자 육녀를 생하고, 상현 등이 칠자 삼녀를 두니 적서 아울러 이십사자 구녀라. 윤비 오자 일녀요, 양비 삼자 이녀요, 니비 사자요, 경비 사자 이녀요, 문양이 일자 일녀요, 여아를 실리하여 지금 사생존망을 모르니, 공주 참연통절하나 하늘이 제왕의 덕화로써 그 여아를 공주 죄과로 차마 미천한 곳에 버림이 있으리오. 천의 그 팔자를 귀히 제도하신 고로, 하몽성과 연분이 중하매 기특히 상봉하여 부모를 찾으니, 이 설화 삼문자녀별녹(三門子女別錄)에 있는지라.

현기로부터 제왕의 자녀 하나도 용상(庸常)치 않아 충신효제지행(忠信孝悌之行)과 사군봉친지사(事君奉親之事)를 민멸키 아까운 고로, 시인(時人)이 다시 정문세대록(鄭門世代錄)을 이루매, 이미 보월빙(寶月聘)이 윤·하·정 삼문 설홴 고로, 윤씨삼세록(尹氏三世錄)과 하문난월빙(河門鸞月聘)을 아울러, 각각 수제(首題)를 없이 하여 다만 윤하정삼문취의록(尹河鄭三門聚錄)이라 하여 후세에 전하니라.

정운기 여러 처첩을 모으고 제왕을 본받으며 현기의 온중침묵(穩重沈黙)하며 수신섭행(修身攝行)은 공맹(孔孟)의 후를 잇되, 연분을 좇아 장씨 같은 숙녀가 있으나, 연·화 이인을 취하여 규내 화평하여 군자지덕을 가히 보리러라.

복야(僕射)[848] 태자소부(太子少傅) 죽현 선생 인흥은 부인 이씨에게 육자 일녀를 생하여 개개히 옥수신월(玉樹新月) 같고, 장자 천기 더욱 기특하여 백부 제왕을 많이 습(襲)[849]하여 성취하던 설화 별전(別傳)에 있고, 형부 상서 태학사 동월후 진국공 죽암 선생 세흥은 양부인께 오자이녀요, 소부인께 사자일녀요, 한 부인께 이자 삼녀를 생하니, 정실에

---

848) 복야(僕射) : 고려 시대에, 상서성에 속한 정이품 벼슬. 좌우 두 사람이 있었으며, 조선 시대의 의정부 참찬에 해당한다.
849) 습(襲)하다 : 닮다. 모방하다.

십일자 육녀요, 월하선 등 사창과 월앵이 다 자녀를 두니 적서 아울러 십오자 팔녀요, 상서령(尙書令)850) 태학사 죽은 선생 유흥은 부인 주씨에게 삼녀를 생하고 아들이 없으니 제왕의 제십사자를 계후하고, 참지정사(參知政事) 상태우 죽명 선생 필흥은 부인 두시에게 오자 삼녀니, 개개히 곤산미옥(崑山美玉)851)과 여수겸금(麗水兼金)852)이니, 존당 구고 고당의 안거(安居)하여 효자의 무궁한 효양(孝養)을 받고, 층층한 손아를 무양(撫養)하며, 제왕 곤계(昆季) 해를 연하여 아들을 입장(入丈)하며 딸을 취가(娶嫁)할 새, 정문 복경이 당세에 드믄 고로 숙녀명염의 며느리로 가도(家道)를 창(昌)하고 풍류준걸(風流俊傑)과 명인군자(明人君子)는 문난(門欄)의 광채를 이루니, 식부(媳婦) 서랑(婿郞)이 다 제후백자람(帝侯伯子男)의 자녀 아니면 왕공후백(王公侯伯)의 자녀라. 문미(門楣) 상당함과 친옹의 아름다움이 실로 하자(瑕疵)할 것이 없으되, 다만 진공의 장녀 숙염이 구몽숙의 며느리 되니, 죽암이 이로써 통해(痛駭)하되, 딸이 벌써 탕객의 눈에 든 바로 타문을 생각지 못하여 부득이 성친하나, 분만(憤懣)853)함이 흉격에 쌓인지라. 원래 몽숙지자가 정소저에게 칠년 장(長)이로되, 인연이 기구하여 월노(月老) 홍사(紅絲)를 그릇 맺으매 능히 벗어나지 못하는지라. 구창윤이 정소저를 보고 규방에 돌입하던 말과, 진공이 처음은 여아를 죽여 설분하거나 일생을 심규

---

850) 상서령(尙書令) : 고려 시대에 둔 상서도성의 으뜸 벼슬. 종일품이었다.

851) 곤산미옥(崑山美玉) : 곤산에서 나는 아름다운 옥. 곤산은 곤륜산(崑崙山)으로 중국 전설상의 산. 중국 서쪽에 있으며, 옥(玉)이 난다고 한다.

852) 여수겸금(麗水兼金) : 여수에서 나는 품질이 뛰어난 금. *여수(麗水); 중국 양자강(揚子江) 상류인 운남성(雲南省)의 금사강(金砂江)을 이름. 〈천자문〉'금생여수(金生麗水)'에서 말한 금(金)의 산지(産地)로 유명. *겸금(兼金); 품질이 뛰어나 값이 보통 금보다 갑절이 되는 좋은 황금.

853) 분만(憤懣) : 억울하고 원통한 마음이 가득함.

의 늙히려 하던 설화 별전(別傳)에 있어, 구창윤의 특이한 위인과 출류 (出類)한 호기, 그 암밀은사(暗密隱邪)한 아비로 비컨대 천지간은 앙망 이나 하거니와 크게 내도하더라.

차시 윤부에서 진왕이 잃은 아들을 찾으니, 벌써 십삼 세 되고 그 표 치풍광(標致風光)과 수신섭행(修身攝行)이 만고에 독보할 위인이니, 위・ 조 양 태비와 윤공 부부의 환희함은 이르지 말고, 진왕이 부안을 모르는 지통에 아자를 실리(失離)하여 심중에 은통(隱痛)이 되었으되, 존당 절 려(絶慮)를 돕사옵지 못하여, 외모 화열자약(和悅自若)하나 심장은 끊는 듯하던 바로써, 아자의 출천대효 부모 저를 찾기를 기다리지 않아, 제 스스로 찾아 돌아오는 행사(行事)와 용화(容華) 문한(文翰)의 기이함을 보매, 천륜(天倫)의 한(恨)이 없고, 종사중탁(宗嗣重託)이 근심 없음을 환행하여, 즉시 소가(蘇家)에서 지은 몽룡을 고쳐 성린이라 하고, 소공 의 은덕을 각골감은하여 구원(九原)의 결초(結草)를 기약하니, 성린이 만일 경사에 있을진대 어찌 십삼 세에 이르도록 부모를 찾지 못하였리 요마는, 소공의 계모 여씨 대악별물(大惡別物)로 전출(前出)[854] 부부를 원수같이 미워하여 죽이기를 도모하며, 성린을 소가에서 얻어 기른 지 일년이 못하여, 여씨 소공을 망측한 죄루의 몰아 넣어 북해 만리의 유찬 (流竄)하니, 소공이 계모의 뜻을 앎으로 자녀를 보전치 못할까 두려, 삼 자와 여아 봉난과 성린을 데리고 북해에 육칠년을 머물매, 여씨 공의 살 았음을 통한하여, 따라 내려가 죽이고자 하여 온 가지로 보채며, 몽룡의 비상함을 더욱 밉게 여겨 여러 번 죽이려 하되, 몽룡이 그 화를 벗어나 십세 찬 후는 부모를 찾으려 사해구주(四海九州)[855]를 다 돌아, 요행(僥

---

854) 전출(前出) : 전부인(前夫人)의 낳은 아들.

倖) 소공이 원억을 신설하여 이부상서(吏部尙書) 중임을 띠어 환경(還京)하니, 몽룡이 구주(九州)를 다 돌아 황성(皇城)에 가 부모를 찾고자, 소공을 좇아 상경하여, 부자가 기특히 상봉하여 성명을 안 후, 즉시 과갑을 응하여 의의히 장원랑(壯元郎)이 되고, 소씨 봉난을 취하나 여녀(呂女)의 간악으로 혼사에 작폐하매, 성례 후 이상이 해코자 하던 말이 또 별전(別傳)의 있어, 성린이 부모를 찾지 못하여 설워 하던 말이며, 여녀의 독악(毒惡)을 순순히 벗어난 총명신기와, 그 신세 괴롭고 슬프던 바가 문견자로 하여금 수루비상(垂淚悲傷)할 곳이 많던 바와, 소공 부부 지극히 사랑함이 친자와 같으나 여아의 가기(佳期)를 유의하매 마침내 부자로 칭하지 않던 설화가 후록(後錄)에 있음으로 이에 **빼**니라.

진왕이 아자를 찾아 천륜이 완전하고, 웅린 등의 옥수지란(玉樹芝蘭) 같음과 화월(花月) 같은 여아 층층이 자라, 남혼녀가(男婚女嫁)의 중첩한 경사(慶事)가 해를 연하며, 승상의 양자와 웅린 등이 또 등양하니, 윤·하·정 삼문 공자들이 책을 껴 배우기를 시작한즉 일취월장(日就月將)하는지라. 한 번 과장의 나아간즉 계지청삼(桂枝靑衫)으로 환가(還家)하니, 비록 그 재주에 달린 바나, 삼문 성만(盛滿)이 극하니, 각각 부형이 성만을 두려워하더라.

진왕이 정비에게 육자이녀요, 진비에게 사자일녀요, 남비에게 이자일녀요, 화비에게 사자니, 정실에게 십육자사녀요, 천산이 육자사녀니, 적서(嫡庶) 모두 이십이자구녀요, 승상은 하부인께 사자일녀요, 장부인께 삼자이녀니, 명천공 자손의 번성함이 공의 적덕과 진왕 곤계 정·진, 하·장의 출천대효를 천의(天意) 감동하시어 복록을 주심이라.

---

855) 사해구주(四海九州) : 온 세상 방방곡곡. *사해(四海); 사방(四方)의 바다로 둘러싸인 온 세상. *구주(九州); 중국 고대에 전국을 나눈 9개의 주.

왕의 곤계 수다한 자녀 중 일인도 불미한 위인이 없고, 부모여풍과 천생특용(天生特容)으로 명성군자(明聖君子) 아니면 풍류영걸(風流英傑)이요, 철부성녀(哲婦聖女) 아니면 요조명염(窈窕名艶)이라. 용모기질이 개개히 비상하되, 진왕의 장자 성린과 차자 웅린과 승상의 장자 창린과 차자 세린 사자 은린과 장녀 옥화가 형제 중 특출한지라. 아름다운 사적이 소설의 있느니라.

영능후 부인은 사녀를 낳고 만래(晩來)에 일자를 낳아 호일방탕 하여 기주호색(嗜酒好色) 함이 남달라, 제왕지녀 경비 소생 정씨를 취하여 초년의 기괴참난(奇怪慘難)을 겪던 설화가 또 소설(小說)에 있느니라.

하승상은 십자 사녀니, 윤부인께 오자이녀오 연씨에게 이자일녀오 경씨 삼자일녀니, 개개히 선풍옥골(仙風玉骨)이며 설부화용(雪膚花容)이 세대에 드므니, 기중 장자 몽성의 기이출범(奇異出凡)함이 만사 신기하여 천일지표(天日之表)와 용봉자질(龍鳳資質)이 천승(千乘)을 기필할 바이거늘, 총명지식과 영걸지풍이 귀신을 울리며, 하늘을 받들고 태산을 넘뛸 듯하더니, 연부인 질녀 연씨를 취하여 상모(相貌)의 험괴(險怪)함과 인물의 추비(麤鄙)함은 그 숙모에 세 번 더하거늘, 성행의 패악함과 거동의 포려함이 기숙(其叔)의 유 아니라,

공자 흉상박면(凶狀薄面)의 패악지인(悖惡之人)을 만나 심화 대발한 바에, 연 군주는 공자를 잡아 들여 수죄난타(數罪亂打)하고, 정실 박대함을 준책(峻責) 욕매(辱罵)하여 날마다 몽성을 죽일 듯이 벼르거늘, 염치 상진한 흉상은 숙모의 세를 끼고 가부를 즐욕하니, 생의 천성지효로 비록 연녀를 통한하나, 흐르는 듯 공순하여 흉패히 두드림을 당하여도 아픔을 잊고 온화히 사죄하니, 연씨 노분을 발한 때 사람이 저를 거스른즉, 노기를 억제치 못하여 죽으려 서둘며 무시(無時) 통곡을 어려워 않음으로, 생이 이를 근심하여 공순하나 배우의 불미함을 탄하여 심병이

날 듯하더니, 등과(登科) 후 서경 일도를 안찰하고 돌아오다가, 제왕지
녀 문양공주 소생을 춘낙(村落)에서 만나 잉첩(媵妾)856)으로 데려 와 부
친이 알가 두려 감춰두었다가, 연녀의 규찰(窺察)에 들춰나 연녀 친히
내달아 투기 작란이 망측하더니, 정숙성이 그 용화를 보고 자연 골육숙
질(骨肉叔姪)의 혈맥(血脈)이 유동(流動)하여 기특히 근본을 알아내니,
정씨 자기 몸이 금지옥엽(金枝玉葉)임을 몽리(夢裏)에나 생각하였으리
오. 초의 상한 채빈이 최형의 집에 가 강보(襁褓) 소아(小兒)를 사다가
그 처(妻)를 주고 빈은 즉시 죽으니, 방씨 제 딸로 칭하여, 능히 근본을
알 길 없으나 매양 심사 척연하여, 날이 오랠수록 즐기는 일이 없더니,
그 좌비에 '낭성' 두 자와 우비에 '월녀' 두 자며, 가슴에 생년월일과 '정
아' 두 자를 보고, 분명 공주의 여아임을 알아, 비로소 부녀 모녀 상봉
하고, 몽성이 육녜(六禮)로 맞았더니, 흉인의 작난이 무궁하고 좌우 불
인(不仁)하여 정씨 일장화란을 다시 지낸 후, 비로소 몽성의 원비 직첩
을 천자 주시고, 흉상이 조사(早死)하매 정씨 한없는 부귀를 누리니라.

어사 원상이 작위(爵位) 경상(卿相)에 이르고, 임씨에게 사자 이녀를
두어 단산(丹山)857)의 봉조(鳳鳥)와 추천계수(秋天桂樹)같이 아름답되,
하가를 자주 요란케 할 우두나찰(牛頭羅刹)858)과 흑살천신(黑煞天神)859)
이 없지 않음으로, 애랑이 목 태부인을 보채여 하가의 다시 입승(入承)하
여 임씨의 자녀를 못 견디게 보채던 설화 후록(後錄)에 있느니라.

---

856) 잉첩(媵妾) : 예전에, 귀인에게 시집가는 여인이 데리고 가던 시첩(侍妾). 신부
의 질녀와 여동생으로 충당하였다.
857) 단산(丹山) : 중국 복건성(福建省) 북부(北部) 무이산(武夷山) 안에 있는 산 이
름. 벽수단산(碧水丹山)의 수려한 경치로 유명하다.
858) 우두나찰(牛頭羅刹) : 쇠머리 모양을 한 악한 귀신.
859) 흑살천신(黑煞天神) : 검은 살기를 띤 흉한 모습의 귀신.

태중태우 원창이 번국 흉노를 쳐 대공을 이루고, 벼슬이 영태사(領太史) 북백후(北伯侯)를 봉하여 일품(一品)에 거하고, 정·양·위 삼 부인께 십이자 오녀를 두니, 정부인에게 오자 일녀요, 양부인께 삼자 삼녀요, 위부인께 사자 일녀니, 원창의 출장입상 하던 말과 자녀의 아름다운 설화 별전(別傳)에 해비(賅備)860)하고, 칠창이 각각 골육을 끼쳐 서자 오인과 서녀 삼인이 있더라.

예부 상서 원필이 진부인께 이자 일녀를 생하니라.

오호(嗚呼)라861)! 차전(此傳)을 이룸은, 명천공 윤선생의 충의지절(忠義之節)을 기록하며, 위국단충(爲國丹忠)이 긴 명을 지레 끊어 당당한 충렬이 고금에 희한하되, 절차겸퇴(切磋謙退) 한 뜻이 사책(史冊)에 이름 오름을 원치 않아, 유표에 자기 이름 빼심을 간청하였으매, 진종 황제 그 뜻을 따르시어, 사기(史記)에 윤현을 올리지 않으시나, 그 충렬(忠烈)과 수신선행(修身善行)을 초목과 같이 스러져 없어질 바를 개연차석(慨然嗟惜)하여, 일대문인(一代文人) 태학사 포경과 직학사 조원으로 윤부일기(尹府日記)를 살펴 윤명천의 사적선행(事績善行)을 민멸치 말라 하심으로, 포경은 포증(包拯)862)의 자오, 조원은 조보(趙普)863)의 손이

---

860) 해비(賅備) : 갖추어진 것이 넉넉함. 자세함.

861) 오호(嗚呼)라 : 슬프다. 슬플 때나 탄식할 때 내는 소리.

862) 포증(包拯) : 999-1062. 중국 북송 인종(仁宗)때의 정치가. 청백리(淸白吏). 자 희인(希仁). 호 청천(靑天). 시(諡) 효숙(孝肅). 개봉부지부(開封府知府)·추밀부사(樞密副使) 등을 역임했다, 관료로서 부패척결과 공평무사한 법집행에 힘썼고 명판결(名判決)과 청백리(淸白吏)로 칭송을 받았다. 저서에 『포증집(包拯集)』『포효숙주상의(包孝肅奏商議)』가 있다.

863) 조보(趙普) : 922-992. 중국 북송 건국기의 정치가. 자 칙평(則平). 송 태조 조광윤(趙匡胤)의 막료가 되어 황제 추대에 중심인물로 활약했다. 그 공로로 우간의대부(右諫議大夫)가 되고 추밀사(樞密使) 등을 거쳐 재상(宰相)에 올랐다.

라, 윤부 일기를 보아 하·정 양부로 정의(情誼) 골육 같으며, 명천공이
남강에 선유하다가 명주(明珠)를 얻고 정·하 양공은 보월(寶月)을 얻어
아들의 빙물을 삼아, 윤·하·정 삼문 자녀를 바꾸어 연친지의(連親之
義)864) 자별(自別)함은 이르지 말고, 정공이 금국에 가 안율도를 베어
대국 위엄을 잃지 않음과 하공의 직언충심으로 초왕과 김탁의 해를 받
아 삼자(三子)를 참망(慘亡)하니, 정·윤 양공이 일가동기(一家同氣)같
이 구하던 의기현심(義氣賢心)으로, 윤부 설화를 시작하매, 하·정 양부
설화가 자연 한가지로 들 뿐 아니라, 평제왕 정죽청 곤계와 좌승상 하학
성 곤계 사적(事績)을 한가지로 올리고, 수제(首題)를 명주보월빙(明珠
寶月聘)이라 하시므로, 포·조 양학사 삼부 일기를 살펴 공공지논(公公
之論)으로 전서(全書)를 지으니, 일분 희미한 바 없으되, 오히려 윤청문
정죽청의 출장파적(出將破敵)하던 설화는 십분지일(十分之一)을 올리지
못 한지라. 다만 청문 형제의 초년 궁액(窮厄) 변괴(變怪)며 출천지효
(出天之孝)를 기록하고, 평제왕의 아시로부터 사람 구활하던 의기현심
(義氣賢心)과 출인지행(出人之行)을 베풀며, 하승상의 위인을 세상 사람
이 소연히 알게 함이라.

　학룡선생 원상과 후암 선생 원창과 지남 선생 원필은 원경·원보·원
상의 환세한 바로, 그 부모께 지효(至孝)함이 되니, 초(初)의 그 비명원
사(非命冤死)함을 천도 슬피 여기사 다시 세상에 환생(還生)케 하심이
라. 일로 볼진대 천의(天意) 살피시미 어찌 명명치 않으리오.

　부인 여자 정숙렬 윤의열 같은 이는 천대(千代)의 희한하거니와, 양·
이·경 등과 하부 윤·임·정이 일대(一代)의 쳘부명염(哲婦名艶)이요,

　문치주의적인 지배체제 구축으로 건국 초 국가기틀을 세우는데 공헌하였다.
864) 연친지의(連親之義) : 연달아 겹겹이 맺은 인친(姻親)의 의리.

윤부 하·장 등이 임사지덕(姙似之德)과 이비(二妃)865)의 정결(貞潔)함
을 겸하여, 진효부(陳孝婦)866)를 압두하는 성효(誠孝) 있으되, 다 각각
초년 풍상변고를 경력하니, 위태부인과 유부인의 궁흉극악이 만고무쌍
하여, 청문 형제 부부를 해할 뿐 아니라, 스스로 자기를 해(害)함이니,
유부인의 총민(聰敏)함으로써 처음 회과책선(悔過責善)치 못함은, 진왕
형제의 지효를 빛낼 시절이라. 이 또 천수(天數)의 정함이니, 인력(人
力)으로 면하리오.

정부 순태부인과 정공 부부며 하공 부부와 윤부 위태부인과 조태비며
호람후 부부 각각 영복을 누려, 효자현부(孝子賢婦)의 영효를 받고, 수
한(壽限)이 장원(長遠)하여 증현손(曾玄孫)867)의 입장(入丈) 등과(登科)
까지 보고 기세하던 설화 후록(後錄)에 있느니라.

865) 이비(二妃) : 중국 순(舜)임금의 두 왕비이자 요(堯)임금의 두 딸인 아황(娥皇)
과 여영(女英).
866) 진효부(陳孝婦) : 한(漢)나라 때 진현(陳縣)의 효부. 남편이 변방에 수자리 살
러 나가 죽자, 남편과의 약속을 지켜 일생 개가하지 않고 시어머니를 성효로
섬겼다. 『소학』〈제6 선행편〉에 나온다.
867) 증현손(曾玄孫) : 증손(曾孫)과 현손(玄孫)을 아울러 이른 말.

최길용

문학박사
전북대학교 겸임교수
전북대학교 인문학연구소 전임연구원

● 논 문
〈연작형고소설연구〉외 50여편

● 저 서
『조선조연작소설연구』등 13종

현대어본 명주보월빙 10

초판 인쇄 2014년 4월 20일
초판 발행 2014년 4월 30일

역   주| 최길용
펴 낸 이| 하운근
펴 낸 곳| 學古房

주   소| 서울시 은평구 대조동 213-5 우편번호 122-843
전   화| (02)353-9907 편집부(02)353-9908
팩   스| (02)386-8308
홈페이지| http://hakgobang.co.kr/
전자우편| hakgobang@naver.com,   hakgobang@chol.com
등록번호| 제311-1994-000001호

ISBN   978-89-6071-393-2 94810
        978-89-6071-383-3 (세트)

값 : 18,000원

이 도서의 국립중앙도서관 출판시도서목록(CIP)은 서지정보유통지원시스템 홈페이지
(http://seoji.nl.go.kr)와 국가자료공동목록시스템(http://www.nl.go.kr/kolisnet)에서 이용하실 수
있습니다.(CIP제어번호: CIP2014014241)

■ 파본은 교환해 드립니다.